Le roman du mariage

JEFFREY EUGENIDES

Le roman du mariage

Traduit de l'anglais (États-Unis)
par Olivier Deparis

ÉDITIONS DE L'OLIVIER

L'édition originale de cet ouvrage
a paru chez Farrar, Straus and Giroux en 2011,
sous le titre : *The Marriage Plot.*

ISBN 978.2.87929.986.0

Pour les colocs,
Stevie et Moo Moo

Il y a des gens qui n'auraient jamais été amoureux
s'ils n'avaient jamais entendu parler de l'amour.

François de La Rochefoucauld

And you may ask yourself, Well, how did I get here ?
(…)
And you may tell yourself,
This is not my beautiful house.
And you may tell yourself,
This is not my beautiful wife.

Talking Heads

UN FOU AMOUREUX

Voyons d'abord les livres. Il y avait là ses romans d'Edith Wharton, rangés non pas par ordre alphabétique mais par date de publication ; là, les œuvres complètes d'Henry James chez Modern Library, un cadeau de son père pour son vingt et unième anniversaire ; là, les poche écornés des œuvres étudiées en cours, beaucoup de Dickens, un soupçon de Trollope, de copieuses portions d'Austen, de George Eliot et des redoutables sœurs Brontë. Là, les New Directions aux couvertures souples noir et blanc, essentiellement de la poésie, des auteurs comme H. D. ou Denise Levertov. Là, les Colette savourés secrètement. Là, le *Couples* de sa mère, la première édition, que Madeleine avait parcouru en cachette à l'âge de onze ans et où elle trouvait aujourd'hui de quoi étayer son mémoire sur le roman matrimonial. Bref, une bibliothèque bien fournie quoique encore transportable, qui rassemblait à peu près tout ce que Madeleine avait lu à l'université, un ensemble de textes à première vue choisis au hasard mais dont le fil conducteur se dessinait peu à peu, comme ces tests de personnalité dans les magazines féminins, ceux auxquels, lasse de chercher à deviner le sens caché des questions, on finissait par se résoudre à répondre honnêtement avant d'attendre le résultat. Et alors que, prête à s'accommoder de « Sensible », redoutant « Narcissique » et « Pantouflarde », on espérait se voir qualifiée d'« Artiste » ou de « Passionnée », on écopait de cette étiquette en demi-teinte, différemment connotée suivant le jour, l'heure ou son petit ami du moment : « Incurable romantique ».

Tels étaient les livres présents dans la chambre où Madeleine était couchée, la tête enfouie sous un oreiller, le matin de la remise des diplômes. Elle avait lu chacun d'entre eux, souvent à plusieurs reprises et en soulignant certains passages, mais, dans l'immédiat, ils ne lui étaient d'aucun secours. Madeleine s'efforçait d'oublier la chambre et son contenu. Elle cherchait à retrouver la sécurité du néant où elle était restée retranchée ces trois dernières heures. Tout autre niveau supérieur de conscience l'obligerait à affronter certaines réalités désagréables, comme la quantité et les formes variées d'alcool qu'elle avait absorbées la veille, ou le fait qu'elle avait dormi avec ses lentilles. De là, elle en viendrait inévitablement à se pencher sur les raisons qui l'avaient poussée à boire autant au départ, et ça, elle n'en avait vraiment pas envie. Aussi, repositionnant son oreiller pour se cacher de la lumière du petit matin, Madeleine tenta-t-elle de se rendormir.

Mais c'était peine perdue. Car à cet instant même, à l'autre bout de l'appartement, l'interphone se mit à sonner.

Début juin, Providence, Rhode Island. Le soleil, levé depuis déjà près de deux heures, éclairait la baie pâle et les cheminées de la centrale de Narragansett Electric, pareil à celui du blason de Brown University présent sur tous les fanions et banderoles pavoisant le campus, un soleil au visage clairvoyant, symbole de la connaissance. Mais ce soleil-ci – celui qui brillait sur Providence – faisait mieux que son double métaphorique, car les fondateurs de l'université, soucieux, dans leur pessimisme baptiste, de souligner que l'espèce humaine ne s'était pas totalement défaite de l'ignorance, avaient choisi de représenter la lumière de la connaissance enchapeautée d'épais nuages, alors que le vrai soleil commençait à transpercer ceux qui le voilaient, laissant espérer aux escouades de parents trempés et frigorifiés depuis le début du week-end que ces intempéries hors de saison épargneraient les festivités de la journée. Fragmenté en faisceaux, il illuminait tout College Hill : les jardins géométriques et les plates-bandes parfumées par les magnolias des maisons géorgiennes et victoriennes, les trottoirs de brique longeant les grilles de fer forgé dignes d'une BD de Charles Addams ou d'une nouvelle de Lovecraft, les ateliers de la Rhode Island School of Design – où un étudiant en peinture, resté éveillé toute la nuit pour travailler, écoutait Patti Smith à fond –, les instruments (respectivement un tuba et une trompette) des deux membres de la fanfare de Brown qui, arrivés en avance au point de ralliement, jetaient autour d'eux des regards inquiets, se demandant où étaient les autres, les pavés des petites rues qui descendaient vers le fleuve pollué ; il faisait briller chaque poignée de porte dorée, chaque aile d'insecte, chaque brin d'herbe. Et, de concert avec ce soudain afflux de lumière, comme le coup de feu d'un starter, l'interphone de l'appartement du troisième étage qu'habitait Madeleine se mit à sonner, bruyamment et avec insistance.

Elle le ressentit plus qu'elle ne l'entendit, une vibration qui lui parcourut la colonne vertébrale, une décharge électrique. D'un seul geste, Madeleine arracha l'oreiller de sa tête et s'assit dans son lit. Elle savait très bien qui était en bas : ses parents. Elle avait consenti à ce qu'Alton et Phyllida la rejoignent à sept heures et demie pour aller prendre le petit-déjeuner. Le rendez-vous avait été fixé deux mois auparavant, en avril, et à présent ils étaient là, à l'heure prévue, toujours ponctuels et pleins d'entrain. Qu'Alton et Phyllida soient venus du New Jersey pour assister à la remise des diplômes, qu'ils aient fait le déplacement pour célébrer la réussite de leur fille mais aussi la leur en tant que parents, n'était en soi ni critiquable ni surprenant. Le problème était que Madeleine, pour la première fois de sa vie, ne voulait pas être associée à tout ça. Elle n'était pas fière d'elle et n'avait pas l'esprit à la fête. Elle ne croyait plus en ce que cette journée représentait.

Elle envisagea de ne pas répondre. Mais elle savait que, si elle ne répondait pas, une de ses colocataires le ferait, et elle devrait alors expliquer où elle avait disparu la nuit dernière, et avec qui. Madeleine se glissa donc hors du lit et se leva à contrecœur.

Les premières secondes à la verticale se passèrent bien. Sa tête lui semblait étonnamment légère, comme évidée. Puis, tandis que le sang en refluait tel le sable à l'intérieur d'un sablier, un goulet d'étranglement se forma et une explosion de douleur l'assaillit à l'arrière du crâne.

Au milieu de ce déchaînement, comme si elle en était le cœur furieux, la sonnerie de l'interphone retentit à nouveau.

Madeleine sortit de sa chambre, se traîna jusqu'au boîtier dans le couloir et appuya brusquement sur PARLER pour faire taire le bruit.

— Oui ?

— Eh bien ? Tu n'as pas entendu l'interphone ?

C'était la voix d'Alton, aussi grave et autoritaire que d'habitude, bien que sortant d'un haut-parleur minuscule.

— Désolée, dit Madeleine. J'étais sous la douche.

— Ben voyons. Tu nous ouvres, s'il te plaît ?

Il n'en était pas question. Pas sans avoir fait un brin de toilette.

— Je descends, dit Madeleine.

Cette fois, elle maintint le bouton enfoncé suffisamment longtemps pour couvrir la réponse d'Alton. Puis elle rappuya et dit : « Papa ? » mais Alton devait parler lui aussi à ce moment-là car, lorsqu'elle appuya sur ÉCOUTER, elle n'entendit que le grésillement des parasites.

Ce temps mort permit à Madeleine de coller son front au chambranle de la porte. La sensation du bois frais était agréable. Elle vit là un remède possible à sa gueule de bois, et l'idée lui vint que, en restant comme ça toute la journée, tout en trouvant le moyen de quitter l'appartement, elle réussirait peut-être à affronter ce petit-déjeuner avec ses parents, à défiler avec ses camarades de promotion et à aller chercher son diplôme.

Elle se redressa et appuya à nouveau sur PARLER.

– Papa ?

Mais ce fut la voix de Phyllida qui répondit.

– Maddy ? Qu'est-ce qui se passe ? Ouvre-nous.

– Mes colocataires dorment encore. Je descends. Arrêtez de sonner.

– Nous voulons voir ton appartement !

– Pas maintenant. J'arrive. Ne sonnez plus.

Elle écarta sa main du boîtier et recula en fixant le haut-parleur d'un regard menaçant, comme pour lui interdire d'émettre un son. Obéie, elle repartit en direction de la salle de bains. Elle était à mi-chemin quand Abby, une de ses colocataires, sortit dans le couloir, lui bloquant le passage. Elle bâilla, passa une main dans sa volumineuse chevelure, puis, en apercevant Madeleine, eut un sourire entendu.

– Alors, tu étais passée où, cette nuit ?

– Mes parents sont là, dit Madeleine. Ils m'attendent pour le petit-déjeuner.

– Allez, raconte.

– Il n'y a rien à raconter. Je suis en retard.

– Comment ça se fait que tu sois habillée comme hier, alors ?

Au lieu de répondre, Madeleine baissa les yeux pour se regarder. Dix heures plus tôt, quand elle avait emprunté cette robe noire Betsey Johnson à Olivia, elle avait trouvé qu'elle lui allait bien. Mais, à présent, le tissu était chaud et collant, la grosse ceinture en cuir avait l'air d'une entrave SM, et il y avait une tache près de l'ourlet dont elle ne tenait pas à connaître l'origine.

Abby, entre-temps, avait frappé à la porte d'Olivia et était entrée dans sa chambre.

– Je crois que Maddy est remise de son chagrin d'amour, annonça-t-elle. Debout ! Il faut que tu voies ça.

L'accès à la salle de bains était libre. Madeleine avait un besoin immodéré, presque médical, de prendre une douche. Il fallait au moins qu'elle se lave les dents. Mais elle entendait à présent la voix d'Olivia. Bientôt, elle serait soumise aux questions de ses deux colocataires. Ses parents risquaient de resonner à tout instant. Aussi discrètement que possible, elle fit demi-tour. Elle enfila à la volée une paire de mocassins laissés près de la porte d'entrée, écrasant les contreforts alors qu'elle tentait de garder l'équilibre, et s'enfuit dans le couloir extérieur.

L'ascenseur attendait au bout du long tapis fleuri. Il attendait, comprit Madeleine, parce qu'elle avait négligé de refermer la grille coulissante en sortant de la cabine, ivre, quelques heures plus tôt. Elle la poussa cette fois-ci à fond jusqu'à sa butée et pressa le bouton du rez-de-chaussée ; avec une secousse, l'appareil antédiluvien amorça sa descente à travers les entrailles enténébrées de l'immeuble.

L'immeuble de Madeleine, un bâtiment néoroman ayant pour nom le Narragansett et dominant la pente de Church Street à son intersection avec Benefit Street, datait de la fin du XIXe siècle. Parmi les vestiges de l'époque – le vitrail au plafond, les appliques de cuivre aux murs, le hall de marbre –, il y avait l'ascenseur. Ses courbes métalliques lui donnaient des allures de cage à oiseaux géante. Par miracle, il fonctionnait encore, mais il était très lent, et Madeleine mit à profit le temps de la descente pour se rendre plus présentable. Elle se coiffa avec ses doigts, frotta son index sur ses dents de devant, ôta des miettes de mascara de ses yeux et se passa la langue sur les lèvres. Enfin, en franchissant la balustrade du premier palier, elle se regarda dans la petite glace au fond de la cabine.

Un des avantages quand on avait vingt-deux ans, ou qu'on s'appelait Madeleine Hanna, était que trois semaines de souffrance amoureuse suivies d'une nuit de beuverie n'occasionnaient guère de dégâts notables. Excepté ses yeux un peu bouffis, Madeleine restait la même jolie brune qu'elle était d'ordinaire. La symétrie de ses traits – son nez droit, ses pommettes et sa mâchoire à la Katharine Hepburn – était d'une précision quasi mathématique. Seul le léger pli sur son front laissait percevoir le soupçon d'anxiété qui, selon Madeleine, faisait partie intégrante de sa personnalité.

Ses parents apparurent en bas, coincés entre la porte du hall et celle qui donnait sur la rue. Alton portait une veste en crépon de coton et Phyllida un tailleur bleu marine avec un sac à boucle dorée assorti. L'espace d'un instant, Madeleine fut tentée d'arrêter l'ascenseur et de les laisser plantés là, prisonniers de cet espace de libre expression estudiantine – avec, pêle-mêle sur les murs, les affiches de groupes new wave aux noms tels que les Wretched Misery ou les Clits, les dessins pornographiques à la Egon Schiele de l'étudiant en art du premier, tous ces tracts tapageurs qui, implicitement, proclamaient que les saines valeurs patriotiques de la génération précédente avaient rejoint le tas de cendre de l'histoire, remplacées par une sensibilité post-punk nihiliste que Madeleine se plaisait à feindre de comprendre pour scandaliser ses parents –, mais elle descendit malgré tout jusqu'au rez-de-chaussée, tira la grille et sortit pour aller leur ouvrir.

Alton fut le premier à entrer.

– La voilà ! s'exclama-t-il avec ferveur. Notre lauréate !

Tel un joueur de tennis montant au filet, il s'élança vers elle pour la prendre dans ses bras. Madeleine se raidit, craignant de sentir l'alcool ou, pire, le sexe.

– Je ne comprends pas pourquoi tu ne veux pas nous montrer ton appartement, dit Phyllida en s'approchant à son tour. Je me faisais une fête de rencontrer Abby et Olivia. J'espère que nous pourrons les inviter à dîner ce soir.

– Nous ne restons pas dîner, lui rappela Alton.

– Eh bien, on pourrait. Tout dépend du programme de Maddy.

– Non, ce n'est pas ce qui est prévu. Ce qui est prévu, c'est de prendre le petit-déjeuner avec Maddy et de repartir après la cérémonie.

– Ton père et ses plans, dit Phyllida à Madeleine. Tu comptes porter cette robe pour la cérémonie ?

– Je ne sais pas.

– Je ne m'habitue pas à ces épaulettes que portent toutes les jeunes femmes aujourd'hui. Ça fait tellement masculin.

– Je l'ai empruntée à Olivia.

– Tu n'as pas l'air très fraîche, ce matin, Mad, dit Alton. Grosse fiesta, hier soir ?

– Pas vraiment.

– Tu n'as rien à toi à te mettre ? demanda Phyllida.

– Je serai en toge, maman, répondit Madeleine, qui, afin de prévenir une inspection plus poussée, passa devant eux pour traverser le sas d'entrée.

Dehors, le soleil avait perdu son combat contre les nuages et avait disparu. Le sale temps du week-end revenait. Le bal des diplômés, le vendredi soir, n'avait pratiquement pas pu avoir lieu à cause des intempéries. Quant à la célébration religieuse du dimanche, elle s'était déroulée sous une bruine incessante. En ce lundi, il ne pleuvait toujours pas, mais il faisait une température plus proche d'une Saint-Patrick que d'un Memorial Day[1].

En attendant que ses parents la rejoignent sur le trottoir, Madeleine songea à la veille et se dit qu'elle n'avait pas « couché », pas vraiment. Ça la consola un peu.

– Ta sœur t'envoie ses regrets, dit Phyllida en sortant de l'immeuble. Elle doit emmener Richard Cœur de Lion passer une échographie aujourd'hui.

---

1. Jour des morts au champ d'honneur (dernier lundi de mai). (*Toutes les notes sont du traducteur.*)

Richard Cœur de Lion était le neveu de Madeleine. Il était âgé de neuf semaines. Le reste de la famille l'appelait simplement Richard.

– Qu'est-ce qu'il a ?

– Un de ses reins serait anormalement petit, d'après ce que j'ai compris. Les médecins veulent surveiller ça. Personnellement, je trouve que toutes ces échographies n'apportent rien d'autre que des sources d'inquiétude.

– À propos, dit Alton, je dois m'en faire faire une du genou.

Phyllida ne lui prêta pas attention.

– Bref, Allie est *terriblement* déçue de rater ce grand jour. Tout comme Blake. Mais ils espèrent que ton petit ami et toi passerez les voir cet été, en allant au cap.

Il fallait rester vigilant avec Phyllida. Elle était là, à soi-disant se préoccuper de l'anomalie rénale de Richard Cœur de Lion, et se débrouillait déjà pour amener la conversation sur le nouveau copain de Madeleine, Leonard (qu'elle et Alton ne connaissaient pas encore), et sur Cape Cod (où Madeleine avait annoncé projeter de s'installer avec lui). Un autre jour, ses facultés intellectuelles intactes, Madeleine aurait été capable de conserver un temps d'avance sur Phyllida, mais ce matin-là elle était contrainte à la passivité.

Heureusement, Alton changea de sujet :

– Bon, alors, une adresse à recommander pour le petit-déjeuner ?

Madeleine se tourna et porta un regard vague au loin dans Benefit Street.

– Il y a un café par là.

Elle commença à avancer tant bien que mal sur le trottoir. Marcher – bouger – semblait une bonne idée. L'un derrière l'autre, ils longèrent une rangée de maisons pittoresques et bien entretenues portant des plaques historiques, parmi lesquelles une grande bâtisse avec des chiens-assis. Providence était une ville corrompue, rongée par le crime et contrôlée par la mafia, mais, sur les pentes de College Hill, on avait peine à l'imaginer. En bas, dans la grisaille, on apercevait vaguement le centre-ville et les usines textiles désaffectées ou en passe de l'être. Ici, les rues étroites, pour beaucoup pavées, grimpaient le long des hôtels particuliers ou serpentaient autour des cimetières puritains hérissés de pierres tombales aussi étroites que les portes du paradis, des rues qui s'appelaient Prospect, Benevolent, Hope ou Meeting, toutes rejoignant le campus arboré au sommet. L'élévation physique du lieu évoquait une élévation intellectuelle.

– Quel charme, ces trottoirs d'ardoise, s'extasia Phyllida derrière Madeleine. Nous aussi, nous en avions dans notre rue. Ça a quand même une autre allure. La municipalité les a fait remplacer par du béton.

– Et on nous a envoyé la facture, en plus, souligna Alton, qui fermait la marche.

Il boitait légèrement. La jambe droite de son pantalon anthracite était gonflée par la genouillère qu'il portait sur et en dehors des courts de tennis. Depuis douze ans, Alton était le champion de son club dans sa catégorie, un de ces types d'un certain âge qui, un bandeau en éponge autour de leur crâne dégarni, coupaient leur coup droit d'un petit geste sec et jouaient avec une lueur assassine dans le regard. Madeleine n'avait jamais réussi à battre Alton. C'était d'autant plus frustrant que, aujourd'hui, elle était meilleure que lui. Mais chaque fois qu'elle lui prenait un set il commençait ses intimidations, lui faisait des coups bas, discutait les points, et elle perdait ses moyens. Madeleine craignait qu'il n'y ait là quelque chose de symptomatique, qu'elle soit destinée toute sa vie à s'incliner devant des hommes moins compétents qu'elle. Écrasée par la signification personnelle démesurée que revêtaient ses matchs contre Alton, elle se crispait chaque fois qu'elle l'affrontait, avec les résultats que cela implique. Et Alton continuait de jubiler à chaque victoire, tout frétillant, rose de fierté, comme s'il l'avait emporté sur elle grâce à son seul talent.

À l'angle de Waterman Street, ils passèrent derrière le clocher blanc de la First Baptist Church. Pour retransmettre la cérémonie, on avait installé des enceintes sur la pelouse. Un homme en nœud papillon, le genre chef de la scolarité, inspectait un essaim de ballons attaché à la clôture en tirant sur une cigarette d'un air tendu.

Venue à la hauteur de Madeleine, Phyllida la tenait à présent par le bras pour négocier les dalles inégales, relevées par les racines des platanes noueux bordant le trottoir. Petite fille, Madeleine trouvait sa mère belle, mais elle était loin, cette époque-là. Avec les années le visage de Phyllida s'était alourdi ; ses joues commençaient à pendre comme celles d'un chameau. Ses tenues très classiques – des tenues de dame patronnesse ou de femme d'ambassadeur – avaient tendance à cacher sa silhouette. C'était dans sa chevelure que résidait la force de Phyllida. Coûteusement arrangée en un dôme parfaitement lisse, comme un auvent protégeant la scène où se jouait depuis longtemps le même spectacle, celui de son visage. Aussi loin que remontaient les souvenirs de Madeleine, Phyllida n'avait jamais été prise au dépourvu par une situation ou gênée par une question d'étiquette. Avec ses amis, Madeleine aimait se moquer du côté guindé de sa mère, mais elle se surprenait souvent à comparer défavorablement les manières des gens à celles de Phyllida.

Et dans l'expression avec laquelle elle regardait Madeleine à présent, Phyllida était une fois de plus en parfait accord avec les circonstances : émerveillée par l'apparat déployé, impatiente de poser des questions intelligentes aux professeurs de sa fille qu'elle rencontrerait, ou d'échanger des amabilités avec d'autres parents. Bref, d'une disponibilité totale et en phase avec le décorum social et universitaire, ce qui exacerbait le sentiment de Madeleine d'être déphasée, pour cette journée et toutes celles à venir.

Elle s'élança néanmoins sur la chaussée de Waterman Street

pour en gagner l'autre côté, puis gravit les marches de la Carr House, en quête d'un refuge et de café.

L'établissement venait d'ouvrir. Le serveur derrière le comptoir, qui portait des lunettes à la Elvis Costello, était en train de rincer la machine à expressos. Assise à une table contre le mur, une fille aux cheveux roses dressés sur la tête lisait *Les Villes invisibles* en fumant une cigarette au clou de girofle. « Tainted Love » s'échappait d'une radiocassette posée sur le réfrigérateur.

Phyllida, son sac serré d'un air protecteur contre sa poitrine, s'était arrêtée pour examiner les peintures d'un étudiant accrochées aux murs : six tableaux représentant de petits chiens souffrant de la pelade et portant des collerettes découpées dans des bidons d'eau de Javel.

– Amusant, non ? dit-elle avec tolérance.

– La bohème, soupira Alton.

Madeleine installa ses parents à une table près du bow-window, le plus loin possible de la fille aux cheveux roses, puis alla au comptoir. Le serveur prit son temps pour arriver. Elle commanda trois cafés – un grand pour elle – et des bagels. Pendant qu'on toastait ces derniers, elle apporta les cafés à ses parents.

Alton, qui était incapable de prendre un petit-déjeuner sans lire, feuilletait un *Village Voice* abandonné sur une table voisine. Phyllida dévisageait ouvertement la fille aux cheveux roses.

– Vous croyez qu'on est bien dans ce pantalon ? dit-elle à voix basse.

Madeleine se tourna et vit que le jean noir déchiré de la fille était tenu par plusieurs centaines d'épingles de nourrice.

– Je ne sais pas, maman. Pourquoi tu ne vas pas lui poser la question ?

– J'aurais trop peur de me faire piquer.

– Selon cet article, dit Alton en lisant le *Voice*, l'homosexualité n'existait pas avant le XIXe siècle. Elle a été inventée. En Allemagne.

Le café était chaud, et délicieusement salvateur. En le sirotant, Madeleine commença à reprendre du poil de la bête.

Quelques minutes plus tard, elle retourna chercher les bagels. Ils étaient un peu brûlés, mais elle ne voulait pas en attendre de nouveaux et les apporta à table. Après avoir examiné le sien d'un air mauvais, Alton entreprit de le gratter furieusement avec un couteau en plastique.

Phyllida demanda :

— Alors, allons-nous rencontrer Leonard aujourd'hui ?

— Ce n'est pas sûr, dit Madeleine.

— Quelque chose à savoir en particulier ?

— Non.

— Vous comptez toujours vous installer ensemble cet été ?

Entre-temps, Madeleine avait mordu dans son bagel. La réponse à la question de sa mère étant compliquée – si ses projets de vie commune avec Leonard n'étaient plus, concrètement, à l'ordre du jour (ils avaient rompu trois semaines plus tôt), elle ne désespérait pas qu'ils se réconcilient et ne voulait pas réduire à néant les efforts qu'elle avait déployés pour habituer ses parents à l'idée qu'elle vive avec un homme –, elle fut soulagée de pouvoir montrer qu'elle avait la bouche pleine et ne pouvait donc pas parler.

— Tu es une adulte, maintenant, poursuivit Phyllida. Tu fais ce que tu veux. Mais je tiens à souligner que je n'approuve pas.

— Tu l'as déjà souligné, intervint Alton.

— Parce que ça reste une mauvaise idée ! Je ne parle pas d'un point de vue moral, mais pratique. Si tu t'installes avec Leonard – ou n'importe quel autre jeune homme – et que ce soit lui qui travaille, tu pars avec un handicap. Qu'est-ce qui se passera si ça ne marche pas entre vous ? Qu'est-ce que tu feras à ce moment-là ? Tu te retrouveras sans toit, et sans ressources.

Que l'analyse de sa mère soit juste, que la situation contre laquelle elle la mettait en garde soit déjà la sienne, ne poussait pas pour autant Madeleine à manifester son approbation.

– Tu as bien arrêté de travailler, toi, quand tu m'as rencontré, fit remarquer Alton à Phyllida.

– Justement, je parle en connaissance de cause.

– On peut changer de sujet ? finit par dire Madeleine, ayant avalé sa bouchée.

– Mais bien sûr, ma chérie. Je n'en dirai plus un mot. Si tu changes d'avis, la maison te sera toujours ouverte. Ton père et moi t'accueillerons avec plaisir.

– Pas moi, dit Alton. Je ne veux pas d'elle. Revenir au bercail est toujours une mauvaise idée. Reste loin de chez nous.

– Sois tranquille, dit Madeleine. J'en ai bien l'intention.

– C'est toi qui choisis, dit Phyllida. Mais au cas où tu voudrais revenir, tu pourrais t'installer au grenier. Tu aurais ta liberté.

Madeleine se surprit à envisager cette possibilité. Pourquoi ne pas tout avouer à ses parents et se laisser ramener à la maison, pelotonnée à l'arrière de la voiture ? Elle se voyait reprendre son ancienne chambre, avec son lit traîneau et son papier peint Madeline. Rester vieille fille, comme Emily Dickinson, et écrire des poèmes flamboyants remplis de tirets, sans jamais prendre un gramme.

Phyllida la tira de sa rêverie.

– Maddy ? Ce n'est pas ton ami Mitchell, là-bas ?

Madeleine pivota sur son siège.

– Où ça ?

– Il me semble que c'est lui. De l'autre côté de la rue.

C'était bien l'« ami » de Madeleine, Mitchell Grammaticus, assis en tailleur sur la pelouse fraîchement tondue de l'église. Il remuait les lèvres, comme s'il parlait tout seul.

– Pourquoi tu ne l'invites pas à se joindre à nous ? dit Phyllida.

– Maintenant ?

– Pourquoi pas ? Je serais ravie de voir Mitchell.

– Il attend certainement ses parents, dit Madeleine.

Phyllida agita la main, bien que trop éloignée de Mitchell pour qu'il la voie.

– Qu'est-ce qu'il fiche assis par terre ? demanda Alton.

Les trois membres de la famille Hanna étaient tournés vers l'autre côté de la rue, le regard fixé sur Mitchell en position de demi-lotus.

– Écoute, si tu n'y vas pas, c'est moi qui y vais, finit par menacer Phyllida.

– Bon, dit Madeleine. D'accord. Je vais le chercher.

Le temps commençait à se réchauffer, mais c'était à peine perceptible. Des nuages noirs s'amassaient au loin lorsque Madeleine descendit les marches de la Carr House et traversa la rue. À l'intérieur de l'église, quelqu'un testait la sono en répétant d'une voix maniérée : « Sussex, Essex, Kent. Sussex, Essex, Kent. » Une banderole tendue au-dessus de l'entrée annonçait « Promotion 1982 ». Sous la banderole, dans l'herbe, était assis Mitchell. En voyant Madeleine approcher, il cessa brusquement de remuer les lèvres.

Madeleine resta quelques pas en retrait.

– Mes parents sont là, l'informa-t-elle.

– C'est la remise des diplômes, répondit-il d'un ton neutre. Tous les parents sont là.

– Ils veulent te dire bonjour.

À cet instant, Mitchell esquissa un sourire.

– Ils ne savent sans doute pas que tu ne me parles plus.

– Non, c'est juste, dit Madeleine. Mais là, c'est ce que je fais, non ? Je te parle.

– Stricte nécessité ou changement de politique ?

Madeleine se dandina d'un pied sur l'autre, une grimace mécontente lui froissant le visage.

– Écoute. J'ai une gueule de bois carabinée. J'ai à peine dormi cette nuit. Mes parents sont là depuis dix minutes et déjà ils me rendent dingue. Alors si tu voulais bien venir les saluer, ce serait super.

Les paupières de Mitchell battirent deux fois sur ses grands yeux attendrissants. Il portait une chemise en gabardine rétro, un pantalon en laine de couleur foncée et des richelieus usés. Madeleine ne l'avait jamais vu en short ou en baskets.

— Je suis désolé, dit-il. Pour ce qui s'est passé.

— Oh, dit Madeleine en détournant le regard. C'est rien.

— J'ai mal réagi, comme d'habitude.

— Moi aussi.

Ils restèrent silencieux un moment. Madeleine se sentit dévisagée par Mitchell, et elle croisa les bras sur sa poitrine.

S'était passé ceci : un soir de décembre dernier, alors tourmentée par sa vie amoureuse, Madeleine avait rencontré Mitchell sur le campus et l'avait ramené chez elle. En mal d'attention masculine, elle avait flirté avec lui, sans tout à fait se l'avouer à elle-même. Dans la chambre de Madeleine, Mitchell avait pris un pot de gel musculaire sur son bureau et lui avait demandé à quoi cela servait. Elle avait expliqué que les gens qui faisaient du sport avaient parfois des courbatures. Elle comprenait que Mitchell ne connaisse pas ce phénomène, lui qui passait tout son temps assis à la bibliothèque, mais il pouvait la croire sur parole. Sur quoi, Mitchell s'était approché d'elle par surprise et lui avait déposé un doigt de gel derrière l'oreille. Elle avait sursauté et protesté, puis elle s'était essuyée avec un tee-shirt. Si sa colère était légitime, Madeleine n'en était pas moins consciente (même sur le moment) qu'elle utilisait cet incident comme prétexte pour se débarrasser de Mitchell tout en se disculpant d'avoir flirté avec lui au départ. Le pire, ç'avait été l'air penaud de Mitchell ; on aurait dit qu'il allait pleurer. Il n'arrêtait pas de répéter qu'il était désolé, qu'il avait fait ça pour plaisanter, mais elle lui avait ordonné de partir. Les jours suivants, en se repassant la scène dans sa tête, Madeleine s'était sentie de plus en plus coupable. Elle était sur le point de l'appeler pour s'excuser quand elle avait reçu de sa part une lettre de quatre pages, très détaillée, solidement argumentée, d'une hostilité contenue et d'une grande acuité psychologique, dans laquelle il la traitait d'« allumeuse » et soutenait que la manière dont elle s'était comportée avec lui ce soir-là était « l'équivalent érotique du pain et des jeux, le pain en moins ». Quand ils s'étaient recroisés ensuite, Madeleine avait fait comme si elle ne le connaissait pas, et ils ne s'étaient pas reparlé depuis.

À présent, sur la pelouse de la First Baptist Church, Mitchell la regarda et dit :

– Bon, d'accord. Allons saluer tes parents.

Phyllida leur faisait de grands signes tandis qu'ils montaient les marches. De sa voix minaudière qu'elle réservait à ses préférés des amis de Madeleine, elle lança :

– Il me semblait bien que c'était vous, assis dans l'herbe. Vous aviez l'air d'un pandit !

– Félicitations, Mitchell ! dit Alton en lui serrant chaleureusement la main. C'est un grand jour, aujourd'hui. Un jour qui compte dans une vie. Une nouvelle génération prend les rênes.

Ils l'invitèrent à s'asseoir et lui demandèrent s'il voulait manger quelque chose. Madeleine retourna au comptoir chercher du café, ravie que Mitchell soit là pour occuper ses parents. En le regardant, habillé comme un papi, en train de faire la conversation à Alton et à Phyllida, Madeleine se dit, et elle se l'était dit souvent, que Mitchell était le genre de garçon dont elle aurait dû logiquement tomber amoureuse et devenir l'épouse, un garçon intelligent et sain qui plaisait aux parents. Le fait qu'elle ne tomberait jamais amoureuse de Mitchell et ne l'épouserait jamais, précisément parce que la logique le voulait, était une preuve de plus, et elles abondaient ce matin-là, de son incohérence totale dans les affaires de cœur.

À son retour, personne ne fit attention à elle.

– Alors, Mitchell, demandait Phyllida, quels sont vos projets une fois votre diplôme en poche ?

– Mon père n'arrête pas de me poser cette question, répondit Mitchell. Allez savoir pourquoi, il considère qu'un diplôme de théologie offre peu de débouchés.

Madeleine sourit pour la première fois de la journée.

– Vous voyez ? Mitchell non plus n'a pas de plan de carrière défini.

– En fait, si, un peu, dit Mitchell.

– Arrête…

– Si. Je t'assure.

Il expliqua qu'avec son colocataire, Larry Pleshette, ils avaient élaboré une stratégie pour faire face à la récession. En tant que jeunes diplômés en arts libéraux débarquant sur le marché du travail à une époque où le taux de chômage était de 9,5 %, ils avaient décidé, après mûre réflexion, de quitter le pays et de rester à l'étranger le plus longtemps possible. À la fin de l'été, quand ils auraient mis suffisamment d'argent de côté, ils iraient visiter l'Europe sac au dos. Puis, lorsqu'ils auraient vu tout ce qu'il y avait à voir en Europe, ils partiraient pour l'Inde et y demeureraient le temps que le leur permettraient leurs économies. Le voyage durerait en tout huit ou neuf mois, un an maximum.

– Aller en Inde ? dit Madeleine. C'est pas travailler, ça.

– On y va comme assistants de recherche. Pour M. Hughes.

– Le Hughes de la section théâtre ?

– J'ai vu une émission sur l'Inde récemment, dit Phyllida. C'était terriblement déprimant. Toute cette pauvreté !

– Pour moi, c'est une raison de plus d'y aller, madame Hanna, dit Mitchell. Je ne m'épanouis vraiment que dans la misère.

Phyllida, qui ne résistait pas à ce genre d'ironie, abandonna son air guindé pour se laisser secouer par le rire.

– Alors vous avez choisi la bonne destination !

– Moi aussi, je partirai peut-être en voyage, dit Madeleine d'un ton menaçant.

Personne ne réagit. Comme si elle n'avait rien dit, Alton demanda à Mitchell :

– Quels sont les vaccins nécessaires pour aller en Inde ?

– Choléra et typhus. Les injections de gammaglobulines sont recommandées, mais pas obligatoires.

Phyllida secoua la tête.

– Votre mère doit être morte d'inquiétude.

– Quand j'ai fait mon service, dit Alton, on nous a injecté tout un tas de produits. Sans nous donner la moindre explication, en plus de ça.

– Moi, je crois que je m'installerai à Paris, dit Madeleine en haussant la voix. Plutôt que d'entrer dans la vie active.

– Mitchell, reprit Phyllida, vu votre intérêt pour la théologie, je pense que l'Inde vous conviendra parfaitement. Ils ont de tout, là-bas. Des hindous, des musulmans, des sikhs, des zoroastriens, des djaïns, des bouddhistes. Il y en a pour tous les goûts, c'est comme chez Baskin & Robbins ! J'ai toujours été fascinée par la religion. Contrairement à mon sceptique de mari.

– Je doute jusqu'à l'existence de saint Thomas, renchérit Alton avec un clin d'œil.

– Vous connaissez Paul Moore, *Mgr* Moore, à la cathédrale Saint-Jean-le-Divin ? dit Phyllida, ramenant sur elle l'attention de Mitchell. C'est un grand ami. Vous trouveriez peut-être intéressant de faire sa connaissance. Nous serions ravis de vous le présenter. Quand nous sommes en ville, je vais toujours à la messe à la cathédrale. Vous y êtes déjà allé ? Oh, eh bien, comment la décrire ? Elle est vraiment… vraiment *divine*, quoi !

Submergée d'autosatisfaction pour ce bon mot, elle porta la main à sa gorge, tandis que Mitchell, avec complaisance et même une apparente sincérité, riait.

– En parlant de dignitaires religieux, intervint Alton, vous ai-je déjà raconté notre rencontre avec le dalaï-lama ? C'était à un dîner de charité au Waldorf. Nous faisions la queue pour lui être présentés. Nous étions au moins trois cents. Bref, quand nous sommes enfin arrivés devant lui, je lui ai dit : « Tout ce monde, c'est à vous rendre chèvre, hein ? »

– J'étais mortifiée ! s'écria Phyllida. Absolument mortifiée.

– Papa, dit Madeleine, vous allez être en retard.

– Quoi ?

– Vous devriez y aller si vous voulez avoir une bonne place. Alton regarda sa montre.

– Il nous reste encore une heure.

– Il va y avoir beaucoup de monde, insista Madeleine. Vous devriez y aller maintenant.

Alton et Phyllida se tournèrent vers Mitchell, comme s'ils attendaient son avis. Sous la table, Madeleine lui donna un coup de pied, auquel il réagit aussitôt :

– C'est vrai, il y a pas mal de monde.

– Où est-on le mieux placé ? demanda Alton, s'adressant à nouveau à Mitchell.

– Près des portes Van Wickle. En haut de College Street. C'est par là qu'on passera.

Alton se leva de table. Après avoir serré la main de Mitchell, il se baissa pour embrasser Madeleine sur la joue.

– À tout à l'heure, mademoiselle Promo 82.

– Félicitations, Mitchell, dit Phyllida. Ce fut un plaisir de vous revoir. Et je compte sur vous : pendant votre périple, n'oubliez pas d'envoyer à votre mère *beaucoup* de lettres. Sinon, elle ne va plus vivre.

Puis, à Madeleine :

– Et change-moi cette robe avant le défilé. Elle a une tache qui se voit.

Sur quoi Alton et Phyllida, resplendissants dans leur rôle de parents, tout en crépon de coton et sac à main, boutons de manchettes et collier de perles, traversèrent la salle beige et brique de la Carr House et sortirent.

Comme pour saluer leur départ, une nouvelle chanson commença : la voix aiguë de Joe Jackson s'envola sur un rythme synthétisé. Le serveur derrière le comptoir monta le son.

Madeleine posa sa tête sur la table, ses cheveux recouvrant son visage.

— C'est la dernière fois que je bois de l'alcool, dit-elle.

— Original, comme serment.

— Tu n'imagines pas ce qui m'arrive.

— Forcément, tu ne me parles plus.

Sans décoller sa joue de la table, Madeleine lâcha d'un ton plaintif :

— Je suis à la rue. Tout juste diplômée, et clocharde.

— Ben voyons.

— C'est la vérité ! Au début, je devais emménager à New York avec Abby et Olivia. Mais après, j'ai cru que j'allais aller au cap, alors je leur ai dit de trouver quelqu'un d'autre. Et maintenant, je ne vais plus au cap et je n'ai plus d'endroit où aller. Ma mère voudrait que je revienne à la maison mais je préférerais mourir.

— Moi, je retourne bien chez moi cet été, dit Mitchell. À *Detroit*. Toi, au moins, tu restes près de New York.

— Je n'ai toujours aucune nouvelle de ma demande de troisième cycle et on est en juin, reprit Madeleine. J'aurais dû être fixée il y a plus d'un mois ! Je pourrais appeler les admissions, mais j'ai trop peur d'apprendre que je ne suis pas reçue. Tant que je ne sais pas, je garde espoir.

Il y eut un temps avant que Mitchell ne reprenne la parole.

— Tu n'as qu'à venir en Inde avec moi, suggéra-t-il.

Ouvrant un œil pour le regarder à travers une spire de ses cheveux, Madeleine s'aperçut qu'il ne plaisantait qu'à moitié.

— Ce n'est pas seulement mon troisième cycle...

Elle prit une profonde inspiration et avoua :

– C'est fini avec Leonard.

Dire cela, mettre des mots sur sa tristesse, lui fit un bien immense, aussi fut-elle surprise par la froideur de la réaction de Mitchell.

– Pourquoi tu me racontes ça ? dit-il.

Elle releva la tête et dégagea ses cheveux de son visage.

– Je ne sais pas. Tu voulais savoir ce que j'avais.

– Non, c'est faux. Je ne t'ai même pas posé la question.

– Je pensais que tu ne serais pas indifférent à mon sort. Dans la mesure où tu es mon ami.

– Bien sûr, dit Mitchell, soudain sarcastique. Notre belle amitié ! Notre « amitié » ne peut pas vraiment en être une en ne fonctionnant que selon ton bon vouloir. C'est toi qui fixes les règles, Madeleine. Tu ne veux pas me parler pendant trois mois ? On ne se parle pas. Tu as besoin de moi pour distraire tes parents ? On se reparle. On est amis quand tu veux qu'on le soit, et on n'est jamais *plus* que des amis parce que tu ne veux pas. Et moi, je dois accepter ça.

– Je suis désolée, dit Madeleine, se sentant abusée et victime d'une attaque déloyale. Je n'éprouve pas ce genre de sentiment pour toi, c'est tout.

– Exactement ! Tu n'es pas attirée par moi physiquement. Bon, soit. Mais qui a dit que je l'avais jamais été par toi *intellectuellement* ?

Pour Madeleine, ce fut comme une gifle. Indignée, blessée, elle avait envie de riposter.

– Quel…

Elle chercha la pire insulte possible.

– Pauvre type, va !

Elle espéra pouvoir garder un air impérieux, mais elle ressentit des picotements dans la poitrine et, à son grand désarroi, éclata en sanglots.

Mitchell tendit la main pour lui toucher le bras, mais elle se déroba. Elle se leva en s'efforçant de ne pas avoir l'air de quelqu'un qui pleurait de rage, elle quitta la salle et descendit les marches donnant sur Waterman Street. Confrontée à la vue de l'église pavoisée, elle se dirigea vers le fleuve. Elle avait besoin de s'éloigner du campus. Son mal de tête l'avait reprise, elle sentait battre ses tempes, et, en levant les yeux vers les nuages noirs qui s'amassaient au-dessus du centre-ville comme l'annonce d'autres tourments à venir, elle se demanda pourquoi tout le monde était si méchant avec elle.

Les problèmes amoureux de Madeleine avaient commencé à un moment où, pour son cours de théorie littéraire, elle lisait un ouvrage d'un auteur français qui déconstruisait l'idée même de l'amour. Sémiotique 211 était un cours supérieur dirigé par un transfuge du département de littérature. Michael Zipperstein était arrivé à Brown trente-deux ans plus tôt en tant que disciple de la nouvelle critique. Après avoir habitué trois générations d'étudiants à interpréter les textes à partir de leur seule lecture, en s'affranchissant de tout élément biographique, il avait trouvé son chemin de Damas lors d'un congé sabbatique à Paris, en 1975, suite à un dîner où il avait rencontré Roland Barthes et au cours duquel, devant une assiette de cassoulet, il s'était converti à la nouvelle Église en date. Aujourd'hui, Zipperstein était responsable de deux cours au sein du programme d'études sémiotiques récemment créé : « Introduction à la théorie sémiotique » à l'automne, et, au printemps, « Sémiotique 211 ». Impeccablement chauve, arborant une grosse barbe blanche sans moustache, Zipperstein affectionnait les pulls marins et les pantalons de velours à côtes larges. Ses listes de lectures imposées étaient écrasantes : en plus de tous les poids lourds de la sémiotique – Derrida, Eco, Barthes –, les étudiants de Sémiotique 211 devaient avaler un arsenal de textes allant de *Sarrasine* de Balzac à certains numéros de *Semiotext(e)*, en passant par des extraits photocopiés de E. M. Cioran, Robert Walser, Claude Lévi-Strauss, Peter Handke et Carl Van Vechten.

Pour intégrer ce cours, il fallait se soumettre à un entretien seul à seul avec Zipperstein, qui vous posait alors des questions personnelles sans intérêt – ce que vous aimiez manger, quelle était votre race de chien préférée – et réagissait à vos réponses par des remarques énigmatiques à la Warhol. Cet examen ésotérique, allié au crâne chauve et à la barbe de gourou de Zipperstein, donnait aux étudiants acceptés l'impression d'avoir été spirituellement adoubés et de faire désormais partie – du moins pendant deux heures le jeudi après-midi – de l'élite de la critique littéraire du campus.

Exactement ce que recherchait Madeleine. Elle avait choisi la voie littéraire pour la plus évidente et la plus bête des raisons : parce qu'elle aimait lire. Le programme des cours de littérature anglo-américaine de l'université équivalait, pour Madeleine, à ce qu'était le catalogue de mode Bergdorf Goodman pour ses colocataires. Un intitulé du genre « Littérature anglaise 274 : *Euphues* de Lyly » lui faisait autant d'effet qu'une paire de bottes Fiorucci à Abby. Le plaisir coupable avec lequel elle languissait le soir dans son lit à la perspective de « Littérature anglaise 450A : Hawthorne et James » n'était pas très éloigné de ce qu'éprouvait Olivia à l'idée d'aller danser à la Danceteria en jupe de Lycra et veste de cuir. Petite fille, déjà, dans la maison de Prettybrook, Madeleine aimait flâner dans la bibliothèque, avec ses rangées de livres montant si haut qu'elle ne pouvait pas toutes les atteindre – acquisitions récentes, comme *Love Story* ou *Myra Breckinridge*, qui dégageaient un vague parfum d'interdit, ou vénérables éditions reliées cuir de Fielding, Thackeray et Dickens –, et la présence magistrale de ces mots potentiellement lisibles la figeait sur place. Elle était capable de passer en revue le dos des couvertures pendant une heure. Son catalogage du fonds familial rivalisait d'exhaustivité avec le système décimal Dewey. Madeleine savait exactement où se trouvait chaque livre. Sur les rayons près de la cheminée étaient rassemblés les préférés d'Alton, biographies de présidents américains et de Premiers ministres britanniques, mémoires de secrétaires d'État bellicistes, récits de voyages en mer et romans d'espionnage de William F. Buckley Jr. Phyllida, elle, avait pour elle le mur de gauche jusqu'au petit salon ; elle entreposait là ses romans et essais dont elle avait lu des critiques dans la *New York Review of Books*, ainsi que ses beaux livres sur les jardins anglais ou les chinoiseries. Aujourd'hui encore, quand, dans un *bed and breakfast* ou un hôtel du bord de mer, elle apercevait une rangée de vieux livres sur une étagère, Madeleine ne pouvait pas s'empêcher d'aller les examiner. Elle passait ses doigts sur leurs couvertures piquées par le sel. Séparait les pages collées par l'air marin. Elle n'avait aucune sympathie pour les thrillers et les romans policiers brochés. C'était le livre relié délaissé, l'édition Dial Press de 1931, sans jaquette et portant d'innombrables empreintes de tasses de café, qui étreignait le cœur de Madeleine. Ses amis pouvaient l'appeler sur la plage, l'informant que le barbecue avait déjà commencé, Madeleine s'asseyait sur le lit et se plongeait un moment dans le vieux livre triste pour le réconforter. C'était ainsi qu'elle avait lu *Le Chant de Hiawatha* de Longfellow. Ou James Fenimore Cooper. Ou *L'Honorable H. M. Pulham* de John P. Marquand.

Parfois, cependant, elle s'inquiétait de l'effet de ces vieux livres moisis sur elle. Certains se spécialisaient dans les études littéraires avant d'entrer en droit. D'autres devenaient journalistes. Le major de la promotion, Adam Vogel, qui était fils d'universitaires, avait l'intention de passer un doctorat et de devenir universitaire lui-même. Cela laissait un important contingent d'étudiants qui choisissaient la littérature par défaut. Parce qu'ils n'utilisaient pas suffisamment l'hémisphère gauche de leur cerveau pour faire des sciences, parce que l'histoire était trop rébarbative, la philosophie trop difficile, la géologie trop orientée pétrole, et les maths trop mathématiques – parce qu'ils n'avaient aucun talent pour la musique ou l'art, aucun intérêt pour l'argent et ne jouissaient, au fond, que d'une intelligence limitée, ces jeunes gens se lançaient à la conquête d'un diplôme universitaire en continuant de faire ce qu'ils faisaient depuis l'école primaire : lire des récits. La littérature était la voie que choisissaient les gens qui ne savaient pas quelle voie choisir.

En troisième année, Madeleine avait suivi un cours intitulé : « Le roman du mariage : œuvres choisies d'Austen, d'Eliot et de James ». Le professeur qui l'animait était K. McCall Saunders. Saunders était âgé de soixante-dix-neuf ans et venait de Nouvelle-Angleterre. Il avait un long visage chevalin et un rire gras qui découvrait ses prothèses dentaires clinquantes. Sa méthode pédagogique consistait à lire à voix haute des cours écrits vingt ou trente ans plus tôt. Madeleine était restée par pitié et aussi pour la liste des ouvrages étudiés, qui était de premier choix. Selon Saunders, le roman avait connu son apogée avec le roman matrimonial et ne s'était jamais remis de sa disparition. À l'époque où la réussite sociale reposait sur le mariage, et où le mariage reposait sur l'argent, les romanciers tenaient un vrai sujet d'écriture. Les grandes épopées étaient consacrées à la guerre, le roman au mariage. L'égalité des sexes, une bonne chose pour les femmes, s'était révélée désastreuse pour le roman. Et le divorce lui avait donné le coup de grâce. Quelle importance qui Emma épouserait si, plus tard, elle pouvait demander la séparation ? Quelle tournure aurait pris le mariage d'Isabel Archer avec Gilbert Osmond si un contrat prénuptial avait pu être conclu ? De l'avis de Saunders, le mariage ne signifiait plus grand-chose, et il en allait de même pour le roman. Qui utilisait encore le mariage comme ressort dramatique ? Personne. On n'en trouvait plus trace que dans les fictions historiques. Dans les romans non occidentaux mettant en scène des sociétés traditionnelles. Des romans afghans, indiens. Il fallait, littérairement parlant, remonter le temps.

La dissertation de fin d'année de Madeleine, dont le titre était « La forme interrogative : demandes en mariage et le cadre (très restreint) du féminin », avait tellement impressionné Saunders qu'il avait convoqué son auteur dans son bureau. Là, où flottait une odeur de grand-père, il avait exprimé son opinion selon laquelle Madeleine devrait développer sa dissertation pour en faire son mémoire de deuxième cycle, ainsi que sa volonté de lui servir de directeur de recherche. Madeleine avait eu un sourire poli. M. Saunders était spécialisé dans la période qui l'intéressait, la Régence anglaise et le début de l'ère victorienne. C'était un homme agréable, très érudit, et il était clair, à en juger par les cases toujours vides de ses heures de permanence, que personne ne voulait de lui comme directeur de recherche, aussi Madeleine avait-elle dit que oui, elle serait ravie de travailler avec lui sur son mémoire de deuxième cycle.

Elle avait pris pour épigraphe une citation des *Tours de Barchester* de Trollope : « Il n'y a pas de bonheur en amour, sauf à la fin d'un roman anglais. » Elle comptait commencer par Jane Austen. Après avoir brièvement analysé *Orgueil et Préjugés*, *Persuasion* et *Raison et Sentiments*, trois comédies, essentiellement, se terminant par un mariage, Madeleine passerait au roman victorien, où les choses devenaient plus compliquées et beaucoup plus sombres. *Middlemarch* et *Portrait de femme* ne se terminaient pas par un mariage. On retrouvait dans les deux cas les éléments traditionnels du roman matrimonial – les prétendants, les demandes, les malentendus –, mais, une fois le mariage célébré, le récit continuait. Ces romans suivaient leurs héroïnes fougueuses et intelligentes, Dorothea Brooke et Isabel Archer, jusque dans leur vie décevante de femmes mariées, et c'était là que le roman matrimonial atteignait son expression artistique le plus aboutie.

Dès 1900, le roman matrimonial n'était plus. Madeleine avait prévu de terminer sur un bref tour d'horizon mettant en évidence sa disparition. Dans *Sister Carrie*, Dreiser faisait vivre Carrie en concubinage avec Drouet, épouser Hurstwood alors que celui-ci était déjà marié, puis s'enfuir pour devenir comédienne – et on n'était qu'en 1900 ! En guise de conclusion, Madeleine envisageait de citer l'échangisme chez Updike, systématiquement présenté comme un échange de femmes et non de maris. C'était là que résidait le dernier vestige du roman matrimonial, dans la manière de montrer la femme comme un bien dont on pouvait céder l'usage à un tiers.

M. Saunders avait conseillé à Madeleine de s'appuyer sur des sources historiques. Obéissante, elle avait potassé l'avènement de l'industrialisme et de la famille nucléaire, la formation de la classe moyenne et le Matrimonial Causes Act de 1857, la loi britannique autorisant le divorce par voie judiciaire. Mais le projet dans son ensemble l'avait bien vite lassée. Des doutes quant à son originalité la tenaillaient. Elle avait l'impression de régurgiter les arguments développés en cours par Saunders. Ses séances de travail avec le vieux professeur, qui se contentait de tourner les pages qu'elle lui avait remises en pointant ses remarques à l'encre rouge dans la marge, étaient démoralisantes.

Et puis, un dimanche matin, avant les vacances de Noël, Whitney, le petit ami d'Abby, apparut à la table de la cuisine en lisant un livre ayant pour titre *De la grammatologie*. Quand Madeleine lui demanda quel en était le sujet, Whitney lui expliqua que l'idée qu'un livre ait un sujet était exactement ce que ce livre dénonçait, et que, s'il devait en avoir un, ce serait le besoin de ne plus concevoir les livres comme ayant un sujet. Madeleine dit qu'elle allait faire du café. Whitney demanda si elle voulait bien en faire pour lui aussi.

L'université n'était pas comme le monde réel. Dans le monde réel, quand on citait quelqu'un dans une conversation, c'était qu'il était connu. À l'université, on privilégiait les noms obscurs. Ainsi, peu après son échange avec Whitney, Madeleine commença à entendre revenir « Derrida ». Elle entendait aussi « Lyotard », « Foucault », « Deleuze », ou « Baudrillard ». Que ceux qui prononçaient ces noms soient, pour la plupart, des gens qu'elle trouvait, d'instinct, antipathiques – des petits-bourgeois qui portaient des Doc Martens et arboraient des symboles anarchistes –, inspirait à Madeleine des réserves quant au bien-fondé de leur enthousiasme. Mais bientôt, elle aperçut David Koppel, un poète intelligent et talentueux, lui aussi plongé dans Derrida. Et Pookie Ames, qui était lectrice pour *The Paris Review* et que Madeleine trouvait, elle, sympathique, suivait l'un des cours de M. Zipperstein. Madeleine avait toujours eu un faible pour les professeurs grandiloquents, comme Sears Jayne qui cabotinait en cours, déclamant les poèmes de Hart Crane et d'Anne Sexton avec des trémolos dans la voix. Whitney avait l'air de penser que M. Jayne était un charlot. Madeleine n'était pas d'accord. Mais, après trois années complètes d'études littéraires, il était clair qu'elle n'avait aucune méthodologie critique concrète à appliquer à ses lectures et parlait des livres d'une manière très vague. Elle était gênée par les commentaires des autres en cours. Et par les siens aussi. « J'ai eu le sentiment que... » « Il est intéressant de noter comment Proust... » « J'ai aimé la façon dont Faulkner... »

Et le jour où Olivia, qui était grande et mince, dotée d'un long nez aristocratique semblable au museau d'un sloughi, arriva avec *De la grammatologie* à la main, Madeleine comprit que ce qui était marginal était devenu la norme.

— C'est comment, ce livre ?

— Tu l'as pas lu ?

— Je te poserais la question, si je l'avais lu ?

Olivia fit la moue.

— Eh bien, on est charmante, ce matin !

— Excuse-moi.

– Je plaisante. C'est super. Derrida est mon dieu absolu !

Du jour au lendemain, pour ainsi dire, il devint risible de lire des auteurs comme Cheever ou Updike, qui décrivaient la banlieue où Madeleine et presque tous ses amis avaient grandi, et il convint de leur préférer le marquis de Sade, qui parlait de déflorer analement des vierges dans la France du XVIIIe siècle. Ce nouvel engouement pour Sade s'expliquait par le fait que ses choquantes scènes érotiques avaient pour toile de fond la politique et non le sexe. Elles étaient donc anti-impérialistes, anti-bourgeoises, anti-patriarcales, bref, anti-tout ce à quoi une jeune féministe intelligente se devait d'être opposée. Durant toute cette troisième année d'études, Madeleine avait suivi avec application des cours du genre « L'imaginaire victorien : de *Phantastes* à *The Water-Babies* », mais, sa quatrième année venue, elle ne pouvait plus feindre de ne pas voir le contraste entre les ringards coincés de son cours sur le poème *Beowulf* et les jeunes gens branchés du bout du couloir, qui étudiaient Maurice Blanchot. Aller à l'université dans les lucratives années 80 manquait d'un certain radicalisme. La sémiotique était le premier domaine où l'on percevait un parfum de révolution. Raffinée, européenne, elle traçait une frontière et créait des élus. Elle s'attaquait à des sujets provocants : la torture, le sadisme, l'hermaphrodisme – le sexe et le pouvoir. Madeleine avait toujours été populaire à l'école. De ces années, elle avait gardé la capacité instinctive à distinguer ce qui était cool de ce qui ne l'était pas, même au sein de sous-catégories, comme le département de littérature, où cette dichotomie ne semblait pas de mise.

Si le théâtre de la Restauration vous filait le bourdon, si passer Wordsworth au crible vous paraissait démodé et fastidieux, il existait une autre voie. Vous pouviez fuir K. McCall Saunders et la vieille nouvelle critique. Vous pouviez vous rallier au nouvel empire de Derrida et d'Eco. Vous pouviez vous inscrire en Sémiotique 211 et découvrir de quoi tout le monde parlait.

Sémiotique 211 était limité à dix étudiants. Sur les dix, huit avaient suivi Introduction à la théorie sémiotique. Madeleine les identifia dès le premier cours. Lorsqu'elle entra ce jour-là dans la salle, laissant dehors le temps hivernal, huit jeunes gens en tee-shirt noir et jean noir déchiré se prélassaient autour de la table de réunion. Certains avaient découpé le col ou les manches de leur tee-shirt. Un des garçons avait quelque chose de dérangeant dans le visage – on aurait dit un enfant avec des favoris – et il fallut à Madeleine une bonne minute pour s'apercevoir qu'il s'était rasé les sourcils. Toutes les personnes présentes dans la salle avaient une allure si spectrale que la bonne santé naturelle de Madeleine paraissait suspecte, comme quelqu'un qui aurait donné sa voix à Reagan. Elle fut donc soulagée quand un garçon costaud en doudoune et après-ski entra et s'assit sur la chaise vide à côté d'elle. Il avait à la main un gobelet de café.

Zipperstein demanda aux étudiants de se présenter et d'expliquer pourquoi ils s'étaient inscrits à ce cours.

Le garçon aux sourcils rasés parla le premier :

– Euh, voyons. Ce n'est pas si simple de se présenter, en fait, tout est tellement codifié socialement. Par exemple, si je vous dis que je m'appelle Thurston Meems et que j'ai grandi à Stamford, dans le Connecticut, est-ce que vous saurez qui je suis ? Alors voilà : je m'appelle Thurston et je viens de Stamford, dans le Connecticut. Je me suis inscrit à ce cours parce que j'ai lu *De la grammatologie* l'été dernier et que j'ai pris une énorme claque.

Quand vint le tour du garçon à côté de Madeleine, il expliqua en parlant tout bas qu'il faisait une double spécialisation (biologie et philosophie) et n'avait jamais suivi de cours sur la sémiotique auparavant, que ses parents lui avaient donné pour prénom Leonard, qu'il lui avait toujours semblé utile d'avoir un prénom, notamment quand on vous appelait pour passer à table, et que, si quelqu'un s'adressait à lui en l'appelant Leonard, il répondrait.

Leonard s'en tint là. Il passa le reste du cours appuyé contre le dossier de sa chaise, ses longues jambes tendues devant lui. Après avoir terminé son café, il farfouilla dans sa botte droite et, à la stupéfaction de Madeleine, en sortit une petite boîte métallique de tabac à chiquer. De deux doigts jaunis, il fourra une boulette de tabac dans sa joue. Pendant les deux heures qui suivirent, environ toutes les minutes, il cracha, discrètement mais de manière audible, dans son gobelet.

Chaque semaine, Zipperstein donnait à lire un ouvrage théorique intimidant et une œuvre littéraire choisie parmi une liste. Les associations étaient saugrenues, voire carrément arbitraires. (Qu'est-ce que le *Cours de linguistique générale* de Saussure, par exemple, avait à voir avec *Vente à la criée du lot 49* de Pynchon ?) Quant à Zipperstein, il animait moins le cours qu'il ne l'observait à travers la glace sans tain de sa personnalité opaque. Il ne disait quasiment jamais un mot. De temps en temps, il posait une question pour relancer la discussion, et souvent il se plantait devant la fenêtre et contemplait Narragansett Bay, comme s'il pensait à son sloop en cale sèche.

La quatrième semaine de cours, un jour de février où le ciel était gris et balayé par des rafales de neige, on étudia le livre de Zipperstein lui-même, *La Naissance des signes*, en parallèle avec *Le Malheur indifférent* de Peter Handke.

C'était toujours gênant quand les professeurs donnaient à lire leurs propres livres. Même Madeleine, qui trouvait ces ouvrages difficiles, sentait que Zipperstein n'apportait là rien de très nouveau, se contentant de reformuler des idées déjà énoncées par d'autres.

Tous paraissaient un peu hésitants lorsqu'ils s'exprimaient sur

La Naissance des signes, et ce fut donc un soulagement quand, après la pause, on passa à l'œuvre littéraire.

— Alors, dit Zipperstein en clignant des yeux derrière ses lunettes rondes à monture métallique. Qu'avez-vous pensé du Handke ?

Après un court silence, Thurston prit la parole.

— C'est bien glauque, bien déprimant, dit-il. J'ai adoré.

Thurston était un garçon aux cheveux courts et enduits de gel, avec un regard malicieux. Son absence de sourcils, ajoutée à son teint pâle, donnait à son visage une apparence d'intelligence supérieure. On aurait dit un cerveau désincarné, en suspension dans l'air.

— Vous voulez bien développer ? le pria Zipperstein.

— Comment dire, monsieur ? Voilà un sujet cher à mon cœur : se foutre en l'air.

Les autres rirent sottement tandis que Thurston se laissait entraîner par son argumentation.

— C'est censé être autobiographique, ce que raconte ce livre. Mais, comme Barthes, je pense que l'acte d'écrire est en soi une fictionalisation, même si on écrit sur des faits réels.

Barte. C'était donc ainsi qu'on prononçait. Madeleine en prit bonne note, heureuse de s'être épargné une humiliation.

Pendant ce temps, Thurston poursuivait :

— Donc, la mère de Handke se suicide et Handke s'installe à son bureau pour écrire sur ce sujet. Il se veut le plus objectif possible, totalement… impitoyable !

Il réprima un sourire. Il aspirait à être lui-même le genre de personne qui resterait d'une froideur hautement littéraire face au suicide de sa mère, et une vague de plaisir illumina son visage d'enfant.

— Le suicide est un thème éculé, affirma-t-il. Surtout dans la littérature allemande. Vous avez *Les Souffrances du jeune Werther*. Vous avez Kleist. D'ailleurs, j'y pense..

Il leva un doigt.

– *Les* Souffrances *du jeune Werther.*

Il leva un deuxième doigt.

– *Le* Malheur *indifférent.* On est dans le même champ lexical. Ma théorie est que Handke ressentait le poids de toute cette tradition et que ce livre est sa tentative pour s'en libérer.

– Se libérer de quoi, exactement ? demanda Zipperstein.

– Du suicide tel qu'il a été traité par le *Sturm und Drang*, tous ces romans teutons qui font l'éloge de l'autodestruction.

Les flocons que l'on voyait tourbillonner derrière les fenêtres ressemblaient à des copeaux de savon ou à de la cendre, quelque chose qui aurait pu être très propre comme très sale.

– *Les Souffrances du jeune Werther* est une référence pertinente, dit Zipperstein. Mais le titre est plus le fait du traducteur que de Handke. En allemand, le livre s'appelle *Wunschloses Unglück*.

Thurston sourit, heureux de l'attention que lui accordait Zipperstein, ou simplement amusé par le son de la langue allemande. Zipperstein expliqua :

– C'est un détournement d'une expression allemande, *wunschlos glücklich*, qui signifie « être plus heureux qu'on ne pourrait le souhaiter ». Handke la soumet à une inversion subtile. C'est un titre grave et d'une beauté étrange.

– Ça veut donc dire « être plus malheureux qu'on ne pourrait le souhaiter », en déduisit tout haut Madeleine.

Zipperstein posa son regard sur elle pour la première fois.

– Si on veut. Je le répète, on ne peut pas le traduire parfaitement. Qu'en avez-vous pensé ?

– Du livre ?

Madeleine mesura aussitôt la bêtise de sa question. Elle se tut, le sang lui cognant aux oreilles. Rougir, c'était bon pour les romans anglais du XIXᵉ siècle. On ne voyait jamais ça dans la littérature autrichienne contemporaine.

Avant que son silence ne devienne gênant, elle fut secourue par Leonard.

– J'ai une remarque, dit-il. Si je devais écrire sur le suicide

de ma mère, je ne pense pas que l'idée d'innover me tracas-
serait beaucoup.

Il se pencha en avant et posa ses coudes sur la table.

— Franchement, ça n'a choqué personne, cette prétendue
objectivité de Handke ? Personne n'a trouvé ce livre un chouïa
froid ?

— Mieux vaut froid que larmoyant, rétorqua Thurston.

— Ah bon ? Pourquoi ?

— Parce que quelqu'un qui s'épanche sur la mort d'un être
cher, on connaît. On a lu ça mille fois. Ça n'a plus aucune
résonance.

— J'essaie de me mettre à sa place, dit Leonard. Imaginons
que ma mère se suicide et que j'y consacre un livre. Qu'est-ce
qui pourrait me pousser à faire ça ?

Il ferma les yeux et renversa la tête en arrière.

— D'abord, je le ferais pour affronter ma peine. Ensuite,
éventuellement, pour brosser un portrait de ma mère. Pour la
garder en vie dans ma mémoire.

— Et tu penses que ta réaction est universelle, dit Thurston.
Parce que tu réagirais à la mort d'un proche d'une certaine
manière, ça vaut aussi pour Handke.

— Ce que je dis, c'est que, quand c'est ta mère qui se suicide,
ce n'est pas un thème éculé pour toi.

Le cœur de Madeleine s'était à présent calmé. Elle écoutait
la conversation avec intérêt.

Thurston hochait la tête d'un air paradoxalement désap-
probateur.

— Bon, d'accord, dit-il. La mère de Handke s'est *réellement*
suicidée. Elle est *réellement* morte et Handke a *réellement* éprouvé
de la peine, *et cetera*. Mais ce n'est pas de ça que parle ce livre.
Les livres ne parlent pas de la « réalité ». Les livres parlent
d'autres livres.

Il tendit les lèvres comme si sa bouche était un instrument
à vent dont il tirait des notes claires.

– Ma théorie est que, d'un point de vue littéraire, Handke s'efforçait de résoudre un problème : comment écrit-on sur un sujet donné, si réel et douloureux soit-il – comme le suicide –, quand ce qui a été écrit précédemment sur ce sujet vous prive de toute originalité d'expression ?

Ce que disait Thurston paraissait à Madeleine à la fois intelligent et affreusement immoral. C'était peut-être vrai, ce qu'il disait, mais ça n'aurait pas dû.

– « La littérature populaire », railla Zipperstein, comme s'il proposait un titre de dissertation. « Ou l'art de réchauffer la même vieille soupe ».

Un spasme d'hilarité parcourut la salle. Jetant un coup d'œil de côté, Madeleine s'aperçut que Leonard la regardait fixement. Le cours terminé, il rassembla ses affaires et sortit.

À partir de ce moment-là, Madeleine commença à remarquer Leonard lorsqu'elle le croisait ici ou là. Elle le remarqua alors qu'il traversait la pelouse un après-midi, tête nue sous la bruine hivernale. Elle le remarqua chez Mutt & Geoff's, aux prises avec un sandwich Buddy Cianci dégoulinant. Elle le remarqua, un matin, alors qu'il attendait le bus dans South Main Street. Chaque fois, Leonard était seul, et, avec ses cheveux ébouriffés et son air triste, on aurait dit un grand dadais qui avait perdu sa maman. En même temps, il faisait plus âgé que la plupart des autres étudiants.

Madeleine attaquait le second semestre de sa quatrième année, une période où elle était censée s'amuser un peu, or elle ne s'amusait pas du tout. Elle ne s'était jamais considérée comme une fille coincée. Elle se plaisait à croire que son célibat actuel était salutaire, qu'il lui permettait de garder les idées claires. Mais le jour où elle se surprit à imaginer quelle sensation on pouvait éprouver en embrassant un garçon qui mâchait du tabac, elle commença à se demander si elle ne s'était pas voilé la face.

Avec le recul, Madeleine devait bien reconnaître que sa vie amoureuse d'étudiante n'était pas à la hauteur des attentes communément admises. En première année, sa camarade de chambre, Jennifer Boomgaard, avait foncé au centre médical dès le début des cours pour qu'on lui donne un diaphragme. N'ayant pas l'habitude de partager sa chambre avec quelqu'un, et encore moins avec une inconnue, Madeleine avait trouvé Jenny un peu trop prompte aux confidences intimes. Elle se serait bien passée de voir l'objet en question, qui lui avait rappelé un ravioli cru, et elle avait refusé catégoriquement que Jenny lui dépose du gel spermicide dans la main comme elle avait proposé de le faire. Madeleine avait été choquée quand Jennifer avait commencé à se rendre aux soirées avec son diaphragme déjà en place, quand elle l'avait porté pour assister au match contre Harvard, ou quand elle l'avait laissé un matin, posé sur leur miniréfrigérateur. Cet hiver-là, alors qu'elles allaient écouter le révérend Desmond Tutu venu à Brown pour un rassemblement antiapartheid, Madeleine demanda à Jennifer : « Tu as mis ton diaphragme ? » Elles passèrent les quatre mois qui suivirent dans une pièce de vingt-cinq mètres carrés sans s'adresser la parole.

Si Madeleine n'était pas arrivée à l'université sexuellement inexpérimentée, sa courbe d'apprentissage lors de sa première année ressemblait toutefois à une ligne horizontale. En dehors d'une séance de roulage de pelles avec un Uruguayen prénommé Carlos – un étudiant ingénieur chaussé de sandales et qui, dans la pénombre, avait des airs de Che Guevara –, le seul garçon avec lequel elle avait fricoté était un élève de terminale en visite sur le campus pour le week-end de préinscription. Elle avait trouvé Tim dans la file d'attente du « Ratty », la cafétéria de l'université. Il poussait son plateau sur le rail métallique et tremblait manifestement. Son blazer bleu était trop grand pour lui. Après une journée entière à errer sur le campus sans que personne ne lui parle, il mourait de faim et n'était pas certain d'avoir le droit de manger à la cafétéria. Tim semblait être la seule personne à Brown plus perdue que Madeleine.

Elle lui montra le chemin à l'intérieur du Ratty et, après le repas, lui fit visiter l'université. Enfin, vers dix heures et demie ce soir-là, ils se retrouvèrent dans la chambre de la résidence universitaire où logeait Madeleine. Tim avait les longs cils et les traits délicats d'une précieuse poupée bavaroise, d'un petit prince ou d'un jeune berger du Tyrol. Son blazer bleu traînait par terre et le chemisier de Madeleine était déboutonné quand Jennifer Boomgaard entra. « Oh, pardon », dit-elle, restant plantée là, les yeux baissés et le sourire aux lèvres, comme si elle se délectait déjà de l'effet que cette histoire croustillante aurait dans la résidence. Quand elle se décida enfin à partir, Madeleine se redressa et rajusta ses vêtements, et Tim ramassa son blazer et retourna au lycée.

À Noël, quand Madeleine rentra chez ses parents pour les vacances, elle crut que la balance de la salle de bains était cassée. Elle en descendit pour la réétalonner puis remonta dessus, mais l'appareil affichait toujours le même poids. Se plaçant face au miroir, elle se retrouva dévisagée par un hamster joufflu et inquiet. « Est-ce que je n'intéresse pas les garçons parce que je suis grosse, dit la femelle hamster, ou est-ce que je suis grosse parce que je n'intéresse pas les garçons ? »

« Je n'ai jamais pris les fameux sept kilos qu'on prend en moyenne en première année, affirma, jubilante, sa sœur quand Madeleine descendit pour le petit-déjeuner. Mais moi, je ne me suis pas empiffrée de cochonneries comme toutes mes copines. » Habituée aux taquineries de sa sœur, Madeleine ne releva pas, découpant puis mangeant en silence le premier des cinquante-sept pamplemousses qui constituèrent sa seule nourriture jusqu'au nouvel an.

Les régimes vous donnaient l'illusion que vous étiez capable de contrôler votre vie. À la reprise des cours en janvier, Madeleine avait déjà perdu deux kilos, et, à la fin de la saison de squash, elle était à nouveau en grande forme. Pourtant, toujours aucune rencontre intéressante. Quand ils n'étaient pas incroyablement immatures, les garçons à l'université avaient l'air de quinquagénaires prématurés, aux barbes de psychiatres, qui chauffaient leurs verres de cognac à la flamme des bougies en écoutant *A Love Supreme* de Coltrane. Madeleine dut attendre sa troisième année pour avoir une relation sérieuse. Billy Bainbridge était le fils de Dorothy Bainbridge, dont l'oncle était propriétaire d'un tiers des journaux des États-Unis. Billy avait les joues rouges, des cheveux blonds frisés et une cicatrice à la tempe droite qui lui donnait encore plus de charme qu'il n'en avait déjà. Il parlait bien et sentait bon le savon parfumé. Nu, il avait un corps pratiquement imberbe.

Billy n'aimait pas parler de sa famille. Madeleine voyait là un signe de bonne éducation. La présence de Billy à Brown était un privilège de naissance et il se demandait parfois s'il aurait pu y entrer par lui-même. Le sexe avec Billy était confortable, douillet, tout à fait commode. Il voulait devenir réalisateur. Cependant, le film qu'il avait fait pour son cours supérieur de réalisation audiovisuelle consistait en un plan-séquence de douze minutes pendant lesquelles on le voyait jeter à la caméra de la pâte à brownie ayant l'aspect de la matière fécale. Madeleine commença à penser qu'il y avait peut-être une raison à son mutisme sur sa famille.

Ce dont il parlait volontiers, en revanche, et avec de plus en plus de passion, c'était de la circoncision. Billy avait lu, dans un magazine sur les médecines parallèles, un article dénonçant cette pratique, et il avait été fortement impressionné. « Quand on y réfléchit, c'est très bizarre de faire un truc pareil à un gosse, avait-il dit. Lui couper le bout de la bite ? Quelle différence entre les tribus de Papouasie-Nouvelle-Guinée qui se mettent des os dans le nez et nous qui coupons le prépuce de nos enfants ? Et encore, un os dans le nez est bien moins traumatisant. » Madeleine l'avait écouté en prenant l'air de quelqu'un qui partageait son point de vue et avait espéré qu'il se désintéresserait du sujet. Mais, tandis que les semaines passaient, il y revenait régulièrement. « C'est automatique dans ce pays, disait-il. Les médecins n'ont pas demandé leur avis à mes parents. Pourtant je ne suis pas juif ni rien. » Il tournait en dérision les arguments sanitaires. « Ç'avait peut-être un sens il y a trois mille ans, au milieu du désert, quand on ne pouvait pas prendre de douches. Mais aujourd'hui ? »

Un soir, alors qu'ils étaient au lit, nus, Madeleine s'aperçut que Billy examinait son pénis, qu'il l'étirait.

— Qu'est-ce que tu fais ? demanda-t-elle.

— Je cherche la cicatrice, dit-il d'un ton morne.

Il interrogea ses amis européens, Henrik l'Intact, Olivier le Prépucé, leur demandant : « Est-ce que c'est très sensible ? » Billy était convaincu qu'on l'avait privé de sensations. Madeleine s'efforça de ne pas se vexer. D'autres problèmes s'étaient par ailleurs fait jour entre eux. Billy avait une façon de regarder fixement Madeleine qui lui donnait l'impression qu'il voulait la contrôler. Ses conditions de logement étaient étranges. Il partageait un appartement en dehors du campus avec une jolie fille musclée du nom de Kyle, qui couchait avec au moins trois personnes, dont Fatima Shirazi, une nièce du chah d'Iran. Sur le mur du séjour, Billy avait écrit au pinceau *Tuer le père*. Tuer le père était, de l'avis de Billy, le but premier des études à l'université.

— Qui est ton père à toi ? avait-il demandé à Madeleine. C'est Virginia Woolf ? Susan Sontag ?

— Dans mon cas, avait-elle répondu, mon père est mon vrai père.

— Alors tu dois le tuer.

— Et toi, qui est ton père ?

— Godard, avait-il dit.

Billy parlait de louer une maison à Guanajuato avec Madeleine à l'été. Il disait qu'elle pourrait écrire un roman pendant qu'il tournerait un film. Sa foi en elle, en son talent d'écrivain (alors qu'elle n'avait pratiquement jamais écrit de fiction), était tellement grisante pour Madeleine qu'elle commença à envisager sérieusement cette idée. Jusqu'au jour où, alors qu'elle arrivait devant chez Billy et s'apprêtait à frapper à la fenêtre, quelque chose lui dit de regarder d'abord. Dans le lit défait, Billy était couché en chien de fusil, pelotonné, tel John Lennon, contre Kyle, étendue bras et jambes écartés. Tous deux nus. L'instant d'après, dans un nuage de fumée, Fatima apparut, nue elle aussi, saupoudrant de talc sa peau luisante de Persane. Elle sourit à ses camarades de lit, ses dents telles des perles sur ses gencives pourpres de souveraine.

Pour ce qui était de son petit ami suivant, Madeleine n'était pas entièrement responsable. Elle n'aurait jamais connu Dabney Carlisle si elle ne s'était pas inscrite au cours de théâtre, et elle ne se serait jamais inscrite au cours de théâtre sans l'influence de sa mère. Jeune femme, Phyllida avait voulu devenir comédienne, mais ses parents étaient contre. « Jouer la comédie n'était pas une chose qui se faisait dans notre famille, surtout si on était une dame », expliquait Phyllida. De temps en temps, lorsqu'elle était d'humeur pensive, elle racontait à ses filles l'histoire de son seul vrai grand acte de rébellion. Son diplôme d'université en poche, Phyllida s'était « enfuie » à Hollywood. Sans en informer ses parents, elle avait pris l'avion pour Los Angeles et s'était installée avec une amie de Smith College. Elle avait trouvé un travail de secrétaire dans une compagnie d'assurances. Avec l'amie en question, une certaine Sally Peyton, elles avaient emménagé dans un pavillon de Santa Monica. En six mois, Phyllida avait passé trois auditions, tourné un bout d'essai et reçu une « montagne d'invitations ». Elle avait vu un jour Jackie Gleason entrer dans un restaurant avec un chihuahua dans les bras. Elle avait acquis un bronzage magnifique qu'elle qualifiait d'« égyptien ». Chaque fois que Phyllida évoquait cette période de sa vie, on aurait dit qu'elle parlait de quelqu'un d'autre. Quant à Alton, il se taisait, bien conscient qu'il avait bénéficié de ce que Phyllida avait perdu. C'était dans le train qui la ramenait à New York, le Noël suivant, qu'elle avait rencontré le lieutenant-colonel au dos droit, récemment revenu de Berlin. Phyllida n'était jamais retournée à LA. À la place, elle s'était mariée. « Et je vous ai eues, toutes les deux », disait-elle à ses filles.

L'incapacité de Phyllida à réaliser ses rêves avait forgé ceux de Madeleine. La vie de sa mère était l'exemple à ne pas suivre. Elle incarnait l'injustice que Madeleine allait réparer. Entrer dans l'âge adulte en pleine poussée progressiste, grandir à l'époque de Betty Friedan, des manifestations pour l'égalité des droits entre les sexes et des chapeaux conquérants de Bella Azbug, affirmer son identité au moment où celle-ci connaissait une profonde mutation, était une liberté digne des plus grandes libertés américaines que Madeleine avait étudiées à l'école. Elle se souvenait de ce soir de 1973 où sa famille était rassemblée dans le salon pour regarder le match de tennis entre Billie Jean King et Bobby Riggs. Alwyn, Phyllida et elle soutenaient Billie Jean, Alton s'était rangé du côté de Bobby Riggs. « Ce n'est pas un match équitable ! avait-il grommelé tandis que King baladait Riggs d'un côté à l'autre du court, meilleure que lui au service, frappant des balles qu'il était trop lent pour retourner. Riggs est trop vieux. Si elle veut vraiment se mesurer à quelqu'un, elle devrait affronter Smith ou Newcombe. » Mais peu importaient les protestations d'Alton. Peu importait que Bobby Riggs soit âgé de cinquante-cinq ans et King de vingt-neuf, ou que Riggs n'ait jamais été un très bon joueur, même au sommet de sa carrière. L'important, c'était que ce match soit diffusé sur une chaîne nationale, à une heure de grande écoute, annoncé depuis des semaines comme « le combat des sexes », et que ce soit la femme qui gagne. S'il y avait un moment qui définissait les jeunes femmes de la génération de Madeleine, cristallisait leurs aspirations, mettait clairement en lumière ce qu'elles attendaient d'elles-mêmes et de la vie, c'étaient ces deux heures et quinze minutes durant lesquelles le pays avait regardé un homme en short blanc malmené par une femme, pilonné tant et si bien que, une fois le dernier point joué, il avait eu du mal à sauter par-dessus le filet. Même cette image était révélatrice : en principe, c'était le gagnant qui sautait par-dessus le filet, pas le perdant. Il n'y avait bien qu'un homme pour se conduire en gagnant alors qu'il venait de se faire laminer.

Lors de la première séance de l'atelier d'art dramatique, M. Churchill, un chauve aux allures de crapaud, demanda aux étudiants de se présenter brièvement. La moitié des participants suivaient une spécialisation en art dramatique et voulaient vraiment devenir comédiens ou réalisateurs. Madeleine bredouilla quelques mots sur son amour pour Shakespeare et Eugene O'Neill.

Dabney Carlisle se leva et dit : « J'ai fait un peu de mannequinat à New York. Mon agent m'a conseillé de prendre des cours de comédie. Alors me voilà. »

Son expérience de mannequin consistait en une unique publicité dans un magazine, montrant un groupe d'athlètes – de ceux qu'on voyait dans les films de Leni Riefenstahl en caleçon boxer –, alignés les uns derrière les autres sur une plage dont le sable noir volcanique fumait sous leurs pieds d'albâtre. Madeleine n'avait découvert cette photo qu'après avoir commencé à sortir avec Dabney, quand ce dernier l'avait extraite avec précaution du manuel de barman où il la gardait soigneusement rangée. Le premier réflexe de Madeleine avait été de s'en moquer, mais quelque chose de révérencieux dans l'expression de Dabney l'avait arrêtée. Elle avait donc demandé où se trouvait la plage (à Montauk), pourquoi le sable était si noir (il ne l'était pas), combien il avait touché (un nombre à quatre chiffres), comment étaient les autres garçons (de vrais cons) et s'il portait ce même caleçon en ce moment. Il était parfois difficile, avec les garçons, de s'intéresser aux mêmes choses qu'eux. Mais dans le cas de Dabney, elle aurait préféré que ce soit le curling, les simulations d'assemblées générales de l'ONU, n'importe quoi plutôt que le mannequinat. C'était là le sentiment qu'elle avait vraiment éprouvé, elle s'en rendait compte aujourd'hui. Sur le moment – Dabney lui avait recommandé de ne pas toucher la photo avant qu'il ne la fasse plastifier –, Madeleine avait passé en revue dans sa tête les arguments classiques : que si la chosification était en soi mauvaise, l'émergence dans les médias d'une image masculine idéalisée était favorable à l'égalité, que si les hommes, montrés en objets, commençaient à s'inquiéter de leur aspect physique, ils comprendraient peut-être le fardeau avec lequel les femmes vivaient depuis toujours, et cela les sensibiliserait à la question. Elle était même allée jusqu'à admirer Dabney pour avoir eu le courage de se laisser photographier en petit caleçon gris moulant.

Étant donné la plastique de Madeleine et de Dabney, il était inévitable qu'ils soient désignés comme les jeunes premiers des scènes travaillées durant l'atelier. Madeleine fut donc la Rosalind d'un Orlando de carton-pâte dans *Comme il vous plaira*, la Maggie d'un Brick inexpressif dans *La Chatte sur un toit brûlant*. Pour leur première répétition, ils s'étaient retrouvés dans les locaux de Sigma Chi, la fraternité à laquelle appartenait Dabney. Le simple fait de franchir la porte renforça l'aversion de Madeleine pour ce genre d'endroit. C'était un dimanche matin, vers dix heures. Les vestiges de la « soirée hawaïenne » de la veille étaient encore visibles : un collier de fleurs pendait aux bois de la tête d'élan accrochée au mur, un pagne d'herbe en plastique traînait sur le sol trempé de bière, pagne dont, si Madeleine succombait à la beauté insolente de Dabney Carlisle, elle devrait supporter la vue aux hanches d'une petite traînée ivre dansant le tamouré sous les beuglements des frères, voire (car les Mai Tai vous faisaient faire n'importe quoi) qu'elle devrait porter elle-même, dans la chambre de Dabney, pour lui seul. Avachis sur le canapé bas, deux membres de Sigma

Chi regardaient la télévision. Lorsque Madeleine apparut, ils remuèrent et sortirent de leur torpeur, bouche bée, comme deux carpes. Madeleine se pressa de gagner l'escalier du fond, avec à l'esprit ce qu'elle pensait toujours en ce qui concernait les fraternités et les garçons qui en faisaient partie : que l'attrait qu'elles avaient pour eux provenait d'un besoin primitif de protection (à l'image des hommes de Neandertal ligués en clans les uns contre les autres) ; que les épreuves de bizutage imposées aux nouveaux en période d'essai (abandonnés, nus et les yeux bandés, dans le hall du Biltmore Hotel, avec un ticket de bus scotché aux parties génitales) mettaient en scène les peurs mêmes de sodomie forcée et d'émasculation dont l'affiliation à la fraternité promettait de les protéger ; qu'un garçon aspirant à faire partie d'une fraternité souffrait de complexes qui empoisonnaient ses relations avec les femmes ; que des garçons homophobes qui centraient leur vie sur un lien homoérotique avaient un sérieux problème ; que les maisons bourgeoises louées depuis des générations grâce aux cotisations des membres étaient en réalité des lieux dédiés à la consommation d'alcool et aux abus sexuels ; que ces tanières sentaient toujours mauvais ; que s'y doucher était inenvisageable ; que seules les filles de première année étaient assez stupides pour aller aux soirées qui y étaient organisées ; que Kelly Traub avait couché avec un membre de Sigma Delta qui ne cessait de répéter : « Là tu la vois, là tu la vois plus, là tu la vois, là tu la vois plus » ; qu'à elle, à Madeleine, jamais une chose pareille ne lui arriverait.

Elle ne s'attendait pas à trouver dans une fraternité un blondinet taciturne du genre de Dabney, apprenant son texte dans un fauteuil pliant, en pantalon parachute et pieds nus. En repensant à leur relation, Madeleine se disait qu'elle n'avait pas eu le choix. Dabney et elle avaient été désignés l'un pour l'autre comme pour un mariage royal. Elle était le prince Charles et lui sa princesse Diana. Elle avait bien conscience qu'il jouait

affreusement mal. Dabney avait une fibre artistique aussi déve-
loppée qu'un ailier de troisième ligne au football américain.
Au quotidien, Dabney bougeait et parlait peu. Sur scène, il
disait ce qu'il avait à dire mais ne bougeait plus du tout. Ses
meilleurs moments de comédien, c'était quand la tension sur
son visage due à l'effort pour se rappeler son texte coïncidait
avec l'émotion qu'il essayait de simuler.

Jouer face à Dabney rendait Madeleine encore plus raide et
nerveuse qu'elle ne l'était déjà. Elle aurait voulu interpréter des
scènes avec les élèves talentueux de l'atelier. Elle proposa des
extraits intéressants de *La Vietnamisation du New Jersey*, et de
Perversité sexuelle à Chicago, de Mamet, mais sans succès. Personne ne voulait faire baisser sa moyenne en jouant avec elle.

Dabney ne se laissait pas inquiéter par ça. « Tous des petites
merdes, dans ce cours, disait-il. Ils n'arriveront jamais à faire
de la pub presse, encore moins du cinéma. »

Il était plus laconique qu'elle ne l'attendait de ses petits
amis et avait autant d'esprit qu'un mannequin de vitrine,
mais, aux yeux de Madeleine, sa perfection physique éclipsait
ces réalités. Elle ne s'était jamais trouvée dans une relation de
couple où ce n'était pas elle la plus belle des deux. C'était un
peu déstabilisant, mais pas insurmontable. À trois heures du
matin, tandis que Dabney dormait à côté d'elle, Madeleine se
surprenait à scruter ses abdominaux, chaque carré de muscle
ferme. Elle aimait mesurer les tissus adipeux de sa taille au
plicomètre. Pour être mannequin sous-vêtements, expliquait
Dabney, il fallait avoir un ventre en béton, et, pour avoir
un ventre en béton, il fallait faire des abdos et surveiller son
alimentation. Le plaisir que procurait à Madeleine la vue de
Dabney lui rappelait celui qu'elle éprouvait petite fille en
admirant le corps élancé des chiens de chasse. Sous ce plaisir,
comme un feu qui l'alimentait, se cachait la volonté farouche
d'engloutir Dabney et de lui soutirer sa force et sa beauté.
Tout cela était très primitif, très évolutionniste, et c'était

fantastique. Hélas, Madeleine se révéla incapable de se laisser aller et de profiter de Dabney, quitte à l'exploiter un peu, et, en vraie midinette, il fallut qu'elle se convainque qu'elle était amoureuse de lui. Madeleine avait besoin d'émotion, apparemment. Elle désapprouvait l'idée d'une satisfaction sexuelle outrée et vide de sens.

Aussi commença-t-elle à se dire que le jeu de Dabney était « contenu », « économe ». Elle appréciait que Dabney soit « sûr de lui » et ne se sente pas obligé de « prouver des choses », que ce ne soit pas un « frimeur ». Plutôt que de le trouver terne, elle décida qu'il était doux. Plutôt que de penser qu'il n'avait aucune culture, elle le décréta intuitif. Elle exagérait les capacités intellectuelles de Dabney afin de ne pas se sentir rabaissée par le désir qu'elle éprouvait pour son corps. C'est pourquoi elle l'aidait à rédiger – bon, d'accord, elle rédigeait pour lui – ses devoirs de littérature et d'anthropologie, et voyait dans les A qu'il décrochait la preuve de son intelligence à lui. Elle l'embrassait en lui souhaitant bonne chance quand il partait faire des castings de mannequinat à New York et l'écoutait se plaindre amèrement des « pédés » qui n'avaient pas retenu sa candidature. Il s'avérait que Dabney n'était pas si beau que ça. Parmi les très beaux, il ne l'était que moyennement. Il ne savait même pas sourire correctement.

À la fin du semestre, chaque élève de l'atelier était reçu individuellement par le professeur pour une évaluation de son travail. Churchill accueillit Madeleine avec un sourire vorace qui découvrit ses dents jaunes, puis se rassit dans son fauteuil d'un air décidé, ses bajoues en avant.

– C'était un plaisir de vous avoir comme élève, Madeleine, dit-il. Mais vous êtes incapable de jouer la comédie.

– Ne cherchez pas à m'épargner, dit Madeleine en riant, bien que piquée. Soyez franc.

– Vous avez le sens de la langue, notamment pour Shakespeare. Mais votre voix est très aiguë et, sur scène, vous avez l'air soucieuse. Votre front est constamment plissé. Un coach vocal pourrait vous faire travailler votre organe. Mais je suis plus inquiet pour votre inquiétude. C'est le cas en ce moment. Vous avez le front plissé.

— Ça s'appelle réfléchir.

— Et c'est très bien. Quand on joue Eleanor Roosevelt. Ou Golda Meir. Mais ce ne sont pas des rôles qui se présentent souvent.

Joignant le bout des doigts, Churchill poursuivit :

— Je serais plus diplomate si je pensais que c'était important pour vous. Mais j'ai le sentiment que vous ne voulez pas devenir comédienne professionnelle, je me trompe ?

— Non, confirma Madeleine.

— Parfait. Vous êtes charmante. Vous êtes intelligente. Le monde vous appartient. Ma bénédiction vous accompagne.

Quand Dabney revint de son entretien avec Churchill, il avait l'air encore plus content de lui que d'habitude.

— Alors ? demanda Madeleine. Comment ça s'est passé ?

— Il dit que je suis parfait pour les récurrents.

— Les pubs pour les produits récurants ?

Dabney parut vexé.

— Les rôles récurrents dans les séries. *Des jours et des vies*. *Hôpital central*. Ça te dit quelque chose ?

— C'était un compliment, tu crois ?

— Qu'est-ce que ça pourrait être d'autre ? Un rôle récurrent, c'est le paradis ! Tu travailles tous les jours, t'es super bien payé, et t'as jamais besoin de voyager. C'était une perte de temps d'essayer de bosser dans la pub. J'arrête. Je vais dire à mon agent de me trouver des auditions pour des séries.

Madeleine accusa le coup en silence. Elle avait supposé que l'enthousiasme de Dabney pour le mannequinat était temporaire, un moyen de financer ses études. Elle comprenait à présent que c'était sérieux. En réalité, elle sortait avec un mannequin.

— À quoi tu penses ? lui demanda Dabney.

– À rien.

– Dis-moi.

– C'est juste que, je ne sais pas, je doute que M. Churchill ait une si haute opinion du jeu des comédiens dans *Des jours et des vies*.

– Qu'est-ce qu'il nous a dit au premier cours ? Il a dit qu'il animait un atelier de comédie. Pour ceux qui voulaient travailler dans le théâtre.

– Le théâtre, ce n'est pas...

– Qu'est-ce qu'il t'a dit, à toi ? Il t'a dit que tu allais devenir une star de cinéma ?

– Il m'a dit que j'étais incapable de jouer, avoua Madeleine.

– Carrément ?

Dabney plongea les mains dans ses poches et se renversa sur ses talons, comme soulagé de ne pas avoir à prononcer lui-même ce verdict.

– C'est pour ça que tu es tellement en rogne, et que tu me casses mon éval ?

– Je ne te casse pas ton éval. Je ne suis pas sûre que tu aies bien compris ce qu'a voulu dire Churchill, c'est tout.

Dabney laissa échapper un rire amer.

– J'ai forcément mal compris, hein ? Un abruti comme moi. Je ne suis qu'un gros abruti de sportif pour qui tu dois rédiger ses devoirs de littérature.

– Je n'irais pas jusque-là. Tu sembles assez habile pour manier le sarcasme.

– Quelle chance j'ai, quand même, dit Dabney. Qu'est-ce que je deviendrais si tu n'étais pas là, à relever toutes les subtilités qui m'échappent ? Les subtilités, c'est ton truc à toi. Ça doit être agréable d'être riche et de glander toute la journée à l'affût des subtilités. Qu'est-ce que tu connais au besoin de gagner sa vie ? Tu peux te moquer de ma pub. Toi, tu n'es pas entrée à l'université grâce à une bourse de foot. Et là, il faut que tu te pointes et que tu me démolisses. Tu sais quoi ? C'est nul.

C'est complètement nul. J'en ai ras le bol de ta condescendance et de ton complexe de supériorité. Et Churchill a raison. Tu es incapable de jouer.

À la fin, Madeleine dut bien reconnaître qu'elle avait sous-estimé l'éloquence de Dabney. Il était également capable d'exprimer une large palette d'émotions – la colère, le dégoût, l'orgueil blessé – et d'en simuler d'autres, dont l'affection, la passion et l'amour. Il avait devant lui une grande carrière dans les séries télévisées.

Madeleine et Dabney rompirent en mai, juste avant l'été, et il n'y avait pas de meilleure époque que l'été pour oublier quelqu'un. Le jour même où elle passa son dernier partiel, elle descendit à Prettybrook. Pour une fois, elle fut heureuse d'avoir des parents aussi sociables. Avec tous les cocktails et les dîners à la bonne franquette organisés à Wilson Lane, elle avait peu de temps pour s'appesantir sur son sort. En juillet, elle trouva un stage dans une organisation à but non lucratif de l'Upper East Side faisant la promotion de la poésie, et elle découvrit les allées et venues en train entre New York et la banlieue. Le travail de Madeleine consistait à centraliser les dossiers déposés pour le prix annuel « Nouvelles voix », c'est-à-dire à vérifier qu'ils étaient complets avant de les envoyer au président du jury (Howard Nemerov, cette année-là). Madeleine n'était pas particulièrement douée pour la technologie, mais tous les autres employés l'étaient encore moins et c'est vers elle qu'on prit l'habitude de se tourner quand on avait un problème avec le photocopieur ou l'imprimante matricielle. Sa collègue Brenda venait la trouver au moins une fois par semaine et lui demandait d'une voix enfantine : « Tu peux venir m'aider ? L'imprimante me fait des misères. » Le seul moment de la journée qu'appréciait Madeleine était la pause déjeuner, l'occasion pour elle de se balader dans la chaleur humide des rues puantes et grouillantes d'activité, de manger de la quiche dans un bistro français aussi étroit qu'une piste de bowling, et de regarder comment s'habillaient les filles de son âge ou un peu plus. Quand le seul homme hétérosexuel du bureau lui proposa d'aller boire un verre après le travail, Madeleine répondit froidement : « Je regrette, je ne peux pas. » Elle s'en voulait de le blesser, mais, pour une fois, elle essaya de penser d'abord à elle.

Lorsqu'elle revint à l'université pour sa quatrième année, elle avait la ferme intention d'être studieuse, de se concentrer sur sa carrière et de s'accrocher farouchement à son célibat. Ratissant large, elle envoya une demande de troisième cycle à Yale (langue et littérature anglaises), proposa sa candidature à un centre d'enseignement de l'anglais en Chine et sollicita un stage dans la publicité chez Foote, Cone & Belding, à Chicago. Elle prépara le GRE[1] en s'aidant d'un manuel abrégé. La partie expression était facile, les maths demandaient qu'elle révise un peu ses cours de lycée, mais les problèmes logiques étaient un véritable défi à son entendement. « Au bal de fin d'année, plusieurs jeunes gens ont dansé leur danse préférée, chacun avec son partenaire préféré. Alan a dansé le tango, tandis que Becky s'est contentée d'observer la valse. James et Charlotte ont livré ensemble une prestation formidable. Keith était magnifique lorsqu'il a dansé son fox-trot et Simon a excellé à la rumba. Jessica a dansé avec Alan. Laura, en revanche, n'a pas dansé avec Simon. Déterminez qui a dansé avec qui et quelle danse chacun affectionne. » La logique n'était pas un domaine qui avait été expressément enseigné à Madeleine, et elle trouvait injuste d'être interrogée dessus. Elle suivit les recommandations du manuel et posa le problème sous forme de schéma, dessinant une piste de danse sur une feuille de brouillon et reliant deux

---

1. *Graduate Record Examination* : examen testant les capacités verbales, mathématiques et logiques des étudiants souhaitant entreprendre des études de troisième cycle dans les universités américaines.

par deux Alan, Becky, James, Charlotte, Keith, Simon, Jessica et Laura selon les indications données. Mais cet exercice ne lui était pas naturel. Elle voulait savoir en quoi la prestation de James et de Charlotte avait été formidable, si Jessica et Alan sortaient ensemble, pourquoi Laura n'avait pas voulu danser avec Simon, et ce qui avait contrarié Becky pour qu'elle ne danse pas la valse.

Un après-midi, sur le tableau d'affichage devant la Hillel House, Madeleine remarqua un prospectus de la fondation Melvin et Hetty Greenberg pour un séminaire d'été à la Hebrew University de Jérusalem, et elle déposa un dossier. Faisant jouer les relations d'Alton dans le monde de l'édition, elle mit un tailleur et se rendit à New York pour un entretien d'information avec un éditeur chez Simon & Schuster. L'éditeur en question, Terry Wirth, avait lui aussi, en son temps, été un jeune étudiant en littérature idéaliste et brillant, mais l'homme que Madeleine découvrit cet après-midi-là au milieu de ses piles de manuscrits, dans son petit bureau donnant sur le lugubre canyon de la Sixième Avenue, était un quinquagénaire père de deux enfants, au salaire bien inférieur à ce que touchaient en moyenne ses anciens camarades de promotion et dont la maison à deux niveaux à Montclair, dans le New Jersey, était située à une pénible heure et quart de transport de son lieu de travail. Sur les perspectives d'avenir d'un livre qu'il s'apprêtait à publier, les mémoires d'un ouvrier agricole itinérant, Wirth déclara : « En ce moment, c'est le calme avant le calme. » Il donna à Madeleine une liasse de manuscrits parmi ceux arrivés par la poste, lui proposant de la payer cinquante dollars par compte rendu de lecture.

Au lieu de se mettre au travail, Madeleine prit le métro jusqu'à l'East Village. Après avoir acheté un paquet de cookies aux pignons chez De Robertis, elle poussa la porte d'un salon de coiffure, où, sur un coup de tête, elle se laissa prendre en main par une femme hommasse aux cheveux courts, avec queue-de-rat sur la nuque. « Je les voudrais ras sur les côtés avec du volume sur le dessus, dit Madeleine. – Vous êtes sûre ? demanda la femme. – Absolument », répondit Madeleine. Et, pour montrer sa détermination, elle retira ses lunettes. Trois quarts d'heure plus tard, lorsqu'elle remit ses lunettes, elle fut à la fois horrifiée et émerveillée par la transformation. Jamais elle n'aurait imaginé qu'elle avait une tête aussi énorme. On aurait dit Annie Lennox, ou David Bowie. Le genre de fille avec qui la coiffeuse devait sortir.

Mais le look Annie Lennox n'était pas un problème. L'androgynie était à la mode. De retour à l'université, Madeleine afficha par sa coupe de cheveux son état d'esprit sérieux, et même, à la fin de l'année, quand sa frange eut atteint une longueur affolante, elle resta fidèle à ses renoncements (son seul écart avait été ce fameux soir dans sa chambre avec Mitchell, mais il ne s'était rien passé). Madeleine avait son mémoire à écrire, son avenir à tracer. La dernière chose dont elle avait besoin était un garçon pour la distraire de son travail et perturber son équilibre. Puis, au second semestre, elle rencontra Leonard Bankhead, et ses résolutions s'envolèrent.

Il ne se rasait pas tous les jours. Son tabac à chiquer, du Skoal, avait une odeur mentholée, plus propre, plus agréable que ne l'aurait cru Madeleine. Chaque fois qu'elle surprenait Leonard à la regarder fixement avec ses yeux de saint-bernard (un chien qui bavait, peut-être, mais aussi une brute loyale capable de vous secourir si vous étiez ensevelie par une avalanche), Madeleine ne pouvait s'empêcher de soutenir son regard quelques longues secondes.

Un soir, début mars, alors qu'elle était allée à la Rockefeller Library chercher le matériel de lecture mis à disposition cette semaine-là pour les étudiants de Sémiotique 211, elle trouva Leonard déjà sur place. Appuyé au comptoir, il parlait avec animation à la jeune bibliothécaire de service, une espèce de Bettie Page à forte poitrine malheureusement assez mignonne.

– Mais réfléchis, disait Leonard à la fille. Mets-toi à la place de la mouche.

– OK, je suis une mouche, dit la fille avec un rire rauque.

– Pour les mouches, on se déplace au ralenti. Elles voient arriver la tapette à des millions de kilomètres. Elles sont là, genre : « Réveille-moi quand la tapette approchera. »

Remarquant Madeleine, la fille dit à Leonard :

– Une seconde.

Madeleine tendit sa fiche de commande. La fille la prit et disparut dans les rayons.

– On vient chercher son Balzac ? dit Leonard.

– Oui.

– Balzac à la rescousse.

En d'autres circonstances, Madeleine aurait eu mille choses à dire, d'innombrables commentaires sur Balzac à faire. Mais, dans son esprit, c'était le vide. Elle ne pensa même pas à sourire avant qu'il ait détourné les yeux.

Bettie Page revint avec le livre commandé par Madeleine, le fit glisser vers elle et se tourna à nouveau immédiatement vers Leonard. Il n'était pas le même qu'en cours, il était plus exubérant, débordant d'énergie. Il haussa les sourcils avec un air de fou, à la Jack Nicholson, et dit :

– Ma théorie sur la mouche domestique se rattache à ma théorie expliquant pourquoi, plus on vieillit, plus on a l'impression que le temps passe vite.

– Mais encore ? demanda la fille.

– C'est une question de proportionnalité. Quand tu as cinq ans, tu es en vie depuis moins de deux mille jours. À cinquante ans, tu en as vécu près de vingt mille. Une journée quand tu as cinq ans te paraît donc plus longue parce qu'elle représente une plus grande partie du tout.

– Évidemment, plaisanta la fille. Ça tombe sous le sens.

Madeleine, elle, avait compris.

– C'est logique, dit-elle. Je m'étais toujours demandé d'où venait cette impression.

– Ce n'est qu'une théorie, dit Leonard.

Bettie Page lui tapota la main pour attirer son attention.

– Les mouches ne sont pas toujours si rapides, objecta-t-elle. J'en ai déjà attrapé avec mes mains.

– Surtout en hiver, approuva Leonard. Je serais sûrement une mouche comme ça, moi. Une mouche d'hiver, un peu abrutie.

N'ayant aucune raison valable de s'attarder dans la salle des ouvrages réservés, Madeleine glissa le Balzac dans son sac et reprit la direction de la porte.

Elle se mit à s'habiller différemment les jours où elle avait sémiotique. Elle retirait les diamants de ses oreilles, laissant ses lobes nus. Plantée devant le miroir, elle se demanda si ses lunettes à la Annie Hall pouvaient lui donner un look new wave. Décidant que non, elle les troqua contre ses lentilles de contact. Elle exhuma une paire de bottines Beatles achetée lors d'un vide-grenier dans une église de Vinalhaven. Elle releva le col de ses chemisiers, et porta plus de noir.

La quatrième semaine, Zipperstein donna à lire le livre d'Umberto Eco sur le rôle du lecteur, *Lector in fabula*. Madeleine n'y fut pas très réceptive. Elle n'était pas passionnée, en tant que lectrice, par le lecteur. Elle restait attachée à cette entité de plus en plus négligée qu'était l'auteur. Elle avait le sentiment que la plupart des sémiologues avaient dû être impopulaires dans leur enfance, tyrannisés, mis à l'écart, et qu'ils reportaient sur la littérature leur colère rentrée. Ils voulaient destituer l'auteur. Du *livre*, cet objet transcendantal, fruit de tant d'efforts, ils voulaient faire un *texte*, libre de toute attache, indéterminé, ouvert aux interprétations. Ils voulaient donner la vedette au lecteur. Parce que eux-mêmes étaient des lecteurs.

Madeleine, elle, n'avait aucun problème avec l'idée du génie. Elle attendait d'un livre qu'il l'emmène dans des endroits où elle n'était pas capable d'aller toute seule. Elle considérait qu'un auteur devait se donner plus de mal pour écrire un livre qu'elle-même pour le lire. Dans le domaine des lettres et de la littérature, Madeleine défendait une vertu tombée en désuétude : la clarté. La semaine après l'analyse d'Eco, ils étudièrent des passages de *L'Écriture et la Différence* de Derrida. Le jeudi suivant, alors que l'ouvrage du jour était *Sur la déconstruction* de Jonathan Culler, Madeleine arriva en cours, prête à participer à la discussion pour la première fois. Mais Thurston lui coupa l'herbe sous le pied.

– Ce bouquin est tout juste passable, dit-il.

– Qu'est-ce que vous lui reprochez ? demanda le professeur.

Thurston avait le genou relevé, calé contre le bord de la table de réunion. Il fit basculer sa chaise sur ses pieds arrière avec une grimace.

– Ça se laisse lire, c'est bien argumenté, tout ça. Mais la question est : peut-on utiliser un discours discrédité, à savoir la raison, pour expliquer un concept aussi révolutionnaire que la déconstruction ?

Madeleine chercha autour d'elle quelqu'un avec qui rouler des yeux, mais les autres étudiants semblaient impatients d'entendre la suite.

– Vous voulez bien développer ? dit Zipperstein.

– Bon, pour commencer, la raison n'est qu'un discours parmi d'autres, on est d'accord ? Il n'aurait pas ce caractère de vérité absolue s'il n'avait pas été le discours privilégié de l'Occident. Ce que dit Derrida, c'est qu'on est obligé d'utiliser la raison parce que, la raison, eh bien, c'est tout ce qu'on a. Mais en même temps, il faut garder à l'esprit que le langage est par nature déraisonnable. Il faut, par la raison, se détacher du raisonnable.

Il remonta la manche de son tee-shirt et gratta son épaule osseuse.

– Culler, lui, fonctionne encore selon l'ancien système. En

mono plutôt qu'en stéréo. Et donc, de ce point de vue, ce livre m'a semblé, oui, un peu décevant.

Un silence s'ensuivit. Et se prolongea.

– Je ne sais pas, dit Madeleine en appelant du regard le soutien de Leonard. Je suis peut-être la seule dans ce cas-là, mais ça ne vous a pas soulagés de lire une argumentation logique pour une fois ? Culler reformule tout ce que disent Eco et Derrida sous une forme plus digeste.

Thurston tourna lentement la tête pour la regarder de l'autre bout de la table.

– Je ne dis pas que c'est mauvais, déclara-t-il. Non, ça va, c'est pas mal. Mais le travail de Culler n'est pas du même niveau que celui de Derrida. Chaque génie a besoin d'un exégète. C'est ce que Culler est à Derrida.

Madeleine haussa les épaules.

– Je me fais une idée plus nette de ce qu'est la déconstruction en lisant Culler qu'en lisant Derrida.

Thurston s'employa à prendre pleinement en compte le point de vue de Madeleine.

– C'est dans la nature de la simplification d'être simple, dit-il.

Le cours prit fin peu après. Madeleine était furieuse. En sortant du Sayles Hall, elle aperçut Leonard sur le perron, une canette de Coca à la main. Elle alla droit vers lui et dit :

– Merci de ton aide.

– Pardon ?

– Je te croyais de mon côté. Pourquoi tu n'es pas intervenu en cours ?

– Loi numéro un de la thermodynamique, dit Leonard. Conservation de l'énergie.

– Tu n'étais pas d'accord avec moi ?

– Oui et non.

– Tu n'as pas aimé Culler ?

– Culler est bon. Mais Derrida est un poids lourd. Tu ne peux pas le balayer d'un revers de main.

Madeleine parut dubitative, mais ce n'était pas contre Derrida qu'était dirigée sa colère.

– Quand on voit comme Thurston nous rebat les oreilles avec son amour démesuré pour le langage, on ne s'attend pas à ce qu'il répète tout ce jargon comme un perroquet. Il a employé le mot *phallus* trois fois aujourd'hui.

Leonard sourit.

– En le prononçant, il doit avoir l'impression d'en avoir un.

– Il me rend dingue.

– Tu veux aller prendre un café ?

– Et *fasciste*. Ça aussi, c'est un de ses préférés. Tu sais, les teinturiers de Thayer Street ? Eux, il les a qualifiés de fascistes.

– Ils ont dû forcer sur l'amidon.

– Oui, dit Madeleine.

– Oui quoi ?

– Tu viens de m'inviter à aller prendre un café.

– Ah bon ? dit Leonard. Oui, c'est vrai. D'accord. Allons prendre un café.

Leonard ne voulait pas aller au Blue Room. Il n'aimait pas les lieux peuplés d'étudiants, expliqua-t-il. Ils gagnèrent Hope Street par Wayland Arch et prirent la direction de Fox Point.

De temps en temps, tout en marchant, Leonard crachait dans sa canette de Coca.

– Pardonne-moi cette manie dégoûtante, dit-il.

Madeleine fronça le nez.

– Tu vas continuer à faire ça longtemps ?

– Non, dit Leonard. Je ne sais même pas pourquoi je le fais. Une habitude que j'ai gardée du temps où je pratiquais le rodéo.

À la première poubelle, il jeta la canette et cracha sa chique.

Quelques rues plus loin, les jolis parterres de tulipes et de jonquilles du campus avaient cédé la place à des allées sans arbres, bordées de pavillons ouvriers aux couleurs gaies. Ils passèrent devant une boulangerie et une poissonnerie portugaises, cette dernière vendant des sardines et des seiches. Les enfants de ce quartier n'avaient pas de jardins où jouer mais ne semblaient pas plus malheureux ; ils allaient et venaient en skate-board sur les trottoirs déserts. Du côté de l'autoroute, il y avait quelques entrepôts et, au coin de Wickenden Street, un petit *diner*.

Leonard voulut s'asseoir au comptoir.

— J'ai besoin d'être près des gâteaux, dit-il. Il faut que je voie lequel me fait de l'œil.

Tandis que Madeleine prenait un tabouret à côté de lui, Leonard ausculta la vitrine des desserts.

— Tu te souviens quand ils servaient des tranches de fromage avec la tarte aux pommes ? demanda-t-il.

— Vaguement, dit Madeleine.

— Ça ne se fait plus, apparemment. Toi et moi, on doit être les deux seules personnes qui s'en souviennent.

— À vrai dire, je ne m'en souviens pas, avoua Madeleine.

— Non ? Tu n'as jamais eu une petite tranche de cheddar du Wisconsin avec ta tarte aux pommes ? Quel dommage...

— Ils accepteront peut-être de te mettre une tranche de fromage sur une part si tu le demandes.

— Je n'ai pas dit que j'aimais ça. Je regrette simplement que ça ne se fasse plus.

La conversation tourna court. Et tout à coup, sans qu'elle l'ait sentie venir, la panique s'empara de Madeleine. Elle ressentait le silence comme un jugement en sa défaveur. En même temps, ce silence l'angoissait tellement qu'il lui était encore plus difficile de parler.

Ce n'était pas agréable de se sentir aussi nerveuse, et pourtant ça lui plaisait, d'une certaine façon. Cela faisait longtemps qu'un garçon n'avait pas mis Madeleine dans un tel état.

La serveuse était à l'autre bout du comptoir, elle parlait à un client.

— Alors, pourquoi est-ce que tu suis le cours de Zipperstein ? demanda Madeleine.

– Par intérêt philosophique, dit Leonard. Tout simplement. En philosophie, tout est théorie du langage, en ce moment. Tout est linguistique. Je me suis dit qu'il fallait creuser la question.

– Tu ne fais pas une spécialisation en biologie, aussi ?

– C'est ma matière principale, dit Leonard. La philo, c'est en plus.

Madeleine songea qu'elle n'était jamais sortie avec un scientifique.

– Tu veux devenir médecin ?

– Pour l'instant, tout ce que je veux c'est attirer l'attention de la serveuse.

Leonard agita la main plusieurs fois sans succès. Tout à coup, il dit : « Il fait chaud, ici, non ? » Sans attendre de réponse, il plongea la main dans la poche arrière de son jean et sortit un bandana bleu, dont il entreprit de se recouvrir la tête, le nouant à l'arrière et procédant à une série de petits ajustements précis jusqu'à ce qu'il soit satisfait. Madeleine le regarda faire avec un léger sentiment de déception. Elle associait les bandanas au footbag, aux Grateful Dead et aux germes de luzerne, trois choses dont elle se passait très bien. Elle était cependant impressionnée par la carrure de Leonard sur le tabouret à côté d'elle. Le contraste entre son physique imposant et la douceur – la délicatesse, presque – de sa voix donnait à Madeleine le sentiment étrange de vivre un conte de fées, d'être une princesse assise à côté d'un gentil géant.

– Le problème, dit Leonard, toujours tourné dans la direction de la serveuse, c'est que je ne me suis pas intéressé à la philosophie à cause de la linguistique. Ce qui m'a attiré au départ, ce sont les vérités éternelles. Apprendre à mourir, ce genre de chose. Aujourd'hui, on se pose plutôt des questions du style : « Que veut-on dire quand on dit que l'on meurt ? » « Que pense-t-on signifier quand on dit que l'on meurt ? »

La serveuse finit par arriver. Avec son café, Madeleine commanda un fromage blanc, Leonard une tarte aux pommes.

Quand la serveuse repartit, il fit pivoter son tabouret vers la droite, si bien que leurs genoux se touchèrent brièvement.

– C'est très féminin, dit-il.

– Pardon ?

– Le fromage blanc.

– *J'aime* le fromage blanc.

– Tu fais un régime ? Tu n'as pas l'air de quelqu'un qui fait un régime.

– Pourquoi tu veux savoir ça ? dit Madeleine.

Et là, pour la première fois, Leonard parut déstabilisé. Sous le bord de son bandana, son visage se colora, et il se détourna, cessant de regarder Madeleine dans les yeux.

– Simple curiosité, dit-il.

Une seconde plus tard, il était à nouveau tourné vers elle et revenait au sujet précédent.

– Derrida est censé être beaucoup plus clair en français, dit-il. On prétend que sa prose originale est limpide.

– Je devrais peut-être lire sa prose originale, alors.

– Tu comprends le français ? dit Leonard, l'air impressionné.

– À peu près. Assez pour lire Flaubert.

Ce fut alors que Madeleine commit une grave erreur. Tout se passait si bien avec Leonard, l'ambiance était si prometteuse – même le temps y mettait du sien car, lorsqu'ils regagnèrent le campus après avoir terminé leur collation et quitté le *diner*, une bruine de mars les força à partager le parapluie de Madeleine –, qu'elle fut gagnée par le même sentiment qu'elle éprouvait petite fille quand elle avait droit à une pâtisserie ou une sucrerie, une joie tellement marquée par la conscience de sa brièveté qu'elle mangeait par toutes petites bouchées, faisant durer son chou à la crème ou son éclair le plus longtemps possible. De la même manière, au lieu d'attendre de voir où l'après-midi l'entraînerait, Madeleine décida de s'en tenir là, d'en garder pour plus tard, et elle dit à Leonard qu'elle devait rentrer travailler.

Ils ne se séparèrent pas sur un baiser, loin s'en faut. Voûté sous le parapluie, Leonard dit brusquement : « Salut », et s'éloigna rapidement sous la pluie en gardant la tête baissée. Madeleine rentra au Narragansett. Elle se coucha sur son lit et resta immobile un long moment.

Les jours passèrent lentement jusqu'au prochain cours de Sém 211. Madeleine arriva de bonne heure et choisit une chaise à la table de réunion à côté de la place habituelle de Leonard. Mais lorsqu'il finit par se montrer, avec dix minutes de retard, il s'assit sur une chaise inoccupée à côté du professeur. En cours il ne fit aucune intervention ni n'adressa un seul regard à Madeleine. Il avait le visage bouffi et une marque rouge sur une joue. Le cours terminé, il fut le premier sorti.

La semaine suivante, il sécha purement et simplement.

Madeleine se retrouva donc à devoir affronter seule non seulement la sémiotique, mais Zipperstein et ses disciples.

À présent ils étaient passés à *De la grammatologie* de Derrida. Derrida, cela donnait ceci : « En ce sens elle est l'*Aufhebung* des autres écritures, en particulier de l'écriture hiéroglyphique et de la caractéristique leibnizienne qu'on avait critiquées auparavant d'un seul et même geste. » Ou, dans les passages plus poétiques : « Ce que trahit l'écriture elle-même, dans son moment non phonétique, c'est la vie. Elle menace du même coup le souffle, l'esprit, l'histoire comme rapport à soi de l'esprit. Elle en est la fin, la finitude, la paralysie. »

Dans la mesure où il soutenait que le langage, par sa nature même, faussait toute idée qu'il tentait de faire passer, Madeleine se demandait comment Derrida voulait qu'elle comprenne sa pensée. Peut-être ne le voulait-il pas. Voilà pourquoi il utilisait autant de termes hermétiques, autant de propositions enchâssées. Voilà pourquoi il s'exprimait dans des phrases dont on n'identifiait le sujet qu'au bout d'une minute de réflexion. (« L'accès à la pluri-dimensionalité et à une temporalité délinéarisée » pouvait-il vraiment être un sujet ?)

74

Lire un roman après avoir lu de la théorie sémiotique était comme courir les mains vides après avoir couru avec des haltères. En sortant de Sémiotique 211, Madeleine se précipitait à la Rockefeller Library, au niveau B, où les rayons exhalaient une vivifiante odeur de moisi, et elle prenait un livre – n'importe lequel, *Chez les heureux du monde*, *Daniel Deronda* – pour recouvrer sa santé mentale. Quel plaisir quand une phrase découlait logiquement de la précédente ! Quel délicieux sentiment de culpabilité de se plonger dans un récit narratif ! Madeleine se sentait en sécurité avec un roman du XIXe siècle. Elle savait qu'elle allait y trouver des personnages, que quelque chose allait leur arriver dans un monde qui ressemblait à la réalité.

Et puis il y avait beaucoup de mariages chez Wharton et Austen. Il y avait toutes sortes d'hommes irrésistibles et ténébreux.

Le jeudi suivant, Madeleine vint en cours vêtue d'un pull jacquard à motif flocons de neige. Elle portait à nouveau ses lunettes. Pour la deuxième semaine consécutive, Leonard était absent. Madeleine se demanda, inquiète, s'il n'avait pas laissé tomber le cours, mais le semestre était trop avancé pour cela. Zipperstein demanda : « Quelqu'un a vu M. Bankhead ? Il est malade ? » Personne ne savait. Thurston arriva accompagné d'une fille qui s'appelait Cassandra Hart, tous deux reniflant beaucoup et pâles comme des cachets d'aspirine. Sortant un feutre noir, Thurston écrivit sur l'épaule nue de Cassandra : « Pas de la vraie peau. »

Zipperstein était d'humeur joviale. Il revenait d'une conférence à New York, habillé différemment des autres jours. En l'écoutant parler de son intervention à la New School, Madeleine comprit soudain : la sémiotique était la forme que la crise de la quarantaine avait prise chez Zipperstein. Devenir sémioticien lui permettait de porter un blouson de cuir, de se rendre à des rétrospectives Douglas Sirk à Vancouver et de récupérer dans ses cours les filles paumées les plus sexy. Au lieu de plaquer sa femme, Zipperstein avait plaqué le département de littérature. Au lieu de s'acheter une voiture de sport, il s'était mis à la déconstruction.

Pour l'heure, assis à la table de réunion, il prit la parole :

– J'espère que vous avez lu le numéro de *Semiotext(e)* pour cette semaine. À propos de Lyotard, et en hommage à Gertrude Stein, permettez-moi la formulation suivante : le problème du désir est que le là n'est pas là.

Voilà. Telle était la contribution de Zipperstein à ce cours. Il resta assis devant eux, clignant des yeux et attendant que quelqu'un développe. Il semblait avoir toute la patience du monde.

Madeleine avait voulu savoir ce qu'était la sémiotique. Elle avait voulu savoir pourquoi tout le monde ne parlait que de ça. Eh bien, à présent, elle avait le sentiment de le savoir.

Et puis, un jour, à la dixième semaine, pour des raisons totalement étrangères au cours, la sémiotique commença à prendre sens dans son esprit.

C'était un vendredi soir d'avril, il était un peu plus de onze heures, et Madeleine lisait, couchée dans son lit. Le texte au programme cette semaine-là était *Fragments d'un discours amoureux*, de Roland Barthes. Pour un livre censé parler d'amour, il n'avait pas l'air très romantique. La couverture était chocolat foncé, le titre turquoise. De l'auteur, aucune photo, seulement une biographie succincte, avec la liste de ses autres ouvrages.

Madeleine tenait le livre ouvert sur ses genoux. De la main droite elle mangeait du beurre de cacahuète à même le pot. La cuiller épousait parfaitement la voûte de son palais, laissant fondre la pâte crémeuse sur sa langue.

Elle commença par l'introduction :

La nécessité de ce livre tient dans la considération suivante : que le discours amoureux est aujourd'hui d'une extrême solitude.

La température extérieure, restée froide tout le mois de mars, venait de monter d'un coup au-dessus des dix degrés. Conséquence de ce dégel soudain, l'eau remplissait les gouttières et les caniveaux, formait des flaques sur les trottoirs, inondait les rues – on entendait un ruissellement permanent.

Madeleine avait ses fenêtres ouvertes sur l'obscurité liquide. Elle suça la cuiller et poursuivit :

Ce qu'on a pu dire ici de l'attente, de l'angoisse, du souvenir, n'est jamais qu'un supplément modeste, offert au lecteur pour qu'il s'en saisisse, y ajoute, en retranche et le passe à d'autres : autour de la figure, les joueurs font courir le furet ; parfois, par une dernière parenthèse, on retient l'anneau une seconde encore avant de le transmettre. (Le livre, idéalement, serait une coopérative : « Aux Lecteurs – aux Amoureux – Réunis. »)

Au-delà du fait que Madeleine trouvait ces lignes très belles et les comprenait d'emblée, outre le soulagement qu'elle éprouvait de reconnaître ici, enfin, un livre sur lequel elle pourrait peut-être rédiger sa dissertation de fin d'année, ce qui la poussa à se redresser dans son lit se rapprochait plutôt de la raison pour laquelle elle lisait des livres au départ et les avait toujours aimés. Elle voyait là le signe qu'elle n'était pas toute seule. Elle voyait là, formulé, ce qui n'était jusqu'alors qu'une vague sensation. Car, dans son lit ce vendredi soir-là, tandis que, en pantalon de jogging, les cheveux attachés et ses lunettes sales sur le nez, elle mangeait du beurre de cacahuète à même le pot, Madeleine se trouvait dans un état d'extrême solitude.

Cet état n'était pas sans rapport avec Leonard, avec les sentiments qu'elle avait pour lui et l'impossibilité d'en parler à quelqu'un ; avec la frustration d'en savoir aussi peu sur un garçon qui lui plaisait autant, de ne pas pouvoir le voir alors qu'elle en mourait d'envie.

Ces derniers temps, depuis sa bulle, Madeleine essayait de tâter le terrain. Elle parlait de Sémiotique 211 avec ses colocataires, en citant les noms de Thurston, de Cassandra et de Leonard. Il s'avéra qu'Abby avait connu Leonard en première année.

— Il était comment ? demanda Madeleine.

— Assez extrême. Très intelligent, mais extrême. Il m'appelait sans arrêt. Tous les jours.

— Tu lui plaisais ?

— Non, il voulait seulement discuter. Il me gardait une heure au téléphone.

— De quoi vous parliez ?

— De tout ! Sa copine. Mon copain. Ses parents, les miens. Du lapin des marais qui avait attaqué Jimmy Carter pendant sa partie de pêche en Géorgie — cette histoire l'obsédait. Un vrai moulin à paroles.

— Il sortait avec qui ?

— Une certaine Mindy. Mais ils ont rompu. C'est là qu'il s'est mis à m'appeler *vraiment* souvent. Genre, six fois par jour. Il n'arrêtait pas de parler de l'odeur de Mindy. Elle avait une odeur soi-disant parfaitement compatible avec lui, chimiquement. Il avait peur de ne plus jamais retrouver cette compatibilité olfactive avec une autre fille. Je lui ai dit que c'était sans doute l'odeur de sa crème hydratante. Il m'a soutenu que non, que c'était celle de sa peau. Elle était *chimiquement parfaite*. Voilà comment il est.

Elle marqua un temps et sonda Madeleine du regard.

— Pourquoi toutes ces questions ? Il te plaît ?

— Je suis en cours avec lui, c'est tout, mentit Madeleine.

— Tu veux que je l'invite à dîner ?

— Je ne t'ai pas demandé ça.

— Je vais l'inviter à dîner, dit Abby.

Le dîner avait eu lieu mardi soir, trois jours plus tôt. Leonard avait eu la politesse d'apporter un cadeau, un paquet de torchons à vaisselle. Il s'était mis sur son trente et un, il portait une chemise blanche avec une cravate fine, ses longs cheveux ramenés en une queue-de-cheval masculine façon guerrier écossais. D'une sincérité touchante, il avait dit bonjour à Abby et lui avait donné le paquet-cadeau en la remerciant de son invitation.

Madeleine s'efforçait de ne pas paraître trop enthousiaste. Pendant le repas, elle concentra son attention sur Brian Weeger, dont l'haleine sentait la nourriture pour chiens. Deux ou trois fois, lorsqu'elle se tourna vers Leonard, il la regarda lui aussi, fixement, l'air presque triste. Plus tard, alors que Madeleine rinçait les assiettes dans la cuisine, il la rejoignit. En se retournant, elle le trouva en train d'examiner une bosse sur le mur.

— Ça doit être une ancienne canalisation de gaz, dit-il.

Madeleine observa la bosse, repeinte de nombreuses fois.

— Il y avait des lampes à gaz autrefois dans ces bâtiments, poursuivit Leonard. Le gaz était sans doute puisé au sous-sol. Si une seule veilleuse s'éteignait, à n'importe quel étage, c'était tout le circuit qui fuyait. Le gaz n'avait pas d'odeur, en plus, à l'époque. Ce n'est que plus tard qu'on y a ajouté du méthanethiol.

— C'est bon à savoir, dit Madeleine.

— Cette baraque devait être une vraie poudrière.

Leonard tapota le renflement avec l'ongle de l'index, se retourna et appuya sur Madeleine un regard éloquent.

— Je ne suis pas venu en cours ces derniers temps, dit-il.

— Je sais.

La tête de Leonard était haut perchée au-dessus d'elle, mais, à ce moment-là, tel un dinosaure délaissant les feuilles qu'il était en train de manger, il la baissa et dit :

— Je ne me sentais pas bien.

— Tu étais malade ?

– Je vais mieux maintenant.

Dans le séjour, Olivia lança :

– Quelqu'un veut du Delamain ? C'est un délice !

– Moi j'en veux, dit Brian Weeger. C'est à tomber, ce truc.

– Ça allait, les torchons ? demanda Leonard.

– Quoi ?

– Les torchons. Je vous ai offert des torchons.

– Oh, ils sont super, dit Madeleine. Ils sont parfaits ! Ils nous seront très utiles ! Merci.

– J'aurais pu apporter du vin, ou du whisky, mais ça ressemblerait trop à mon père.

– Tu ne veux pas ressembler à ton père ?

Leonard garda une mine et une voix solennelles pour répondre :

– Mon père est un dépressif qui se soigne en s'alcoolisant. Ma mère est à peu près pareille.

– Ils habitent où ?

– Ils sont divorcés. Ma mère est restée à Portland, là où j'ai grandi. Mon père est en Europe. Aux dernières nouvelles, il habitait Anvers.

Cet échange était encourageant, d'une certaine manière. Leonard partageait des informations personnelles. D'un autre côté, les informations en question indiquaient qu'il avait une relation problématique avec ses parents, qui avaient eux-mêmes des problèmes, et Madeleine avait pour règle de ne sortir qu'avec des garçons qui aimaient leurs parents.

– Et toi, ton père, qu'est-ce qu'il fait ? demanda Leonard.

Prise au dépourvu, Madeleine hésita.

– Il travaillait dans une université, dit-elle. Il est retraité.

– Qu'est-ce qu'il faisait ? Il enseignait ?

– C'était le président.

Le visage de Leonard se contracta.

– Ah.

– C'est une toute petite université. Dans le New Jersey. Ça s'appelle Baxter.

Abby vint chercher des verres. Leonard les lui attrapa sur l'étagère du haut. Lorsqu'elle fut repartie, il se retourna vers Madeleine et dit, comme s'il souffrait :

– Il y a un film de Fellini qui passe au Cable Car cette semaine. *Amarcord.*

Madeleine leva vers lui un regard incitatif. Les romans classiques regorgeaient d'expressions démodées pour décrire ce qu'elle ressentait, des expressions comme « son cœur battait la chamade ». Mais elle avait des principes. L'un d'eux était que c'était au garçon d'inviter la fille à sortir, et non l'inverse.

– Je crois que ça passe samedi, dit Leonard.

– Samedi qui vient ?

– Tu aimes Fellini ?

Répondre à cette question ne constituait pas, estimait Madeleine, une entorse à son principe.

– Tu veux que je te confie quelque chose de gênant ? dit-elle. Je n'ai jamais vu un film de Fellini.

– Il faut que tu en voies un, dit Leonard. Je t'appelle.

– D'accord.

– J'ai ton numéro ? Mais oui, je l'ai. C'est le même que celui d'Abby.

– Tu veux que je te l'écrive ? demanda Madeleine.

– Non, dit Leonard. Je l'ai.

Et il se redressa, regagnant, tel un brontosaure, son domaine en haut des arbres.

Le reste de la semaine, Madeleine resta chez elle tous les soirs, à attendre le coup de fil de Leonard. En rentrant des cours l'après-midi, elle interrogeait ses colocataires pour savoir s'il n'avait pas appelé pendant son absence.

– Un garçon a appelé hier, dit Olivia, le jeudi. J'étais sous la douche.

– Pourquoi tu ne me l'as pas dit ?

– Désolée, j'ai oublié.

– C'était qui ?

– Il n'a pas dit son nom.

– La voix pouvait être celle de Leonard ?

– Je n'ai pas fait attention. J'étais trempée.

– Merci d'avoir pris un message !

– Excuse-moi ! dit Olivia d'un ton exaspéré. Bon Dieu. Ça n'a duré que deux secondes. Il a dit qu'il rappellerait.

On était à présent vendredi soir – vendredi soir ! – et Madeleine avait décliné la proposition d'Abby et d'Olivia de sortir avec elles pour rester attendre près du téléphone. Elle lisait *Fragments d'un discours amoureux* et s'émerveillait de la façon dont cela collait avec sa vie.

L'attente

ATTENTE. *Tumulte d'angoisse suscité par l'attente de l'être aimé, au gré de menus retards (rendez-vous, téléphones, lettres, retours).*

[...] *L'attente est un enchantement : j'ai reçu l'ordre de ne pas bouger. L'attente d'un téléphone se tisse ainsi d'interdictions menues, à l'infini, jusqu'à l'inavouable : je m'empêche de sortir de la pièce, d'aller aux toilettes, de téléphoner même (pour ne pas occuper l'appareil)* [...].

Elle entendait la télévision dans l'appartement du dessous. La chambre de Madeleine donnait sur le dôme du capitole de l'État, dont les lumières brillaient dans le ciel noir. Le chauffage, qu'elles ne commandaient pas, fonctionnait encore, le radiateur faisant inutilement entendre ses claquements et ses sifflements.

Plus elle y réfléchissait et plus Madeleine comprenait que le terme « extrême solitude » ne rendait pas compte uniquement de ce qu'elle éprouvait vis-à-vis de Leonard. Il décrivait ce qu'elle avait éprouvé chaque fois qu'elle avait été amoureuse. Il décrivait ce qu'était l'amour et, peut-être bien, ce que cela avait de mauvais.

Le téléphone sonna.

Madeleine s'assit dans son lit et corna la page qu'elle lisait. Elle attendit le plus longtemps possible (trois sonneries) avant de répondre.

– Allô ?

– Maddy ?

C'était Alton, il appelait de Prettybrook.

– Ah. Bonsoir, papa.

– Quel enthousiasme !

– Je travaillais.

Comme à son habitude, il alla droit au but.

– Ta mère et moi avons discuté d'organisation pour ton diplôme.

Un instant, Madeleine crut qu'il était question de son avenir. Puis elle comprit qu'il s'agissait de la remise des diplômes.

– On est en avril, dit-elle. La cérémonie n'a lieu qu'en juin.

– Je connais les villes universitaires, les chambres se réservent des mois à l'avance. Il faut donc que nous décidions de notre programme. Alors, voici les options. Tu m'écoutes ?

– Oui, dit Madeleine, son esprit s'égarant aussitôt.

Elle replongea la cuiller dans le pot de beurre de cacahuète et la porta à sa bouche, se contentant cette fois de la lécher.

Dans le combiné, la voix d'Alton disait :

– Option numéro un : ta mère et moi arrivons la veille de la cérémonie, nous dormons à l'hôtel et nous te voyons pour le dîner le soir de la remise des diplômes. Option numéro deux : nous arrivons le matin de la cérémonie, nous petit-déjeunons avec toi, puis nous repartons après la cérémonie. Les deux possibilités nous conviennent. C'est toi qui choisis. Mais laisse-moi t'expliquer les avantages et les inconvénients de chaque scénario.

Madeleine allait répondre quand Phyllida parla depuis un autre poste.

— Bonsoir, ma chérie. Nous ne t'avons pas réveillée, j'espère.

— Bien sûr que non, grommela Alton. Onze heures, ce n'est pas tard à l'université. Surtout un vendredi soir. D'ailleurs, qu'est-ce que tu fais chez toi un vendredi soir ? Tu as un bouton sur la figure ?

— Bonsoir, maman, dit Madeleine, ignorant son père.

— Maddy, ma puce, nous faisons refaire ta chambre et je voulais te demander…

— Vous faites refaire ma chambre ?

— Oui, elle a besoin d'être rafraîchie. Je…

— *Ma* chambre ?

— Oui. Je pensais à du vert pour la nouvelle moquette. Tu sais, un *joli* vert.

— Non ! s'écria Madeleine.

— Maddy, en quatre ans nous n'avons pas touché à ta chambre — ce n'est pas un sanctuaire ! J'aimerais pouvoir y loger des amis de temps en temps, avec la salle de bains juste à côté. Tu pourras quand même t'y installer quand tu viendras, ne t'inquiète pas. Ce sera toujours ta chambre.

— Et mon papier peint ?

— Il est vieux. Il se décolle.

— Tu ne vas pas changer mon papier peint !

— Bon, d'accord. Je laisse le papier peint. Mais la moquette…

— Excusez-moi, dit Alton d'un ton péremptoire. L'objet de cet appel est la remise des diplômes. Phyl, tu empiètes sur mon ordre du jour. Vous parlerez décoration une autre fois, toutes les deux. Bon, Maddy, les avantages et les inconvénients. Quand ton cousin a reçu son diplôme à Williams, nous avons dîné tous ensemble *après* la cérémonie. Et, rappelle-toi, Doats n'a pas cessé de se plaindre qu'il manquait toutes les fêtes — et il est parti en plein milieu du repas. Bref, ta mère et moi sommes prêts à passer la nuit sur place — voire deux nuits — si nous te voyons. Mais si tu es occupée, l'option du petit-déjeuner est plus judicieuse.

— La remise des diplômes, c'est dans deux mois. Je ne sais même pas encore ce qui est prévu.

— C'est ce que j'ai dit à ton père, souligna Phyllida.

Il vint à l'esprit de Madeleine qu'elle occupait la ligne.

— Laissez-moi y réfléchir, dit-elle brusquement. Il faut que je vous laisse. J'ai du travail.

— Si nous devons passer la nuit sur place, insista Alton, j'aimerais ne pas tarder avant de réserver une chambre.

— Rappelez-moi plus tard. Laissez-moi y réfléchir. Rappelez dimanche.

Alton était encore en train de parler quand elle raccrocha, si bien que lorsque le téléphone sonna à nouveau, vingt secondes plus tard, Madeleine décrocha et dit :

— Papa, arrête. On n'est pas obligés de décider ce soir.

Silence à l'autre bout de la ligne. Puis une voix masculine :

— Inutile de m'appeler papa.

— Oh, non. Leonard ? Pardon ! J'ai cru que c'était mon père. Il angoisse déjà pour la remise des diplômes.

— Moi aussi, j'angoissais un peu.

— Pourquoi ?

— La perspective de t'appeler.

Ça, c'était bien. Madeleine fit courir un doigt sur sa lèvre inférieure. Elle dit :

— Ça va mieux maintenant, ou tu préfères me rappeler plus tard ?

— Je suis plus serein, je te remercie.

Madeleine attendit la suite. Rien ne vint.

— Tu m'appelles pour une raison ? demanda-t-elle.

— Oui. Ce film de Fellini… J'espérais que, peut-être… si tu n'es pas trop… je sais que ça ne se fait pas d'appeler à la dernière minute, mais j'étais au labo.

Leonard semblait tout de même un peu nerveux. Ça, ce

n'était pas bien. Madeleine n'aimait pas les garçons nerveux. Les garçons nerveux n'étaient pas nerveux pour rien. Jusqu'à présent, Leonard avait paru du genre torturé plutôt que nerveux. Torturé, c'était mieux.

– Je ne crois pas que tu aies terminé ta phrase, dit-elle.

– Qu'est-ce que j'ai oublié ?

– Peut-être quelque chose comme : « Est-ce que tu voudrais m'accompagner ? »

– Avec plaisir, dit Leonard.

Madeleine regarda le combiné en fronçant les sourcils. Elle avait l'impression que Leonard avait planifié cet échange, comme un joueur d'échecs qui réfléchit huit coups à l'avance. Elle allait protester quand il ajouta :

– Excuse-moi. Ce n'était pas drôle.

Puis, se raclant la gorge d'une façon théâtrale :

– Bon, est-ce que tu veux bien venir au cinéma avec moi ?

Elle ne répondit pas tout de suite. Il méritait une petite punition. Elle le laissa donc mariner – trois secondes de plus.

– J'aimerais beaucoup.

Le verbe était lâché, déjà. Elle se demanda si Leonard l'avait remarqué. Elle se demanda ce que voulait dire le fait que, elle, l'ait remarqué. Ce n'était qu'un mot, après tout. Une façon de parler.

Le lendemain soir, le samedi, le temps capricieux redevint froid. Madeleine était congelée dans son blouson en daim marron tandis qu'elle gagnait le restaurant où ils s'étaient donné rendez-vous. Ensuite, ils se rendirent au Cable Car et trouvèrent un canapé défoncé parmi les sièges mal assortis qui meublaient la salle d'art et d'essai.

Madeleine eut du mal à suivre l'histoire. Le scénario n'était pas aussi clairement défini que ceux d'Hollywood, et le film avait un côté onirique, il était riche mais décousu. Le public, exclusivement des étudiants, riait d'un air entendu dans les moments licencieusement européens : quand la grosse fourrait son énorme sein dans la bouche du jeune héros, ou quand le vieux perché dans l'arbre hurlait : « Je veux une femme ! » Le sujet de Fellini semblait être le même que celui de Roland Barthes – l'amour –, mais Fellini était italien et s'attachait avant tout au corps alors que les Français accordaient plus d'importance à l'esprit. Madeleine se demanda si Leonard savait, avant de venir, à quoi ressemblerait *Amarcord*. Elle se demanda si c'était sa manière de l'émoustiller. Émoustillée, il se trouve qu'elle l'était, mais pas grâce au film. Le film était beau à regarder mais il la troublait et lui donnait le sentiment de n'être qu'une petite-bourgeoise naïve. Il lui semblait à la fois trop complaisant et trop masculin.

Après la séance, ils se retrouvèrent dans South Main Street. Ils n'avaient aucune destination précise. Madeleine était heureuse de constater que Leonard, bien que grand, ne l'était pas trop. Avec ses talons, elle lui arrivait au-dessus des épaules, presque au menton.

– Qu'est-ce que tu en as pensé ? demanda-t-il.

– Eh bien, maintenant, au moins, je sais ce que signifie fellinien.

À leur gauche, de l'autre côté du fleuve, les immeubles du centre-ville dressaient leurs silhouettes dans le ciel d'un rose irréel, on voyait jusqu'à la flèche du bâtiment de la Bank of America – le « Superman Building ». Les seules autres personnes dans la rue sortaient elles aussi du cinéma.

– Mon but dans la vie est de devenir un adjectif, déclara Leonard. Les gens se promèneront en disant : « C'était d'un bankheadien ! » Ou : « Un peu trop bankheadien à mon goût. »

– Bankheadien, ça sonne pas mal, approuva Madeleine.

– C'est mieux que bankheadesque.

– Ou bankheadiaque.

– C'est affreux, *iaque*. On a joycien, shakespearien, faulknérien... Mais *iaque* ? Qui on a en *iaque* ?

– Thomas Manniaque ?

– Kafkaïen, reprit Leonard. Pynchonien ! Tu te rends compte ? Pynchon a déjà son adjectif. Gaddis. Qu'est-ce que ça donnerait pour Gaddis ? Gaddisien ? Gaddisesque ?

– Ça ne marche pas vraiment avec Gaddis, dit Madeleine.

– Non. Tant pis pour lui. Tu aimes, Gaddis ?

– J'ai lu quelques pages des *Reconnaissances*.

Ils s'engagèrent dans Planet Street et commencèrent à grimper la côte.

– Bellovien, dit Leonard. C'est encore mieux quand on modifie légèrement l'orthographe. Nabokov a déjà son *v*. Comme Tchekhov. Chez les Russes, le *v* est fourni. Tolstoïen ! Ce type était un adjectif en puissance.

– N'oublie pas le tolstoïanisme, dit Madeleine.

– Bon sang ! Un substantif ! Que ne donnerais-je pas pour devenir un substantif ?

– Ça voudrait dire quoi, bankheadien ?

Leonard réfléchit un instant.

– Qui concerne ou se rapporte à Leonard Bankhead (né aux États-Unis en 1959), caractérisé par une introspection ou une inquiétude excessive. Morose, dépressif. Voir *cinglé*.

Madeleine riait. Leonard s'arrêta et lui prit le bras en la regardant d'un air sérieux.

– Je t'emmène chez moi, dit-il.

– Quoi ?

– Depuis qu'on est sortis du cinéma… On marche en direction de chez moi. C'est ma technique, apparemment. C'est pitoyable. Pitoyable. Je n'ai pas envie que ça se passe comme ça. Pas avec toi. Alors je te le dis.

– Je me doutais un peu qu'on se dirigeait vers chez toi.

– Ah bon ?

– J'allais te le faire remarquer. Quand on aurait été plus près.

– C'est juste à côté.

– Je ne peux pas monter.

– S'il te plaît…

– Non. Pas ce soir.

– *Hannaesque*, dit Leonard. Buté. Enclin à des positions inflexibles.

– *Hannaïen*, dit Madeleine. Dangereux. À qui ne pas se frotter.

– Me voilà prévenu.

Ils restèrent là, dans le froid et l'obscurité de Planet Street, à se regarder. Leonard sortit les mains de ses poches pour ramener ses longs cheveux derrière ses oreilles.

– Je veux bien monter, mais pas longtemps, alors, dit Madeleine.

« *Des jours élus* »

FÊTE. *Le sujet amoureux vit toute rencontre de l'être aimé comme une fête.*

1. La Fête, c'est ce qui s'attend. Ce que j'attends de la présence promise, c'est une sommation inouïe de plaisirs, un festin ; je jubile comme l'enfant qui rit de voir celle dont la seule présence annonce et signifie une plénitude de satisfactions : je vais avoir devant moi, pour moi, la « source de tous les biens ».

« Je vis des jours aussi heureux que ceux que Dieu réserve à ses élus ; et qu'il advienne de moi ce qui voudra, je ne pourrai pas dire que les joies, les plus pures joies de la vie, je ne les ai point goûtées. »

La question de savoir si oui ou non Madeleine était tombée amoureuse de Leonard au premier regard était discutable. Elle ne le connaissait alors même pas, ce qu'elle avait ressenti n'était donc qu'une attirance sexuelle, pas de l'amour. Même après leur sortie au *diner*, elle ne pouvait pas affirmer que ses sentiments dépassaient l'ordre du béguin. Mais à partir du moment où ils se retrouvèrent chez Leonard après avoir vu *Amarcord* et commencèrent à se bécoter, Madeleine s'aperçut que, au lieu d'être rebutée par l'aspect physique des choses, comme elle l'était souvent avec les garçons, au lieu de s'en accommoder ou d'essayer de ne pas y penser, elle était obnubilée par le dégoût que, elle, risquait d'inspirer à Leonard : était-elle assez bien foutue pour lui ? la salade César qu'elle avait eu l'imprudence de commander au restaurant lui avait-elle donné mauvaise haleine ? avait-elle été bien avisée de suggérer qu'ils prennent un Martini, à en juger par le ton sarcastique dont Leonard avait répondu : « Bien sûr. Un Martini. On fera comme si on était des personnages de Salinger » ? et alors qu'elle lui caressait la tête (Leonard, comme tous les garçons, s'était aussitôt endormi) en espérant vaguement qu'elle n'avait pas attrapé d'infection urinaire, Madeleine se demanda si toutes ces inquiétudes – qui la tinrent éveillée toute la nuit et à cause desquelles elle n'avait éprouvé pratiquement aucun plaisir malgré la prestation tout à fait respectable qu'ils avaient livrée ensemble – n'indiquaient pas, à l'évidence, qu'elle était en train de tomber amoureuse. Et après avoir passé les trois jours suivants chez Leonard à s'envoyer en l'air et à manger de la pizza, une fois suffisamment détendue pour parvenir à l'orgasme au moins une fois de temps en temps jusqu'à ne plus en faire une priorité – son désir pour Leonard d'une certaine manière satisfait par sa satisfaction à lui –, capable alors de s'asseoir nue sur son affreux canapé et d'aller à la salle de bains en sentant son regard sur son cul (imparfait), de chercher à manger dans son réfrigérateur dégoûtant, de lire la demi-page brillante de son devoir de philo qui dépassait de sa machine à écrire, et de l'entendre uriner avec une force taurine dans la cuvette des toilettes, alors oui, à la fin de ces trois jours, Madeleine sut qu'elle était amoureuse.

Mais ce n'était pas une raison pour en parler à qui que ce soit. Surtout à Leonard.

Leonard Bankhead habitait un studio au deuxième étage d'un immeuble de locations à bas prix pour étudiants. Les couloirs étaient envahis de vélos et de prospectus. Des posters décoraient les portes des autres locataires : une feuille de cannabis fluorescente, une sérigraphie de Blondie. La porte de Leonard, elle, était aussi dépouillée que l'appartement qui se trouvait derrière. Au milieu de la pièce, un matelas deux places était posé à même le sol, à côté d'un casier à bouteilles en plastique servant de support à une lampe de chevet. Pas de bureau ni de bibliothèque, pas même une table, uniquement le vilain canapé avec une machine à écrire installée devant, sur un autre casier à bouteilles. Il n'y avait rien sur les murs sinon des morceaux de ruban adhésif de masquage et, près d'un angle, un petit dessin au crayon de Leonard en George Washington à Valley Forge, coiffé d'un tricorne et s'abritant sous une couverture. En légende on lisait : « Partez si vous voulez. Moi, je suis bien ici. »

Madeleine trouvait que l'écriture avait l'air d'une écriture de femme.

Un ficus souffrait dans un coin. Leonard le mettait au soleil quand il y pensait. Prenant l'arbre en pitié, Madeleine se mit à l'arroser, jusqu'au jour où elle surprit Leonard en train de la regarder, les yeux plissés d'un air soupçonneux.

– Quoi ? dit-elle.

– Rien.

– Dis-moi, qu'est-ce qu'il y a ?

– Tu arroses mon arbre.

– La terre est sèche.

– Tu prends soin de mon arbre.

Elle cessa de le faire après ça.

Il y avait une mini-cuisine où Leonard préparait et réchauffait les litres de café qu'il buvait quotidiennement. Le gros wok graisseux posé sur le réchaud ne lui servait qu'à poêler des céréales Grape Nuts aux raisins secs, raisins secs qui satisfaisaient ses besoins en fruits.

Cet appartement était porteur d'un message, un message qui disait : « Je suis un orphelin. » Abby et Olivia demandaient à Madeleine ce que Leonard et elle faisaient ensemble et elle ne savait jamais quoi répondre. Ils ne *faisaient* rien. Elle allait chez lui, ils s'allongeaient sur le matelas et Leonard lui demandait comment elle allait, en posant sincèrement la question. Ce qu'ils faisaient ? Elle parlait, il écoutait ; puis ils échangeaient les rôles. Elle n'avait jamais connu quelqu'un, et certainement pas un garçon, qui soit aussi réceptif, attentif à chaque mot. Voyant un rapport évident entre cette qualité d'écoute et le fait que Leonard était suivi par des psychiatres depuis des années, Madeleine commençait à revenir sur un autre de ses principes : celui de ne jamais sortir avec des garçons qui suivaient une psychothérapie. Quand elles habitaient chez leurs parents, sa sœur et elle avaient une expression quand elles discutaient sérieusement de leurs sentiments. Elles appelaient ça « déballer ses tripes ». Si un garçon approchait à ce moment-là, les filles le regardaient et le mettaient en garde : « On déballe nos tripes. » Et le garçon s'éloignait. En attendant que ce soit terminé. Que les tripes soient remballées.

Sortir avec Leonard était comme un déballage de tripes permanent. À chaque instant, quand il était avec elle, il lui accordait toute son attention. Il ne la regardait pas fixement ni ne l'étouffait comme Billy, mais il lui faisait clairement comprendre qu'il était disponible. Il ne donnait que peu de conseils. Il se contentait d'écouter, et de murmurer d'un air rassurant.

Tomber amoureux de son psy, c'était courant, non ? Cela s'appelait un transfert et c'était à éviter. Mais si on couchait déjà avec son psy ? Si le divan de son psy était déjà un lit ?

Et ces déballages de tripes n'étaient pas dépourvus de légèreté. Leonard était drôle. Il racontait des histoires hilarantes en restant de marbre. Sa tête s'enfonçait dans ses épaules et, le regard triste, il parlait d'une voix traînante :

– Je t'ai déjà dit que je jouais d'un instrument ? L'été où mes parents ont divorcé, ils m'ont envoyé habiter chez mes grands-parents à Buffalo. Les voisins d'à côté venaient de Lettonie, M. et Mme Bruveris. Ils jouaient tous les deux du kokle. Tu connais, le kokle ? C'est une sorte de cithare lettonne.

» Bref, j'entendais les Bruveris jouer de leur kokle dans le jardin d'à côté. Le son était incroyable. Sauvage et super énergique, mais en même temps mélancolique. Le kokle est le maniaco-dépressif de la famille des cordes. Bref, je m'ennuyais à mourir cet été-là. J'avais seize ans. Un mètre quatre-vingt-cinq. Soixante-deux kilos. J'étais très porté sur le pétard. Je fumais dans ma chambre en crachant la fumée par la fenêtre, puis je sortais sur la véranda et j'écoutais les Bruveris jouer à côté. Parfois il y avait des gens qui venaient. D'autres joueurs de kokle. Ils installaient des pliants dans le jardin de derrière et ils s'asseyaient tous ensemble pour jouer. C'était un orchestre ! Un orchestre de kokles. Un jour, ils m'ont vu qui les regardais et ils m'ont invité à venir. Ils m'ont donné de la salade de pommes de terre et une glace Popsicle au raisin, j'ai demandé à M. Bruveris comment on jouait du kokle et il a commencé à me donner des cours. J'allais chez eux tous les jours. Ils me prêtaient un vieux kokle pour que je m'exerce. Je jouais cinq, six heures par jour. C'était mon truc.

» A la fin de l'été, quand j'ai dû repartir, les Bruveris m'ont fait cadeau du kokle. Il a voyagé à côté de moi dans l'avion, on m'a donné un siège exprès pour lui, comme si j'étais Ros-tropovitch. Mon père avait quitté la maison entre-temps. On s'est donc retrouvés à trois, ma mère, ma sœur et moi. Et j'ai continué à m'exercer, jusqu'à ce que mon niveau me permette d'entrer dans un groupe. On faisait les festivals folkloriques et les mariages orthodoxes. On était en costume traditionnel, veste brodée, manches bouffantes, bottes aux genoux. J'étais le seul jeune. La plupart étaient lettons, il y avait aussi des Russes. Le titre phare de notre répertoire était « Ochi Chernye ». C'est ce qui m'a maintenu la tête hors de l'eau au lycée. Le kokle.

– Tu en joues toujours ?

– Ça va pas, non ? Du kokle ? Tu plaisantes ?

En écoutant Leonard, Madeleine se sentait handicapée par son enfance heureuse. Elle ne se demandait jamais pourquoi elle agissait de telle ou telle manière, ou en quoi ses parents avaient influencé sa personnalité. Avoir été privilégiée avait émoussé sa capacité d'observation. Alors qu'à Leonard, aucun détail n'échappait. Comme lorsqu'ils allèrent passer le week-end à Cape Cod (en partie pour visiter le laboratoire de Pilgrim Lake, où Leonard sollicitait un poste d'assistant). Sur la route du retour, dans la voiture, il dit :

– Comment tu fais ? Tu te retiens ?

– Quoi ?

– Tu te retiens. Pendant deux jours. Tu attends d'être rentrée chez toi.

Finissant par comprendre, Madeleine s'exclama :

– Non mais je rêve !

– Jamais, à aucun moment, tu n'as coulé un bronze en ma présence.

– En ta présence ?

– Quand je suis là. Ou dans les parages.

– Et alors, quel est le problème ?

– Le problème ? Il n'y en a pas si tu viens passer la nuit chez moi et que tu retournes en cours le lendemain. Tu rentres chez toi, tu coules ton bronze, ça peut se comprendre. Mais quand on passe deux, presque trois jours ensemble, à se goinfrer de viande et de fruits de mer, et que tu ne chies pas une seule fois de tout le séjour, je suis bien obligé d'en conclure que tu te retiens.

– Et alors ? C'est gênant, d'accord ?! Ça me gêne.

Leonard la fixa d'un regard sans expression :

– Ça te gêne quand je chie, moi ?

– On est obligés de parler de ça ? Ce n'est pas très ragoûtant.

– Je crois qu'il faut en parler, oui. Parce qu'il est évident que tu n'es pas très détendue quand tu es avec moi, alors que je suis ton petit ami, ou du moins c'est ce que je croyais ; je devrais donc être la personne avec qui tu te sens le plus à l'aise. Leonard devrait être synonyme de relaxation maximum.

Ce n'étaient pas les garçons qui étaient censés parler. Les garçons n'étaient pas censés vous pousser à vous confier. Mais celui-là, si. Il avait dit aussi qu'il était son « petit ami ». Il avait officialisé la chose.

– Je tâcherai d'être plus détendue, dit Madeleine, si ça peut te faire plaisir. Mais en termes de... d'excrétion, n'y compte pas trop.

– Il ne s'agit pas de moi, dit Leonard. Il s'agit de M. Intestin grêle. Il s'agit de M. Duodénum.

Cette sorte de thérapie d'amateur n'était peut-être pas très efficace (après cette dernière conversation, par exemple, Madeleine eut encore plus de mal à faire la grosse commission si Leonard se trouvait à moins d'un kilomètre), mais l'attention que lui portait Leonard touchait beaucoup Madeleine. Elle se sentait traitée comme un objet précieux ou éminemment fascinant, elle avait l'impression qu'on prenait soin d'elle. Qu'on pense autant à elle la rendait heureuse.

Dès la fin du mois d'avril, Madeleine et Leonard prirent l'habitude de passer toutes leurs nuits ensemble. Les soirs de semaine, après avoir terminé de travailler, Madeleine se rendait au laboratoire de biologie, où elle trouvait Leonard examinant des échantillons au microscope en compagnie de deux étudiants chinois de troisième cycle. Quand elle réussissait enfin à lui faire quitter le labo, elle devait encore le convaincre de coucher chez elle. Au début, Leonard venait volontiers au Narragansett. Il en aimait les moulures tarabiscotées et appréciait la vue depuis la chambre de Madeleine. Il charmait Olivia et Abby en préparant des pancakes le dimanche matin. Mais bientôt, il commença à se plaindre du fait qu'ils dormaient *toujours* chez Madeleine et qu'il ne pouvait *jamais* se réveiller dans son lit à lui. Passer la nuit chez Leonard imposait cependant à Madeleine d'apporter de quoi se changer pour le lendemain matin, et, dans la mesure où il n'aimait pas qu'elle laisse des vêtements chez lui (elle n'aimait pas cela non plus, à vrai dire, car tout ce qu'elle laissait s'imprégnait d'une odeur de renfermé), elle devait trimbaler son linge sale en cours toute la journée. Elle préférait dormir chez elle, où elle pouvait utiliser son shampooing, son après-shampooing et son gant végétal, et où elle changeait les draps tous les mercredis. Leonard ne changeait jamais ses draps. Ils étaient d'une inquiétante couleur grise. Des bourres de poussière s'accumulaient au bord du matelas. Un matin, Madeleine fut horrifiée de retrouver l'empreinte calligraphique du sang qui s'était échappé d'elle trois semaines plus tôt, une tache à laquelle elle s'était attaquée alors avec une éponge de cuisine pendant que Leonard dormait.

— Tu ne laves jamais tes draps ! s'indigna-t-elle.

— Si, je les lave, dit Leonard d'un ton calme.

— Tous les combien ?

— Quand ils sont sales.

— Ils le sont toujours.

— Tout le monde ne peut pas se permettre de déposer son linge chez le teinturier une fois par semaine. Ce n'est pas dans toutes les familles qu'on change les draps tous les sept jours.

— Tu n'es pas obligé d'aller chez le teinturier, rétorqua Madeleine sans se laisser démonter. Tu as un lave-linge au sous-sol.

— Et je m'en sers. Mais pas tous les mercredis, c'est tout. Je n'associe pas la saleté à la mort et à la putréfaction.

— Ah parce que, moi, si ? Je suis obsédée par la mort parce que je lave mes draps ?

— Le rapport des gens à la propreté a beaucoup à voir avec leur peur de la mort.

– Je ne te parle pas de la mort, Leonard. Je te parle des miettes dans le lit. Je te parle du fait que ton oreiller sente le sandwich au pâté de foie.

– Faux.

– Je t'assure !

– Faux.

– Sens, Leonard !

– C'est du salami. Je n'aime pas le pâté de foie.

Dans une certaine mesure, ce genre de chamaillerie était amusant. Puis vinrent des soirs où Madeleine oublia d'emporter de quoi se changer et où Leonard l'accusa de le faire exprès pour l'obliger à dormir chez elle. À ces soirs-là, et c'était plus préoccupant, en succédèrent d'autres où Leonard déclara qu'il rentrait chez lui travailler et la verrait le lendemain. Il se mit à multiplier les nuits blanches. Un de ses professeurs de philosophie lui prêta sa cabane dans les Berkshires, et Leonard y passa tout un week-end de pluie, seul, à rédiger un devoir sur Fichte. Il revint avec cent vingt-trois pages dactylographiées et vêtu d'un gilet de chasse orange fluo. Ce gilet devint son vêtement préféré. Il ne le quittait plus.

Il se mit à terminer les phrases de Madeleine. Comme si elle avait l'esprit trop lent. Comme s'il ne pouvait pas attendre qu'elle organise ses idées. Il rebondissait sur ce qu'elle disait, partait dans de longs discours, étranges et parsemés de jeux de mots. Quand elle lui faisait remarquer qu'il avait besoin de sommeil, il se mettait en colère et restait sans l'appeler pendant plusieurs jours. Et c'est durant cette période que Madeleine comprit vraiment en quoi le discours amoureux était d'une extrême solitude. La solitude était extrême parce qu'elle n'était pas physique. Elle était extrême parce qu'on la ressentait alors qu'on était en compagnie de l'être aimé. Elle était extrême parce qu'elle était dans votre tête, le lieu le plus solitaire qui soit.

Plus Leonard se repliait sur lui-même, plus Madeleine s'affolait. Et plus Madeleine s'affolait, plus Leonard se repliait sur lui-même. Elle essayait de se maîtriser. Elle allait à la bibliothèque travailler sur son mémoire, mais l'atmosphère érotique qui y régnait – les coups d'œil échangés dans les salles de lecture, les baisers volés entre les rayons – ne faisait que renforcer son besoin désespéré de voir Leonard. Voilà comment, un soir, menée malgré elle par ses pas, elle traversa le campus plongé dans l'obscurité et gagna le département de biologie. Jusqu'à la dernière seconde, Madeleine garda le fol espoir que cette preuve de faiblesse soit au contraire une preuve de force. Cette stratégie était brillante car elle était dépourvue de toute stratégie. Elle ne faisait intervenir aucun jeu, rien d'autre que la sincérité. Face à une telle sincérité, comment Leonard pouvait-il rester froid ? Elle était presque heureuse lorsqu'elle s'approcha de la table de laboratoire par-derrière et tapota l'épaule de Leonard, mais son bonheur s'envola au moment où il se retourna, l'air non pas amoureux mais agacé.

Le fait que ce soit le printemps n'arrangeait rien. Chaque jour, les gens semblaient se dévêtir davantage. Sur les pelouses, les magnolias en bouton étaient comme embrasés. Leur parfum s'infiltrait à travers les fenêtres de la salle de Sémiotique 211. Les magnolias n'avaient pas lu Roland Barthes. Pour eux, l'amour n'était pas un état spirituel ; ils soutenaient qu'il était de l'ordre du naturel, de l'éternel.

Par une belle et chaude journée de mai, Madeleine prit une douche, se rasa les jambes avec une application particulière et enfila sa première robe de printemps : une robe baby-doll vert pomme avec col bavette et ourlet large. Aux pieds, elle mit des sandales Buster Brown crème et rouille, portées sans socquettes. Ses jambes nues, musclées par un hiver passé à jouer au squash, étaient pâles mais soyeuses. Lunettes sur le nez et cheveux détachés, elle se rendit chez Leonard dans Planet Street. En chemin, elle s'arrêta à un marché pour acheter un morceau de fromage, un paquet de crackers Stoned Wheat Thins et une bouteille de valpolicella. En descendant Benefit Street en direction de South Main Street, elle sentit le vent chaud entre ses cuisses. Profitant de ce que la porte de l'immeuble de Leonard était maintenue entrouverte par une brique, elle monta à l'appartement et frappa. Leonard ouvrit. Il avait l'air de se réveiller d'une sieste.

– Ouah, la robe, dit-il.

Ils n'arrivèrent jamais jusqu'au parc. Ils pique-niquèrent l'un sur l'autre. Tandis que Leonard l'entraînait vers le matelas, Madeleine laissa tomber ses paquets en espérant que la bouteille de vin ne se briserait pas et ôta sa robe d'un seul geste. Bientôt nus, ils pillèrent, ce fut son impression, un énorme panier rempli de délices. Allongée sur le ventre, sur le côté, sur le dos, Madeleine goûtait de tout, les fruits confits au parfum alléchant, les pilons de poulet charnus, ainsi que des choses plus raffinées, biscotti à l'anis, truffes toutes ridées, cuillerées de tapenade. Elle n'avait jamais été aussi affairée de sa vie. En même temps, elle se sentait comme étrangère à elle-même ; d'ordinaire si soignée, elle avait fusionné avec Leonard en une grosse entité protoplasmique et extatique. Il lui semblait avoir déjà été amoureuse. Elle avait déjà eu des rapports sexuels, ça, elle en était certaine. Mais les torrides étreintes d'adolescents, les ébats maladroits sur les banquettes arrière des voitures, les soirs d'été instructifs et déterminants avec son petit ami au lycée, Jim McManus, même les instants de tendresse avec Billy, quand il insistait pour qu'ils jouissent en se regardant dans les yeux – rien de tout ça ne l'avait préparée à la violence, au plaisir dévorant, de ce qu'elle vivait en ce moment.

Leonard l'embrassait. N'en pouvant plus, Madeleine lui repoussa la tête en le saisissant sauvagement par les oreilles et le maintint ainsi pour lui montrer la puissance de ce qu'elle ressentait (elle pleurait à présent). D'une voix rauque teintée d'autre chose, un sentiment de péril, Madeleine dit : « Je t'aime. »

Leonard la regarda fixement. Il fronça les sourcils. Soudain, il roula jusqu'au bord du matelas, se leva et gagna, nu, l'autre côté de la pièce. Se baissant, il plongea la main dans le sac de Madeleine et, de la poche où il était toujours rangé, sortit *Fragments d'un discours amoureux*. Il fit défiler les pages jusqu'à trouver celle qu'il cherchait. Puis il rejoignit Madeleine au lit et lui tendit le livre.

Je t'aime
JE-T-AIME.

Lorsqu'elle lut ces mots, Madeleine fut submergée de bonheur. Elle leva les yeux vers Leonard en souriant. Il lui fit signe du doigt de continuer à lire. *La figure ne réfère pas à la déclaration d'amour, à l'aveu, mais à la profération répétée du cri d'amour.* Tout à coup, le bonheur de Madeleine retomba, supplanté par son sentiment de péril. Elle regretta d'être nue. Elle contracta les épaules et se couvrit avec le drap en poursuivant docilement. *Passé le premier aveu, « je t'aime » ne veut plus rien dire…* Leonard, accroupi, affichait un petit sourire satisfait. C'est à ce moment-là que Madeleine lui jeta le livre à la figure.

•

Derrière le bow-window de la Carr House, l'affluence de voitures due à la remise des diplômes formait à présent un flot continu. Les spacieux véhicules parentaux (des Cadillac et des Mercedes Classe S, avec, de temps en temps, une Chrysler New Yorker ou une Pontiac Bonneville), venus des hôtels du centre-ville, roulaient vers College Hill pour la cérémonie. Au volant de chaque voiture, le père, l'air responsable et déterminé mais conduisant de manière un peu hésitante en raison des nombreuses rues à sens unique. Sur le siège passager, la mère, dégagée des obligations du foyer nulle part ailleurs qu'ici, dans la voiture familiale conduite par son mari, et donc libre d'admirer cette jolie petite ville universitaire. La banquette arrière était occupée par les autres membres de la famille, les frères et sœurs de la ou du jeune diplômé, principalement, mais s'y glissaient parfois un grand-père ou une grand-mère qu'on était passé prendre à Old Saybrook ou à Hartford et qu'on avait amené pour voir Tim, Alice, Prakrti ou Heejin, aller chercher son parchemin durement gagné. Il y avait aussi les taxis de la ville, concurrencés par des berlines banalisées crachant de la fumée bleue, et de petites voitures de location en forme de scarabée qui slalomaient entre les files comme pour éviter de se faire écraser. Le fleuve franchi, alors qu'ils commençaient à grimper la côte de Waterman Street, quelques conducteurs klaxonnaient en apercevant l'énorme banderole de Brown au-dessus de l'entrée de la First Baptist Church. Chacun avait espéré qu'il ferait beau pour la remise des diplômes. Mitchell, lui, n'était pas dérangé par le ciel gris et les températures anormalement froides pour la saison. Il était content que le bal des diplômés ait été gâché à cause de la pluie. Il était content qu'il n'y ait pas de soleil. La guigne qui semblait s'acharner sur le programme des festivités s'accordait parfaitement avec son état d'esprit.

Se faire traiter de pauvre type n'était jamais agréable, mais c'était particulièrement douloureux quand la personne qui vous injuriait était une fille pour qui vous aviez un faible et que vous désiriez secrètement épouser.

Après le départ précipité de Madeleine, Mitchell était resté à la table, paralysé par le regret. Leur réconciliation n'avait duré que vingt minutes. Il devait quitter Providence le soir même et, dans quelques mois, le pays. Il ignorait quand il la reverrait, s'il la revoyait un jour.

De l'autre côté de la rue, les cloches sonnèrent neuf heures. Il devait y aller. Le défilé des diplômés commençait dans trois quarts d'heure. Il avait laissé sa toque et sa toge chez lui, où Larry l'attendait. Cependant, au lieu de se lever, Mitchell approcha sa chaise de la fenêtre. Il colla presque son nez à la vitre et regarda une dernière fois College Hill, en répétant intérieurement les mots suivants :

Seigneur Jésus, fils de Dieu, aie pitié de moi, pécheur.
Seigneur Jésus, fils de Dieu, aie pitié de moi, pécheur.
Seigneur Jésus, fils de Dieu, aie pitié de moi, pécheur.
Seigneur Jésus, fils de Dieu, aie pitié de moi, pécheur.
Seigneur Jésus, fils de Dieu, aie pitié de moi, pécheur.
Seigneur Jésus, fils de Dieu, aie pitié de moi, pécheur.
Seigneur Jésus, fils de Dieu, aie pitié de moi, pécheur.
Seigneur Jésus, fils de Dieu, aie pitié de moi, pécheur.
Seigneur Jésus, fils de Dieu, aie pitié de moi, pécheur.
Seigneur Jésus, fils de Dieu, aie pitié de moi, pécheur.
Seigneur Jésus, fils de Dieu, aie pitié de moi, pécheur.
Seigneur Jésus, fils de Dieu, aie pitié de moi, pécheur.
Seigneur Jésus, fils de Dieu, aie pitié de moi, pécheur.
Seigneur Jésus, fils de Dieu, aie pitié de moi, pécheur.
Seigneur Jésus, fils de Dieu, aie pitié de moi, pécheur.
Seigneur Jésus, fils de Dieu, aie pitié de moi, pécheur.
Seigneur Jésus, fils de Dieu, aie pitié de moi, pécheur.
Seigneur Jésus, fils de Dieu, aie pitié de moi, pécheur.
Seigneur Jésus, fils de Dieu, aie pitié de moi, pécheur.
Seigneur Jésus, fils de Dieu, aie pitié de moi, pécheur.

Cela faisait deux semaines que Mitchell récitait la « Prière de Jésus », et pas uniquement parce que c'était la prière que Franny Glass ne cessait de répéter dans *Franny et Zooey* (mais ça jouait, c'était indéniable). Mitchell approuvait la quête spirituelle de Franny, son retrait du monde, son mépris pour les étudiants prétentieux – les « polars », comme elle les appelait. Outre un attrait dramatique évident, il trouvait à cette dépression nerveuse qui occupait tout le roman, au fait qu'à aucun moment ce personnage ne quitte son canapé, les vertus cathartiques ordinairement reconnues à Dostoïevski, et paradoxalement sans effet sur Mitchell (rien à voir avec Tolstoï). Pourtant, bien que traversant une crise existentielle similaire, ce n'était qu'en tombant sur cette prière dans un livre intitulé *L'Église orthodoxe* qu'il avait décidé de tenter l'expérience. La « Prière de Jésus » se trouvait appartenir à la tradition religieuse conformément à laquelle Mitchell avait été mystérieusement baptisé vingt-deux ans plus tôt. Il se sentait donc en droit de la prononcer, et c'était ce qu'il avait fait, en se promenant à l'intérieur du campus, aux assemblées silencieuses de l'église quaker près de Moses Brown, ou dans des moments comme celui-ci, quand la sérénité qu'il recherchait battait de l'aile.

Mitchell aimait la qualité psalmodique de cette prière. Franny disait qu'on n'avait même pas besoin de réfléchir à ce qu'on disait ; il suffisait de répéter la formule jusqu'à ce que votre cœur prenne le relais et se mette à la réciter pour vous. C'était là un détail important car, chaque fois que Mitchell prenait le temps de réfléchir aux mots de la « Prière de Jésus », il n'était pas emballé. « Seigneur Jésus » était un début difficile, évocateur des fanatiques du Sud profond. De la même façon, demander « pitié » était humiliant et vous ramenait aux serfs du Moyen Âge. Et quand on arrivait au bout de « Seigneur Jésus, fils de Dieu, aie pitié de moi », il restait encore « pécheur », une vraie pierre d'achoppement. Les Évangiles, que Mitchell comprenait métaphoriquement, disaient qu'il fallait mourir pour renaître. Les mystiques (eux, clairement métaphoriques) disaient qu'il fallait penser le moi comme procédant du divin. Mitchell aimait l'idée de procéder du divin. Mais le moi avait aussi du bon et on ne le tuait pas comme ça.

Il continua de réciter la prière encore quelques instants, jusqu'à ce qu'il se sente plus calme. Puis il se leva et sortit du café. De l'autre côté de la rue, on avait à présent ouvert les portes latérales de l'église. L'organiste s'échauffait, on entendait la musique depuis la pelouse. Mitchell regarda vers le bas de la côte, dans la direction où Madeleine avait disparu. Ne voyant aucune trace d'elle, il s'engagea dans Benefit Street pour regagner son appartement.

La relation de Mitchell avec Madeleine Hanna – sa longue relation bercée d'espoir, parfois prometteuse mais frustrante – avait commencé en première année, à une soirée romaine pendant la période d'orientation. C'était le genre d'événement qu'il détestait viscéralement : une beuverie inspirée d'un film hollywoodien, une capitulation devant la culture de masse. Mitchell n'était pas venu à l'université pour se conduire comme John Belushi. Il n'avait même pas vu *American College* (lui, était fan d'Altman). Le problème, c'est que c'était ça ou rester tout seul dans sa chambre, aussi, dans un esprit de rébellion qui n'allait cependant pas jusqu'à boycotter la soirée purement et simplement, il avait fini par s'y rendre mais sans se déguiser. Sitôt arrivé dans la salle polyvalente en sous-sol, il sut que c'était une erreur. Il avait cru que ne pas porter de toge le ferait paraître trop cool pour ce genre de niaiserie, mais, planté dans un coin de la salle, buvant un gobelet de bière mousseuse, Mitchell se sentait aussi mal à l'aise qu'à n'importe quelle fête un peu courue.

Ce fut alors que Madeleine attira son regard. Elle était au milieu de la piste et dansait avec un assistant de recherche que Mitchell connaissait de vue. À la différence des autres filles, à qui leur toge faisait une silhouette courtaude, Madeleine portait la sienne près du corps grâce à un cordon noué autour de la taille. Elle avait les cheveux ramassés sur le sommet de la tête, à la romaine, et le dos délicieusement dénudé. Outre son incroyable beauté, Mitchell remarqua qu'elle n'était pas une danseuse acharnée – elle parlait à l'assistant, une bière à la main, faisant à peine attention au rythme – et qu'elle quittait régulièrement la fête pour aller dans le couloir. La troisième fois, Mitchell, enhardi par l'alcool, s'approcha d'elle et lança :

– Où tu vas comme ça, chaque fois ?

Madeleine ne se démonta pas. Elle devait avoir l'habitude de se faire aborder par des garçons de manière étrange.

– Je veux bien te le dire, mais tu vas me trouver bizarre.

– Non, promis, assura Mitchell.

– Ma chambre est dans ce bâtiment. Je me suis dit que comme tout le monde serait à la fête, les lave-linge seraient libres. Du coup, j'ai décidé de faire ma lessive en même temps.

Mitchell but une gorgée de mousse sans la quitter des yeux.

– Tu as besoin d'aide ?

– Non, dit Madeleine. Ça va aller.

Comme si elle s'en voulait d'avoir été abrupte, elle ajouta :

– Tu peux venir regarder, si tu veux. C'est passionnant, la lessive.

Elle enfila le couloir aux murs de parpaings et il l'accompagna en marchant à sa hauteur.

– Pourquoi tu ne portes pas de toge ? lui demanda-t-elle.

– Parce que c'est nul ! s'exclama-t-il, presque en criant. C'est d'une bêtise !

Ce n'était pas très malin de sa part, mais Madeleine ne parut pas le prendre personnellement.

– Moi, je suis venue parce que je m'ennuyais, dit-elle. Si ça s'était passé ailleurs, je n'aurais sûrement pas fait le déplacement.

Dans la buanderie, Madeleine commença à retirer ses dessous mouillés d'un lave-linge à pièces. Pour Mitchell, c'était déjà très émoustillant. Mais l'instant d'après, une chose inoubliable se produisit. Tandis que Madeleine plongeait la main dans le tambour de la machine, le nœud retenant la toge à son épaule se défit et le drap tomba.

La capacité de l'esprit à photographier une image comme celle-là – rien, au fond, seulement quelques centimètres carrés d'épiderme – est étonnante. La scène ne dura pas plus de trois secondes, et Mitchell n'était alors pas totalement sobre. Pourtant, près de quatre ans plus tard, il était capable de revivre cet instant à volonté (ce qu'il était porté à faire avec une fréquence certaine) dans l'intégralité de ses détails sensoriels : le bourdonnement des sèche-linge, les basses de la musique à côté, l'odeur d'humidité de la buanderie en sous-sol. Il se rappelait exactement où il se trouvait et la manière dont, pendant ces quelques secondes magiques, le pâle et chaste sein de vestale de Madeleine était apparu tandis qu'elle se baissait en ramenant une mèche de cheveux derrière son oreille.

Elle s'était hâtée de remonter le drap et avait relevé la tête en souriant, un sourire peut-être gêné.

Plus tard, leurs rapports ayant revêtu cet aspect intime et insatisfaisant, Madeleine avait toujours contesté le souvenir que Mitchell avait gardé de la soirée. Elle soutenait qu'elle n'était pas venue à cette fête en toge et que, même si ç'avait été le cas – et elle ne disait pas que ça l'était –, la toge n'était pas tombée. Ni ce soir-là, ni aucun des mille autres suivants, il n'avait vu sa poitrine nue.

Mitchell rétorquait qu'il l'avait vue une fois ce soir-là et regrettait beaucoup que cela ne se soit pas reproduit.

Dans les semaines qui suivirent la soirée romaine, Mitchell se mit à passer voir Madeleine dans sa chambre à l'improviste. L'après-midi, après son cours de latin, il gagnait le Wayland Quad dans l'air frais parfumé par les feuilles des arbres et, la tête encore vibrante des hexamètres dactyliques de Virgile, montait au deuxième. Debout dans l'encadrement de la porte ou, s'il avait plus de chance, assis au bureau, il s'efforçait d'être amusant. La camarade de chambre de Madeleine, Jennifer, le regardait toujours d'un sale œil pour lui faire comprendre qu'elle voyait clair dans son jeu. Heureusement, Madeleine et elle semblaient mal s'entendre, et Jenny les laissait souvent seuls. Madeleine avait toujours l'air contente de le voir. Elle commençait aussitôt à lui parler de ce qu'elle lisait, et il hochait la tête, feignant de s'intéresser à ce qu'elle pensait d'Ezra Pound ou de Ford Madox Ford alors qu'il se tenait suffisamment près d'elle pour sentir l'odeur de son shampooing. Parfois, elle lui préparait du thé. Aux infusions Celestial Seasonings, dont le paquet portait une citation de Lao-tseu, Madeleine préférait le Fortnum & Mason, en particulier l'Earl Grey. Et elle ne se contentait pas de plonger un sachet dans une tasse mais faisait infuser, dans une théière maintenue au chaud par un couvre-théière, des feuilles en vrac qu'elle filtrait à l'aide d'une passoire. Au-dessus de son lit, Jennifer avait un poster de Vail, la station de ski du Colorado, montrant un skieur plongé dans la poudreuse jusqu'à la taille. Le côté de Madeleine était plus raffiné. Elle avait mis au mur une série de photos de Man Ray encadrées. Son dessus-de-lit et sa taie d'oreiller imitation cachemire étaient du même gris anthracite sérieux que ses pulls à col en V. Sur la commode étaient posés des objets féminins excitants : un rouge à lèvres argenté à monogramme, un agenda Filofax contenant les plans des métros new-yorkais et londonien. Mais il y avait aussi quelques éléments un peu gênants : une photo de sa famille où ils étaient tous habillés dans des couleurs assorties, un peignoir Lilly Pulitzer, un lapin en peluche tout usé du nom de Foo Foo.

Mitchell était prêt, eu égard aux atouts de Madeleine, à fermer les yeux sur ces détails.

Parfois, lors de ses visites, il trouvait d'autres garçons déjà sur place. Un blond BCBG en richelieux sans chaussettes, ou un Milanais au gros nez en pantalon moulant. Dans ces cas-là, Jennifer se montrait encore moins hospitalière. Quant à Madeleine, elle était soit tellement habituée à ce que les garçons s'intéressent à elle qu'elle n'y faisait plus attention, soit si naïve qu'elle ne soupçonnait pas les raisons qui poussaient trois garçons à s'incruster dans sa chambre tels les soupirants de Pénélope. Elle ne semblait pas coucher avec les deux autres, pour autant que Mitchell pouvait en juger. Il y avait donc de l'espoir.

Progressivement, il était passé d'assis au bureau de Madeleine à assis près de son lit sur le rebord de la fenêtre, avant de finir allongé par terre face au lit, elle s'y prélassant au-dessus de lui. De temps en temps, l'idée qu'il avait déjà vu sa poitrine – qu'il connaissait précisément la forme de ses aréoles – suffisait à lui donner une érection, et il devait se tourner sur le ventre. Cependant, les rares fois où Madeleine accompagna Mitchell pour une sortie qui pouvait ressembler à un rendez-vous galant – à une pièce de théâtre ou une lecture de poèmes organisée par des étudiants –, elle avait le tour des yeux crispé, comme si elle était consciente du désavantage, pour sa vie sociale comme pour sa vie amoureuse, à être vue avec lui. Elle aussi était nouvelle à l'université et cherchait ses marques. Peut-être ne voulait-elle pas limiter ses choix si tôt.

Une année s'écoula ainsi. Une année entière à se la mettre derrière l'oreille. Mitchell finit par cesser de passer voir Madeleine, et, peu à peu, ils se fondirent dans des cercles différents. Sans l'oublier, il décida qu'elle était trop bien pour lui. Quand il la rencontrait par hasard, elle était si bavarde et lui touchait le bras si souvent qu'il recommençait à se faire des idées, mais ce n'est qu'en deuxième année qu'il faillit vraiment se passer quelque chose. En novembre, quelques semaines avant Thanksgiving, Mitchell ayant expliqué qu'il allait rester sur le campus pour les vacances car il n'avait pas les moyens de rentrer à Detroit, Madeleine le surprit en l'invitant à fêter Thanksgiving chez elle à Prettybrook.

Ils s'étaient donné rendez-vous à la gare d'Amtrak le mercredi midi. Lorsque Mitchell arriva, chargé d'une valise d'avant-guerre aux initiales dorées à moitié effacées de quelque défunt, il trouva Madeleine qui l'attendait sur le quai. Elle portait des lunettes. C'étaient des lunettes à grosse monture d'écaille, et avec, si tant est que ce fût possible, elle lui plaisait encore davantage. Les verres étaient très rayés et la branche gauche légèrement tordue. À part ça, Madeleine était aussi soignée que d'habitude, sinon plus, étant donné qu'elle se rendait chez ses parents.

– J'ignorais que tu portais des lunettes, dit Mitchell.

– Mes lentilles me faisaient mal aux yeux ce matin.

– Ça te va bien.

– Je ne les porte que de temps en temps. Ma vue n'est pas si mauvaise.

Là, sur le quai, Mitchell se demanda si le fait que Madeleine avait mis ses lunettes indiquait qu'elle était à l'aise avec lui, ou si cela voulait dire qu'elle se moquait de ne pas être au mieux de son apparence physique en sa présence. Une fois dans le train, parmi la foule des vacanciers, la question devint impossible à trancher. Lorsqu'ils eurent trouvé deux sièges côte à côte et s'y furent installés, Madeleine retira ses lunettes et les tint sur ses genoux. Tandis que le train quittait Providence, elle les remit pour regarder défiler le paysage, avant de les retirer brusquement à nouveau pour les fourrer dans son sac (voilà pourquoi les verres étaient dans un tel état, elle avait perdu l'étui il y avait belle lurette).

Le voyage durait cinq heures. Mitchell, qui était ravi d'avoir Madeleine captive sur le siège à côté de lui, n'aurait pas vu d'inconvénient à ce qu'il durât cinq jours. Elle avait apporté le tome 1 de *La Ronde de la musique du temps* d'Anthony Powell et, chose qui semblait être une coupable habitude de voyage, un épais numéro de *Vogue*. Mitchell contempla les entrepôts et les ateliers de carrosserie de Cranston avant de sortir son *Finnegans Wake*.

– Tu ne lis pas ça, dit Madeleine.

– Si.

– Arrête !

– Ça parle d'une rivière, dit Mitchell. En Irlande.

Poursuivant son itinéraire, le train longea la côte du Rhode Island et entra dans le Connecticut. Parfois l'océan apparaissait, ou des marais, puis, tout aussi soudainement, on se retrouvait derrière une affreuse ville industrielle. À New Haven le train s'arrêta pour changer de locomotive avant de reprendre sa route en direction de New York. Arrivés à Grand Central, Madeleine et Mitchell se rendirent en métro à Penn Station, et elle le guida vers un autre quai afin de prendre le train pour le New Jersey. Ils arrivèrent à Prettybrook juste avant huit heures du soir.

Les Hanna habitaient une maison Tudor centenaire, devant laquelle se dressaient des platanes à feuilles d'érable et des sapins-ciguë mourants. À l'intérieur, tout était de bon goût et à moitié délabré. Les tapis d'Orient étaient tachés. Le lino rouge brique de la cuisine avait trente ans. Lorsqu'il alla aux toilettes, Mitchell s'aperçut que le distributeur de papier hygiénique avait été réparé avec du Scotch. Même chose pour le papier peint du couloir, qui se décollait. Mitchell avait déjà rencontré des riches un peu cracra, mais il était là devant la parcimonie WASP dans sa forme la plus pure. Les plafonds de plâtre s'affaissaient de manière inquiétante. Les boîtiers d'une ancienne alarme faisaient saillie sur les murs. Les fils électriques étaient reliés par des boutons et des tubes de porcelaine et des flammes jaillissaient des prises chaque fois qu'on débranchait quelque chose.

Mitchell savait s'y prendre avec les parents. Les parents, c'était sa spécialité. Une heure après être arrivé le mercredi soir, il était déjà en terrain conquis. Il connaissait les paroles des chansons de Cole Porter qu'Alton passait sur la « hi-fi ». Il permit à ce dernier de lire tout haut des extraits des textes de Kingsley Amis sur l'alcool, et il sembla les trouver tout aussi hilarants que lui. Au dîner, il parla avec Phyllida de Sandra Day O'Connor, la première femme élue à la Cour suprême, et avec Alton d'Abscam, la cellule anticorruption du FBI. Pour couronner le tout, il fit sensation au Scrabble en fin de soirée.

— J'ignorais que *groszy* était un mot, dit Phyllida, très impressionnée.

— C'est une unité monétaire polonaise. Cent *groszy* valent un *zloty*.

– Tous tes amis à l'université sont aussi instruits, Maddy ? dit Alton.

Quand Mitchell jeta alors un coup d'œil à Madeleine, elle lui souriait. C'est à ce moment-là qu'il eut le déclic. Madeleine était en peignoir. Elle portait ses lunettes. Sans apprêt, elle restait cependant sexy, beaucoup trop belle pour lui et, en même temps, à sa portée, dans la mesure où il semblait déjà parfaitement intégré dans sa famille et ferait un gendre parfait. Pour toutes ces raisons, Mitchell se dit soudain : « Je vais épouser cette fille ! » Cette pensée le saisit comme une décharge électrique, une sorte de prémonition.

– Les mots étrangers ne sont pas autorisés, dit Madeleine.

Il passa la matinée de Thanksgiving à déplacer des chaises pour Phyllida et à boire des Bloody Mary en jouant au billard avec Alton. Les boules tombaient dans des poches de cuir tressé au lieu de revenir automatiquement dans un réservoir. En se mettant en place pour jouer un coup, Alton dit : « Il y a quelques années, je me suis aperçu que cette table n'était pas de niveau. L'employé que m'a envoyé la société de maintenance a décrété qu'elle était gauchie – un des amis des filles, sans doute, qui se serait assis dessus. Il voulait que je fasse changer toute l'ardoise. J'ai glissé un morceau de bois sous l'un des pieds. Problème réglé. »

Bientôt, du monde arriva. Un cousin à la voix douce qui s'appelait Doats et portait un pantalon écossais, sa femme, Dinky, une blonde glaciale avec de grandes dents à la De Kooning, leurs jeunes enfants et un gros setter anglais du nom de Nap.

Madeleine s'agenouilla pour accueillir Nap, lui ébouriffant la fourrure et le serrant dans ses bras.

– Qu'est-ce qu'il a grossi, Nap ! s'exclama-t-elle.

– Tu sais pourquoi, d'après moi ? dit Doats. C'est parce qu'il est castré. Nap est un eunuque. Et les eunuques étaient tous grassouillets, c'est connu, non ?

La sœur de Madeleine, Alwyn, et son mari, Blake Higgins,

arrivèrent vers une heure. Alton prépara les cocktails pendant que Mitchell se rendait utile en faisant du feu.

Le dîner de Thanksgiving se déroula dans un brouillard de verres constamment remplis et de toasts goguenards. Après cela, tout le monde se rassembla dans la bibliothèque, où Alton servit le porto. Le feu était en train de mourir, et Mitchell retourna chercher du bois. À présent, il était insensible à la douleur. Il contempla les étoiles dans le ciel nocturne, entre les branches des sapins. Il se trouvait au milieu du New Jersey mais se serait cru dans la Forêt-Noire. Cette maison lui plaisait beaucoup. L'opération Hanna dans son ensemble, cette incursion alcoolisée chez les riches, le ravissait. Lorsqu'il revint avec le bois, il entendit de la musique. Alton chantait, accompagné au piano par Madeleine. Le morceau s'intitulait « Til », un classique de la famille. Alton chantait étonnamment bien ; il avait fait partie d'une chorale quand il était à Yale. Madeleine peinait un peu à enchaîner les accords, elle les plaquait d'une main pataude. Ses lunettes lui glissèrent au bout du nez tandis qu'elle lisait la partition. Elle s'était débarrassée de ses chaussures pour actionner les pédales pieds nus.

Mitchell resta jusqu'à la fin du week-end. Lors de sa dernière nuit à Prettybrook, alors qu'il lisait, couché dans sa chambre au grenier, il entendit quelqu'un ouvrir la porte du couloir et commencer à monter l'escalier. Madeleine frappa doucement à sa porte et entra.

Elle portait un tee-shirt de Lawrenceville School, rien d'autre. Le haut de ses cuisses, qui arrivait au niveau de la tête de Mitchell lorsqu'elle entra, était un peu plus fort qu'il ne l'aurait cru.

Elle s'assit sur le bord du lit.

Lorsqu'elle lui demanda ce qu'il lisait, Mitchell dut regarder son livre pour s'en rappeler le titre. L'idée qu'il était nu sous son drap fin le remplissait d'une peur délicieuse. Cela n'avait pas dû échapper à Madeleine, il en était convaincu. Il hésita à l'embrasser. Pendant quelques secondes, il crut qu'elle allait le faire, elle. Puis, parce qu'elle ne bougea pas, parce qu'il était un invité et que les parents de Madeleine dormaient en bas, parce que, dans l'euphorie du moment, Mitchell crut que la chance avait tourné et qu'il avait tout le temps du monde pour passer à l'action, il ne fit rien. Madeleine finit par se lever, l'air vaguement déçue. Elle redescendit et éteignit la lumière.

Après son départ, Mitchell se repassa la scène en imaginant une autre conclusion. Craignant de souiller les draps, il se dirigea vers la salle de bains. Il heurta un vieux matelas à ressorts, qui tomba dans un grand bruit. Quand le silence fut revenu, il se remit en marche et, dans le mini-lavabo du grenier, se soulagea, ouvrant le robinet pour effacer toute trace compromettante.

Le lendemain matin, ils reprirent le train pour Providence, gravirent ensemble la côte de College Hill, se serrèrent dans les bras et se séparèrent. Quelques jours plus tard, Mitchell se rendit à la résidence de Madeleine. Elle n'était pas là. Sur le tableau d'affichage près de sa porte figurait un mot de la part d'un certain Billy : « Projection Tarkovski, 7 h 30, Sayles. À ne pas louper ! » Mitchell laissa en guise de message un extrait d'*Ulysse*, le passage où Gerty MacDowell montre ses dessous à Bloom durant le feu d'artifice : « Elle éclata la chandelle romaine et ce fut comme si elle soupirait Oh ! et tout le monde cria Oh ! Oh ! de ravissement et il en jaillit en gerbe un flot de cheveux d'or qui filaient[1]... »

Une semaine passa et toujours pas de nouvelles de Madeleine. Mitchell essaya de la joindre par téléphone mais n'eut aucune réponse.

Il retourna à sa chambre. Cette fois encore, elle était sortie. Sur son tableau quelqu'un avait dessiné une flèche désignant la citation de Joyce et y avait apposé la question suivante : « C'est qui, l'obsédé ? »

Mitchell l'effaça. Il écrivit : « Maddy, appelle-moi. Mit-

---

1. Nouvelle traduction sous la direction de Jacques Aubert, Gallimard, 2004.

chell. » Puis il effaça ces mots et écrivit : « Accordez-moi un entretien. M. »

De retour dans sa chambre à lui, Mitchell s'examina dans la glace. Il se tourna de côté, tenta de voir son profil. Il fit semblant de parler à quelqu'un à une soirée pour voir de quoi il avait l'air.

Lorsqu'une autre semaine fut passée sans nouvelles de Madeleine, il cessa de l'appeler et de se rendre à sa chambre. Il se concentra sur ses études, consacrant un temps héroïque à peaufiner ses devoirs de littérature, ou à traduire les métaphores filées de Virgile sur la vigne et les femmes. Lorsqu'il finit par tomber sur Madeleine un jour, elle se montra aussi amicale que d'habitude. Ils restèrent proches tout le reste de l'année, continuant de se rendre ensemble à des lectures de poèmes et dînant à l'occasion au Ratty, seuls ou avec d'autres. Lorsque les parents de Madeleine vinrent la voir au printemps, elle invita Mitchell à dîner avec eux au Bluepoint Grill. Mais il ne retourna jamais chez eux à Prettybrook, ne fit plus jamais de feu dans leur cheminée ni ne but de gin tonic sur la terrasse devant le jardin. Peu à peu, Mitchell réussit à se créer son propre cercle d'amis parmi les étudiants et, sans couper les ponts avec lui, Madeleine s'éloigna de son côté. Mais il n'oublia jamais sa prémonition. Un soir d'octobre, alors qu'il s'était écoulé près d'un an depuis son séjour à Prettybrook, Mitchell vit Madeleine traverser le campus dans la lumière violacée du crépuscule. Elle était en compagnie de Billy Bainbridge, un blond frisé que Mitchell avait connu en première année, alors qu'ils logeaient tous deux dans le même bâtiment. Billy suivait des cours sur la place faite aux femmes dans la société et se qualifiait lui-même de féministe. Pour l'heure, sa sensibilité à la cause s'exprimait par une main glissée dans la poche arrière du jean de Madeleine. Madeleine avait elle aussi la sienne dans la poche arrière du jean de Billy. Ils avançaient ainsi, chacun tenant un bout de fesse de l'autre. Le visage de Madeleine dégageait une stupidité inconnue de Mitchell. C'était la stupidité des gens normaux. C'était la stupidité des gens beaux et heureux, de tous ceux qui obtenaient ce qu'ils voulaient dans la vie et en devenaient quelconques.

•

Dans le Phèdre *de Platon, les discours du sophiste Lysias et du premier Socrate (avant que celui-ci ne fasse sa palinodie) reposent tous deux sur ce principe : que l'amant est insupportable (par lourdeur) à l'aimé.*

Dans les semaines suivant sa rupture avec Leonard, Madeleine passa le plus clair de son temps au Narragansett, allongée sur son lit. Elle se traîna à ses derniers cours. Elle n'avait presque plus d'appétit. La nuit, une main invisible la réveillait en sursaut toutes les deux ou trois heures. Le chagrin était physiologique, il altérait la formule sanguine. Il lui arrivait de rester une minute entière frappée d'effroi – le tic-tac du réveil rythmant le silence, la lumière bleutée du clair de lune recouvrant la fenêtre comme de la glu – avant qu'elle se rappelle pourquoi elle était dans cet état-là.

Elle s'attendait à ce que Leonard l'appelle. Elle rêvait de le voir apparaître à la porte de l'appartement, lui demandant de revenir. Lasse que cela ne se produise pas, elle perdait patience et composait son numéro. La ligne était souvent occupée. Leonard s'en sortait très bien sans elle. Il appelait des gens, d'autres filles, probablement. Parfois Madeleine écoutait la tonalité « occupé » si longtemps qu'elle se surprenait à essayer d'y distinguer la voix de Leonard, comme s'il se trouvait juste derrière ce bruit. Quand cela sonnait libre, l'idée qu'il puisse répondre à tout instant la rendait euphorique, puis elle paniquait et raccrochait brusquement, ayant toujours l'impression qu'elle l'avait entendu dire « Allô ? » à la dernière seconde. Entre deux appels, elle restait allongée sur le côté et réfléchissait à l'idée d'appeler.

L'amour l'avait rendue insupportable. Il l'avait rendue « lourde ». Vautrée sur son lit, veillant à ce que ses chaussures ne touchent pas les draps (Madeleine demeurait soigneuse malgré son chagrin), elle passait en revue tout ce qu'elle avait fait pour que Leonard s'en aille. Elle lui avait demandé trop d'attention, à se blottir contre lui, assise sur ses genoux comme une petite fille, à vouloir être avec lui en permanence. Elle avait perdu le sens de ses priorités et était devenue un fardeau.

De sa relation avec Leonard, il ne restait qu'une chose : le livre qu'elle lui avait jeté à la figure. Ce jour-là, avant de sortir de chez lui comme une furie – alors que, d'une nudité arrogante sur le lit, il répétait calmement le nom de Madeleine sur un ton qui laissait entendre qu'elle réagissait de manière exagérée –, elle avait remarqué le livre ouvert sur le sol, tel un oiseau qui se serait assommé contre une vitre. Le ramasser aurait prouvé à Leonard qu'il avait raison, qu'elle nourrissait une obsession malsaine pour *Fragments d'un discours amoureux* ; que ce livre, au lieu de dissiper ses fantasmes sur l'amour, les avait renforcés, ce qui, au-delà de son sentimentalisme, montrait sa nullité en tant que critique littéraire.

D'un autre côté, laisser *Fragments* par terre – et donner à Leonard l'occasion d'inspecter les passages qu'elle avait soulignés, ainsi que ses notes dans la marge (dont, page 121, dans le chapitre intitulé « Dans le calme aimant de tes bras », un simple « Leonard ! » exclamatif) – était impossible. Aussi, après avoir pris son sac, Madeleine avait également ramassé le Barthes d'un geste fluide et rapide, sans oser regarder si Leonard s'en était aperçu. Cinq secondes plus tard, elle claquait la porte derrière elle.

Elle était heureuse d'avoir récupéré son livre. À présent, dans la morosité qui l'accablait, la prose élégante de Roland Barthes était sa seule consolation. Rompre avec Leonard n'avait rien enlevé à la pertinence de *Fragments d'un discours amoureux*. Il y avait en réalité plus de chapitres sur le chagrin que sur le bonheur. L'un d'eux était consacré à la dépendance, un autre au suicide. Un autre encore aux larmes. *Propension particulière du sujet amoureux à pleurer* [...]. *La moindre émotion amoureuse, de bonheur ou d'ennui, met Werther en larmes. Werther pleure souvent, très souvent, et abondamment. En Werther, est-ce l'amoureux qui pleure ou est-ce le romantique ?*

Bonne question. Depuis qu'elle avait rompu avec Leonard, Madeleine pleurait pour ainsi dire en permanence. Elle s'endormait en pleurant le soir. Elle pleurait le matin en se lavant les dents. Elle faisait un gros effort pour ne pas pleurer devant ses colocataires et y parvenait la plupart du temps.

Fragments d'un discours amoureux était le remède parfait contre les peines d'amour. C'était un manuel de réparation pour le cœur, avec le cerveau pour seul outil. Si on utilisait sa tête, si on prenait conscience de la dimension culturelle dans la construction de l'amour et du fait que ses symptômes étaient purement intellectuels, si on comprenait que l'état « amoureux » n'était qu'une idée, alors on pouvait se libérer de sa tyrannie. Madeleine savait tout cela. Le problème, c'était que ça ne marchait pas. Elle pouvait lire Barthes déconstruisant l'amour à longueur de journée sans sentir la moindre atténuation de celui qu'elle portait à Leonard. Plus elle lisait *Fragments d'un discours amoureux*, plus elle se sentait elle-même amoureuse. Elle se reconnaissait à chaque page. Elle s'identifiait au « je » indéfini de Barthes. Elle ne voulait pas être libérée de ses émotions mais voir leur importance confirmée. Voilà un livre qui s'adressait aux amoureux, un livre sur ce qu'ils ressentaient et qui contenait le mot *amour* à pratiquement toutes les phrases. Et Dieu qu'elle aimait ça !

Dans le monde extérieur, la fin du semestre, et avec lui des études elles-mêmes, approchait à grands pas. Ses colocataires, toutes deux spécialisées dans l'histoire de l'art, avaient déjà trouvé un premier emploi à New York, Olivia chez Sotheby's, Abby dans une galerie de Soho. Un nombre impressionnant de ses amis et connaissances étaient démarchés sur le campus par des banques d'investissement. D'autres avaient décroché une bourse de recherche ou partaient travailler dans les médias à Los Angeles.

Le maximum dont Madeleine était capable pour préparer son avenir était de s'arracher à son lit une fois par jour et d'aller relever sa boîte postale. En avril, elle avait été trop occupée par le travail et l'amour pour s'apercevoir que le quinze était passé sans qu'elle reçoive de réponse de Yale. Le temps qu'elle s'en aperçoive, elle était trop déprimée par sa rupture pour essuyer un nouveau refus. Pendant deux semaines, elle n'alla même pas à la poste. Quand enfin elle se força à y aller et à vider sa boîte qui débordait, il n'y avait toujours pas de courrier de Yale.

Il y avait des nouvelles, en revanche, de ses autres demandes. L'organisme d'enseignement de l'anglais langue étrangère lui avait envoyé une lettre d'acceptation pleine d'enthousiasme (« Félicitations, Madeleine ! »), ainsi qu'un formulaire d'embauche et le nom de la province chinoise, le Shandong, où elle devait exercer. Était jointe également une brochure d'information où un passage en caractères gras attira son attention :

Les installations sanitaires (douches, toilettes, etc.) vous demanderont peut-être un temps d'adaptation, mais la majorité de nos enseignants finissent par apprécier ce confort « spartiate ».

La cuisine chinoise est assez variée, surtout par rapport aux habitudes américaines. Ne vous étonnez pas si, après quelques mois dans votre village d'accueil, vous prenez plaisir à manger du serpent !

Elle ne renvoya pas le formulaire d'embauche.

Deux jours plus tard, elle reçut par le courrier interne une lettre de la fondation Melvin et Hetty Greenberg l'informant qu'il ne lui avait pas été attribué de bourse pour étudier l'hébreu à Jérusalem.

De retour chez elle, Madeleine se retrouva face à son amoncellement de cartons. Une semaine avant leur rupture, Leonard avait reçu une réponse positive du laboratoire de Pilgrim Lake. Geste qui avait paru alors significatif, il avait proposé qu'ils vivent ensemble dans l'appartement de fonction fourni avec sa bourse. Si Madeleine était reçue à Yale, elle pourrait monter le rejoindre le week-end ; dans le cas contraire, elle n'aurait qu'à passer l'hiver à Pilgrim Lake, en attendant de réitérer sa demande. Sans délai, elle avait annulé ses autres projets et commencé à empaqueter ses livres et ses vêtements pour les envoyer au laboratoire avant son arrivée. Madeleine, qui testait alors la profondeur des sentiments de Leonard pour elle, avait été comblée par cette invitation à la vie commune, et c'était en grande partie ce qui l'avait poussée à avouer son amour quelques jours plus tard. Et à présent, comme le rappel cruel de ce désastre, les cartons étaient là dans sa chambre, à destination de nulle part.

Madeleine arracha les étiquettes où figurait l'adresse du laboratoire et entassa les cartons dans un coin.

Par miracle, elle réussit à boucler à temps son mémoire de deuxième cycle. Elle remit également sa dissertation de fin d'année pour le cours de Sémiotique 211, mais ne prit pas la peine de la récupérer après les partiels pour lire les remarques de Zipperstein et connaître sa note.

Quand arriva le week-end de la remise des diplômes, elle faisait tout son possible pour penser à autre chose. Abby et Olivia avaient tenté de la convaincre de les accompagner au bal des diplômés, mais, à cause des orages, dont les vents avaient emporté les tables de cocktail et arraché les chapelets de lampions colorés, la fête avait été réorganisée à l'intérieur d'un gymnase, et aucune de leurs connaissances n'y était allée. Ayant besoin

s familles, Abby et Olivia s'étaient tout de même
rbecue avec le président, M. Swearer, le samedi
ais au bout d'une demi-heure elles avaient ren-
parents à leur hôtel. Le dimanche, les colocataires
avaient toutes trois séché la messe des diplômés à la First Baptist
Church. À neuf heures ce soir-là, Madeleine se trouvait dans
sa chambre, roulée en boule dans son lit avec *Fragments d'un
discours amoureux*, sans le lire, le tenant simplement près d'elle.

Ce n'était pas le jour où elle changeait les draps. Ce jour-là
n'avait pas eu lieu depuis longtemps.

On frappa à la porte de sa chambre.

– Une seconde.

Madeleine avait la voix rauque à force de pleurer. Elle avait
des mucosités dans la gorge.

– Entrez, dit-elle.

La porte s'ouvrit pour révéler Abby et Olivia, côte à côte,
en délégation.

S'avançant brusquement, Abby s'empara du Roland Barthes.

– On te le confisque.

– Rends-le-moi.

– Tu ne le lis pas, ce livre, dit Olivia. Tu t'y complais.

– Je viens d'écrire une dissertation dessus. Je vérifiais quelque
chose.

Tenant le livre derrière son dos, Abby secoua la tête.

– Tu ne vas pas rester à te morfondre éternellement. Ce
week-end a été un fiasco. Mais ce soir il y a une fête chez
Lollie et Pookie et il faut que tu viennes. Allez !

En Madeleine, Abby et Olivia estimaient que c'était la romantique qui pleurait. Elles trouvaient qu'elle en faisait trop, qu'elle
était ridicule. Elle aurait pensé la même chose si l'une d'elles
s'était retrouvée dans un tel état. Les chagrins d'amour amusent
tout le monde sauf ceux qui les subissent.

– Rends-moi mon livre.

– Je te le rendrai si tu viens à la fête.

Madeleine comprenait pourquoi ses colocataires banalisaient ses sentiments. Elles n'avaient jamais été amoureuses, jamais vraiment. Elles ignoraient à quoi Madeleine était confrontée.

– On nous remet notre diplôme demain ! insista Olivia. C'est notre dernière soirée à la fac. Tu ne vas pas rester dans ta chambre !

Madeleine détourna les yeux et se frotta le visage.

– Quelle heure est-il ? demanda-t-elle.

– Dix heures.

– Je n'ai pas pris de douche.

– On t'attend.

– Je n'ai rien à me mettre.

– Je peux te prêter une robe, proposa Olivia.

Les deux filles restèrent plantées là, obligeantes et pressantes à la fois.

– Rendez-moi mon livre.

– Seulement si tu viens.

– D'accord ! céda Madeleine. Je viens.

À contrecœur, Abby lui rendit le livre broché. Madeleine regarda fixement la couverture.

– Et si Leonard y est ? demanda-t-elle.

– Il n'y sera pas, dit Abby.

– Mais s'il y est ?

Abby détourna les yeux et répéta :

– Il n'y sera pas. Fais-moi confiance.

Lollie et Pookie Ames habitaient une maison délabrée de Lloyd Avenue. Depuis le trottoir, sous les ormes dégoulinants, Madeleine et ses colocataires entendaient les pulsations des basses et les voix désinhibées par l'alcool. La lueur des bougies tremblotait derrière les vitres embuées.

Les filles cachèrent leurs parapluies derrière les vélos sous le porche et entrèrent. À l'intérieur, l'air était chaud et humide, comme dans une forêt tropicale qui sentirait la bière. Les meubles achetés aux puces avaient été poussés contre les murs afin qu'on puisse danser. Jeff Trombley, qui faisait le DJ, éclairait la platine à l'aide d'une lampe électrique dont le faisceau éclaboussait le poster du guérillero Sandino accroché au mur derrière lui.

— Passez devant, toutes les deux, dit Madeleine. Regardez si vous voyez Leonard.

Abby prit un air agacé.

— Je te l'ai dit, il ne viendra pas.

— On ne sait jamais.

— Pourquoi il viendrait ? Il a horreur du monde. Excuse-moi, mais maintenant que vous avez rompu, je peux te le dire : il n'est pas très net, ton Leonard.

— N'importe quoi, protesta Madeleine.

— Tu veux bien penser à autre chose qu'à lui ? Essaie, au moins.

— Dis donc, ajouta Olivia en allumant une cigarette. Si j'avais peur de rencontrer mes ex, je ne pourrais aller nulle part !

— C'est bon, laissez tomber. Allons-y.

— Enfin ! triompha Abby. C'est parti. Il faut en profiter, ce soir. C'est notre dernière soirée.

Malgré la musique à fond, peu de gens dansaient. Tony Perotti, vêtu d'un tee-shirt des Plasmatics, pogotait, seul, au milieu de la piste. Debbie Boonstock, Carrie Mox et Stacy Henkel dansaient en rond autour de Marc Wheeland. Wheeland portait un tee-shirt blanc et un bermuda flottant. Ses mollets étaient impressionnants, ainsi que ses épaules. Tandis que les trois filles se trémoussaient devant lui, il regardait fixement le sol en tapant du pied et, de temps en temps (c'était là ce qui ressemblait le plus à un mouvement de danse), soulevait légèrement ses bras aux muscles hypertrophiés.

— Combien de temps avant que Marc Wheeland enlève son tee-shirt ? dit Abby en s'engageant dans le couloir.

— Deux minutes ? proposa Olivia.

La cuisine semblait tout droit sortie d'un film de sous-marin : sombre, étroite, des tuyaux serpentant au plafond, le carrelage trempé. Madeleine marcha sur des capsules de bouteille en se frayant un chemin à travers la foule.

S'il y avait une zone dégagée au fond de la cuisine, elles s'en aperçurent en l'atteignant, ce n'était dû qu'à la présence d'une litière à chat puante.

– C'est dégoûtant ! dit Olivia.

– Ils ne la vident jamais, cette caisse ? s'indigna Abby.

Un garçon coiffé d'une casquette de base-ball semblait monter la garde devant le réfrigérateur. Quand Abby ouvrit celui-ci, il les informa :

– Les Grolsch sont à moi.

– Pardon ?

– Ne prenez pas les Grolsch. Elles sont à moi.

– Je croyais qu'on était à une fête, dit Abby.

– Ouais, d'accord, reconnut le garçon. Mais tout le monde vient avec de la bière américaine. Moi, j'achète de l'importée.

Olivia déploya toute sa hauteur de Scandinave et rétorqua, profondément méprisante :

– On a une tête à boire de la bière ?

Elle se baissa pour inspecter elle-même le contenu du réfrigérateur.

– Mon Dieu, dit-elle avec dégoût, il n'y a que de la bière.

Se redressant, elle balaya la pièce d'un regard plein d'autorité jusqu'à ce qu'elle aperçoive Pookie Ames. Elle dut crier pour l'appeler à cause du bruit.

Pookie, qui, d'ordinaire, avait la tête enroulée dans un keffieh, portait ce soir-là une robe de velours noir et des diamants aux oreilles, une tenue dans laquelle elle semblait parfaitement à l'aise.

– Pookie, sauve-nous, dit Olivia. On ne peut pas boire de la bière.

– Mais ma chérie, dit Pookie, il y a du veuve-clicquot !

– Où ça ?

– Dans le bac à légumes.

– Merveilleux !

Olivia tira le bac et trouva la bouteille.

– Maintenant, on va pouvoir faire la fête !

Madeleine n'était pas une grande buveuse, mais sa présente situation nécessitait des remèdes traditionnels. Elle prit un gobelet en plastique sur la pile et se laissa servir par Olivia.

– Savoure bien ta Grolsch, lança Olivia au garçon.

Puis, à Abby et à Madeleine :

– J'emporte la bouteille.

Et elle s'engouffra à nouveau dans la foule. Abby et Madeleine la suivirent, veillant à ne pas renverser leur gobelet de champagne.

Dans le séjour, Abby proposa un toast :

– Les filles ? À une super année passée ensemble !

Les gobelets ne tintèrent pas, ils plièrent mollement.

À présent, Madeleine était à peu près sûre que Leonard n'était pas là. L'idée qu'il soit ailleurs, en revanche, à une autre fête de fin d'année, lui ouvrit un trou dans la poitrine – un trou par lequel s'écoulaient des fluides vitaux ou entraient des poisons, elle n'aurait su le dire.

Sur le mur le plus proche, un squelette d'Halloween était agenouillé devant un Ronald Reagan en carton grandeur nature, comme s'il lui faisait une fellation. Près du visage radieux du président, quelqu'un avait écrit : « J'ai la gaule ! »

Soudain, par un mouvement kaléidoscopique, la piste se réorganisa pour révéler Lollie Ames et Jenny Crispin se livrant à un numéro de danse pseudo-érotique. Elles se frottaient le bassin l'une contre l'autre et se tripotaient, tout en riant et en se passant un joint.

Non loin de là, Marc Wheeland, officiellement parce qu'il avait trop chaud, retira son tee-shirt et le coinça dans la poche arrière de son bermuda. Torse nu, il continua de danser en exhibant ses muscles. Les filles autour de lui se rapprochèrent.

Depuis sa rupture avec Leonard, Madeleine était assaillie, pratiquement à chaque heure, par des pulsions sexuelles d'une vivacité extrême. Elle en avait envie tout le temps. Mais les pectoraux luisants de Wheeland ne lui étaient d'aucun effet. Ses désirs étaient non transférables. Ils portaient le nom de Leonard inscrit sur eux.

Elle se donnait beaucoup de mal pour faire bonne figure. Malheureusement, son corps commençait à la trahir. Les larmes lui montaient aux yeux. Le trou noir en son centre s'agrandissait. Rapidement, elle monta à l'étage par l'escalier de devant, trouva la salle de bains et s'y enferma.

Durant cinq minutes, elle pleura au-dessus du lavabo tandis qu'en bas la musique ébranlait les murs. Les serviettes de bain suspendues à la porte n'avaient pas l'air propres, aussi s'essuya-t-elle les yeux avec du papier hygiénique roulé en boule.

Lorsqu'elle eut cessé de pleurer, Madeleine se calma en se regardant dans la glace. Elle avait le teint marbré. Ses seins, dont elle était fière en temps normal, s'étaient recroquevillés sur eux-mêmes, comme déprimés. Elle savait que cette auto-évaluation n'était peut-être pas fidèle à la réalité. Un ego blessé reflète son image. La possibilité qu'elle ne soit pas aussi affreuse qu'elle en avait l'impression fut la seule chose qui la poussa à déverrouiller la porte et à sortir de la salle de bains.

Dans une chambre au bout du couloir, deux filles avec une queue-de-cheval et un collier de perles étaient allongées sur le lit. Elles ne firent pas attention à Madeleine lorsqu'elle entra.

— Je croyais que tu me détestais, dit l'une. Depuis Bologne, j'en étais convaincue.

— Je n'ai pas dit que je ne te détestais pas, souligna l'autre.

La bibliothèque contenait les incontournables Kafka, les Borges de rigueur, les Musil qui rapportaient des points. Au bout des étagères, il y avait un petit balcon accueillant. Madeleine s'y avança.

La pluie s'était interrompue. C'était une nuit sans lune, seulement éclairée d'une pâle lueur mauve par les réverbères. Une chaise de cuisine cassée était installée devant une poubelle renversée faisant office de table. Sur la poubelle étaient posés un cendrier et un exemplaire trempé de *La Foire aux vanités*. De la vigne vierge pendait, broussailleuse, à un treillis invisible.

Madeleine se pencha par-dessus la balustrade branlante et regarda la pelouse.

Ce devait être l'amoureuse en elle qui pleurait, et non la romantique. Elle n'avait aucune envie de sauter. Elle n'était pas comme Werther. De plus, le sol était à moins de cinq mètres.

— Attention, fit soudain une voix derrière elle. Vous n'êtes pas seule.

Elle se retourna. Adossé au mur de la maison, à moitié caché par la vigne, se tenait Thurston Meems.

— Je t'ai fait peur ? demanda-t-il.

Madeleine réfléchit un instant.

— Tu n'es pas très effrayant, dit-elle.

Thurston ne prit pas ombrage de cette réponse.

— Tu as raison, je suis plus effrayé qu'effrayant. Pour tout te dire, je me cache.

Ses sourcils, qui commençaient à repousser, encadraient ses grands yeux. Il était en appui sur les talons de ses baskets montantes, les mains dans les poches.

— Tu viens souvent aux soirées pour te cacher ?

— Elles me permettent d'affirmer ma misanthropie. Et toi, qu'est-ce que tu fais ici ?

— Moi aussi, j'affirme ma misanthropie, dit Madeleine, qui se surprit à rire.

Pour leur faire de la place, Thurston poussa la poubelle sur le côté. Il prit le livre, l'approcha de son visage pour voir ce que c'était et le balança du haut du balcon. Il fit un bruit sourd en tombant dans l'herbe mouillée.

– J'en déduis que tu n'aimes pas *La Foire aux vanités*, dit Madeleine.

– « Vanité des vanités, dit l'Ecclésiaste », et patati et patata.

Une voiture s'arrêta dans la rue, puis recula. Des gens chargés de packs de bières en sortirent et approchèrent de la maison.

– Une nouvelle fournée de fêtards, dit Thurston en les regardant.

Un temps, puis Madeleine demanda :

– Alors, sur quoi tu as fait ta dissert de fin d'année ? Derrida ?

– *Naturellement*[*1]. Et toi ?

– Barthes.

– Quel bouquin ?

– *Fragments d'un discours amoureux*.

Thurston ferma les yeux et hocha la tête avec délectation.

– Sacré bouquin.

– Tu l'aimes ?

– Ce qu'il a d'étonnant, c'est que, malgré son apparente déconstruction de l'amour – c'est ce qu'il est censé faire, non ? jeter un regard froid sur toute cette entreprise romantique –, il se lit comme un journal intime.

– C'est le sujet de ma dissert ! J'ai déconstruit Barthes et sa déconstruction de l'amour.

Thurston continua de hocher la tête.

– J'aimerais bien la lire.

– Vraiment ?

Madeleine, dont la voix venait de s'élever d'une demi-octave, se racla la gorge pour la ramener à la normale.

– Je ne sais pas trop ce que ça vaut, dit-elle. Mais oui, si tu veux.

– Zipperstein est un vrai taré, tu ne trouves pas ?

---

1. Les passages en italique suivis d'un astérisque sont en français dans le texte.

– Je croyais que tu l'appréciais.

– Moi ? Non. J'aime la sémiotique, mais…

– Il ne dit jamais rien !

– Je sais. Impossible de savoir ce qu'il pense. Il est comme Harpo Marx sans son klaxon.

Contre toute attente, Madeleine trouva Thurston soudain sympathique. Quand il lui demanda si elle voulait aller boire quelque chose, elle répondit oui. Ils retournèrent à la cuisine, où le bruit était encore plus grand et la foule encore plus nombreuse qu'avant. Le garçon à la casquette de base-ball n'avait pas bougé.

– Tu comptes garder ta bière toute la nuit ? lui demanda Madeleine.

– Oui, si nécessaire, dit le garçon.

– Ne lui prends pas sa bière, dit Madeleine à Thurston. Sa bière, c'est sacré pour lui.

Thurston avait déjà ouvert le réfrigérateur et plongé les mains à l'intérieur, caché par l'un des pans de son blouson de cuir.

– C'est laquelle, la tienne ? demanda-t-il au garçon.

– La Grolsch.

– On est amateur de Grolsch, hein ? dit Thurston en déplaçant des bouteilles. On aime la bibine teutonne à l'ancienne, avec son petit bouchon en caoutchouc et céramique et son fermoir métallique. Je comprends que ça te plaise. Ce que je me demande, c'est si la famille Grolsch avait prévu que ses bouteilles traverseraient un jour l'océan. Tu vois ce que je veux dire ? Il m'est arrivé plus d'une fois d'en ouvrir une qui avait tourné. Je n'en boirais pas même si tu me payais.

Il montra alors deux canettes de Narragansett.

– Celles-ci n'ont eu qu'un ou deux kilomètres à parcourir.

– La Narragansett a un goût de pisse, dit le garçon.

– T'as l'air de t'y connaître dans ce domaine.

Sur quoi Thurston fit signe à Madeleine de le suivre. Ils quittèrent la cuisine et retraversèrent le hall d'entrée jusqu'au perron. Une fois dehors, Thurston ouvrit son blouson pour révéler deux bouteilles de Grolsch cachées dans une poche intérieure.

– Mieux vaut ne pas traîner dans les parages, dit-il.

Ils burent les bières en marchant dans Thayer Street, passant devant des bars remplis d'autres quatrième année en passe de recevoir leurs diplômes. Les bières terminées, ils se rendirent au bar du Grad Center, et, de là, en taxi, à un vieux bar du centre-ville que Thurston affectionnait et décoré sur le thème de la boxe : il y avait des photos noir et blanc de Marciano et de Cassius Clay aux murs, une paire de gants Everlast signés dans une vitrine poussiéreuse. Pendant un moment, ils burent de la vodka mélangée à de sains jus de fruits. Thurston se souvint alors avec nostalgie d'un cocktail appelé « side-car », qu'il buvait lorsqu'il partait skier avec son père. Il prit Madeleine par la main et l'emmena de l'autre côté de la place, au Biltmore Hotel. Le barman de l'hôtel ne sachant pas préparer le side-car, Thurston dut lui donner ses instructions, annonçant, grandiloquent :

– Le side-car est la boisson hivernale idéale. Du cognac pour réchauffer les boyaux, et du citron pour prévenir les rhumes.

– On n'est pas en hiver, dit Madeleine.

– On n'a qu'à faire comme si.

Un peu plus tard, alors qu'ils marchaient bras dessus, bras dessous en tanguant sur le trottoir, Madeleine sentit Thurston faire une embardée pour entrer encore dans un autre bar.

– Une bière purificatrice s'impose, dit-il.

Durant les minutes qui suivirent, Thurston expliqua sa théorie – mais ce n'était pas une théorie, c'était la sagesse de l'expérience, testée et corroborée par lui-même et son colocataire d'Andover, qui, après avoir englouti de vastes quantités de « spiritueux », du bourbon, principalement, mais aussi du scotch, du gin, de la vodka, du Southern Comfort, en gros, tout ce qui leur tombait entre les mains, ce qu'ils trouvaient à piquer dans les « caves parentales », du Blue Nun pendant un temps, lors de l'« hiver du liebfraumilch », quand on leur avait laissé l'usage du chalet d'un ami à Stowe, et du Pernod, une fois, parce qu'on leur avait dit que c'était ce qui se rapprochait le plus de l'absinthe et qu'ils voulaient être écrivains et avaient besoin d'absinthe à tout prix... mais il s'égarait. Il se laissait entraîner par son amour des digressions. Thurston expliqua donc, en se perchant d'un petit bond sur un tabouret du comptoir avant de faire signe au barman, que, dans chaque cas, pour chacune de ces « boissons enivrantes », une bière ou deux, derrière, amoindrissaient toujours la sévérité de la gueule de bois meurtrière qui s'ensuivait inévitablement.

– Une bière purificatrice, dit-il à nouveau. C'est ce qu'il nous faut.

La compagnie de Thurston était très différente de celle de Leonard. Lorsqu'elle était avec Thurston, Madeleine avait l'impression d'être avec quelqu'un de sa famille. C'était comme être avec Alton, si pointilleux dans sa dégustation des digestifs, superstitieux quant à l'ordre dans lequel il convenait de boire les différents types d'alcool.

Chaque fois que Leonard parlait de la manière dont ses parents buvaient, il s'agissait d'alcoolisme et de maladie. Alors que Phyllida et Alton buvaient beaucoup et semblaient relativement indemnes et responsables.

– D'accord, dit Madeleine. Va pour une bière purificatrice.

Pourquoi s'en priver ? L'idée qu'une Budweiser bien fraîche – on les servait là en bouteilles à long col, Thurston n'était pas entré dans ce bar par hasard – soit capable de neutraliser les effets d'une nuit entière de beuverie avait quelque chose de magique. Si cette magie était réelle, pourquoi s'arrêter à une ? C'était ce moment avancé de la nuit où deux êtres ressentaient le besoin irrépressible de demander des pièces au barman et de se pencher sur le catalogue du juke-box, leurs têtes se touchant tandis qu'ils lisaient les titres des chansons. C'était ce moment hors du temps où il devenait absolument nécessaire d'écouter

« Mack the Knife », « I Heard It Through the Grapevine » et « Smoke on the Water », et de danser ensemble au milieu des tables dans le bar désert. Une bière purificatrice permettrait peut-être à Madeleine de noyer ses pensées sur Leonard et de ne plus se sentir abandonnée et repoussante (le nez de Thurston fourré dans ses cheveux n'était-il pas un baume supplémentaire ?). En tout cas, la bière semblait efficace. Thurston commanda deux dernières Budweiser, qu'il emporta discrètement, cachées dans les poches de son blouson de cuir, et ils les burent en remontant la pente de College Hill en direction de chez Thurston. La conscience de Madeleine était merveilleusement limitée à des choses inoffensives : les arbustes urbains au feuillage hirsute, le trottoir qui flottait, le tintement des chaînes accrochées au blouson de Thurston.

Elle entra dans l'appartement sans s'être aperçue qu'elle avait monté un escalier. Une fois dans la chambre, en revanche, le protocole lui apparut clairement, et elle commença à se déshabiller. S'allongeant sur le dos, elle tenta en riant d'attraper ses chaussures, avant de s'en débarrasser avec les pieds. Thurston, lui, était déjà en caleçon. Parfaitement immobile, il se confondait avec ses draps blancs tel un caméléon.

Pour ce qui était du baiser, Thurston était un minimaliste. Il pressait ses lèvres fines contre celles de Madeleine et, juste au moment où elle les entrouvrait, il se retirait. On aurait dit qu'il s'essuyait sur elle. Ce jeu de cache-cache n'était pas très engageant, mais elle ne voulait pas être malheureuse. Elle ne voulait pas que ça se passe mal (elle voulait que la bière purificatrice purifie), c'est pourquoi elle laissa de côté la bouche de Thurston et entreprit de l'embrasser ailleurs. Dans son cou à la Ric Ocasek, sur son ventre blanc de vampire, sur le devant de son caleçon.

Pendant tout ce temps il resta silencieux, lui qui, en classe, était si volubile.

Madeleine ne sut trop quel était son but lorsqu'elle baissa le caleçon de Thurston. Elle se dédoubla et devint spectatrice de la scène – ne manquait que ce son de guimbarde qu'émettent certains butoirs de porte à ressort en se relâchant. Madeleine se sentit obligée de faire ce qu'elle fit ensuite. Ça n'allait pas, elle le comprit tout de suite. Au-delà de la morale, se posait un problème anatomique. La bouche de Madeleine n'était tout simplement pas l'organe prévu par la nature pour cette fonction. Elle devait forcer pour maintenir une ouverture suffisante, comme chez le dentiste lors d'une prise d'empreinte. Sauf qu'en l'occurrence, la pâte à empreinte refusait de rester tranquille. Qui avait eu cette idée-là, d'abord ? Quel génie avait pensé qu'on pouvait conjuguer étouffement et plaisir ? Il existait un meilleur endroit où mettre Thurston, mais déjà, influencée par des signaux physiques – l'odeur inhabituelle de Thurston, les légers tressautements de grenouille de ses jambes –, Madeleine savait qu'elle ne le laisserait jamais accéder à cet autre endroit. Il fallait donc continuer, et elle baissa la tête sur Thurston, qui lui dilata la gorge comme un stent une artère. Sa langue amorça des mouvements défensifs, s'opposa à une pénétration plus profonde ; « Stop ! » faisait sa main, qu'elle tendait devant elle à la manière d'un agent de la circulation. Du coin de l'œil, elle vit que Thurston avait calé un oreiller sous sa tête pour regarder.

Ce que Madeleine faisait là, dans le lit de Thurston, n'avait rien à voir avec Thurston lui-même. Elle recherchait l'avilissement, et elle l'avait trouvé. Elle ignorait pourquoi elle voulait se rabaisser ainsi, elle savait seulement que c'était lié à Leonard et à l'intensité de sa souffrance. Sans terminer ce qu'elle avait commencé, elle releva la tête, s'assit sur les talons et se mit à pleurer doucement.

Thurston ne protesta pas. Il se contenta de cligner rapidement des yeux, sans bouger. Des fois qu'il soit possible de sauver la soirée.

Madeleine se réveilla, le lendemain, dans son lit à elle. Allongée sur le ventre, les mains derrière la tête, comme une condamnée sur le point d'être exécutée. Ce qui aurait mieux valu, étant donné les circonstances. Ce qui aurait été un immense soulagement.

Le calvaire de sa gueule de bois était indissociable du cauchemar de la veille. Le trouble affectif s'exprimait ici physiologiquement : le goût écœurant de la vodka dans la bouche de Madeleine était celui du regret, sa nausée provenait d'elle-même, comme si elle voulait rejeter non pas le contenu de son estomac mais sa propre personne. Sa seule consolation était de se dire qu'elle était restée – techniquement – inviolée. Ç'aurait été tellement pire d'avoir gardé en elle le souvenir de Thurston, de le sentir s'écouler.

Cette pensée fut interrompue par la sonnerie de l'interphone, et par la prise de conscience que c'était le jour de la remise des diplômes et que ses parents étaient en bas.

•

Dans la hiérarchie sexuelle qui prévaut à l'université, les mâles de première année sont situés tout en bas. Après son échec avec Madeleine, l'année pour Mitchell fut longue et frustrante. Il passa de nombreuses soirées avec des garçons dans la même situation que lui, à éplucher l'annuaire de la promotion, qu'on appelait le « Pig Book », pour y désigner les plus belles filles. **Tricia Parkinson, Cleveland, OH** avait de longs cheveux brushés à la Farrah Fawcett. Avec son petit chemisier vichy, **Jessica Kennison, Old Lyme, MA** incarnait le fantasme masculin de la petite fermière. **Madeleine Hanna, Prettybrook, NJ** avait envoyé une photo noir et blanc d'elle-même plissant les yeux à cause du soleil, les cheveux rabattus sur le front par le vent. C'était une photo naturelle, ni calculée ni vaniteuse, mais elle n'y était pas à son avantage. La plupart des garçons passaient dessus sans s'arrêter, s'intéressant aux beautés plus évidentes et mieux éclairées. Mitchell ne leur signalait pas leur erreur. Il voulait que Madeleine Hanna reste son petit secret, et, à cette fin, montrait **Sarah Kripke, Tuxedo Park, NY.**

Pour ce qui était de sa propre apparition dans le Pig Book, Mitchell avait découpé, dans un livre d'histoire sur la guerre de Sécession, la photo d'un pasteur luthérien au visage émacié et à l'épaisse tignasse blanche, portant de petites lunettes et affichant une expression d'indignation morale. L'équipe éditoriale l'avait docilement publiée avec, en légende : **Mitchell Grammaticus, Grosse Pointe, MI.** Le fait d'utiliser le portrait de ce vieil homme évitait à Mitchell de donner une vraie photo de lui, et donc de participer au concours de beauté que devenait inévitablement le Pig Book. C'était une manière d'effacer son image physique et de la remplacer par un trait de son esprit.

Si Mitchell avait espéré que les filles de sa promotion s'intéresseraient à lui en voyant sa photo gag, il fut cruellement déçu. Personne n'y prêtait guère attention. Le garçon dont la photo éveillait l'intérêt féminin était **Leonard Bankhead, Portland, OR.** Bankhead avait remis une drôle de photo de lui dans un champ enneigé, coiffé d'un bonnet d'une longueur comique. Aux yeux de Mitchell, Bankhead n'était ni particulièrement beau ni particulièrement laid. Pourtant, à mesure que cette première année avançait, le récit des exploits sexuels de Bankhead commença à parvenir jusqu'aux zones d'abstinence qui constituaient l'habitat de Mitchell. John Kass, qui était allé au lycée avec le camarade de chambre de Bankhead, prétendait que ce dernier avait obligé son ami à dormir ailleurs si souvent qu'il avait fini par demander une chambre particulière. Un soir, Mitchell vit le légendaire Bankhead à une fête dans le West Quad, le regard plongé dans celui d'une fille comme s'il tentait de fusionner spirituellement avec elle. Mitchell ne comprenait pas comment les filles pouvaient ne pas voir clair dans le jeu de Bankhead. Il aurait cru que sa réputation de don Juan le desservirait, alors qu'au contraire elle accroissait son pouvoir d'attraction. Plus Bankhead couchait avec des filles, plus les filles avaient envie de coucher avec lui. Ce qui déstabilisait Mitchell et lui faisait toucher du doigt combien il connaissait mal la gent féminine.

Heureusement, la première année arriva à son terme. Quand Mitchell revint à l'université pour la rentrée suivante, il y avait toute une nouvelle fournée de bizutes, et l'une d'elles, une rousse de l'Oklahoma, devint sa petite amie au deuxième semestre. Il oublia Bankhead (en dehors d'un cours de théologie qu'ils suivaient tous les deux cette année-là, il ne le vit pratiquement plus jusqu'à la fin du deuxième cycle). Quand l'Oklahomienne le plaqua, Mitchell sortit avec d'autres filles, en mit certaines dans son lit, laissant derrière lui les zones d'abstinence. Puis, en quatrième année, deux mois après l'incident du gel musculaire, il apprit que Madeleine avait un nouveau petit ami et que l'heureux élu était Leonard Bankhead. Pendant deux ou trois jours, Mitchell resta sonné, ne sachant trop comment prendre la nouvelle, jusqu'à un matin où il se réveilla submergé par un sentiment si vif de rabaissement et de désespoir qu'il eut l'impression que tout son amour-propre (et sa bite) avait été réduit à la taille d'un petit pois. Le succès de Bankhead auprès de Madeleine en disait long sur Mitchell. Il n'était pas au niveau. Il n'avait pas le minimum requis. C'était là sa place dans la course : non partant.

Meurtri au plus haut point, Mitchell se retira dans l'obscurité pour lécher ses blessures. Lui qui était naturellement porté au quiétisme n'avait à présent plus aucune raison de ne pas se replier complètement sur lui-même.

Comme Madeleine, Mitchell était entré à Brown avec l'intention de se spécialiser en littérature, mais, après avoir lu *L'Expérience religieuse* pour un cours de psychologie, il avait changé d'avis. Contrairement à ce qu'il avait pensé, ce livre n'était pas froidement clinique. William James y décrivait toutes sortes de

« cas », des hommes et des femmes qu'il avait rencontrés ou avec lesquels il avait correspondu, des gens qui souffraient de mélancolie, de maladies nerveuses, de troubles digestifs, des gens qui avaient voulu se supprimer et dont la vie avait changé du tout au tout après qu'ils eurent entendu des voix. Il rapportait leurs témoignages sans les ridiculiser le moins du monde. Ce que ces récits avaient d'ailleurs de notable était l'intelligence de ceux qui les faisaient. Apparemment très sincères, ils détaillaient comment ils avaient perdu le goût de vivre, comment ils étaient tombés malades et s'étaient retrouvés cloués au lit, abandonnés par leurs proches, jusqu'au jour où ils avaient eu une « révélation », celle de leur vraie place dans l'univers, et à ce moment-là toutes leurs souffrances avaient cessé. En plus de ces témoignages, James analysait l'expérience religieuse de figures illustres – Walt Whitman, John Bunyan, Léon Tolstoï, sainte Thérèse, George Fox, John Wesley et même Kant. Ce livre n'était porté par aucune volonté prosélytique manifeste, et pourtant, pour Mitchell, il mettait en évidence le rôle central de la religion dans l'histoire humaine et, plus important, le fait que le sentiment religieux ne se développait pas à force d'aller à la messe ou de lire la Bible, mais naissait des expériences les plus intimes, qu'elles soient d'une joie immense ou d'une douleur insoutenable.

Mitchell revenait régulièrement à un passage qu'il avait souligné, sur le tempérament névropathe, qui lui semblait correspondre à sa propre personnalité et qui, en même temps, la lui rendait plus tolérable. James y disait ceci :

Nous souffrons presque tous de quelque infirmité, sinon de quelque maladie ; et nos infirmités mêmes nous peuvent être d'un secours inattendu. Dans le tempérament de névropathe, nous trouvons la facilité aux émotions, qui est la condition nécessaire de la perception morale ; nous trouvons l'intensité de sentiment et la tendance à prendre

tout au sérieux, qui sont l'essence même de l'énergie morale et de l'activité pratique ; nous trouvons enfin l'amour des idées métaphysiques et des intuitions mystiques, qui emportent l'âme bien loin du monde sensible et de ses intérêts vulgaires. N'est-il pas tout naturel que, grâce à ce tempérament, nous puissions pénétrer dans ces recoins mystérieux de l'univers, dans ces régions de vérité religieuse, où ne parviendra certes jamais l'épais bourgeois au système nerveux robuste, qui vous fait sans cesse tâter ses biceps, et, bombant fièrement sa poitrine, se glorifie d'avoir une santé à toute épreuve ?
Si vraiment il existe, au-dessus des réalités sensibles, un domaine supérieur d'où puisse découler l'inspiration religieuse, il n'y aurait rien d'impossible à ce qu'une des principales conditions pour la recevoir fût d'être névropathe[1].

Le premier cours de théologie que Mitchell avait suivi (celui où se trouvait Bankhead) était un cours très en vogue, une introduction aux religions orientales. Il s'était ensuite inscrit à un module sur l'islam puis à d'autres sur des sujets plus ardus – l'éthique thomiste, le piétisme allemand –, avant d'atterrir, au dernier semestre, dans un cours intitulé « Religion et aliénation dans la culture du XXᵉ siècle ». Le premier jour, le professeur, un homme au visage sévère qui s'appelait Hermann Richter, balaya d'un regard soupçonneux la quarantaine d'étudiants massés dans la salle. Relevant le menton, il les mit en garde : « Ce cours a pour objet une analyse rigoureuse et exhaustive de la pensée religieuse du XXᵉ siècle. J'invite ceux d'entre vous qui seraient tentés de croire qu'un vague topo sur l'aliénation pourrait faire l'affaire à revoir leur position. »
Le regard noir, Richter distribua la liste des œuvres au

1. Traduction de Frank Abauzit, Paris, Alcan, 1906.

programme. Elle incluait *L'Éthique protestante et l'Esprit du capitalisme* de Max Weber, un recueil des principaux textes d'Auguste Comte sur le positivisme, *Le Courage d'être* de Tillich, *Être et Temps* d'Heidegger et *Le Drame de l'humanisme athée* d'Henri de Lubac. Dans la salle, les visages se décomposèrent. Les étudiants espéraient au moins tomber sur *L'Étranger*, qu'ils avaient déjà lu au lycée. Au cours suivant, ils n'étaient plus qu'une vingtaine.

Mitchell n'avait jamais eu un professeur comme Richter. Richter s'habillait à la manière d'un banquier. Il portait des costumes gris rayés, des cravates classiques, des chemises à col boutonné et des richelieus vernis. Il possédait les attributs rassurants du père de Mitchell – application, sobriété, masculinité – tout en menant une vie d'élévation intellectuelle qui n'avait rien de paternel. Chaque matin, il se faisait livrer le *Frankfurter Allgemeine* dans son casier à l'université. Il était capable de citer, en français, la réaction des frères La Vérendrye en découvrant les Badlands du Dakota. Il semblait plus instruit que les autres professeurs et moins idéologiquement formaté. Il avait une voix profonde à la Kissinger, l'accent en moins. Il était impossible de l'imaginer enfant.

Deux fois par semaine, Mitchell et les autres retrouvaient Richter et examinaient stoïquement les raisons pour lesquelles la foi chrétienne, aux alentours de l'an 1848, s'était éteinte. Le fait que de nombreuses personnes la croyaient encore vivante, considéraient qu'elle n'avait même jamais été souffrante, était écarté d'emblée. Richter ne voulait pas de faux-fuyants. Si vous n'étiez pas capable de répondre aux objections de Schopenhauer, vous deviez vous ranger à son pessimisme. Mais en aucun cas ce n'était là une fatalité. Richter soulignait qu'un nihilisme obtus n'avait pas plus de légitimité intellectuelle qu'une foi aveugle. Il n'était pas interdit de se pencher sur le corps du christianisme, de lui masser la poitrine et de lui souffler dans la bouche, pour voir si le cœur se remettait à battre. *Je ne suis pas mort. Je dormais, c'est tout.* Le dos droit, toujours debout, ses cheveux gris bien coupés mais de petits détails laissant percevoir son humanité – une fleur de chardon à la boutonnière, un paquet-cadeau pour sa fille dépassant de la poche de son pardessus –, Richter interrogeait les étudiants et écoutait leurs réponses comme si le miracle pouvait avoir lieu ici même, aujourd'hui : dans la salle 112 du Richardson Hall, Dee Michaels, qui jouait le rôle de Marilyn Monroe dans la reprise d'*Arrêt d'autobus* par la troupe du campus, serait peut-être celle qui jetterait le pont de corde au-dessus du vide. Mitchell observait la rigueur de Richter, la manière compatissante avec laquelle il expliquait une erreur, son enthousiasme intact à diriger le décrottage de la vingtaine de cerveaux rassemblés autour de la table de réunion. Il n'était pas trop tard pour apprendre à ces jeunes gens à se servir de leur tête.

Les croyances personnelles de Richter n'étaient pas claires. Il ne faisait pas l'apologie du christianisme. Mitchell guettait chez lui des signes de partialité, mais en vain. Il disséquait chaque penseur avec la même sévérité, réticent dans ses approbations et détaillé dans ses reproches.

La fin du semestre fut sanctionnée par un devoir à la maison. Richter distribua une feuille simple où figuraient dix questions. On était libre de consulter ses livres. Aucune tricherie possible. Les réponses à ces questions n'étaient consultables nulle part, personne ne les avait encore formulées.

Mitchell ne se souvenait pas d'avoir peiné pour rédiger son devoir. Assis à la table ovale de la salle à manger qui lui servait de bureau, ses notes et ses livres éparpillés autour de lui, il travailla dur mais sans effort. Larry faisait cuire du cake à la banane dans la cuisine. De temps en temps, Mitchell allait en manger un morceau. Puis il revenait se remettre au travail. Pour la première fois, en écrivant, il eut la sensation de ne plus être à l'école. Il ne répondait pas à des questions pour être noté sur un devoir. Il s'efforçait de diagnostiquer la situation difficile qui lui semblait être la sienne. Et pas simplement la sienne, mais celle de toutes les personnes qu'il connaissait. C'était une sensation étrange. Il citait sans arrêt Heidegger et Tillich mais il pensait à lui-même et à ses amis. Tout le monde dans son entourage était convaincu que la religion était une arnaque et Dieu une fiction. Mais ce par quoi ses amis remplaçaient la religion n'était guère impressionnant. Aucun n'avait de solution à l'énigme de l'existence. C'était comme dans cette chanson des Talking Heads : « *And you may ask yourself, "How did I get here?"* [...] *And you may tell yourself, "This is not my beautiful house." And you may tell yourself, "This is not my beautiful wife."*[1] » Sans sortir du sujet, Mitchell orientait ses réponses en fonction d'une application pratique. Il voulait savoir pourquoi il était ici, et comment mener sa vie. C'était une façon parfaite de clore un deuxième cycle. Les études de Mitchell lui avaient bel et bien permis, au bout du compte, de voler de ses propres ailes.

Sitôt rendu, son devoir lui sortit complètement de l'esprit. La remise des diplômes approchait, et Larry et lui préparaient leur voyage. Ils achetaient des sacs à dos et des sacs de couchage grand froid. Ils étudiaient les cartes et les guides touristiques pour petits budgets, traçant des itinéraires possibles. Une semaine après avoir rendu son devoir, Mitchell trouva une lettre dans sa boîte, au bureau de poste de la Faunce House. C'était une lettre de M. Richter, écrite sur une feuille à en-tête de l'université. Elle l'invitait à un entretien avec lui dans son bureau.

Mitchell ne s'était jamais rendu dans le bureau de Richter. Avant son rendez-vous, il acheta deux cafés glacés au Blue Room – geste extravagant, mais il faisait chaud dehors, et il aimait bien marquer les esprits de ses professeurs. Les hauts gobelets fermés dans les mains, il gagna, sous le soleil de midi, le bâtiment de brique rouge. La secrétaire du département lui

---

1. Et tu te demanderas peut-être : « Comment en suis-je arrivé là ? » [...] Et tu te diras peut-être : « Ce n'est pas la belle maison que je devais avoir. » Et tu te diras peut-être : « Ce n'est pas la femme superbe que je devais épouser. »

expliqua où trouver Richter, et Mitchell s'engagea dans l'escalier pour monter au premier étage.

Tous les autres bureaux étaient vides. Les bouddhistes étaient partis pour les vacances d'été. Les spécialistes de l'islam étaient à Washington, où ils éclairaient le Département d'État sur le « cadre de référence » d'Abu Nidal, qui venait de faire exploser à distance une voiture piégée devant l'ambassade de France à Beyrouth-Ouest. Seule la dernière porte au bout du couloir était ouverte, et, derrière, en cravate malgré la chaleur étouffante, se trouvait Richter.

Son bureau n'était pas la cellule nue d'un professeur absentéiste, occupée uniquement pendant les heures de permanence. Ce n'était pas non plus l'antre douillet d'un directeur de département, avec des lithographies aux murs et un tapis shaker au sol. Le bureau de Richter était fastueux, presque viennois. Il y avait des vitrines remplies de livres de théologie reliés cuir, une loupe à manche d'ivoire, un encrier de cuivre. Quant au bureau, le meuble, il était énorme, une forteresse contre l'ignorance et l'imprécision rampantes du monde. Derrière, Richter écrivait au stylo à plume.

Mitchell entra et dit :

— Si un jour j'ai un bureau, monsieur Richter, j'aimerais qu'il ressemble à celui-ci.

Richter eut une réaction étonnante : il sourit.

— Il se pourrait bien que cela vous arrive, répondit-il.

— Je vous ai apporté un café glacé.

Richter regarda fixement le gobelet que lui proposait Mitchell, un peu surpris, mais indulgent.

— Merci, dit-il.

Il ouvrit une chemise de papier kraft et en sortit un petit paquet de feuilles. Mitchell reconnut son devoir à la maison. Il semblait couvert d'annotations, d'une écriture élégante.

— Asseyez-vous, dit Richter.

Mitchell s'exécuta.

– J'enseigne dans cette université depuis vingt-deux ans, commença Richter. Durant toutes ces années, seul un autre étudiant m'a remis un devoir d'une profondeur d'analyse et d'une finesse philosophique aussi grandes que le vôtre.

Après un silence, il ajouta :

– Et cet autre étudiant est aujourd'hui le directeur du département de théologie de Princeton.

Richter se tut, comme pour laisser le temps à Mitchell de mesurer la portée de ce qu'il venait de lui dire. Mitchell ne s'enthousiasma pas plus que ça. Il était heureux que le professeur ait apprécié son travail – ça lui faisait toujours plaisir, malgré l'habitude. Pour autant, il ne se projeta pas dans l'avenir.

– Vous terminez votre quatrième année, n'est-ce pas ?

– Plus qu'une semaine, monsieur.

– Avez-vous jamais envisagé sérieusement une carrière de professeur d'université ?

– Pas sérieusement, non.

– Que comptez-vous faire de votre vie ? demanda Richter.

Mitchell sourit.

– Mon père est caché sous votre bureau ?

Le front de Richter se plissa. Il ne plaisantait plus. Il joignit les mains pour changer de sujet.

– Je perçois dans votre devoir un intérêt personnel pour le domaine des croyances religieuses. Je me trompe ?

– Non, on peut le dire.

– Votre nom est grec. Avez-vous été élevé dans la tradition orthodoxe ?

– Baptisé. Ça s'est arrêté là.

– Et à présent ?

– À présent ?

Mitchell hésita quelques instants. Il n'avait pas l'habitude de parler de ses investigations spirituelles. L'idée le mettait mal à l'aise.

Mais Richter ne manifestait aucune intention de le juger.

Penché en avant dans son fauteuil, les mains jointes sur le bureau, il regardait ailleurs et ne présentait à Mitchell que son oreille. Cela encouragea Mitchell à s'ouvrir. Il expliqua qu'il était arrivé à l'université sans connaître grand-chose à la religion et que, en lisant les auteurs du programme de littérature, il avait commencé à mesurer son ignorance. Le monde avait été façonné par des croyances dont il ne savait strictement rien.

– C'est comme ça que ça m'est venu, dit-il. En me rendant compte de ma bêtise.

– Oui, oui, approuva Richter en hochant rapidement la tête, d'une manière qui sous-entendait qu'il avait lui-même traversé des périodes tourmentées, intellectuellement parlant.

Il garda la tête basse en attendant la suite.

– Je ne sais pas, reprit Mitchell, un jour j'étais assis là, et je me suis aperçu que presque tous les auteurs que je lisais pour mes cours avaient cru en Dieu. Milton, déjà... George Herbert...

M. Richter connaissait-il George Herbert ? Oui, il connaissait.

– Tolstoï... J'admets que Tolstoï s'est un peu laissé emporter sur la fin, en reniant *Anna Karénine*. Mais combien d'écrivains se retournent contre leur propre génie ? C'est peut-être de son obsession de la vérité que vient le talent de Tolstoï. C'est parce qu'il était prêt à renoncer à son art que c'était un grand artiste.

Nouvelle expression approbatrice de la part de l'éminence grise au-dessus du sous-main sur le bureau. Le temps qu'il faisait dehors, le monde extérieur, avait provisoirement cessé d'exister.

– Bref, poursuivit Mitchell, l'été dernier, je me suis donné une liste de lectures. J'ai beaucoup lu Thomas Merton. Merton m'a amené à saint Jean de la Croix, et saint Jean de la Croix m'a amené à Maître Eckhart et à *L'Imitation de Jésus-Christ*. En ce moment, je suis en train de lire *Le Nuage d'inconnaissance*.

Richter attendit un moment avant de demander :

– Votre recherche est purement intellectuelle ?

— Pas uniquement.

Mitchell hésita à nouveau, puis avoua :

— Je vais aussi à l'église maintenant.

— Laquelle ?

— La liste est longue, répondit Mitchell en souriant. J'ai goûté un peu à tout. Mais je me concentre surtout sur la foi catholique.

— Je comprends ce que le catholicisme peut avoir d'attirant. Mais en m'imaginant au temps de Luther, et en considérant les excès de l'Église à l'époque, je crois que je me serais rangé du côté des schismatiques.

Sur le visage de Richter, Mitchell lut alors la réponse à la question qu'il s'était posée tout le semestre. Il vainquit son appréhension et demanda :

— Vous croyez donc en Dieu, monsieur Richter ?

D'un ton ferme, Richter précisa :

— Je suis croyant dans une limite chrétienne.

La nuance n'était pas claire pour Mitchell, mais il comprenait très bien l'intérêt qu'elle avait pour Richter. Elle lui laissait la place pour les réserves et les doutes, pour les compromis historiques et les dissidences.

— Je n'en avais aucune idée, dit Mitchell. En cours, je n'arrivais pas à savoir où vous vous situiez.

— Cela fait partie du jeu.

Ils restèrent là, complices, à siroter leur café glacé. Puis Richter fit part de sa proposition à Mitchell :

— Je veux que vous sachiez que, à mon avis, vous avez le potentiel pour accomplir un travail significatif dans le domaine des études théologiques chrétiennes contemporaines. Si vous le souhaitez, je peux m'arranger pour que vous obteniez une bourse pour entrer au département de théologie de Princeton. Ou à la *divinity school* d'Harvard ou de Yale, si vous préférez. Je n'ai pas l'habitude de m'impliquer autant pour le compte de mes étudiants, mais dans le cas présent je me sens l'obligation de le faire.

Mitchell n'avait jamais envisagé de s'engager plus avant dans la voie religieuse. Mais l'idée d'étudier la théologie – ou n'importe quoi, plutôt que de travailler quelque part de neuf heures à dix-sept heures – lui semblait séduisante. Aussi répondit-il à Richter qu'il allait y réfléchir sérieusement. L'année prochaine il partait en voyage, il prenait une année sabbatique. Il promit d'écrire à Richter à son retour et de lui faire connaître sa décision.

Étant donné le sort qui s'acharnait contre Mitchell – la récession, son diplôme qui lui offrait peu de perspectives et, ce matin, la nouvelle rebuffade de la part de Madeleine –, ce voyage était le seul projet d'avenir auquel il pouvait se raccrocher. À présent, tandis qu'il rentrait chez lui s'habiller pour le défilé, il se dit que ce que Madeleine pensait de lui n'avait pas d'importance. Il serait bientôt parti.

Le vieil immeuble à la façade en bardeaux, dans Bowen Street, dont Larry et lui occupaient le premier étage, n'était situé qu'à deux rues de celui, très cossu, de Madeleine. Cinq minutes plus tard, il gravissait les marches de chez lui.

Mitchell et Larry avaient décidé d'aller en Inde un soir, après avoir regardé un film de Satyajit Ray. Sur le moment, ce n'était pas vraiment sérieux. Mais par la suite, chaque fois que quelqu'un leur demandait ce qu'ils comptaient faire après avoir obtenu leur diplôme, ils répondaient : « On va en Inde ! » La réaction de tous leurs amis était positive. Personne n'y trouvait à redire. La plupart des gens affirmaient qu'ils auraient bien aimé pouvoir venir avec eux. Résultat, sans même avoir acheté un billet d'avion ou un guide touristique – alors qu'ils ne connaissaient pratiquement rien de l'Inde –, Mitchell et Larry avaient commencé à être considérés comme des libres-penseurs enviables et courageux. Et, à la fin, ils n'avaient plus osé reculer.

Petit à petit, le voyage avait pris forme. Ils y avaient ajouté un crochet par l'Europe. En mars, Larry, qui faisait une spécialisation en art dramatique, leur avait obtenu ce poste d'assistants auprès de M. Hughes, ce qui donnait à leur périple un vernis professionnel et rassurait leurs parents. Ils avaient acheté une grande carte jaune de l'Inde et l'avaient accrochée au mur de la cuisine.

La seule chose qui avait failli avoir raison de leur projet était la « soirée » qu'ils avaient organisée chez eux quelques semaines plus tôt, pendant la période des révisions. Une idée de Larry. Ce que Mitchell ignorait, c'est que cette soirée n'en était pas vraiment une, mais constituait le projet de fin d'année de Larry pour son cours d'arts plastiques. Larry, s'avéra-t-il, avait distribué des « rôles » à certains invités, leur expliquant comment ils devaient se comporter à la soirée. Dans la majorité des cas, il s'agissait d'insulter, d'agresser ou d'effrayer les autres invités, qui ne se doutaient de rien. La première heure avait été tendue. Vos amis venaient vous dire qu'ils n'avaient jamais eu confiance en vous, que vous aviez toujours mauvaise haleine, etc. Vers minuit, Ted et Susan, le couple marié du dessous (Mitchell ne s'était pas étonné de leur accoutrement ridicule : peignoir en éponge, mules à plumes, Susan avait même des bigoudis dans les cheveux), avaient fait irruption dans l'appartement en menaçant d'appeler la police à cause de la musique. Alors que Mitchell s'efforçait de les calmer, Dave Hayek, qui mesurait un mètre quatre-vingt-dix et était dans le coup, avait traversé la cuisine d'un pas lourd et les avait menacés physiquement. Ted avait réagi en sortant un (faux) pistolet de la poche de son peignoir et avait fait mine de vouloir tirer sur Hayek, qui s'était recroquevillé sur le carrelage, implorant, tandis que les autres restaient figés par la peur ou se précipitaient vers les portes en renversant de la bière partout. À ce moment-là, Larry avait rallumé toutes les lumières et grimpé sur une chaise pour annoncer que, ha ! ha ! rien de tout ça n'était vrai. Ted et Susan avaient retiré leurs peignoirs, sous lesquels ils étaient en vêtements de ville. Ted avait montré que son arme était un pistolet à eau. Mitchell n'arrivait pas à croire que Larry ne l'ait pas informé, lui le coorganisateur de la soirée, de toute cette mise en scène. Il ne s'était pas douté que Carlita Jones, une étudiante de troisième cycle âgée de trente-six ans, suivait le « scénario » lorsque, plus tôt dans la soirée, elle s'était enfermée avec lui dans la chambre et lui avait dit : « Allez, Mitchell. Prends-moi comme une chienne. Là, par terre. » Il avait été très surpris de constater que le sexe, proposé ouvertement ainsi (comme il l'était souvent dans ses fantasmes), se révélait dans la réalité non seulement malvenu mais effrayant. Pourtant, malgré tout cela et sa colère contre Larry de s'être servi de cette soirée pour satisfaire aux exigences d'un cours (il aurait tout de même dû se douter de quelque chose quand la prof en personne était arrivée), Mitchell sut plus tard cette même nuit, une fois tout le monde parti – alors même qu'il criait à Larry, qui vomissait depuis le balcon : « Vas-y ! Dégueule tout ce que t'as ! Tu l'as bien mérité ! » –, qu'il lui pardonnerait d'avoir transformé leur appartement et leur soirée en mauvais happening. Larry était son meilleur ami, ils devaient aller en Inde ensemble, et Mitchell n'avait pas le choix.

Il entra à présent dans l'appartement et se dirigea droit vers la porte de Larry, qu'il ouvrit brusquement.

Sur un futon, le visage à moitié caché par une tignasse à la Garfunkel, Larry était couché sur le côté, sa fine silhouette formant un Z. On aurait dit une victime de Pompéi, quelqu'un qui se serait roulé en boule dans un coin en voyant la lave et la cendre entrer par la fenêtre. Punaisées au mur au-dessus de sa tête, se trouvaient deux photos d'Antonin Artaud. Sur celle de gauche, Artaud était jeune et incroyablement beau. Sur

l'autre, prise une petite dizaine d'années plus tard, le drama-
turge était décharné et avait l'air d'un fou. C'était la vitesse et
l'ampleur de la dégradation physique et mentale d'Artaud qui
plaisaient à Larry.

– Lève-toi, lui dit Mitchell.

Larry ne répondant pas, Mitchell ramassa par terre l'édition
Samuel French d'une pièce et la lui jeta à la tête.

Larry grogna et roula sur le dos. Il ouvrit les yeux en battant des paupières, mais il ne semblait pas pressé de reprendre
connaissance.

– Quelle heure est-il ?

– Tard. Il faut y aller.

Après un long moment, Larry s'assit sur son matelas. Plutôt petit, il avait un visage de lutin qui, avec ses pommettes
saillantes et ses joues creuses, suivant la lumière ou ce qu'il avait
consommé la veille, évoquait tour à tour Rudolf Noureev et le
personnage du *Cri* de Munch. Pour l'heure, on était quelque
part entre les deux.

– Tu as raté une chouette soirée, hier, dit-il.

Mitchell resta de marbre.

– J'ai fait une croix sur les soirées.

– Allons, allons, Mitchell, n'exagère pas. Tu as l'intention
d'être aussi rabat-joie pendant notre voyage ?

– Je viens de voir Madeleine, dit Mitchell avec insistance.
Elle a décidé de recommencer à me parler. Puis j'ai dit quelque
chose qui ne lui a pas plu, et elle s'est refermée.

– Bien joué.

– Elle a rompu avec Bankhead, par contre.

– Je sais, dit Larry.

Une sonnette d'alarme retentit dans la tête de Mitchell.

– Comment tu le sais ?

– Parce qu'elle était à la soirée d'hier et qu'elle est repartie
avec Thurston Meems. Elle était en *chasse*, Mitchell. Je t'avais
dit de venir. Dommage que tu aies fait une croix sur les soirées.

Mitchell se redressa pour absorber le choc de cette révélation. Larry connaissait, bien sûr, l'obsession de Mitchell pour Madeleine. Il l'avait entendu vanter ses qualités et défendre ou replacer dans leur contexte ses côtés plus discutables. Mitchell avait confié à Larry, comme on le fait seulement avec un vrai ami, ses pensées les plus folles en ce qui concernait Madeleine. Il n'en conservait pas moins sa fierté, et il ne montra aucune réaction.

– Lève ton cul, dit-il en se retirant dans le couloir. Je n'ai pas envie d'être en retard.

Une fois dans sa chambre, il ferma la porte et alla s'asseoir sur sa chaise de bureau, laissant pendre sa tête en avant. Certains détails de la matinée, jusqu'à présent indéchiffrables, révélaient lentement leur sens, comme les messages tracés dans le ciel par les avions. Les cheveux ébouriffés de Madeleine. Sa gueule de bois.

Tout à coup, avec une énergie rageuse, il pivota et arracha le couvercle de la boîte en carton posée sur son bureau. À l'intérieur se trouvait sa toge de diplômé. La sortant, il se leva et passa le tissu d'acrylique satiné par-dessus sa tête et ses épaules. Le gland, la broche de la promotion et la toque étaient emballés séparément dans des plastiques sous vide. Après avoir déballé la toque et y avoir vissé le gland si fort qu'il la froissa, il en déplia le bonnet et s'en coiffa.

Il entendit Larry entrer pieds nus dans la cuisine.

– Mitchell, lança celui-ci, j'apporte un joint ?

Sans répondre, Mitchell alla se regarder dans la glace derrière la porte de sa chambre. Ces toques étaient d'origine médiévale. Elles étaient aussi vieilles que *Le Nuage d'inconnaissance*. Voilà pourquoi elles étaient si ridicules. Voilà pourquoi il était si ridicule avec ça sur la tête.

Il se souvint d'une phrase de Maître Eckhart : « Seule la main qui efface peut écrire la vérité. »

Effacer quoi ? se demanda-t-il. Soi-même ? son passé ? les

autres ? Il était prêt à commencer dès à présent, dès qu'il saurait quoi effacer.

Lorsqu'il arriva dans la cuisine, Larry préparait du café, lui aussi en toque et en toge. Ils se regardèrent, un peu amusés.

– Un joint s'impose, oui, dit Mitchell.

•

Madeleine ne rentra pas chez elle directement.

Elle en voulait à tout et à tout le monde, à sa mère de l'avoir obligée à inviter Mitchell au café, à Leonard de ne pas l'appeler, au temps d'être si froid, aux études de se terminer.

Il était impossible d'être amie avec les garçons. Tous ses amis garçons avaient fini par vouloir autre chose, ou voulaient autre chose depuis le début, et n'avaient été ses amis que pour de fausses raisons.

Mitchell avait voulu se venger. C'était ça, la vérité. Il avait voulu lui faire mal et il connaissait ses points faibles. Comment pouvait-il prétendre qu'il n'était pas attiré par elle intellectuellement ? Ne lui courait-il pas après depuis toutes ces années ? Ne lui avait-il pas dit qu'il « aimait son esprit » ? Madeleine savait très bien qu'elle n'était pas aussi intelligente que Mitchell. Mais Mitchell était-il aussi intelligent que Leonard ? Qu'aurait-il répondu à ça, hein ? Voilà ce qu'elle aurait dû lui dire. Au lieu de partir en pleurant, elle aurait dû rétorquer que, intellectuellement, elle convenait parfaitement à Leonard.

Son sentiment de triomphe à cette idée s'estompa lorsqu'elle se rappela que Leonard et elle ne sortaient plus ensemble.

En contemplant Canal Street déformée par ses larmes – un panneau de stop se pliait en une figure cubiste –, Madeleine se laissa aller une fois de plus à formuler le vœu défendu d'une réconciliation avec Leonard. Elle avait l'impression que si ce seul vœu lui était exaucé, tous ses autres problèmes deviendraient supportables.

L'horloge de la Citizens Bank indiquait 8 h 47. Madeleine avait une heure pour aller s'habiller et gagner le sommet de la colline.

Devant elle, le fleuve apparut, vert et immobile. Quelques années plus tôt, il avait pris feu. Durant des semaines, les pompiers avaient tenté en vain d'éteindre les flammes. Une question épineuse se posait : comment, au juste, éteint-on un fleuve en feu ? Que faire, quand le retardateur est également l'accélérateur ?

La jeune femme éplorée, bientôt diplômée de littérature, réfléchit au symbolisme de ce dilemme.

Dans un petit parc peu arboré qu'elle n'avait jamais remarqué, Madeleine s'assit sur un banc. Des opiacés naturels inondaient son organisme et, après quelques minutes, elle commença à se sentir un peu mieux. Elle sécha ses larmes. Dorénavant, plus rien ne l'obligeait à voir Mitchell si elle n'en avait pas envie. Même chose pour Leonard. Si, à cet instant, elle se sentait rejetée et humiliée, Madeleine savait qu'elle était encore jeune, qu'elle avait toute la vie devant elle, une vie où, si elle persévérait, elle s'illustrerait peut-être d'une manière ou d'une autre, et que cette persévérance consistait en partie à dépasser les moments comme celui-ci, quand les gens vous rabaissaient et vous faisaient douter de vous.

Elle quitta le parc et remonta en direction de Benefit Street par une petite allée pavée.

Arrivée devant le Narragansett, elle entra dans le hall et prit l'ascenseur jusqu'à son étage. Fatiguée, déshydratée, elle ne désespérait pas de pouvoir prendre enfin une douche.

Alors qu'elle insérait sa clef dans la serrure, Abby ouvrit la porte de l'intérieur. Ses cheveux étaient rentrés dans le bonnet de sa toque.

– Quand même ! On croyait qu'on allait devoir partir sans toi.

– Pardon, dit Madeleine, mes parents ne me lâchaient plus.
Vous pouvez m'attendre ? Promis, je me dépêche.

Dans le séjour, Olivia se mettait du vernis sur les ongles
des orteils, les pieds appuyés sur la table basse. Le téléphone
se mit à sonner, et Abby alla répondre.

– D'après Pookie, tu serais repartie avec Thurston Meems
hier soir, dit Olivia, tout en poursuivant sa tâche. J'ai répondu
que c'était totalement impossible.

– Je n'ai pas envie d'en parler, dit Madeleine.

– Comme tu veux. Personnellement, ça m'est égal. Il y a
juste une chose qu'on voudrait savoir, Pookie et moi.

– Je vais prendre une douche vite fait.

– C'est pour toi, dit Abby en tendant le combiné à Madeleine.

Madeleine n'avait envie de parler à personne. Mais cela valait
mieux que de continuer à esquiver les questions.

Elle prit le combiné et dit allô.

– Madeleine ?

C'était une voix masculine inconnue.

– Oui.

– C'est Ken, à l'appareil. Auerbach.

Devant le silence de Madeleine, la personne ajouta :

– Je suis un ami de Leonard.

– Ah, dit Madeleine. Bonjour.

– Je suis désolé de t'appeler le jour de la remise des diplômes.
Mais je pars aujourd'hui et je tenais à t'appeler avant.

Il y eut un silence pendant lequel Madeleine tenta de se
concentrer sur la réalité du moment, mais avant qu'elle n'y
parvienne, Auerbach dit :

– Leonard est à l'hôpital.

Sitôt après avoir annoncé cette nouvelle, il ajouta :

– Ne t'inquiète pas. Ça va. Mais il est à l'hôpital et j'ai
pensé qu'il fallait que tu le saches. Si tu ne le savais pas déjà.
Tu étais peut-être au courant.

– Non, dit Madeleine, d'un ton qui lui sembla calme.

S'efforçant de le conserver, elle dit :

– Tu peux attendre une seconde ?

Pressant le combiné contre sa poitrine, elle prit la base du téléphone et l'emporta dans sa chambre, où le fil, pourtant très long, lui permettait tout juste d'aller. Elle ferma la porte et remit le combiné à son oreille. Elle eut peur que sa voix ne s'étrangle quand elle parla à nouveau.

– Qu'est-ce qu'il a ? C'est grave ?

– Non, non, lui assura Auerbach. Physiquement, ça va. Je savais que j'allais te faire peur si je t'appelais, mais... oui, non... il n'est pas blessé ni rien.

– Alors, qu'est-ce qu'il a ?

– Eh bien, au début, il était un peu survolté. Mais maintenant, il est très déprimé. Cliniquement, je veux dire.

Pendant les minutes qui suivirent, tandis que des nuages de pluie passaient au-dessus du dôme du capitole encadré par la fenêtre, Auerbach raconta à Madeleine ce qui s'était passé.

Leonard avait commencé par ne plus dormir. En arrivant en cours, il se plaignait d'épuisement. Au début, personne n'y avait prêté beaucoup d'attention. Ce n'était pas nouveau chez Leonard. Auparavant, son épuisement était dû aux exigences de la journée : se lever, s'habiller, se rendre sur le campus. Rien à voir avec un manque de sommeil ; c'était l'état d'éveil qui lui était insupportable. Cette fois, en revanche, son épuisement était dû à la nuit. Il se sentait trop énervé pour aller se coucher, disait-il, et il s'était mis à veiller jusqu'à trois ou quatre heures du matin. Lorsqu'il se forçait à éteindre les lumières et à rejoindre son lit, son cœur s'emballait, et il commençait à transpirer. Il essayait de lire, mais ses pensées se bousculaient dans sa tête, et il se retrouvait bientôt à faire les cent pas dans son appartement.

Au bout d'une semaine à ce rythme, Leonard était allé au centre médical, où un médecin, habitué à voir des étudiants stressés à l'approche des partiels, lui avait prescrit des somnifères et lui avait recommandé d'arrêter le café. Les somnifères s'étant révélés inefficaces, le médecin avait prescrit un décontractant léger, puis un plus fort, mais même celui-là n'apportait à Leonard pas plus de deux ou trois heures de sommeil par nuit, un sommeil léger, sans rêves et non réparateur.

C'était à cette période, dit Auerbach, que Leonard avait cessé de prendre son lithium. On ne savait pas trop si c'était un geste volontaire ou un simple oubli. Mais bientôt avait commencé sa frénésie téléphonique. Il appelait tout le monde. Il parlait un quart d'heure, une demi-heure, une heure, deux heures. Au début, il était divertissant, comme d'habitude. Les gens étaient contents d'avoir de ses nouvelles. Il appelait ses amis deux ou trois fois par jour. Puis cinq ou six. Puis dix. Puis douze. Il appelait de chez lui. Il appelait des téléphones publics du campus, dont il mémorisait les emplacements. Il en avait repéré un au sous-sol du laboratoire de physique, un autre dans un petit recoin douillet du bâtiment administratif. Il en connaissait un défectueux dans Thayer Street qui vous rendait votre pièce en fin de communication. Il y avait aussi les téléphones non publics mais non gardés du département de philosophie. De chacun de ces téléphones, Leonard appelait pour parler de son épuisement, de ses insomnies ; de ses insomnies, de son épuisement. Tout ce dont il était capable, apparemment, était de s'épancher au téléphone. Dès le lever du soleil, il appelait ses amis les plus matinaux. Contrairement à lui, qui n'avait pas dormi de la nuit, ses interlocuteurs n'étaient pas encore d'humeur à lui faire la conversation. Il passait ensuite à d'autres personnes, des personnes qu'il connaissait bien ou à peine, étudiants, secrétaires de département, son dermato, son conseiller pédagogique. Quand il était trop tard sur la côte Est pour appeler les gens, Leonard cherchait dans son agenda les numéros de ses amis de la côte Ouest. Et quand il était trop tard pour appeler Portland ou San Francisco, il se retrouvait face aux trois ou quatre heures terrifiantes qu'il lui fallait affronter, seul dans son appartement avec son esprit qui se désintégrait.

Telle était l'expression qu'utilisa Auerbach en racontant l'histoire à Madeleine. « Son esprit qui se désintégrait. » Madeleine écouta, s'efforçant de rapprocher le tableau que lui dépeignait Auerbach du Leonard qu'elle connaissait, et dont l'esprit était tout sauf faible.

— Qu'est-ce que tu entends par là ? demanda-t-elle. Que Leonard est en train de devenir fou ?

— Je n'ai pas dit ça.

— Ça veut dire quoi, son esprit se désintègre ?

— C'est comme ça qu'il décrit l'impression que ça lui fait.

Tandis que son esprit se disloquait, Leonard cherchait à en préserver l'unité en parlant dans un combiné en plastique et, dans le seul but de créer une interaction avec une autre personne, fournissait à cette personne une description précise de son désespoir, de ses symptômes physiques, de ses conjectures hypocondriaques. Il appelait les gens pour les interroger sur leurs grains de beauté. Avaient-ils jamais eu un grain de beauté d'aspect douteux ? Qui saignait ou changeait de forme ? Ou une plaque rouge sur la hampe du pénis ? Est-ce que ça pouvait être de l'herpès génital ? À quoi ça ressemblait, l'herpès génital ? Quelle était la différence entre une lésion herpétique et un chancre ? Leonard bousculait les usages de l'amitié masculine, expliqua Auerbach, en appelant ses amis garçons pour les questionner sur la vigueur de leurs érections. Avaient-ils jamais eu une panne ? Si oui, dans quelles conditions ? Il s'était mis à qualifier ses érections de « Gumby », en référence au personnage d'argile verte des films d'animation. Il désignait ainsi des érections molles, malléables comme le personnage en question. « J'ai un vrai Gumby, parfois », disait-il. Craignant de s'être abîmé la prostate un été en faisant du vélo dans l'Oregon, il était allé à la bibliothèque et avait trouvé une étude sur les troubles de l'érection chez les coureurs du Tour de France. Parce qu'il était brillant et qu'on le savait capable d'être hilarant, parce qu'il avait laissé le souvenir d'excellents moments passés en sa compagnie, il s'était créé chez les gens une énorme réserve de bons sentiments à son égard, et il puisait à présent dans cette réserve, appel après appel. On attendait qu'il ait fini de se plaindre et on s'efforçait de lui remonter le moral. Il en fallait, du temps, avant qu'on se lasse de lui et qu'on cesse de l'admirer.

La propension de Leonard à l'abattement avait toujours fait partie de son charme. C'était rassurant de l'entendre énumérer ses faiblesses, ses réticences vis-à-vis de la formule américaine du succès. Les possesseurs d'ego surdimensionnés qui marchaient à l'ambition étaient si nombreux à l'université – intelligents et travailleurs mais insensibles et sans aspérités, prêts à écraser le voisin pour réussir – que l'on se sentait obligé de se mettre au diapason en se montrant constamment motivé et au maximum de ses capacités, alors que, au fond de soi, on savait que cela ne correspondait pas à la réalité. En fait, les gens doutaient d'eux-mêmes et craignaient l'avenir. Ils étaient complexés, effrayés, et, en parlant à Leonard, qui était toutes ces choses puissance dix, ils se sentaient moins minables et moins seuls. Leonard leur apportait une sorte de thérapie. Il était tellement plus mal en point que tout le monde ! Il était le Dr Freud et le Dr Fatalis, père confesseur et humble pénitent, analyste et analysé. Ce n'était pas une posture. Il ne faisait pas semblant. Il parlait honnêtement et écoutait avec compassion. Dans leurs meilleurs moments, ces conversations téléphoniques relevaient à la fois de l'art et du sacerdoce.

Mais à cette période, expliqua Auerbach, le pessimisme de Leonard avait changé. Il s'était renforcé, purifié. Il avait perdu son aspect comique, son côté numéro de cirque, pour se muer en désespoir total et meurtrier. Quel que soit le mal dont Leonard, qui avait toujours été « déprimé », avait souffert auparavant, ce n'était pas de la dépression. La dépression, c'était le mal dont

il souffrait maintenant. C'était ce monologue monotone prononcé par ce garçon crasseux, étendu sur le dos, par terre, au
milieu de chez lui. Ce récit mécanique des échecs de sa jeune
vie, échecs qui, du point de vue de Leonard, le condamnaient
d'ores et déjà à une vie de plus en plus insatisfaisante. « Où
est Leonard ? » répétait-il au téléphone. Où était ce brillant
jeune homme capable de rédiger vingt pages sur Spinoza de
la main gauche tout en jouant aux échecs de la droite ? Où
était le Leonard professoral, celui qui rapportait des détails
méconnus sur l'opposition Flandre-Wallonie dans l'histoire
de la typographie et pouvait discuter des mérites littéraires de
seize romanciers ghanéens, kenyans et ivoiriens, lesquels avaient
été publiés en poche dans les années 60 dans une collection
intitulée « Out of Africa », que Leonard avait achetée d'occasion
cinquante *cents* le volume au Strand Book Store de New York
et dont il avait lu l'intégralité ? « Où est Leonard ? » demandait
Leonard. Leonard l'ignorait.

Ses amis avaient fini par se rendre compte que peu importait
qui il appelait au téléphone. Il oubliait qui était à l'autre bout
de la ligne, et, quand une personne réussissait à raccrocher,
il en appelait une autre et reprenait son discours là où il
l'avait laissé avec la précédente. Et puis les gens avaient des
obligations. Ils n'avaient pas que ça à faire. Alors peu à peu,
les amis de Leonard s'étaient mis à se dérober quand il les
appelait. Ils prétextaient un cours ou un rendez-vous avec
un professeur. Ils faisaient durer la conversation le moins
de temps possible, puis, à la fin, ils cessaient carrément de
répondre. Auerbach lui-même l'avait fait. Il s'en voulait à
présent, et c'était pour cela qu'il avait appelé Madeleine.
« On savait que Leonard allait mal, dit-il, mais on ne savait
pas que c'était à ce point. »

Jusqu'au jour où le téléphone d'Auerbach avait sonné vers
cinq heures de l'après-midi. Soupçonnant que c'était Leonard,
il n'avait pas décroché. Mais cela avait continué de sonner

encore et encore, et, à bout de nerfs, Auerbach avait fini par répondre.

– Ken ? avait fait Leonard d'une voix chevrotante. Il me manque des UV, Ken. On ne va pas me remettre mon diplôme.

– Tu tiens ça d'où ?

– M. Nalbandian vient d'appeler. Il dit que je n'ai plus le temps de rattraper les cours que j'ai ratés. Il refuse de valider toute mon année.

Cela ne surprenait pas Auerbach. Mais l'émotion de la voix de Leonard, sa vulnérabilité d'enfant perdu dans les bois, l'avait poussé à dire quelque chose de réconfortant.

– Ç'aurait pu être pire. Il aurait pu carrément te recaler.

– C'est pas le problème, Ken, avait rétorqué Leonard, agacé. Le problème, c'est que c'est un de mes professeurs, un de ceux dont j'espère qu'ils m'écriront des lettres de recommandation. J'ai tout foiré, Ken. Je ne vais pas obtenir mon diplôme, pas en même temps que tout le monde. Sans diplôme, mon stage à Pilgrim Lake va être annulé. Je n'ai pas d'argent, Ken. Mes parents ne vont pas m'aider. Je ne sais pas comment je vais m'en sortir. Je n'ai que vingt-deux ans et j'ai foutu ma vie en l'air !

Auerbach avait tenté de le raisonner, de le calmer, mais, quels que soient les arguments qu'il avançait, Leonard demeurait obnubilé par sa situation désastreuse. Il continuait de se plaindre de ne pas avoir d'argent, de ne pas être aidé par ses parents comme la plupart des étudiants de Brown, handicap qui avait été le sien toute sa vie et qui, dans une certaine mesure, avait conditionné sa fragilité affective. Ils avaient tourné en rond ainsi pendant plus d'une heure, Leonard respirant bruyamment dans le combiné, la voix de plus en plus désespérée, jusqu'à ce qu'Auerbach ne sache plus quoi dire et se rabatte sur une tactique que lui-même trouvait stupide, conseillant à Leonard de penser un peu moins à lui, de sortir admirer les magnolias en fleur sur le campus – avait-il vu les magnolias ? –, de comparer sa situation avec celle des gens réellement désespérés, les mineurs des mines d'or d'Amérique du Sud, les tétraplégiques, les malades atteints de sclérose en plaques à un stade avancé – bref, de se dire que la vie n'était pas aussi horrible qu'il voulait le croire. Et là, Leonard avait fait quelque chose qu'il n'avait jamais fait auparavant. Il avait raccroché au nez d'Auerbach. C'était la première fois depuis le début de sa frénésie téléphonique que Leonard raccrochait avant son interlocuteur, et cela avait inquiété Auerbach. Il avait rappelé, mais pas de réponse. À la fin, après avoir joint deux ou trois autres personnes qui connaissaient Leonard, il avait décidé de se rendre à son appartement de Planet Street, où il l'avait trouvé extrêmement agité. Après avoir beaucoup parlementé avec lui, il avait réussi à le convaincre de le laisser l'emmener au centre médical, et le médecin qui avait examiné Leonard là-bas l'avait gardé en observation pour la nuit. Le lendemain, on l'avait envoyé au Providence Hospital, et c'était là qu'il se trouvait à présent, soigné dans le service psychiatrique.

Si elle avait eu plus de temps, Madeleine aurait pu distinguer et identifier toutes les émotions qui se mélangeaient en elle. D'abord, de l'affolement. Ensuite, la gêne et la colère d'être la dernière informée. Mais derrière tout cela, tapie au fond d'elle, bouillonnait une étrange euphorie.

– Je connais Leonard depuis qu'il a été diagnostiqué, dit Auerbach. En première année. Tout va bien s'il prend ses médicaments. Jusqu'ici, tout allait très bien. En ce moment, il a besoin d'être entouré, c'est tout. C'est pour ça, en gros, que je t'ai appelée.

– Merci, dit Madeleine. Tu as bien fait.

– Pour l'instant, on est quelques-uns à se relayer, on assure une présence aux heures de visite. Mais tout le monde plie bagage aujourd'hui. Et, je ne sais pas... je suis sûr que Leonard serait content de te voir.

– Il l'a dit ?

– Pas explicitement, non. Mais je l'ai vu hier soir et je suis sûr qu'il serait content.

Là-dessus, Auerbach donna à Madeleine l'adresse de l'hôpital et le numéro du poste des infirmières, puis il lui dit au revoir.

À présent, Madeleine était pleine de détermination. Raccrochant d'un geste ferme, elle sortit de sa chambre et regagna le séjour à grands pas.

Olivia avait toujours les pieds sur la table basse, elle attendait que ses ongles sèchent. Abby versait dans un verre un smoothie rose contenu dans un mixer.

– Bande de traîtresses ! lança Madeleine.

– Quoi ? fit Abby, surprise.

– Vous le saviez ! Vous saviez depuis le début que Leonard était à l'hôpital ! C'est pour ça que vous m'avez dit qu'il ne serait pas à la soirée.

Abby et Olivia échangèrent un regard. Chacune attendait que l'autre parle la première.

– Vous le saviez et vous ne m'avez rien dit !

– On l'a fait pour ton bien, dit Abby, l'air grave. On ne voulait pas que ça te perturbe et que tu ne penses plus qu'à ça. Tu avais déjà du mal à aller en cours. Tu te remettais tout juste de ta rupture avec Leonard et on a pensé que…

– Ça te plairait, à toi, si Whitney était à l'hôpital et que je ne te le dise pas ?

– C'est différent. Leonard et toi, vous n'étiez plus ensemble. Vous ne vous parliez même plus.

– Et alors ?

– Moi, je suis toujours avec Whitney.

– Comment vous avez pu me cacher une chose pareille ?

– Ça va. *Excuse-nous.* On est désolées.

– Vous m'avez menti.

Olivia secoua la tête. Elle n'était pas prête à faire amende honorable.

– Leonard est fou, dit-elle. Tu l'as compris, ça ? Je regrette, Maddy, mais Leonard… est… fou. Il refusait de sortir de son appartement ! Il a fallu appeler la sécurité pour défoncer sa porte.

Ces détails-là étaient nouveaux. Madeleine les enregistra pour les analyser plus tard.

– Leonard n'est pas fou, dit-elle. Il est dépressif. C'est une maladie.

Elle ne savait pas si c'était bien une maladie. Elle ne connaissait rien à la question. Mais la vitesse avec laquelle lui vint cette réponse et son assurance pour la prononcer la convainquirent de son bien-fondé.

Abby, l'air toujours compatissant, penchait la tête sur le côté, le regard bovin. Elle avait du smoothie sur la lèvre supérieure.

– On s'inquiétait pour toi, Mad, dit-elle. On avait peur que ça ne te serve de prétexte pour te remettre avec Leonard.

– Ah bon, alors comme ça, vous me protégiez.

– Inutile d'être narquoise, dit Olivia.

– Je n'en reviens pas d'avoir gâché ma quatrième année en habitant avec vous deux.

– Ah, parce que tu crois que c'était un cadeau d'habiter avec toi ? s'écria Olivia, féroce. Toi et ton *Fragments d'un discours amoureux*. Laisse-moi rire ! Tu sais, cette maxime que tu cites tout le temps ? Sur le fait qu'on ne tomberait jamais amoureux si on n'avait pas entendu parler de l'amour ? Tu ferais bien de réfléchir un peu à ce que ça veut dire.

– Avoue que c'était bien gentil de notre part de te proposer de venir habiter avec nous, souligna Abby en léchant le smoothie sur sa lèvre. C'est vrai, quoi, c'est nous qui avons trouvé cet appartement, qui avons payé la caution et tout.

– Eh bien, vous n'auriez jamais dû m'en parler. Peut-être que, aujourd'hui, j'habiterais avec quelqu'un en qui je pourrais avoir confiance.

– Allez, viens, on s'en va, dit Abby en se détournant de

Madeleine d'un air résolu. Il faut qu'on aille se mettre en place pour le défilé.

— Mes ongles ne sont pas secs, dit Olivia.

— Il faut y aller. On est en retard.

Madeleine en avait assez entendu. Tournant les talons, elle regagna sa chambre et s'y enferma. Lorsqu'elle fut certaine qu'Abby et Olivia étaient parties, elle rassembla sa tenue de cérémonie — toge, toque et gland — et descendit en bas de l'immeuble. Il était 9 h 32. Elle avait treize minutes pour rallier le campus.

Le chemin le plus court pour parvenir en haut de la colline — et où elle était sûre de ne pas rattraper ses colocataires — était par Bowen Street. Mais Bowen Street recelait ses propres dangers. C'était là qu'habitait Mitchell, et elle n'était pas d'humeur à tomber à nouveau sur lui. Elle s'engagea prudemment dans la rue et, ne le voyant pas, se dépêcha de passer devant chez lui puis commença à gravir la côte.

La pluie avait rendu glissant le chemin qui prolongeait la rue. Le temps que Madeleine en atteigne le bout, ses mocassins étaient couverts de gadoue. Sa tête se remit à lui faire mal et, tandis qu'elle avançait d'un pas pressé, elle sentit une odeur de transpiration s'échapper un instant du col de sa robe. Pour la première fois, elle examina la tache. Cela pouvait être n'importe quoi. Elle s'arrêta néanmoins pour passer sa toge par-dessus sa robe, puis reprit son ascension.

Elle imagina Leonard barricadé dans son appartement avec les agents de sécurité qui défonçaient sa porte, et une tendresse émue s'empara d'elle.

L'euphorie déclenchée par le coup de fil d'Auerbach persistait cependant, tel un ballon s'élevant en elle malgré l'urgence présente…

Débouchant dans Congdon Street, elle accéléra, et, quelques pâtés de maisons plus loin, elle commença à voir la foule. La police avait coupé la circulation, et des gens en imperméable avaient envahi Prospect Street et College Street, devant le centre culturel et la bibliothèque. Le vent s'était relevé et agitait la cime des ormes dans le ciel assombri.

En passant devant la Carrie Tower, Madeleine entendit une fanfare en train de s'accorder. Des troisième cycle et des étudiants en médecine se mettaient en rangs dans Waterman Street, sous la direction d'officiels en tenue d'apparat. Madeleine comptait entrer sur la pelouse par Faunce House Arch, mais le cortège lui bloquait le passage. Plutôt que d'attendre, elle continua de longer la Faunce House et descendit les marches du bureau de poste, dans l'intention de rejoindre la pelouse par le souterrain. En chemin, une idée lui vint à l'esprit. Il était 9 h 41. Il lui restait quatre minutes.

La boîte postale de Madeleine était située tout en bas, dans le bloc de devant. Afin de composer la combinaison de la serrure, elle posa un genou au sol, position dans laquelle elle se sentit à la fois pleine d'espoir et vulnérable. La porte de laiton s'ouvrit sur le caisson noirci par les âges. À l'intérieur se trouvait une unique enveloppe. Calmement (car un candidat qui réussit ne manifeste ni angoisse ni hâte), Madeleine la sortit.

C'était une lettre de Yale, déchirée et enfermée dans un sachet en plastique de l'USPS portant l'inscription suivante : « Ce courrier a été endommagé durant son acheminement. Veuillez nous excuser pour le retard occasionné. »

Elle ouvrit le sachet thermoscellé et en extirpa avec précaution l'enveloppe papier, veillant à ne pas la déchirer davantage. Elle s'était coincée dans une trieuse automatique. Le cachet indiquait : « 1 avril 1982 ».

Le bureau de poste de la Faunce House en avait vu passer, des lettres d'acceptation. Chaque année, elles affluaient, envoyées par les facultés de médecine et de droit, par les universités préparant à des diplômes de troisième cycle. Des étudiants s'étaient agenouillés devant ces boîtes, comme Madeleine en ce moment, pour ouvrir des lettres qui les avaient instantanément transformés en bénéficiaires d'une bourse Rhodes, attachés parlementaires, journalistes débutants, nouveaux élèves de la Wharton School. Tandis qu'elle ouvrait la sienne, Madeleine remarqua qu'elle n'était pas très lourde.

Chère Mlle Hanna,
Nous vous informons par la présente que le département de littérature de l'université de Yale ne pourra pas vous accueillir au sein de son programme de troisième cycle pour l'année universitaire 1982-1983. Nous sommes sollicités chaque année par de nombreux candidats qualifiés et ne pouvons malheureusement pas…

Elle n'émit aucun son, ne laissa paraître aucun signe de déception. Doucement, elle referma sa boîte postale, fit tourner les molettes de la serrure à combinaison et, se redressant de toute sa hauteur, traversa la poste d'un air digne. Près de la porte, terminant le travail commencé par le centre de tri de l'USPS, elle déchira la lettre en deux et fourra les morceaux dans le bac de recyclage.

Les étudiants A, B, C et D postulent pour un troisième cycle à Yale. Si A est rédacteur en chef du *Harvard Crimson*, B le titulaire d'une bourse Rhodes ayant publié une monographie sur *Le Paradis perdu* dans le *Milton Quarterly*, C un petit prodige anglais de dix-neuf ans parlant russe et français et ayant un lien de parenté avec le Premier ministre britannique Margaret Thatcher, et D une étudiante en littérature dont le dossier de candidature contient un article médiocre sur les mots de liaison dans *Pearl*, un poème anonyme écrit en moyen-anglais au XIVᵉ siècle, ainsi qu'un score de 520 à la partie logique du GRE, quel est l'étudiant qui n'a pas l'ombre d'une chance d'être reçu ?

Elle avait été refusée tout début avril, il y avait deux mois. Son sort était donc scellé avant même qu'elle n'ait rompu avec Leonard, ce qui voulait dire que l'unique chose à laquelle elle s'était raccrochée ces trois dernières semaines avait été une illusion. Une information cruciale de plus qui lui avait été cachée.

Des cris retentirent à l'extérieur. Résignée, Madeleine coiffa sa toque comme on coiffe un bonnet d'âne, puis elle quitta le bureau de poste et monta les marches accédant à la pelouse.

Dans le vaste espace verdoyant, les familles attendaient le début du défilé. Trois petites filles avaient grimpé sur les genoux de bronze de la sculpture de Henry Moore. Elles souriaient et gloussaient, photographiées par leur père, accroupi dans l'herbe. D'anciens élèves fêtant leurs retrouvailles se déplaçaient par petits groupes en titubant, coiffés de canotiers ou de casquettes de base-ball aux couleurs de Brown et indiquant l'année de leur promotion.

Devant le Sayles Hall, des hourras se firent entendre. Sous les yeux de Madeleine, un diplômé préhistorique, une espèce de légume affublé d'un blazer à rayures, apparut en évidence, poussé dans son fauteuil roulant par une délégation de petits-enfants ou d'arrière-petits-enfants blonds. Accrochée à l'un des bras du fauteuil, une grappe de ballons d'hélium flottait dans l'air printanier, chaque ballon rouge marqué d'un « Promo 09 » marron. Le vieil homme répondait aux applaudissements en levant la main. Un grand sourire découvrait ses longues dents de vampire, son visage rayonnant de satisfaction sous son chapeau de hallebardier de la Tour de Londres.

Madeleine regarda passer le vieil homme heureux. À ce moment-là, la fanfare entama l'hymne processionnel, et le défilé des diplômés commença. Le président entrepreneur de l'université, en toge de velours rayé et bonnet florentin, ouvrait la marche, une lance médiévale à la main. Le suivaient quelques ploutocrates du conseil d'administration, les héritiers rouquins et hypercéphales de la famille Brown, ainsi que divers doyens et chefs de département. Les quatrième année, en rangs par deux, s'égrenèrent depuis Wayland Arch. Le cortège longea le University Hall en direction des portes Van Wickle, où les parents – dont Alton et Phyllida – étaient massés, impatients.

Madeleine guetta un espace où s'insérer. Elle scruta les visages à la recherche de quelqu'un qu'elle connaissait, son amie Kelly Traub ou même Lollie et Pookie Ames. En même temps, sa crainte de retomber sur Mitchell, ou sur Olivia et Abby, la retenait d'avancer, et elle restait légèrement en retrait derrière un père ventru, caméscope en main.

Elle avait oublié de quel côté son gland devait pendre, à droite ou à gauche.

La promotion qui recevait ce jour-là son diplôme comptait près de mille deux cents étudiants. Ils continuaient d'arriver, deux par deux, hilares, se tapant dans les mains ou levant le poing d'un air victorieux. Mais Madeleine n'avait jamais vu aucun d'eux. Après quatre ans dans cette université, elle n'y connaissait personne.

Il n'était passé pour l'instant qu'une centaine de quatrième année, mais elle n'attendit pas les autres. La tête qu'elle avait envie de voir n'était pas là, de toute façon. Rebroussant chemin, elle ressortit par Faunce House Arch et enfila Waterman en direction de Thayer Street. Accélérant le pas, se mettant presque à courir, maintenant d'une main sa toque sur sa tête, elle arriva au coin de la rue, où les voitures circulaient librement. Rapidement, elle arrêta un taxi et demanda au chauffeur de la conduire au Providence Hospital.

•

Ils venaient de rouler leur joint quand le cortège s'ébranla.

Depuis une demi-heure, Mitchell et Larry se tenaient dans l'ombre venteuse du Wriston Quad, au milieu d'une longue file noire d'étudiants qui s'étendait depuis la pelouse principale au bout de l'allée jusqu'à l'arche couverte de lierre derrière eux, et au-delà dans Thayer Street. Les étroits trottoirs disciplinaient la file devant et derrière, mais, dans l'espace ouvert de la cour, elle s'éparpillait et prenait des allures de fête en plein air. Les gens circulaient, se mélangeaient.

Mitchell abrita Larry du vent pour lui permettre d'allumer le joint. Tout le monde se plaignait du froid et allait et venait pour se réchauffer.

Il existait de nombreuses façons de défier la solennité de l'événement. Certains étudiants portaient leurs toques de travers. D'autres avaient décoré les leurs avec des autocollants ou de la peinture. Les filles portaient des boas, des lunettes de soleil multicolores ou des mini-boules à facettes en guise de boucles d'oreilles. Mitchell fit remarquer que ces expressions de rébellion étaient monnaie courante aux cérémonies de remise des diplômes et donc aussi conventionnelles que les traditions qu'elles entendaient bouleverser, avant de prendre le joint que lui tendait Larry et de défier lui-même la solennité de l'événement d'une manière convenue.

– *Gaudeamus igitur*, dit-il en tirant une taffe.

Tel un œuf avalé par un serpent noir, une sorte d'ondulation péristaltique à peine perceptible parcourait les méandres du cortège, mais encore personne ne semblait avancer. Mitchell regardait au loin devant lui, les yeux plissés pour essayer de voir quelque chose. Enfin, le mouvement atteignit les gens qui les précédaient directement, Larry et lui, et, d'un seul coup, toute la file se mit en marche.

Ils tirèrent sur le joint à tour de rôle, plus rapidement à présent.

Devant eux dans la file, Mark Klemke se retourna et dit en remuant les sourcils : « Je suis à poil sous ma toge. »

Beaucoup avaient apporté leur appareil photo. Ils obéissaient aux publicitaires qui leur avaient soufflé d'immortaliser ce moment sur pellicule.

On pouvait se sentir supérieur aux autres et en même temps inadapté.

Il fallait se mettre en rangs à la maternelle, par ordre alphabétique. En primaire, lors des sorties éducatives, on prenait la main de son camarade pour passer devant le bœuf musqué ou la turbine à vapeur. L'école était un alignement perpétuel, avec celui-là pour grand final.

Mitchell et Larry quittèrent lentement la pénombre des arbres du Wriston Quad. Le sol n'avait pas encore vu le soleil et restait frais. Un farceur avait escaladé la statue de Marc Aurèle et avait placé une toque sur la tête du stoïque. Son cheval avait un « 82 » peint sur son flanc d'acier. Après avoir gravi les marches le long du Leeds Theatre, le cortège poursuivit son chemin jusqu'à la pelouse en passant devant le Sayles Hall et le Richardson Hall. Le ciel évoquait une toile du Greco. Un programme s'envola, emporté par le vent.

Larry proposa la fin du joint à Mitchell, qui secoua la tête.

– Je suis défoncé, dit-il.

– Moi aussi.

Avançant à petits pas comme des prisonniers enchaînés, ils approchèrent de l'estrade couverte dressée devant le University Hall face à une mer de chaises pliantes blanches. Au bout de l'allée, le cortège fit halte. Gagné par une vague de fatigue, Mitchell se rappela pourquoi il n'aimait pas fumer le matin. Passé l'afflux d'énergie initial, la journée devenait un rocher qu'il fallait pousser en haut d'une montagne. Il allait devoir se défaire de cette habitude pendant son voyage. Il allait devoir se reprendre en main.

Le cortège redémarra. À travers les ormes, au loin, Mitchell aperçut les cimes des immeubles du centre-ville, puis les portes Van Wickle se dressèrent devant lui, et, avec ses mille camarades de promotion, il fut emporté de l'autre côté de leurs grilles.

Les immanquables cris retentirent, les toques s'envolèrent.

Dehors, la foule était dense et guettait ses enfants. Parmi la masse des visages de quinquagénaires, ceux des parents de Mitchell se détachèrent avec une clarté saisissante. Deanie, en blazer bleu et imperméable London Fog, rayonnait à la vue de son fils cadet, ayant oublié, apparemment, qu'il ne voulait pas que Mitchell aille dans une université de l'Est et soit corrompu par les progressistes. Lillian agitait les deux mains comme font les gens de petite taille pour attirer l'attention. Sous l'effet aliénant de la marijuana, sans parler de quatre années d'études, Mitchell était contrarié par la visière en denim vulgaire que portait sa mère et par le manque de raffinement de ses parents en général. Mais un phénomène était en train de s'opérer en lui. Déjà il ressentait l'effet magique des portes, car, en levant la main pour rendre leur salut à ses parents, il eut l'impression d'être redevenu un enfant de dix ans. Il avait les larmes aux yeux, la gorge serrée par un élan d'amour pour ces deux êtres qui, tels des personnages de la mythologie capables de se transformer en pierre ou en bois, avaient su s'effacer tout au long de sa vie, ne se manifestant à nouveau que dans des moments-clefs comme celui-ci, pour assister à son parcours de héros. Lillian avait un appareil photo. Elle immortalisait l'instant. Voilà pourquoi Mitchell en était dispensé.

Larry et lui continuèrent d'avancer d'un bon pas sous les acclamations de la foule et basculèrent dans la pente de College Street. Mitchell chercha les Hanna du coin de l'œil, mais il ne les vit pas. Il ne vit pas Madeleine non plus.

En bas de la rue, le cortège s'essouffla, et les diplômés de la promotion 1982, se dispersant sur les côtés de la chaussée, devinrent spectateurs à leur tour.

Mitchell retira sa toque et s'essuya le front. Il n'avait pas particulièrement envie de faire la fête. L'université, ç'avait été facile pour lui. L'idée de célébrer comme un exploit l'obtention de ce diplôme lui semblait risible. Il avait cependant trouvé ces quatre années agréables, à tout point de vue, aussi, la tête révérencieusement bourdonnante, resta-t-il planté là à applaudir ses pairs, s'efforçant de se joindre de son mieux à la jubilation ambiante.

Il n'avait pas de pensées religieuses, ni ne récitait la « Prière de Jésus », lorsqu'il aperçut M. Richter descendant la rue dans sa direction. C'était la brigade du corps enseignant qui approchait à présent, professeurs et assistants en grand tralala, leurs écharpes doctorales bordées d'une bande de velours indiquant leur spécialité, elle-même cousue d'un liseré de satin représentant leur université de formation : cramoisi pour Harvard, vert pour Dartmouth, bleu clair pour Tufts.

Mitchell fut surpris que M. Richter participe à un rite folklorique aussi ridicule. Au lieu d'être chez lui en train de lire Heidegger, il était là qui perdait son temps à défiler en l'honneur d'une nouvelle cérémonie de remise des diplômes, et il semblait ravi.

Au moment qui marquait vraiment la fin de sa carrière à Brown, Mitchell resta sur cette image saisissante : Herr Doktor Richter se pavanant au milieu de la rue, le visage étincelant d'une joie enfantine qu'il n'avait jamais montrée dans la salle du cours « Religion et aliénation ». Comme s'il avait trouvé le remède contre l'aliénation. Comme s'il s'était soustrait aux effets du temps.

•

— Félicitations, dit le chauffeur de taxi.

Madeleine leva les yeux, un instant perdue, avant de se rappeler sa tenue.

— Merci, dit-elle.

La plupart des rues autour du campus étant bloquées, le chauffeur devait faire un détour et descendait Hope Street pour rejoindre Wickenden Street.

— Vous êtes étudiante en médecine ?

– Pardon ?

Le chauffeur leva les mains du volant.

– On va bien à l'hôpital, non ? Je pensais que vous comptiez peut-être devenir médecin.

– Non, pas moi, répondit Madeleine d'une voix à peine audible en regardant par la vitre.

Le chauffeur comprit le message et demeura silencieux le reste du trajet.

Tandis que le taxi franchissait le fleuve, Madeleine retira sa toque et sa toge. L'habitacle de la voiture sentait le désodorisant, un parfum passe-partout, genre vanille. Madeleine avait toujours aimé les désodorisants. Elle n'y avait jamais réfléchi jusqu'à ce que Leonard lui dise que cela traduisait une volonté, de sa part, d'éviter des réalités déplaisantes. « Ce n'est pas comme si la pièce ne sentait pas mauvais, avait-il dit. C'est juste que tu ne peux pas le sentir. » Elle avait cru à un illogisme et s'était écriée : « Comment une pièce peut-elle sentir mauvais si elle sent bon ? » À quoi Leonard avait répondu : « Oh, mais elle sent mauvais. Tu confonds propriétés et substance. »

Voilà le genre de conversation qu'elle avait avec Leonard. C'était une des raisons pour lesquelles elle aimait sa compagnie. Où qu'on aille, quoi qu'on fasse, un désodorisant donnait lieu à un mini-symposium.

Avec le recul, elle se demanda cependant si ces pensées tentaculaires n'étaient pas, au fond, ce qui l'avait conduit là où il en était à présent.

Le taxi s'arrêta devant un hôpital aux allures de Holiday Inn qui aurait mal vieilli. Haut de huit étages, façade vitrée, le bâtiment blanc avait l'air sale, comme s'il avait absorbé la crasse des rues avoisinantes. Les vasques de béton de chaque côté de l'entrée ne contenaient aucune fleur, uniquement des mégots de cigarette. Par les portes automatiques en parfait état de fonctionnement, une silhouette décharnée évoquant malchance ouvrière et maladie professionnelle sortit en marchant à l'aide d'un déambulateur.

Dans le hall-atrium, Madeleine se trompa deux fois de direction avant de trouver l'accueil. La réceptionniste la regarda brièvement, puis lui demanda :

— Vous êtes ici pour Bankhead ?

Interloquée, Madeleine jeta un coup d'œil dans la salle d'attente et s'aperçut qu'elle était la seule personne blanche présente.

— Oui.

— Je ne peux pas vous laisser monter pour l'instant. Il y a déjà trop de monde là-haut. Dès que quelqu'un descendra, vous pourrez y aller.

Ça aussi, c'était une surprise. L'effondrement psychologique de Leonard, le fait qu'il s'avoue incapable d'affronter les exigences de la vie adulte, semblait en contradiction avec un excès de visites. Madeleine était jalouse de ces inconnus auprès de lui.

Elle inscrivit son nom sur le registre et alla s'asseoir en face des ascenseurs. Le motif de la moquette, des carrés bleus encadrant chacun un dessin d'enfant au crayon (un arc-en-ciel, une licorne, une famille heureuse), se voulait apaisant. Certains de ceux qui attendaient avaient apporté à manger, du poulet à la jamaïcaine et de la poitrine de bœuf grillée dans des emballages en polystyrène. Sur la chaise en face de Madeleine, un petit garçon dormait.

Madeleine contempla la moquette, nullement apaisée.

Au bout de vingt longues minutes, les portes de l'ascenseur s'ouvrirent et deux jeunes Blancs sortirent. Deux garçons, c'était rassurant. L'un était grand et avait une coupe banane, l'autre petit, vêtu d'un tee-shirt avec la célèbre photo d'Einstein tirant la langue.

— Ç'avait l'air d'aller pas mal, aujourd'hui, dit le premier. Je l'ai trouvé mieux.

— Ça, c'était mieux ? La vache, il me faut une cigarette.

Ils passèrent devant Madeleine sans la remarquer.

Dès qu'ils furent partis, elle alla voir la réceptionniste.

– Troisième étage, dit la femme en lui donnant un badge.

Le vaste ascenseur, conçu pour accueillir des brancards et du matériel médical, s'éleva lentement, avec Madeleine pour seule occupante. Passant devant « Obstétrique » et « Rhumatologie », devant « Ostéologie » et « Oncologie », laissant derrière lui tous les maux susceptibles d'affecter le corps humain et dont aucun n'avait frappé Leonard, il emmena Madeleine au service psychiatrique, où ce dont souffraient les gens se situait dans la tête. Influencée par les films qu'elle avait vus, elle s'attendait à trouver un lieu d'incarcération à la dure. Mais à l'exception d'un bouton rouge ouvrant la double porte de l'extérieur (bouton qui n'avait pas d'équivalent à *l'intérieur*), peu d'éléments laissaient entendre que les gens étaient retenus là contre leur gré. Le couloir était vert pâle ; le lino, très brillant, crissait sous les pieds. Un chariot de nourriture attendait contre un mur. Les quelques malades visibles dans leur chambre – des malades *mentaux*, ne put s'empêcher de se dire Madeleine – passaient le temps comme tous les convalescents, en lisant, en somnolant, en regardant par la fenêtre.

Au poste des infirmières, Madeleine demanda Leonard Bankhead, et on lui indiqua la salle de séjour commune au bout du couloir.

Dès qu'elle y entra, la lumière la fit grimacer. Son intensité semblait à elle seule une thérapie contre la dépression. Aucune ombre n'était permise. Les yeux plissés, Madeleine parcourut du regard les tables de Formica où des malades en peignoir et en sandales étaient assis seuls ou en compagnie de visiteurs, eux en chaussures. Une télévision braillait dans un coin, fixée par un bras en haut d'un mur. Régulièrement espacées, des baies vitrées occupant toute la hauteur de la salle offraient une vue panoramique sur les toits de la ville, dressés tels des éperons rocheux en direction de la baie.

Leonard était assis en face d'un garçon à lunettes, à quatre ou cinq mètres de Madeleine. Le garçon parlait, penché vers lui.

– En somme, disait-il, tu t'es fabriqué une petite maladie mentale pour entrer ici et te faire aider, et maintenant que tu es parvenu à tes fins, tu te rends compte que tu n'es peut-être pas si mal en point que tu croyais.

Leonard semblait l'écouter attentivement. Il n'était pas en peignoir, comme s'y attendait Madeleine, mais habillé normalement – chemise décontractée, pantalon de menuisier, bandana bleu sur la tête. Seules manquaient ses Timberland. À la place, il portait les sandales de l'hôpital, avec des chaussettes. Il était plus barbu que d'habitude.

– Il y avait des problèmes que tu n'abordais pas avec ton psy, poursuivit le garçon à lunettes, et il a fallu que tu les exagères pour les amener dans une arène plus grande et que quelqu'un s'y colle.

Qui que fût ce garçon, il paraissait extrêmement satisfait de son interprétation. Il se rappuya contre son dossier et regarda Leonard comme s'il attendait qu'il l'applaudisse.

Madeleine profita de ce moment pour s'avancer.

En la voyant, Leonard se leva de son siège.

– Madeleine, dit-il doucement. C'est gentil d'être venue.

C'était donc établi : la gravité de l'état de Leonard l'emportait sur le fait qu'ils avaient rompu. Elle l'annulait. Ce qui signifiait qu'elle pouvait le serrer dans ses bras, si elle le voulait.

Mais elle préféra s'abstenir. Elle avait peur que les contacts physiques soient interdits par le règlement.

– Tu connais Henry ? dit Leonard, restant sur le terrain des politesses. Madeleine, Henry. Henry, Madeleine.

– Bienvenue aux heures de visite, dit Henry.

Il avait une voix grave, la voix de l'autorité. Il portait une veste de madras qui formait des plis sous les bras et une chemise blanche.

La terrible luminosité de la salle avait pour effet de rendre les baies vitrées réfléchissantes, alors qu'il faisait jour dehors. Madeleine vit une image fantôme d'elle-même tournée vers un Leonard tout aussi fantomatique. Une jeune femme que personne n'était venu voir – elle en peignoir, les cheveux ébouriffés, défaits – tournait en rond dans la salle en marmonnant.

– C'est sympa ici, hein ? dit Leonard.

– Ç'a l'air correct.

– C'est un hôpital public. C'est ici que les gens viennent quand ils n'ont pas les moyens d'aller dans les établissements comme Silver Lake.

– Leonard est un peu déçu, expliqua Henry, de ne pas être en compagnie de dépressifs de première classe.

Madeleine ignorait qui était Henry et pourquoi il était là, mais elle trouvait sa jovialité déplacée, pour ne pas dire méchante. Cela n'avait pourtant pas l'air de gêner Leonard, qui buvait ses paroles avec l'avidité d'un disciple. Cette soumission ainsi que sa tendance à suçoter sa lèvre supérieure étaient les seules choses étranges que Madeleine remarqua chez lui.

– L'autre face du dégoût de soi est la folie des grandeurs, souligna Leonard.

– Absolument, approuva Henry. Et donc, quitte à péter les plombs, autant le faire comme Robert Lowell.

L'expression « péter les plombs » parut également très mal choisie à Madeleine. Elle ne l'aimait pas, ce Henry. En même temps, la façon dont il ironisait sur la maladie de Leonard laissait entendre qu'elle n'était peut-être pas si grave que ça.

C'était peut-être ainsi qu'il fallait s'y prendre. Madeleine cherchait comment se comporter, mais elle était incapable d'une telle légèreté. Elle se sentait très mal à l'aise et ne savait pas quoi dire.

Elle n'avait jamais côtoyé personne qui ait souffert d'une maladie mentale avérée. Elle évitait instinctivement les gens instables. Certes peu charitable, cette attitude allait de pair avec le fait d'être une Hanna, une personne positive, privilégiée, protégée, exemplaire. S'il y avait une chose que Madeleine n'était pas, c'était psychologiquement instable. Sur le papier, en tout cas. Car quelque temps après avoir surpris Billy Bainbridge au lit avec deux femmes, elle avait pris conscience chez elle d'une propension à une tristesse incontrôlable qui n'était pas très différente de la dépression clinique ; et au vu de ces dernières semaines, tout ce temps passé dans sa chambre à pleurer sur sa rupture avec Leonard, cette soirée qu'elle avait finie complètement ivre dans le lit de Thurston Meems, ce troisième cycle sur lequel elle avait fondé ses derniers espoirs alors qu'elle n'était même pas sûre de vouloir le suivre, brisée par l'amour, par les rapports sexuels vides de sens, par le doute de soi, Madeleine devait bien reconnaître qu'un malade mental et elle n'appartenaient pas nécessairement à des catégories totalement étrangères l'une à l'autre.

Elle se souvint des mots de Barthes : *Tout amoureux est fou, pense-t-on. Mais imagine-t-on un fou amoureux ?*

– Leonard a peur qu'on le garde ici indéfiniment. À mon avis, il n'a pas de raison de s'inquiéter.

C'était à nouveau Henry qui parlait.

– Tu vas bien, Leonard, poursuivit-il. Contente-toi d'être aussi clair avec le médecin qu'avec moi. Tu es ici en observation, c'est tout.

– J'attends un appel du médecin, expliqua Leonard à Madeleine.

– Tu t'es fabriqué une petite maladie mentale pour entrer ici et te faire aider, dit Henry pour la seconde fois. Et maintenant tu te sens mieux et tu es prêt à rentrer chez toi.

Leonard était penché en avant, tout ouïe.

– Tout ce que je veux, c'est sortir d'ici, dit-il. J'ai trois UV à repasser. Tout ce que je veux, c'est repasser ces UV et être diplômé.

Madeleine n'avait jamais vu Leonard animé par autant de bonne volonté. Élève motivé, patient modèle.

– C'est une bonne chose, dit Henry. C'est une réaction saine. Tu veux qu'on te rende ta vie.

Leonard regarda Henry et Madeleine tour à tour, puis répéta comme un robot :

– Je veux qu'on me rende ma vie. Je veux sortir d'ici, repasser les UV qui me manquent et être diplômé.

Une infirmière montra sa tête à l'entrée de la salle.

– Leonard ? Vous avez le Dr Shieu en ligne.

Aussi empressé qu'un candidat à un entretien d'embauche, Leonard se leva.

– C'est parti, dit-il.

– Aussi clair qu'avec moi, rappela Henry.

Quand Leonard fut parti, Henry et Madeleine restèrent silencieux. Ce fut lui qui parla le premier.

– Je suppose que tu es la petite amie de Leonard, dit-il.

– Ce n'est pas clair en ce moment, répondit Madeleine.

– Il est en état de fugue.

Henry décrivit un mouvement circulaire avec l'index pour ajouter :

– Comme une bande magnétique qui tournerait en boucle.

– Mais tu viens de lui dire qu'il allait bien.

– Ça, c'est ce qu'il a besoin d'entendre.

– Tu es médecin ?

– Non, mais j'ai fait deux ans de spécialisation psycho. Ce qui signifie que j'ai beaucoup lu Freud.

Il sourit à pleines dents, maladroitement, flirteur.

– Et moi qui croyais Freud passé de mode, répliqua Madeleine, acerbe.

Henry parut prendre cette pique avec plaisir.

– Si tu es la petite amie de Leonard, ou que tu envisages de le devenir, ou de te remettre avec lui, je te conseille de te méfier.

– Qui tu es, d'abord ?

– Seulement quelqu'un qui sait, d'expérience, combien ça

peut être séduisant de penser qu'on peut sauver quelqu'un en l'aimant.

– J'aurais juré qu'on venait de se rencontrer, dit Madeleine. Et que tu ne savais rien de moi.

Henry se leva. L'air un peu vexé mais son assurance intacte, il dit :

– On ne sauve pas les autres. On se sauve soi-même.

Et il partit en la laissant méditer là-dessus.

La femme aux cheveux défaits attachait et détachait la ceinture de son peignoir, la tête levée vers le téléviseur. Une jeune Noire, elle-même en âge d'être étudiante, était assise à une table avec des gens, sans doute ses parents. Visiblement des habitués des lieux.

Après quelques minutes, Leonard revint. La femme aux cheveux défaits l'interpella :

– Eh, Leonard ! T'as vu les plateaux-repas, par là-bas ?

– Non, répondit Leonard. C'est trop tôt.

– J'ai faim, moi.

– Encore une demi-heure, ça va arriver, dit Leonard, obligeant.

Il avait plus l'air d'un médecin que d'un patient. La femme semblait avoir confiance en lui. Elle hocha la tête et se détourna.

Leonard se rassit et se pencha en avant en secouant légèrement le genou.

Madeleine cherchait quelque chose à dire, mais tout ce qui lui venait à l'esprit paraissait agressif. *Depuis quand tu es ici ? Pourquoi tu ne m'as pas prévenue ? C'est vrai que tu as été diagnostiqué il y a trois ans ? Pourquoi tu ne m'as pas dit que tu étais sous traitement ? Mes colocs le savaient et pas moi !*

Elle opta pour :

– Qu'a dit le médecin ?

– Elle ne veut pas me laisser sortir, dit Leonard calmement, acceptant la nouvelle avec résignation. Elle ne veut même pas en parler pour l'instant.

– Fais ce qu'elle te dit. Reste ici et repose-toi. Je suis sûre que tu peux rattraper tes cours à l'hôpital.

Leonard regarda à droite et à gauche, puis, à voix basse pour que personne n'entende :

– Je n'ai pas trop le choix. Encore une fois, c'est un hôpital public, ici.

– C'est-à-dire ?

– C'est-à-dire qu'on se contente essentiellement de bourrer les gens de médicaments.

– On te donne quelque chose ?

Il hésita avant de répondre.

– Du lithium, surtout. J'en prends depuis quelque temps. Ils rééquilibrent ma dose.

– Et ça t'aide ?

– Il y a quelques effets indésirables, mais oui. Globalement, la réponse est oui.

Il était difficile de savoir si Leonard était sincère, ou s'il cherchait à se convaincre. Il regardait intensément le visage de Madeleine, comme s'il y guettait des informations capitales.

Soudain il se tourna vers la baie vitrée et y contempla son reflet en se frottant les joues.

– On n'a le droit de se raser qu'une fois par semaine, dit-il. Quelqu'un doit être présent pour nous surveiller.

– Pourquoi ?

– À cause des lames. C'est pour ça que j'ai cette tête.

Madeleine regarda autour d'elle pour voir comment les autres se comportaient : personne ne se touchait.

– Pourquoi tu ne m'as pas appelée ? demanda-t-elle.

– On n'est plus ensemble.

– Leonard ! Si j'avais su que tu faisais une dépression, ça n'aurait eu aucune importance.

– C'est parce qu'on n'est plus ensemble que j'ai fait une dépression.

Ça, Madeleine l'apprenait. Les circonstances auraient pu être meilleures, mais c'était une vraie bonne nouvelle.

– Je nous ai sabordés, toi et moi, dit Leonard. Maintenant que j'y vois un peu plus clair, je m'en rends bien compte. Le problème quand on grandit dans une famille comme la mienne, une famille d'alcooliques, c'est qu'on finit par s'habituer à la maladie et au dysfonctionnement. La maladie et le dysfonctionnement, c'est normal pour moi. Ce qui ne l'est pas, c'est de ressentir...

Il s'interrompit. Il baissa la tête, ses yeux sombres fixés sur le lino, et reprit :

– Tu te souviens, le jour où tu m'as dit que tu m'aimais ? Tu te souviens ? Tu vois, toi, tu pouvais te le permettre parce que tu es fondamentalement quelqu'un de sain, qui a grandi dans une famille saine et aimante. Tu peux te permettre de prendre ce genre de risque. Mais dans ma famille à moi, on ne se disait pas qu'on s'aimait. Nous, on se criait dessus. Alors qu'est-ce que je fais, quand tu me dis que tu m'aimes ? Je tourne la chose en dérision. Je me protège en te jetant Roland Barthes à la figure.

La dépression n'entraînait pas forcément une déchéance physique. Seule la façon dont Leonard se tétait et se mordait de temps en temps les lèvres indiquait qu'il prenait des médicaments.

– Du coup, tu es partie, poursuivit-il. Tu m'as laissé tomber. Et tu as bien fait, Madeleine.

Il leva alors les yeux vers elle, l'air infiniment peiné.

– Je suis un handicapé affectif.

– Mais non.

– Après ton départ ce jour-là, je me suis allongé sur mon lit et je ne me suis plus levé de la semaine. Je suis resté là à ressasser comment j'avais foutu en l'air la meilleure occasion que j'aie jamais eue d'être heureux dans la vie. La meilleure occasion que j'aie jamais eue d'être avec une fille intelligente, belle et équilibrée. Une fille avec qui j'aurais pu former une équipe.

Il se pencha vers elle et plongea son regard dans le sien.

— Je suis désolé, dit-il. Je suis désolé d'être comme ça.

— N'y pense plus maintenant, dit Madeleine. Tu dois te concentrer sur ton rétablissement.

Leonard cligna rapidement des yeux trois fois de suite.

— Je suis coincé ici pour encore au moins une semaine. C'est raté pour la remise des diplômes.

— Tu ne serais pas venu, de toute façon.

Alors, pour la première fois, Leonard sourit.

— Tu as sans doute raison. C'était comment ?

— Je ne sais pas, dit Madeleine. La cérémonie a lieu en ce moment.

— En ce moment ?

Leonard se tourna vers la fenêtre, comme pour le vérifier, puis :

— Tu n'y es pas allée ?

Madeleine confirma de la tête.

— Je n'avais pas le cœur à ça.

À cet instant, la femme en peignoir qui tournait en rond parcsscusement dans la salle se dirigea droit vers eux. Entre ses dents, Leonard dit à Madeleine :

— Méfie-toi de celle-ci. Elle démarre au quart de tour.

La femme s'approcha en traînant les pieds puis s'arrêta. Pliant les genoux, elle examina Madeleine de près.

— T'es quoi, toi ? dit-elle.

— Ce que je suis ?

— D'où vient ton peuple ?

— D'Angleterre, répondit Madeleine. À l'origine.

— Tu ressembles à Candice Bergen.

Elle se tourna soudain vers Leonard avec un grand sourire.

— Et toi, tu es 007 !

— Sean Connery, dit Leonard. C'est bien moi.

– Un 007 tout droit sorti de l'enfer, on dirait ! ajouta la femme.

Elle avait la voix tendue. Prudents, Leonard et Madeleine se turent jusqu'à ce qu'elle s'en aille.

La femme en peignoir avait sa place dans cet endroit, mais, aux yeux de Madeleine, pas Leonard. Il n'était là que parce qu'il était trop extrême. Si elle avait su dès le début pour sa maladie, sa famille à problèmes, son habitude des psys, elle ne se serait jamais laissée aller à s'impliquer avec autant de passion. Mais à présent que c'était le cas, elle ne le regrettait pas. L'intensité de ses sentiments le justifiait à elle seule.

– Et pour Pilgrim Lake ? dit-elle.

Leonard secoua la tête.

– Je ne sais pas.

– Ils sont au courant ?

– Non, je ne crois pas.

– C'est encore loin, septembre. Ça te laisse pas mal de temps.

La télévision jacassait en haut de son carcan métallique. Leonard, cédant à sa nouvelle manie étrange, se téta la lèvre supérieure.

Madeleine lui prit la main.

– Je peux encore venir avec toi, si tu veux, dit-elle.

– Vraiment ?

– Tu n'as qu'à rattraper tes cours ici. On restera l'été à Providence et on ira s'installer là-bas en septembre.

La proposition laissa Leonard songeur.

Madeleine ajouta :

– Tu t'en sens capable ? Ou est-ce qu'il vaut mieux que tu te reposes pendant quelque temps ?

– Je crois que je m'en sens capable, dit Leonard. J'ai envie de me remettre au travail.

Ils se regardèrent en silence.

Leonard se pencha davantage vers Madeleine.

— « Passé le premier aveu, dit-il, citant Barthes de mémoire, *je t'aime* ne veut plus rien dire. »

Madeleine fronça les sourcils.

— Tu recommences ?

— Non, mais... réfléchis. Ça sous-entend que le premier aveu, lui, veut dire quelque chose.

Une lueur s'alluma dans les yeux de Madeleine.

— J'ai grillé toutes mes cartouches, alors, dit-elle.

— Pas moi, dit Leonard en lui tenant la main. Pas moi.

LES PÈLERINS

Mitchell et Larry arrivèrent à Paris fin août, après un été d'ennui et de travail acharné.

À Orly, lorsqu'il souleva son sac à dos du tapis roulant, Mitchell s'aperçut qu'il avait mal aux bras à cause des vaccins qu'on lui avait faits à New York deux jours plus tôt : choléra dans le droit, typhus dans le gauche. Il s'était senti fiévreux pendant le vol. Ils avaient voyagé en classe économique, au dernier rang de l'appareil, en face des toilettes malodorantes. Mitchell avait dormi par à-coups durant la longue traversée nocturne, jusqu'à ce que les puissantes lumières de la cabine se rallument et qu'une hôtesse lui colle un croissant à moitié congelé sous le nez, croissant qu'il avait malgré tout grignoté tandis que l'énorme avion de ligne amorçait sa descente vers la capitale.

Parmi des voyageurs en majorité français (la saison touristique touchait à sa fin), ils montèrent à bord d'un car non climatisé et rejoignirent la ville en roulant sans bruit sur de grands axes à la chaussée bien lisse. Descendant près du pont de l'Alma, ils récupérèrent leurs sacs à dos dans la soute du car et se mirent péniblement en chemin le long de l'avenue que le soleil commençait à illuminer. Larry, qui parlait français, marchait devant, à la recherche de l'immeuble de Claire, alors que Mitchell, qui n'avait pas de petite amie en France ni nulle part ailleurs, ne faisait aucun effort pour les amener à destination.

Le décalage horaire ajoutait à son léger délire fiévreux. Selon l'horloge c'était le matin, mais, biologiquement parlant, Mitchell était encore en plein milieu de la nuit. Le soleil levant l'obligeait à plisser les yeux. C'était assez désagréable. Pourtant, les urbanistes avaient tout fait pour flatter le regard. Les arbres au feuillage touffu de fin d'été avaient les troncs entourés par des grilles de fer forgé, on aurait dit qu'ils portaient des tabliers. Sur le trottoir, assez large pour accueillir des kiosques à journaux, des gens promenaient leurs chiens et d'élégantes petites filles se rendaient au parc. Une odeur âcre de tabac montait du caniveau. Mitchell s'attendait à ce que l'Europe ait une odeur comme celle-là, terreuse, raffinée et malsaine à la fois.

Il ne voulait pas commencer leur voyage à Paris. Il voulait aller à Londres, où il aurait pu visiter le théâtre du Globe, boire de la Bass Pale Ale et comprendre ce que les gens disaient. Mais Larry avait dégoté deux billets extrêmement bon marché sur un charter à destination d'Orly, et, leurs économies devant leur permettre de tenir les neuf prochains mois, il avait été difficile de refuser. Mitchell n'avait rien contre Paris en soi. En d'autres circonstances, il aurait sauté sur l'occasion. Le problème de Paris, en l'occurrence, était que la petite amie de Larry y effectuait son année à l'étranger et que c'était chez elle qu'ils devaient loger.

Ça aussi, c'était la solution la moins chère. Il n'y avait donc pas à discuter.

Tandis que Mitchell tripotait la sangle de son sac à dos, sa température grimpa encore de quelques dixièmes de degré.

— Je me demande si c'est le choléra ou le typhus que je suis en train de choper, dit-il à Larry.

— Sans doute les deux.

Au-delà de la question amoureuse, Paris attirait Larry parce qu'il était francophile. Lycéen, il avait passé un été à travailler dans un restaurant de Normandie, où il avait appris à parler la langue et à hacher les légumes. À l'université, ses compétences en français lui avaient valu de se voir attribuer une chambre à la Maison française. Les pièces qu'il mettait en scène à l'Atelier de création théâtrale, le théâtre géré par les étudiants, étaient systématiquement des œuvres d'auteurs français modernistes. Depuis qu'il s'était expatrié dans l'Est pour ses études, Mitchell s'efforçait de se débarrasser de ses habitudes du Midwest. Rester assis dans la chambre de Larry, à boire l'expresso boueux que Larry préparait et à l'écouter parler du « théâtre de l'absurde », semblait un bon début. Avec son pull noir à col roulé et ses petites Keds blanches, Larry avait l'air de revenir non pas d'un cours d'histoire mais de l'Actors Studio. Il avait déjà développé une véritable addiction d'adulte à la caféine et au foie gras. Contrairement aux parents de Mitchell, dont les goûts artistiques se limitaient aux comédies musicales avec Ethel Merman et aux tableaux régionalistes d'Andrew Wyeth, ceux de Larry, Harvey et Moira Pleshette, étaient des adeptes de la culture avec un grand C. Moira dirigeait le programme d'arts visuels de Wave Hill, dans le nord du Bronx. Harvey siégeait aux conseils d'administration du New York City Ballet et du Dance Theatre of Harlem. Durant la guerre froide, Irina Kolnoskova, deuxième danseuse du Kirov, s'était cachée chez les Pleshette, à Riverdale, après être passée à l'Ouest. Larry, qui n'avait que quinze ans à l'époque, apportait des quarts de champagne et des biscuits secs au chevet de la ballerine, laquelle pleurait, regardait des jeux télévisés ou le baratinait pour qu'il lui masse ses jeunes pieds spectaculairement déformés. Quand Larry lui racontait les « fêtes de dernière » chez eux, où tout le monde était soûl, qu'il avait vu Leonard Bernstein embrasser un danseur dans le couloir de l'étage, ou que Ben Vereen avait chanté une chanson de *Pippin* au mariage de sa sœur aînée, Mitchell était aussi émerveillé qu'un garçon de son âge à qui on aurait raconté qu'on avait rencontré une star du basket ou du football américain. C'était dans le réfrigérateur des Pleshette que Mitchell avait vu pour la première fois de la crème glacée gastronomique. Il se souvenait encore de l'excitation qu'il avait ressentie, descendu un matin dans la cuisine avec vue sur le majestueux Hudson, en ouvrant le freezer et en découvrant le petit pot rond de glace au nom exotique. Pas un énorme bac de deux litres, comme on en avait chez lui dans le Michigan, pas du lait à la vanille, au chocolat ou à la fraise, mais de la vraie crème glacée, et un parfum dont il ne soupçonnait même pas l'existence, au nom aussi lyrique que les poèmes de Berryman qu'il lisait pour son cours sur la poésie américaine : rhum raisins. Une glace qui était également une boisson ! Conditionnée en précieux pots d'un demi-litre. Six de ces pots étaient alignés à côté de six paquets de café français aux grains foncés de chez Zabar's. C'était quoi, chez Zabar's ? Où était-ce situé ? Et qu'était le lox ? Pourquoi était-ce orange ? Les Pleshette mangeaient-ils vraiment du poisson au petit-déjeuner ? C'était qui, Diaghilev ? C'était quoi, une gouache, un pentimento, un rugelach ? S'il vous plaît, éclairez-moi, plaidait silencieusement le visage de Mitchell lors de ses visites. Il était à New York, la ville la plus formidable du monde. Il voulait tout apprendre, et Larry était un professeur idéal.

Moira ne payait jamais ses contraventions, elle se contentait de les fourrer dans la boîte à gants. S'en apercevant, Harvey s'était écrié au dîner : « C'est de l'irresponsabilité fiscale ! » Les Pleshette suivaient une psychothérapie familiale, tous les six se rendaient chaque semaine chez un psychiatre de Manhattan pour résoudre leurs conflits. Comme le père de Mitchell, Harvey avait fait la Seconde Guerre mondiale. Il portait des costumes de toile et des nœuds papillons, fumait des cigares dominicains et était très représentatif de cette génération pleine d'assurance et de maturité qui avait combattu pendant la guerre. Pourtant, une fois par semaine, Harvey s'allongeait sur un tapis de sol chez un psychiatre et écoutait sans protester ses enfants le couvrir de reproches. Le tapis de sol avait pour but de supprimer les rapports de hiérarchie. Allongés sur le dos, les Pleshette étaient tous égaux. Le thérapeute, lui, régnait en souverain, assis dans son fauteuil Eames.

À la fin de la guerre, Harvey avait été en garnison à Paris avec l'US Army. C'était une époque dont il aimait bien parler, ses évocations exubérantes des *Parisiennes** faisant souvent naître un pli de contrariété sur le front de Moira. « J'avais vingt-deux ans et j'étais lieutenant dans l'armée américaine. Nous avions la ville à nos pieds. Nous avions libéré Paris et nous étions chez nous ! J'avais mon chauffeur particulier. Nous parcourions les avenues en distribuant des bas et des tablettes de chocolat. Il n'y avait pas besoin de plus. » Tous les quatre ou cinq ans, les Pleshette retournaient en France sur les lieux de la guerre paternelle. D'une certaine manière, en revenant à Paris au même âge que lui, Larry revivait la jeunesse de son père, à l'époque où les Américains étaient entrés dans la ville.

Mais c'était fini, tout ça. L'avenue qu'ils remontaient péniblement n'avait rien d'américain. Devant eux, sur un panneau publicitaire, s'étalait l'affiche d'un film intitulé *Beau-Père* et montrait une adolescente, seins nus, assise sur les genoux d'un trentenaire. Larry passa devant sans y faire attention.

Il faudrait des années à Mitchell pour arriver à se repérer un peu dans Paris et comprendre que ses arrondissements — mot qu'il n'était d'ailleurs pas près de pouvoir prononcer correctement — étaient numérotés en spirale. Il avait l'habitude des villes conçues en grille. Que le 1er arrondissement touche le 8e, sans que le 4e ou le 5e s'intercale entre eux, dépassait son entendement.

Claire, heureusement, n'habitait pas loin de la tour Eiffel. Plus tard, Mitchell se rendrait compte que son appartement était situé dans le 7e, un arrondissement prisé, et qu'elle devait donc payer un loyer très élevé.

Sa rue, lorsqu'ils réussirent à la trouver, était un vestige pavé du Paris médiéval. Le trottoir était trop étroit pour qu'ils l'empruntent avec leurs sacs, et ils durent donc passer sur la chaussée, à côté des voitures minuscules.

Le nom sur l'interphone était « Thierry ». Larry sonna. Mitchell était appuyé contre la porte quand, après un long moment, la gâche électrique se déverrouilla. La porte s'ouvrit sous son poids et il s'affala sur le seuil.

— Trop marché ? ironisa Larry.

Une fois relevé, Mitchell s'écarta pour laisser passer Larry, puis, d'un coup de hanche, il lui fit redescendre les marches du perron et entra le premier.

— T'es trop con, Mitchell, dit Larry, presque avec tendresse.

Tels des escargots trimbalant leurs coquilles, ils gravirent lentement l'escalier. Plus ils montaient, plus il faisait sombre. C'est dans une obscurité quasi totale qu'ils attendirent, sur le palier du cinquième étage, qu'une porte s'ouvre au bout et que Claire Schwartz apparaisse dans le carré de lumière.

Elle avait un livre à la main et l'expression de son visage évoquait plutôt une lectrice de bibliothèque momentanément interrompue qu'une fille impatiente de retrouver son petit ami venu de l'autre côté de l'Atlantique. Ses longs cheveux blond miel pendaient devant ses yeux, mais elle les écarta de la main et en rabattit une partie derrière l'oreille droite. Ce geste sembla la rendre plus disposée à éprouver des émotions. Elle sourit et s'écria :

— Salut, chéri !

— Salut, chérie, répondit Larry en se hâtant vers elle.

Claire mesurait près de dix centimètres de plus que Larry. Elle plia les genoux pour l'embrasser. Mitchell resta en retrait dans l'ombre en attendant qu'ils aient terminé.

Claire finit par le remarquer et dit :

— Ah, bonjour. Viens, entre.

Claire avait deux ans de moins qu'eux, elle était encore en troisième année à l'université. Larry l'avait connue un été lors d'un atelier d'art dramatique au Purchase College de la State University of New York — lui étudiait l'art dramatique, elle le français — et c'était la première fois que Mitchell la voyait. Elle portait une blouse paysanne, un jean bleu et de longues boucles d'oreilles multiformes qui ressemblaient à de mini-carillons éoliens. Ses chaussettes arc-en-ciel avaient des logements individuels pour les orteils. Le livre qu'elle tenait s'intitulait *New French Feminisms*.

Bien que suivant un cours de Luce Irigaray à la Sorbonne ayant pour intitulé « La relation mère-fille : le continent noir du continent noir », Claire s'était alignée sur le modèle maternel en sortant des serviettes pour ses hôtes. L'appartement qu'elle sous-louait n'était pas la chambre de bonne habituelle, avec canapé-lit et toilettes communes sur le palier, d'un étudiant en séjour à l'étranger. Il était décoré et meublé avec goût : des peintures encadrées aux murs, une table pour manger, un tapis d'Orient. Lorsque Mitchell et Larry eurent retiré leurs sacs à dos, Claire leur demanda s'ils voulaient du café.

– J'en meurs d'envie, dit Larry.

– Je le prépare dans un percolateur, précisa Claire.

– C'est fabuleux.

Dès que Claire eut posé son livre et gagné la cuisine, Mitchell jeta un coup d'œil à Larry.

– Salut, *chéri* ? chuchota-t-il.

Larry le regarda d'un air égal.

Évidemment, si Mitchell n'avait pas été là, Claire ne serait pas allée préparer du café. Si Larry et Claire avaient été seuls, ils se seraient déjà sauté dessus pour célébrer sexuellement leurs retrouvailles. En d'autres circonstances, Mitchell se serait éclipsé. Mais il ne connaissait personne à Paris et n'avait nulle part où aller.

Il se rabattit sur la seule autre solution possible, à savoir se tourner et regarder par la fenêtre.

Ce qu'il vit alors lui mit un peu de baume au cœur. La fenêtre donnait sur un ensemble de toits et de balcons gris perle, avec, sur chaque balcon, le même pot de fleurs craquelé et le même félin endormi. C'était comme si tout Paris s'était mis d'accord pour adopter une simplicité esthétique uniforme et élégante. Chaque habitant s'employait à s'y conformer, et ce n'était pas une tâche facile car l'idéal français, loin d'être une chose clairement définie comme les pelouses américaines bien vertes et bien tondues, consistait plutôt en un délabrement pittoresque. Il fallait du courage pour tout laisser tomber en ruine aussi joliment.

Se détournant de la fenêtre, Mitchell parcourut l'appartement du regard et remarqua un détail troublant : il n'y avait pas d'endroit pour lui où dormir. Quand viendrait la nuit, Claire et Larry grimperaient ensemble dans le seul lit existant, et Mitchell devrait dérouler son sac de couchage sur le sol à leurs pieds. Ils éteindraient les lumières. Dès qu'ils le croiraient endormi, ils commenceraient à se tripoter, et, pendant environ une heure, Mitchell devrait écouter son copain s'envoyer en l'air à un mètre cinquante de lui.

Il prit *New French Feminisms* sur la table voisine.

Sur la couverture austère figurait une foule de noms. Julia Kristeva. Hélène Cixous. Kate Millett. Mitchell avait vu de nombreuses filles à la fac en train de lire cette anthologie, mais jamais un garçon. Même Larry, petit, sensible et porté sur tout ce qui touchait aux Français, ne l'avait pas lu.

Tout à coup, Claire s'écria avec emphase :

– J'adore ce livre !

Elle sortit, rayonnante, de la cuisine, le lui prit des mains et lui demanda :

– Tu l'as lu ?

– Je le regardais, c'est tout.

– Il est au programme d'un de mes cours. Je viens de terminer l'essai de Kristeva.

Elle ouvrit le livre et le feuilleta. Ses cheveux lui tombèrent devant les yeux et elle rejeta l'ouvrage d'un air impatient sur la table.

– J'ai lu beaucoup de choses sur le corps, sur la façon dont il a toujours été associé au féminin. Il est intéressant de noter que, dans les religions occidentales, le corps est toujours considéré comme un objet de péché qu'on doit mortifier et transcender. Ce que dit Kristeva, c'est qu'il faut regarder le corps d'un œil neuf, en particulier le corps maternel. Elle est plutôt lacanienne, sauf qu'elle désapprouve l'idée de tout expliquer par le complexe de castration. Autrement, on serait tous psychotiques.

Comme Larry, Claire avait les cheveux blonds, les yeux bleus, et elle était juive. Mais alors que Larry avait des parents laïques qui n'allaient pas à la synagogue, même pour Rosh ha-Shana et Yom Kippour, et qui célébraient des repas de Pessah où l'*afikoman* n'était pas une *matsot* mais un Twinkie[1] (une ancienne farce d'enfant paradoxalement devenue tradition avec le temps), les parents de Claire étaient des juifs orthodoxes qui respectaient la Loi à la lettre. Dans leur colossale maison de Scarsdale, ce n'étaient pas deux vaisselles distinctes qu'ils avaient pour manger la viande et les produits laitiers, mais deux cuisines. Le samedi, quand la bonne oubliait de laisser les lumières allumées, les Schwartz restaient dans le noir. Un jour, le petit frère de Claire avait été transporté à l'hôpital en ambulance (la sagesse talmudique convenait qu'une urgence médicale levait l'interdiction de se déplacer en voiture pendant le shabbat), mais M. et Mme Schwartz avaient refusé de monter dans l'ambulance avec leur fils qui se tordait de douleur et, morts d'inquiétude, ils étaient partis pour l'hôpital à pied.

— Le problème du judaïsme et du christianisme, dit Claire, comme pour à peu près toutes les religions monothéistes, c'est leur dimension patriarcale. Ce sont les hommes qui ont inventé ces religions. Et qui est Dieu ? Un homme.

— Attention, Claire, dit Larry. Mitchell est diplômé en théologie.

---

1. Gâteau industriel très gras et très sucré, ressemblant à un bâtonnet de poisson pané. Symbole de la malbouffe américaine.

– Aïe… grimaça Claire.

– Je vais te dire ce que j'ai appris en étudiant les religions, commença Mitchell avec un petit sourire. Si tu lis les mystiques, ou n'importe quel texte de théologie digne de ce nom (catholique, protestant, kabbalistique…), le point sur lequel tous s'accordent c'est que Dieu échappe à toute conception ou catégorisation humaine. Voilà pourquoi Moïse ne peut pas voir la face de Yahvé. Voilà pourquoi, chez les juifs, on ne peut même pas écrire le nom de Dieu. L'esprit humain ne peut pas concevoir ce qu'est Dieu. Dieu n'a ni sexe ni rien de ce que nous connaissons.

– Alors pourquoi c'est un homme avec une longue barbe blanche sur le plafond de la chapelle Sixtine ?

– Parce que c'est ce qui plaît aux masses.

– Aux masses ?

– Certains ont besoin d'une image. Toute grande religion se doit de rassembler. Et pour rassembler, il faut pouvoir répondre à différents niveaux de raffinement.

– On croirait entendre mon père. Chaque fois que je souligne le sexisme du judaïsme, il me répond que c'est la tradition. Et la tradition, c'est forcément bien. Il faut vivre avec.

– Je ne dis pas ça. Je dis que, pour certains, la tradition c'est bien. Pour d'autres, elle a moins d'importance. Il y a des gens qui pensent que Dieu Se révèle à travers l'histoire, d'autres que la révélation est progressive, que, peut-être, les règles ou l'interprétation changent avec le temps.

– Toute cette idée de révélation est téléologique et complètement bidon.

À Scarsdale, face à son père dans leur salon où s'alignaient les Chagall, Claire se tenait sans doute exactement comme à présent : pieds écartés, mains sur les hanches, le torse légèrement incliné vers l'avant. Tout en l'agaçant, elle impressionnait également Mitchell – comme elle devait impressionner M. Schwartz pendant leurs affrontements – par sa force de conviction.

S'apercevant qu'elle attendait une réaction de sa part, il dit :

— Bidon en quel sens ?

— Toute cette idée selon laquelle Dieu Se révélerait à travers l'histoire est stupide. Les juifs bâtissent le temple, puis le temple est détruit, alors les juifs le reconstruisent pour que le Messie arrive ? L'idée de Dieu qui attend que des événements se produisent – comme si Dieu, en admettant qu'« Il » existe, allait regarder ce que font les gens – est totalement anthropocentrique et tellement, tellement masculine ! Avant que les religions patriarcales ne soient créées, les peuples vénéraient une déesse. C'était le cas des Babyloniens, c'était le cas des Étrusques. Le culte de la déesse respectait la nature, il reposait sur ses cycles, contrairement au judaïsme et au christianisme, qui n'ont pour but que d'imposer leur loi et de violer la terre.

Mitchell jeta un coup d'œil à Larry et s'étonna de le voir acquiescer. Mitchell, lui aussi, aurait pu acquiescer, s'il était sorti avec Claire, mais Larry avait l'air sincèrement intéressé par la déesse des Babyloniens.

— Si la conception masculine de Dieu te déplaît, dit Mitchell à Claire, pourquoi la remplacer par une conception féminine ? Pourquoi ne pas éliminer purement et simplement l'idée d'une divinité sexuée ?

— Parce qu'une divinité, c'est sexué. C'est comme ça. C'est intrinsèque. Tu sais ce que c'est qu'un mikvé ?

Elle se tourna vers Larry :

— Il sait ce que c'est qu'un mikvé ?

— Je sais ce que c'est, répondit Mitchell.

— Bon, eh bien, ma mère y va tous les mois après ses règles, d'accord ? Pour se purifier. Se purifier de quoi ? Du pouvoir d'enfanter ? De donner la vie ? On transforme le plus grand pouvoir que possède une femme en une chose dont elle devrait avoir honte.

— Je suis d'accord avec toi, c'est absurde.

— Mais il ne s'agit pas uniquement du mikvé. En institutionnalisant les religions occidentales, on dit aux femmes que ce sont des êtres inférieurs, impurs et subordonnés aux hommes. Si ça te convient, à toi...

— Tu n'aurais pas tes règles en ce moment, des fois ? dit Mitchell.

Le visage expressif de Claire se figea.

— Je rêve, j'ai mal entendu, je crois.

— Je plaisantais.

Mitchell sentit ses joues chauffer.

— Comment peut-on faire une remarque aussi sexiste ?

— C'était une *plaisanterie*, répéta Mitchell, la voix tendue.

— Mitchell est parfois un peu déroutant au début, dit Larry. Mais il gagne à être connu.

— Je suis d'accord avec toi ! tenta à nouveau Mitchell auprès de Claire, mais plus il se défendait, moins il avait l'air sincère, si bien qu'il finit par se taire.

La journée conservait tout de même un aspect positif : Larry et Mitchell ayant l'impression d'être encore au milieu de la nuit, rien ne s'opposait à ce qu'ils commencent à boire immédiatement. En début d'après-midi, ils se retrouvèrent installés dans le jardin du Luxembourg, à partager une bouteille de *vin de table**. Le ciel s'était couvert et avait plongé les fleurs et les allées de gravier jaune dans une vive lumière grise. Non loin de là, des vieux jouaient aux boules. Les sphères argentées qu'ils jetaient, accroupis, du bout des doigts, faisaient un bruit agréable en s'entrechoquant. Le bruit d'une satisfaisante retraite sociale-démocrate.

Claire s'était changée, elle avait mis une petite robe d'été et des sandales. Elle ne se rasait pas les jambes, qu'elle avait couvertes de petits poils blonds, de plus en plus rares en montant vers le haut des cuisses. Elle semblait avoir pardonné à Mitchell. Lui, de son côté, s'efforçait de se rendre sympathique.

Sous l'influence du vin, Mitchell commença à s'égayer, les effets du décalage horaire s'estompant provisoirement. Ils marchèrent jusqu'à la Seine, qu'ils traversèrent pour gagner le Louvre, puis les Tuileries. Des employés municipaux balayaient les parcs et les caniveaux, leurs uniformes d'une propreté irréelle.

Larry annonça qu'il voulait préparer à dîner, et Claire, qui ne mangeait plus casher, les conduisit à un marché en plein air près de chez elle. Larry s'engouffra au milieu des étals, dévorant les produits du regard, reniflant les fromages. Il acheta des carottes, du fenouil et des pommes de terre en discutant avec les marchands. Devant le stand du volailler, il s'arrêta et porta une main à sa poitrine.

– Mon Dieu, du *poulet de Bresse** ! Voilà ce que je vais vous faire !

De retour chez Claire, il déballa son poulet d'un geste théâtral.

– Vous voyez ? Les pattes sont bleues. C'est à ça qu'on voit qu'ils viennent de Bresse. On les faisait rôtir dans mon restaurant. Ç'a une chair délicieuse.

Il se mit au travail dans la petite cuisine, hachant, salant, faisant fondre du beurre, utilisant trois poêles à la fois.

– Je couche avec Julia Child[1], dit Claire.

– Ce serait plutôt le Galloping Gourmet[2], rétorqua Mitchell.

Elle rit.

– Chéri ? dit-elle en embrassant Larry sur la joue. Je vais aller lire un peu pendant que tu t'acharnes sur ce malheureux volatile.

Claire alla s'installer sur le lit avec son anthologie. Gagné par une nouvelle vague de fatigue, Mitchell aurait aimé pouvoir s'allonger, lui aussi. Mais il ouvrit son sac à dos et plongea la main sous ses vêtements, à la recherche de ses livres. Sou-

---

1. Animatrice d'émissions culinaires à la télévision américaine entre les années 60 et 80, célèbre pour avoir fait connaître la cuisine française aux États-Unis.

2. Littéralement, le « Gourmet galopant ». Émission télévisée culinaire, diffusée au Canada à la fin des années 60, puis, plus tard, aux États-Unis, où Graham Kerr, cuisinier anglais exubérant, multipliait les gags et les plaisanteries en préparant des recettes extrêmement riches et alcoolisées.

cieux de voyager le plus léger possible, il s'était limité à deux tee-shirts, deux pantalons, deux paires de chaussettes, deux caleçons et un pull, mais il s'était révélé moins rigoureux pour restreindre sa provision de lectures. Il avait emporté *L'Imitation de Jésus-Christ*, les *Confessions* de saint Augustin, *Le Château de l'âme* de sainte Thérèse, *Semences de contemplation* de Merton, *Confession*, suivi de *Quelle est ma foi ?* et de *Pensées sur Dieu* de Tolstoï, *V.* de Pynchon (en poche, mais c'était un pavé), ainsi qu'une édition reliée de *Biologie divine : vers une compréhension théiste de l'évolution*. Enfin, avant de quitter New York, Mitchell avait acheté un exemplaire de *Paris est une fête* au St. Mark's Bookshop. Il avait pour projet de renvoyer chaque livre chez lui lorsqu'il l'aurait lu, ou de le donner à qui serait intéressé.

Il alla s'asseoir à la table du séjour avec son Hemingway et le reprit là où il l'avait laissé :

Le conte que j'écrivais se faisait tout seul et j'avais même du mal à suivre le rythme qu'il m'imposait. Je commandai un autre rhum Saint-James et, chaque fois que je levais les yeux, je regardais la fille, notamment quand je taillais mon crayon avec mon taille-crayon tandis que les copeaux bouclés tombaient dans la soucoupe placée sous mon verre. Je t'ai vue, mignonne, et tu m'appartiens désormais, quel que soit celui que tu attends et même si je ne dois plus jamais te revoir, pensais-je. Tu m'appartiens et tout Paris m'appartient, et j'appartiens à ce cahier et à ce crayon[1].

Il tenta d'imaginer ce que c'était d'être Hemingway, à Paris, dans les années 20. D'écrire ces phrases limpides, apparemment sans artifice et pourtant complexes, qui allaient changer à jamais la prose des Américains. Faire tout ça puis sortir dîner, là où on savait exactement quel vin choisir pour accompagner ses

---

1. Traduction de Marc Saporta, Gallimard, 1964.

*huîtres**. Être un Américain à Paris à une époque où il n'était pas mal vu d'être américain.

– Tu lis vraiment ça ?

Mitchell leva les yeux et trouva Claire qui le dévisageait depuis le lit.

– Hemingway ? ajouta-t-elle d'un ton dubitatif.

– Ça me semblait adapté à Paris.

Elle roula des yeux et retourna à son livre. Mitchell l'imita. Du moins, il essaya. À présent, il ne parvenait plus qu'à regarder fixement la page.

Il savait très bien que certains auteurs autrefois acclamés (tous des hommes, tous des Blancs) étaient tombés en discrédit. Hemingway était aujourd'hui un misogyne, un homophobe, un homosexuel refoulé et un massacreur d'animaux sauvages. Mitchell estimait qu'il s'agissait là d'une stigmatisation caricaturale, mais s'il opposait cet argument à Claire, il courait le risque de se voir lui-même traiter de misogyne. Plus inquiétant, Mitchell devait se demander s'il n'était pas aussi prompt à rejeter l'accusation de misogynie que les étudiantes féministes à la lancer, et si ce rejet n'indiquait pas, au fond, une tendance à la misogynie. Après tout, pourquoi avait-il emporté *Paris est une fête* ? Pourquoi, sachant ce qu'il savait sur Claire, avait-il décidé de le dégainer de son sac à dos à ce moment précis ? Et d'ailleurs, pourquoi le terme *dégainer* lui était-il venu à l'esprit ?

En relisant les phrases d'Hemingway, Mitchell reconnaissait que, en effet, elles s'adressaient implicitement à un lecteur masculin.

Il croisa et décroisa les jambes en s'efforçant de se concentrer sur son livre. Il était gêné de lire Hemingway et furieux de se sentir ainsi coupable. Ce n'était pas comme si Hemingway était son auteur préféré ! Il n'avait pratiquement rien lu de lui !

Heureusement, quelques instants plus tard, Larry annonça que le repas était prêt.

Installés à la petite table de célibataire parisien, Claire et

Mitchell regardèrent Larry découper le poulet. Il en isola les différentes parties sur un plateau, puis il repêcha les légumes qui baignaient dans le jus.

— Mmh, fit Claire.

Ce poulet était maigrichon comparé aux volailles américaines, et moins esthétique. On aurait dit qu'une des cuisses souffrait d'acné.

Mitchell en prit une bouchée.

— Alors ? dit Larry. Je vous ai menti ?

— Non, reconnut Mitchell.

Lorsqu'ils eurent terminé, Mitchell insista pour faire la vaisselle. Il empila les assiettes à côté de l'évier pendant que Larry et Claire migraient vers le lit avec le reste de vin. Claire avait retiré ses sandales et était à présent pieds nus. Elle étendit ses jambes sur les genoux de Larry en sirotant son verre.

Mitchell rinça la vaisselle sous le robinet. En Europe, le produit à vaisselle était soit écologique, soit surtaxé. Dans les deux cas, il ne moussait pas suffisamment. Il fit ce qu'il put, puis abandonna. Il était debout depuis maintenant trente-trois heures.

Il retourna dans la pièce principale. Sur le lit, Larry et Claire ressemblaient à un dessin de Keith Haring : deux silhouettes amoureuses, parfaitement imbriquées l'une dans l'autre. Mitchell les observa longuement. Puis, avec une détermination soudaine, il alla chercher son sac à dos et le hissa sur ses épaules.

— Où est le meilleur endroit pour trouver un hôtel dans le quartier ? demanda-t-il.

Il y eut un silence avant que Claire ne dise :

— Tu peux rester ici.

— C'est bon. Je vais trouver un hôtel.

Il boucla sa sangle ventrale.

Sans discuter davantage, Claire s'empressa de lui donner des indications :

— Si tu prends à droite en sortant de mon immeuble, puis

à gauche à la prochaine intersection, tu arrives dans l'avenue Rapp. Il y a beaucoup d'hôtels par là.

– Mitchell, reste, insista Larry. Tu ne nous déranges pas du tout.

D'un ton qu'il espéra détaché, Mitchell dit :

– Je vais trouver une chambre quelque part. On se voit demain.

Ce n'est qu'après avoir refermé la porte d'entrée derrière lui qu'il s'aperçut que le couloir était plongé dans le noir. Il n'y voyait rien. Il était sur le point de frapper chez Claire pour qu'on lui rouvre quand il remarqua un bouton lumineux au mur. Il le pressa, et les lampes du couloir s'allumèrent.

Arrivé au deuxième étage, la minuterie s'éteignit à nouveau. Cette fois, il ne trouva pas de bouton et dut descendre à tâtons les deux dernières volées d'escalier jusqu'au hall.

Lorsqu'il fut dans la rue, Mitchell constata qu'il s'était mis à pleuvoir.

Il s'était préparé à être confronté à un moment comme celui-ci, où il serait exilé de cette sous-location sèche et douillette afin que Larry puisse déshabiller Claire et enfouir son visage entre ses jeunes jambes élancées. En se dirigeant vers l'avenue Rapp, il lui sembla qu'avoir envisagé cette situation et s'être révélé incapable de l'éviter n'était qu'une preuve de plus de sa stupidité élémentaire. Stupidité d'une personne intelligente, mais stupidité tout de même.

La pluie tomba plus fort tandis que Mitchell tournait autour des pâtés de maisons environnants. Le quartier, qui avait paru si charmant depuis la fenêtre de Claire, avait perdu de son attrait, dans la rue, sous la pluie. Les rideaux métalliques des magasins étaient baissés, couverts de graffitis, les réverbères à vapeur de sodium diffusaient une lumière sinistre.

Ne venaient-ils pas de terminer leurs études ? N'en avaient-ils pas fini avec les élans de rébellion des consciences politiques naissantes ? Et pourtant ils étaient là, à se coltiner une aspirante féministe en voyage d'études de troisième année. Sous prétexte de dézinguer le patriarcat, Claire embrassait sans réfléchir toutes les théories à la mode qui se présentaient. Mitchell était soulagé d'être parti de chez elle. Il était mieux sous la pluie ! Plutôt payer l'hôtel que d'écouter Claire débiter ses platitudes une seconde de plus ! Comment Larry faisait-il pour la supporter ? Comment pouvait-il sortir avec une fille comme ça ? Qu'est-ce qui lui prenait ?

Il était possible, évidemment, qu'une partie de la colère éprouvée par Mitchell contre Claire soit mal orientée. Il était possible que la fille à qui il en voulait vraiment soit Madeleine. Tout l'été, pendant qu'il était à Detroit, il avait vécu dans l'illusion que Madeleine était libre à nouveau. L'idée que Bankhead se soit fait larguer, et qu'il souffre, n'avait cessé de réjouir Mitchell. Il en était même venu à se dire que c'était *une bonne chose* que Madeleine soit sortie avec Bankhead. Elle avait besoin de se guérir de ce genre de type. Elle avait besoin de mûrir, tout comme Mitchell, avant qu'ils puissent se mettre ensemble.

Puis, moins de quarante-huit heures plus tôt, la veille de son départ pour Paris, Mitchell était tombé sur Madeleine dans le Lower East Side. Larry et lui arrivaient de Riverdale, ils étaient venus à New York en train. Ils passaient la soirée au Downtown Beirut, il était autour de dix heures, quand, pur hasard, Madeleine était entrée en compagnie de Kelly Traub. Kelly avait joué autrefois dans une pièce mise en scène par Larry. Ils avaient immédiatement commencé à parler théâtre, laissant Madeleine et Mitchell de côté. Au début, Mitchell avait eu peur que Madeleine ne soit toujours en colère contre lui, mais, même dans la faible lumière du bar au décor de ville rasée, il avait compris que ce n'était pas le cas. Elle semblait sincèrement heureuse de le voir, et, emporté par l'euphorie, il avait enchaîné les tequilas frappées. La soirée avait suivi son cours. Ils avaient quitté le Downtown Beirut et pris un taxi pour aller ailleurs. Mitchell savait que c'était sans espoir. Il était sur le point de partir pour l'Europe. Mais c'était l'été, ils étaient à New York, il faisait aussi chaud que dans les rues de Bangkok, et Madeleine était serrée contre lui dans le taxi. La dernière image qu'il conservait de la soirée, c'était lui sur le trottoir devant un bar de Greenwich Village, la vue brouillée par l'alcool, la regardant monter, seule, dans un autre taxi. Il était aux anges. Mais quand il était retourné à l'intérieur du bar et avait commencé à discuter avec Kelly, il avait découvert que, non, en fait, Madeleine n'était plus libre du tout. Madeleine et Bankhead s'étaient rabibochés peu après la remise des diplômes et s'apprêtaient dorénavant à s'installer à Cape Cod.

La seule chose qui lui avait donné un peu de joie pendant l'été n'était qu'une illusion. Déçu, Mitchell s'efforçait à présent d'oublier Madeleine et de se concentrer sur le fait que les trois derniers mois lui avaient au moins permis de mettre de l'argent de côté. Il était retourné à Detroit pour ne pas avoir de loyer à payer. Ses parents étaient contents qu'il soit rentré à la maison, et lui que sa mère lui prépare ses repas et s'occupe de son linge pendant qu'il examinait les offres d'emploi dans le journal. Il n'avait jamais mesuré combien il avait acquis peu de compétences utiles à l'université. Personne ne demandait des cours particuliers de théologie. La petite annonce qui retint son attention disait : « Recherchons chauffeurs – tous horaires. » Uniquement parce qu'il possédait un permis de conduire en cours de validité, Mitchell fut embauché le soir même. Il travaillait par tranches de douze heures, de six heures du soir à six heures du matin, affecté à l'East Side de Detroit. Au volant de voitures mal entretenues, qu'il fallait louer à la compagnie de taxis, Mitchell parcourait les rues désertes en quête de clients, ou, pour économiser l'essence, se garait sur les quais en attendant un appel radio. Detroit n'était pas une ville à taxis. La circulation piétonne y était pratiquement inexistante. Personne ne vous hélait depuis le trottoir, surtout à trois ou quatre heures du matin. Les autres chauffeurs n'étaient pas des flèches. Au lieu des immigrés intrépides et des locaux avisés que s'attendait à trouver Mitchell, l'équipe était constituée d'un sérieux ramassis de ratés. C'étaient là des types qui avaient manifestement échoué dans toutes les autres activités qu'ils avaient exercées. Ils s'étaient révélés inaptes à tenir des pompes à essence, inaptes à vendre du pop-corn dans les stands franchisés des cinémas, inaptes à aider leurs beaux-frères à installer des évacuations sanitaires dans des résidences bon marché, inaptes à commettre des larcins, inaptes au ramassage des poubelles et aux travaux d'entretien extérieur, inaptes aux études et à la vie conjugale, et les voilà à présent qui s'assuraient de leur inaptitude à conduire un taxi dans cette ville sans espoir. Le seul autre chauffeur instruit, un juriste, avait soixante et quelques années et s'était fait licencier de son cabinet pour instabilité affective. Tard le soir, quand le trafic radio était au point mort, les chauffeurs se retrouvaient dans un parking au bord de la rivière, près de l'ancienne usine de ciment, Medusa Cement. Mitchell écoutait les conversations sans rien dire, l'air distant, de peur de trahir une différence de niveau social. Il s'efforçait de prendre un air dur, il jouait les Travis Bickle, pour qu'on ne vienne pas lui chercher des noises. Ça marchait. Les autres lui fichaient la paix. Puis il s'en allait, il partait se garer dans une impasse et lisait *Les Papiers d'Aspern* à la lumière d'une lampe électrique.

Il conduisit une mère célibataire avec quatre enfants d'une maison délabrée à une autre à trois heures du matin. Il emmena un dealer étonnamment poli effectuer une livraison. Il déposa un Noir beau parleur aux cheveux gaufrés et avec des chaînes en or – un sosie de Billy Dee Williams – chez une femme, qu'il convainquit de lui ouvrir sa porte antieffraction malgré ses réticences.

Lors des rassemblements de chauffeurs, on entendait toujours la même rumeur : que l'un d'eux, sur la trentaine qui tournaient dans la ville, aurait vraiment gagné de l'argent. Tous les soirs, au moins un chauffeur avait soi-disant gagné deux ou trois cents dollars. De telles recettes semblaient peu probables. Au bout d'une semaine de travail, Mitchell additionna toutes ses courses et en retrancha ses frais d'essence et de location. En divisant le résultat par le nombre d'heures travaillées, il arriva à un salaire horaire de − 0,76 $. Pour résumer, il payait East Side Taxi pour conduire ses voitures.

Mitchell passa le reste de l'été à travailler comme serveur dans un tout nouveau restaurant style taverne de Greektown. Il préférait les établissements plus anciens de Monroe Street, comme le Grecian Gardens ou le Hellas Café, où ses parents les avaient emmenés enfants, ses frères et lui, pour les grandes occasions familiales ; des restaurants fréquentés, à l'époque, non pas par des banlieusards venus en ville boire du vin bon marché et commander des entrées flambées, mais par des immigrés sur leur trente et un, l'air digne et dépaysé, perpétuellement mélancolique. Les hommes donnaient leur chapeau à l'entrée, généralement à la fille du patron, qui les empilait avec soin dans le vestiaire. Mitchell et ses frères, en cravate à clip, restaient à table sans broncher, ce que ne faisaient plus les enfants d'aujourd'hui, pendant que leurs grands-parents, leurs grand-tantes et leurs grands-oncles discutaient en grec. Pour passer le temps, Mitchell contemplait les gigantesques lobes de leurs oreilles et leurs narines profondes comme des tunnels. Lui seul était capable de faire sourire les vieux : lorsqu'ils lui tapotaient les joues ou qu'ils passaient leur main dans ses cheveux ondulés. À la fin de ces longs dîners ennuyeux, on permettait à Mitchell, pendant que les adultes buvaient leur café, d'aller prendre un bonbon à la menthe dans le bol à côté de la caisse et de coller son visage à la vitrine du comptoir pour regarder les différentes sortes de cigares en vente. Dans le bar d'en face, les hommes jouaient au backgammon ou lisaient les journaux grecs exactement comme ils l'auraient fait à Athènes ou à

Constantinople. Aujourd'hui, ses grands-parents grecs étaient morts, Greektown devenait un lieu kitch prisé des touristes et Mitchell un banlieusard comme les autres, pas plus grec que les grappes de raisin artificielles suspendues au plafond.

Son uniforme de serveur se composait d'un pantalon pattes d'eph et d'une chemise col pelle à tarte en polyester marron accompagnés d'un veston en polyester orange, assorti au revêtement des box du restaurant. Chaque soir, le veston et la chemise finissaient couverts de graisse, et sa mère devait les laver dès son retour pour qu'il puisse les porter le lendemain.

Un soir, Coleman Young, le maire, vint dîner avec un groupe de mafieux. L'un d'eux, rendu agressif par l'alcool, fixa son regard vitreux sur Mitchell.

– Eh, toi. Connard. Viens ici.

Mitchell s'avança vers lui.

– Sers-moi de l'eau, connard.

Mitchell lui remplit son verre.

L'homme fit tomber sa serviette par terre.

– J'ai fait tomber ma serviette, connard. Ramasse-la.

Le maire n'avait pas l'air à l'aise en pareille compagnie. Mais ces repas faisaient partie de son travail.

Chez lui, Mitchell comptait ses pourboires et expliquait à ses parents combien l'Inde allait lui coûter peu.

– Cinq dollars par jour, c'est suffisant là-bas. Peut-être moins.

– Qu'est-ce que vous avez contre l'Europe ? demanda Dean.

– On y va, en Europe.

– Londres, c'est bien. Ou la France. Vous pourriez aller en France.

– Mais on y va, justement.

– Cette histoire d'Inde ne me dit rien qui vaille, grommela Lillian en secouant la tête. Tu risques d'attraper des maladies là-bas.

– Tu n'es pas sans savoir, renchérit Dean, que l'Inde est l'un de ces pays dits « non alignés ». Tu sais ce que ça signifie ? Ça signifie qu'ils ne veulent pas choisir entre les États-Unis et la Russie. Pour eux, les deux sont moralement équivalents.

– Comment est-ce qu'on te joindra là-bas ? demanda Lillian.

– Vous pouvez m'écrire chez American Express. Je pourrai y retirer mon courrier.

– C'est très bien, l'Angleterre, insista Dean. Tu te souviens quand on y est allés tous ensemble ? Tu avais quel âge ?

– Huit ans, dit Mitchell. Donc, je connais. Avec Larry, on veut découvrir un pays nouveau. Un pays non occidental.

– Non occidental, hein ? J'ai une idée. Pourquoi vous n'iriez pas en Sibérie ? Pourquoi vous n'iriez pas visiter un de ces goulags qu'ils ont là-bas, dans cet empire du mal ?

– La Sibérie, ce ne serait pas inintéressant, en fait.

– Et si tu tombes malade ? insista Lillian.

– Ça n'arrivera pas.

– Qu'est-ce que tu en sais ?

– Une petite question, reprit Dean. Combien de temps il va durer, votre voyage, d'après toi ? Deux mois, trois mois ?

– Plutôt dans les huit. Tout dépend du temps qu'on mettra à dépenser nos économies.

– Mais *après*, qu'est-ce que tu vas faire ? Avec ton diplôme de théologie.

– J'envisage d'entrer dans une *divinity school*.

– Une *divinity school* ?

– Deux voies sont possibles. On peut devenir soit prêtre, soit théologien. Pour moi, ce serait la voie universitaire.

– Et après ? Tu enseignerais quelque part ?

– Peut-être.

– Combien ça gagne, un professeur de théologie ?

– Je n'en ai aucune idée.

Dean se tourna vers Lillian.

– Il considère que c'est un détail mineur. Le salaire. Mineur.

– Je pense que tu serais un professeur formidable, dit Lillian.

– Ah oui ? fit Dean, songeur. Mon fils, professeur d'université. Tu sais que, dans cette branche, quand on est titularisé, on a la sécurité totale de l'emploi.

— Encore faut-il être titularisé.

— Ça vaut le coup, ce système. C'est contraire à l'esprit américain, mais tant mieux pour toi si tu peux en profiter.

— Il faut que j'y aille, dit Mitchell. Je suis en retard pour le boulot.

Ce pour quoi il était en retard, en réalité, c'était son cours de catéchisme. Sans que personne le sache, aussi secrètement que s'il achetait de la drogue ou fréquentait un salon de massage, Mitchell allait s'entretenir chaque semaine avec le père Marucci, à St Mary, l'église catholique au bout de Monroe Street. La première fois que Mitchell avait sonné à la porte du presbytère, et avait exposé ses motivations, le prêtre trapu l'avait regardé d'un air dubitatif. Mitchell avait expliqué qu'il envisageait de se convertir au catholicisme. Il avait parlé de son intérêt pour Merton, en particulier pour le récit de sa propre conversion, *La Nuit privée d'étoiles*. Il avait servi au père Marucci à peu près le même discours qu'à M. Richter. Mais le père Marucci n'avait pas l'air de tenir tant que ça à faire des convertis. Ou bien peut-être avait-il déjà eu affaire à des garçons comme Mitchell ? Toujours est-il qu'il ne brusqua pas les choses. Donnant à Mitchell quelques textes à lire, il le renvoya chez lui et lui dit de revenir discuter s'il le désirait.

Le père Marucci était un prêtre bourru à la Spencer Tracy dans *Des hommes sont nés*. Assis dans son bureau, Mitchell était très impressionné par le grand crucifix au mur et le Sacré-Cœur de Jésus sur l'imposte de la porte. Les vieux radiateurs en fonte étaient sculptés d'arabesques. Les meubles étaient massifs et imposants, les anneaux au bout des cordons des stores pareils à de mini-bouées de sauvetage.

Le prêtre scruta Mitchell en plissant ses yeux bleus.

— Tu as lu les livres que je t'ai donnés ?

— Oui.

– Des questions ?

– J'ai plus une préoccupation qu'une question.

– Je t'écoute.

– Eh bien, je me dis que, si je dois devenir catholique, autant que j'obéisse aux règles.

– C'est préférable, en effet.

– La plupart ne me posent pas de problème. Mais je ne suis pas marié. Je n'ai que vingt-deux ans. Je ne sais pas quand je me marierai. Peut-être pas avant un certain temps. Et donc la règle qui me préoccupe, en particulier, c'est celle sur le sexe avant le mariage.

– Malheureusement, tu ne peux pas rejeter les règles qui te dérangent.

– Je sais bien.

– Tu comprends, une femme n'est pas une pastèque dans laquelle on fait un trou pour voir si elle est sucrée.

Mitchell aima la formule. C'était le genre de conseil spirituel pragmatique dont il avait besoin. En même temps, il ne voyait pas en quoi cela rendait le célibat plus facile.

– Réfléchis-y, dit le père Marucci.

Dehors, les enseignes au néon de Greektown commençaient tout juste à s'allumer. Ailleurs, le centre de Detroit était désert, toute l'activité se réduisait à ce foyer lumineux de la longueur d'un pâté de maisons et, de l'autre côté de Woodward Avenue, aux abords du Tiger Stadium, où se préparait un match nocturne. Dans le léger vent chaud de ce soir d'été, Mitchell sentait l'odeur de la rivière. Fourrant son petit catéchisme catholique dans la poche de son veston, il se rendit au restaurant et se mit au travail.

Il passa les huit heures qui suivirent à servir les clients. Il aidait les gens à manger. Certains laissaient des morceaux de viande mâchés dans leurs assiettes, des morceaux nerveux. Si Mitchell trouvait un faux palais d'enfant dans un tas de riz pilaf, il le rapportait dans un emballage à emporter pour ne gêner personne. Après avoir débarrassé les tables, il les dressait à nouveau. Il était capable de débarrasser quatre couverts en une seule fois, les assiettes empilées au creux du bras.

Que signifie le terme *chair*?
Le terme *chair* désigne l'homme dans sa condition de faiblesse et de mortalité.

Geri, la femme du patron, aimait réquisitionner un box au fond de la salle. Corpulente et négligée, on aurait dit un dessin d'enfant qui avait débordé de son contour. Les serveurs lui apportaient un flot constant de whisky-soda. Les premiers verres lui donnaient la mine joviale de quelqu'un qui se prépare à faire la fête, puis elle devenait maussade. Un soir, elle dit à Mitchell :

– Je n'aurais jamais dû épouser un Grec. Tu sais ce que c'est, les Grecs ? Je vais te le dire. C'est des bougnoules. Y a aucune différence. T'es grec, toi ?

– À moitié, répondit Mitchell.

– Je te plains.

Sous quelle forme les morts ressusciteront-ils ?
Les morts ressusciteront avec leur propre corps.

Ça, c'était une mauvaise nouvelle pour Geri.

Partout où il avait travaillé auparavant, Mitchell avait trouvé le moyen de tirer au flanc. Dans la restauration, c'était impossible. Son seul moment de repos était le quart d'heure pendant lequel il engloutissait son repas. Mitchell prenait rarement le gyros. La viande n'était pas de l'agneau mais un mélange de bœuf et de porc recomposé, l'équivalent d'une boîte de Spam de quarante kilos. Il y avait trois blocs de viande qui cuisaient en même temps sur des broches en vitrine, les cuisiniers les piquaient, en vérifiaient la cuisson, puis découpaient des tranches. La femme de l'un d'eux, Stavros, souffrait d'une maladie cardiaque. Elle était dans le coma depuis deux ans. Chaque jour, avant de venir travailler, il allait passer un moment à son chevet à l'hôpital. Il ne se faisait aucune illusion quant à ses chances de guérison.

Quel saint a dit qu'il est possible de prier à tout moment, même en faisant la cuisine ?
C'est saint Jean Chrysostome (vers 400 apr. J.-C.) qui a dit qu'il est possible de prier à tout moment, même en faisant la cuisine.

L'été avait traîné ainsi en longueur. Dressant et débarrassant les tables, vidant les restes de nourriture, les os et le gras, ainsi que les serviettes utilisées pour se moucher, dans l'énorme sac de l'énorme poubelle, ajoutant des assiettes sales à la pile qui ne diminuait jamais et à côté de laquelle le plongeur yéménite (le seul employé ayant un boulot plus ingrat que lui) avait l'air d'un nain, Mitchell travailla huit heures d'affilée, sept soirs par semaine, jusqu'à ce qu'il ait économisé suffisamment d'argent pour acheter un billet d'avion pour Paris et 3 280 $ en traveller's chèques American Express. Moins d'une semaine plus tard, il partit, d'abord pour New York, puis, trois jours après, pour Paris, où il se trouvait à présent sans savoir où dormir, marchant sous la pluie dans l'avenue Rapp.

Les caniveaux débordaient. La pluie résonnait contre son crâne et coulait sous son col. Une équipe de nuit d'employés de la voirie disposait des sacs de chiffons dans la rue pour canaliser le torrent d'eau. Mitchell parcourut encore trois pâtés de maisons avant de voir un hôtel sur le trottoir d'en face. Se réfugiant dans l'entrée, il trouva celle-ci déjà occupée par un autre routard infortuné, un type vêtu d'un poncho de pluie, des gouttes d'eau tombant du bout de son long nez.

– Tous les hôtels de Paris sont complets, dit le type. Je les ai tous faits.

— Tu as sonné ?

— Trois fois pour l'instant.

Ils durent sonner deux fois de plus pour faire venir la réceptionniste. Elle arriva tout habillée, bien coiffée. Elle les toisa d'un regard froid et dit quelque chose en français.

— Il ne lui reste qu'une chambre, dit le type. Elle veut savoir si on est prêts à la partager.

— Tu étais là le premier, répondit généreusement Mitchell.

— Ce sera moins cher si on fait moitié-moitié.

La réceptionniste les conduisit au deuxième étage. Déverrouillant la porte, elle s'écarta pour les laisser inspecter la chambre.

Il n'y avait qu'un lit.

— *Ça ira* ?* demanda la femme.

— Elle veut savoir si ça nous convient, dit le type à Mitchell.

— On n'a pas vraiment le choix.

— *Ça ira**, répondit le type.

— *Bonne nuit**, dit la réceptionniste, avant de se retirer.

Ils ôtèrent leurs sacs et les posèrent, des flaques d'eau se formant sur le sol.

— Moi, c'est Clyde, dit le type.

— Mitchell.

Tandis que Clyde faisait un brin de toilette au-dessus du lavabo minuscule de la chambre, Mitchell prit une serviette de l'hôtel et alla aux toilettes dans le couloir. Il eut l'impression d'être aux commandes d'un train lorsqu'il tira sur la chaîne de la chasse d'eau après avoir uriné. De retour dans la chambre, il fut soulagé de trouver Clyde déjà couché, face au mur. Mitchell se mit en caleçon.

Le problème était : que faire de son portefeuille ?

Refusant de porter une banane, comme un touriste, mais ne voulant pas non plus mettre ses objets de valeur dans son sac à dos, Mitchell avait acheté un portefeuille de pêcheur à la mouche. Étanche, il était orné du dessin d'une truite jaillissant de l'eau et doté d'une fermeture Éclair renforcée. Il avait des boucles élastiques qui permettaient de le porter à la ceinture. Mais parce que porter son portefeuille à la ceinture revenait au même que porter une banane, Mitchell l'avait attaché à l'une des boucles de sa ceinture avec une ficelle et l'avait rentré à l'intérieur de son jean. Comme ça, il était tranquille. Mais à présent, il lui fallait trouver un endroit où le ranger pour la nuit, dans une chambre qu'il partageait avec un inconnu.

Outre ses traveller's chèques, le portefeuille de Mitchell contenait son passeport, son carnet de vaccination, cinq cents francs échangés contre soixante-dix dollars la veille, ainsi qu'une MasterCard récemment activée. N'ayant pu dissuader leur fils de partir pour l'Inde, Dean et Lillian avaient tenu à lui donner de quoi parer aux imprévus. Mitchell savait, en revanche, que l'utilisation d'une carte bancaire le rendrait comptable d'une dette filiale permanente, qu'il devrait rembourser par des appels téléphoniques mensuels ou hebdomadaires à ses parents. Cette MasterCard équivalait à un dispositif de pistage. Ce n'était qu'après avoir résisté à la pression de Dean pendant un mois complet que Mitchell avait cédé et accepté la carte, mais son intention était de ne jamais s'en servir.

Dos au lit, il détacha le portefeuille de la boucle de sa ceinture. Il envisagea de le cacher sous la commode ou derrière le miroir, mais il finit par aller le glisser sous son oreiller. Il se coucha et éteignit la lumière.

Clyde resta tourné vers le mur.

Ils gardèrent le silence un long moment. Puis Mitchell dit :

— Tu as lu *Moby Dick* ?

— Il y a longtemps.

— Tu te rappelles quand Ismaël se couche à l'auberge, au début ? Il gratte une allumette et il découvre cet Indien couvert de tatouages à côté de lui dans le lit ?

Clyde réfléchit quelques instants, puis demanda :

— Lequel de nous est l'Indien ?

— Appelle-moi Ismaël, dit Mitchell, dans le noir.

Son horloge interne le réveilla de bonne heure. Le soleil n'était pas levé mais la pluie avait cessé. Mitchell entendait Clyde respirer profondément dans son sommeil. Il réussit à se rendormir, et quand il se réveilla à nouveau il faisait grand jour et Clyde n'était plus là. Il regarda sous son oreiller : le portefeuille avait disparu.

Il sauta au bas du lit, affolé. En retournant les couvertures et les draps et en passant ses mains sous le matelas, Mitchell pensa à une chose : les traveller's chèques étaient rassurants pour le voyageur, car, s'il les perdait ou se les faisait voler, il lui suffisait de se présenter chez American Express avec les numéros de série et on les lui remplaçait. Mais du coup, les numéros de série étaient aussi précieux que les chèques. Si on vous volait vos chèques et que vous n'aviez pas vos numéros de série, vous étiez dans un beau pétrin. Les chèques vous étant remis accompagnés d'une mise en garde vous recommandant de ne pas les ranger dans vos bagages, il semblait logique d'appliquer la même règle aux numéros de série. Mais où ranger ces derniers ? Le seul endroit sûr, avait jugé Mitchell, était à l'intérieur du portefeuille de pêcheur à la mouche, avec les chèques eux-mêmes. Et c'était là que Mitchell les avait mis, en attendant d'avoir une meilleure idée.

Il avait bien eu conscience d'une faille dans son raisonnement, mais elle lui avait semblé secondaire jusqu'à cet instant.

L'image de son retour chez lui, humilié, son voyage autour du monde n'ayant duré que deux jours, lui apparut dans toute son horreur. Puis il regarda derrière le lit et vit son portefeuille par terre.

Il sortait de l'hôtel quand la réceptionniste l'arrêta. Elle parlait rapidement, et en français, mais il comprit ce qu'elle disait en substance : Clyde avait payé la moitié du prix de la chambre, Mitchell devait l'autre.

Le dollar équivalait à un peu plus de sept francs. La part de Mitchell pour la chambre s'élevait à deux cent quatre-vingts francs, soit environ quarante dollars. S'il voulait la conserver pour une nuit supplémentaire, il lui faudrait débourser quatre-vingts dollars. Il espérait que son séjour en Europe ne lui coûterait pas plus de dix dollars par jour ; cent vingt dollars représentaient donc près de deux semaines de son budget. Il lutta contre la tentation de payer l'hôtel avec sa MasterCard. Mais l'idée du relevé arrivant chez ses parents, et leur révélant que, pour sa première nuit à l'étranger, il logeait déjà à l'hôtel, lui donna la force de résister. De son portefeuille, il sortit deux cent quatre-vingts francs et les remit à la réceptionniste en lui faisant comprendre qu'il ne souhaitait pas conserver la chambre. Puis il remonta chercher son sac et partit en quête d'un hôtel moins cher.

Il passa devant deux pâtisseries avant le premier carrefour. En vitrine, des gâteaux colorés trônaient dans des moules en papier plissé, tels des nobles en collerette. Il lui restait quatre-vingts francs, environ onze dollars, et il était déterminé à ne pas entamer un autre chèque avant le lendemain. En traversant l'avenue Rapp, il entra dans un parc et trouva une chaise métallique où l'on pouvait s'asseoir à l'ombre sans dépenser d'argent.

Le temps s'était réchauffé, l'orage ayant laissé un ciel bleu dans son sillage. Comme il l'avait fait la veille, Mitchell s'émerveilla devant la beauté des lieux, les plates-bandes et les allées du parc. Entendre une langue étrangère sortir de la bouche des gens lui permettait d'imaginer que tous avaient une conversation intelligente, même la femme au crâne dégarni qui ressemblait à Mussolini. Il consulta sa montre. Il était neuf heures trente. Il n'était censé retrouver Larry qu'à dix-sept heures.

Mitchell avait demandé (précaution avisée, lui avait-il semblé) que son argent lui soit remis en chèques de vingt dollars. Des chèques d'un montant modéré l'encourageraient à restreindre ses dépenses entre ses visites à l'agence AmEx. Cent soixante-quatre chèques de vingt dollars font cependant une liasse épaisse. Entre cela, son passeport et ses autres papiers, le portefeuille de pêcheur à la mouche était bourré à craquer, ce qui créait une bosse notable sous son pantalon. Sur le devant, on aurait dit un protège-sexe de chevalier ; sur la hanche, une poche pour colostomie.

Une délicieuse odeur de pain chaud se dégageait d'une boulangerie de l'autre côté de la rue. Mitchell leva le nez en l'air, comme un chien sa truffe. Dans son *Let's Go: Europe*, il trouva l'adresse d'une auberge de jeunesse à Pigalle, près du Sacré-Cœur. Cela faisait une trotte, et lorsqu'il finit par y arriver il transpirait et se sentait sonné. L'homme derrière le comptoir, joues grêlées et lunettes de pilote à verres teintés, expliqua à Mitchell que l'auberge était complète et lui indiqua une pension bon marché plus loin dans la rue. Là, une chambre coûtait trois cent trente francs la nuit, soit près de cinquante dollars, mais Mitchell n'avait pas d'autre solution. Après avoir échangé un peu plus d'argent dans une banque, il prit une chambre, y laissa son sac et sortit profiter de ce qui restait de la journée.

Pigalle était à la fois un quartier miteux et touristique. Deux couples d'Américains à l'accent du Sud traînaient devant le Moulin-Rouge. Alors que les maris lorgnaient les photos des danseuses, une des femmes leur lança : « Achetez-nous quelque chose chez Cartier, et on vous laissera peut-être voir le spectacle. » Derrière l'entrée Art nouveau de la station de métro, une prostituée racolait les automobilistes avec des mouvements suggestifs du bassin. Partout où Mitchell allait dans les rues en pente du quartier, le dôme blanc du Sacré-Cœur était toujours visible. Il finit par monter en haut de la butte et entra dans la basilique aux portes massives. La voûte lui donna l'impression d'être attiré vers le haut comme un liquide dans une seringue. Imitant les autres fidèles, il se signa et fit une génuflexion avant de s'asseoir sur un banc, ces gestes le portant aussitôt à la révérence. Que ces pratiques aient encore lieu était étonnant. Fermant les yeux, Mitchell récita la « Prière de Jésus » pendant cinq, six minutes.

En sortant, il s'arrêta dans la boutique de souvenirs pour

regarder les articles religieux. Il y avait des croix en or et en argent, des scapulaires de couleurs et de formes variées, des voiles dit « de Véronique », un scapulaire noir dit « des Sept Douleurs de Marie ». Les perles noires des chapelets brillaient sous les vitres du comptoir, chacune de ces invitations circulaires distendue par une croix.

À côté de la caisse, un petit livre était exposé en évidence. Il avait pour titre *Something Beautiful for God*[1] et montrait en couverture une photo de mère Teresa, les yeux tournés vers le ciel. Mitchell prit le livre et lut la première page :

Avant toute chose, il faut que j'explique ce qu'a recommandé mère Teresa. Elle ne veut surtout pas que l'on tente de faire sa biographie. « La vie du Christ, dit-elle dans une lettre, n'a pas été écrite de son vivant, et pourtant il a accompli l'œuvre la plus importante qui soit, il a racheté le monde et appris à l'humanité à aimer son père. Cette œuvre est Son Œuvre, et pour qu'elle le demeure, nous devons en être les instruments, faire notre petite tâche, et disparaître. » Je respecterai son désir en cela comme en tout. Ce qui nous intéresse ici particulièrement, c'est l'œuvre qu'elle et ses Missionnaires de la Charité – ordre qu'elle a fondé – accomplissent ensemble, et l'existence qu'elles mènent au service du Christ à Calcutta et en d'autres lieux. Leur vocation spéciale les voue aux plus pauvres d'entre les pauvres, et c'est un assez vaste champ d'action.

Quelques années plus tôt, Mitchell aurait reposé ce livre ou n'y aurait même pas prêté attention. Mais dans son nouvel état d'esprit, exacerbé par le temps qu'il venait de passer dans la

---

1. Malcolm Muggeridge, William Collins Sons and Co. Ltd, 1971. Les extraits et légendes qui suivent sont tirés de la traduction de Luc de Goustine, parue au Seuil en 1973 sous le titre *Mère Teresa de Calcutta*.

basilique, il feuilleta les illustrations, légendées ainsi : « Plaque à l'entrée du Foyer des mourants », « Un bébé dans les bras de mère Teresa », « Une malade embrasse mère Teresa », « On coupe les ongles à un lépreux », « Mère Teresa aide un garçon trop faible à manger ».

Dépassant son budget pour la deuxième fois dans la même matinée, Mitchell acheta le livre, pour la somme de vingt-huit francs.

Dans le calme d'une rue adjacente à celle des Trois-Frères, il sortit les numéros de série AmEx de son portefeuille et les recopia sur la dernière page de *Something Beautiful for God*.

À mesure que la journée avançait, la faim de Mitchell se manifesta par intermittence, puis, vers le début de l'après-midi, elle s'installa et refusa de disparaître. En passant devant les terrasses des cafés, il regardait les assiettes des gens. Juste après deux heures et demie, il craqua et se paya un café au lait, qu'il prit au comptoir pour économiser deux francs. Il passa le reste de la journée au musée Jean-Moulin parce que c'était gratuit.

Quand Mitchell arriva à l'appartement de Claire ce soir-là, c'est Larry qui lui ouvrit. À l'intérieur, au lieu d'une langoureuse atmosphère postcoïtale, Mitchell décela un parfum de tension. Larry avait débouché une bouteille de vin, qu'il buvait seul. Claire lisait sur le lit. Elle adressa à Mitchell un sourire poli mais ne se leva pas pour le saluer.

– Alors, demanda Larry, tu as trouvé un hôtel ?

– Non, j'ai couché dans la rue.

– Je te crois pas.

– Tous les hôtels étaient complets ! J'ai dû partager une chambre avec un type. Il n'y avait qu'un lit.

Larry ne cacha pas son amusement.

– Désolé, Mitchell, dit-il.

– Tu as dormi avec un type ? intervint Claire depuis le lit. Ta première nuit à Paris ?

– *Gay Paree*, fit Larry en servant un verre à Mitchell.

Après quelques minutes, Claire alla à la salle de bains se préparer pour le dîner. Dès qu'elle eut refermé la porte derrière elle, Mitchell se pencha vers Larry.

– Bon, ça y est, on a vu Paris. Maintenant, on s'en va.

– Très drôle, Mitchell.

– Tu avais dit qu'on aurait un endroit où dormir.

– C'est le cas, non ?

– Parle pour toi.

Larry baissa la voix.

– Je ne vais pas revoir Claire avant six mois, peut-être plus. Qu'est-ce que je peux faire ? Rester ici une nuit et me casser ?

– Bonne idée.

Larry leva vers Mitchell un regard soucieux.

– Tu es pâle, dis donc.

– C'est parce que je n'ai rien mangé de la journée. Et tu sais pourquoi ? Parce que j'ai claqué quarante dollars pour une chambre !

– Je te revaudrai ça.

– C'était pas ce qui était prévu.

– Ce qui était prévu, c'était de ne rien prévoir.

– Sauf que toi, tu as prévu quelque chose. T'envoyer en l'air.

– T'en ferais pas autant ?

– Bien sûr que si.

– Tu vois.

Les deux amis se dévisagèrent, chacun campant sur ses positions.

– Trois jours, et on dégage d'ici, dit Mitchell.

Claire sortit de la salle de bains, une brosse à la main. Elle se pencha en avant, de sorte que ses longs cheveux pendaient devant elle, touchant presque le sol. Pendant trente bonnes secondes elle se les coiffa de haut en bas, avant de relever la tête d'un coup et de les rejeter en arrière, lisses et bouffants.

Elle demanda aux garçons où ils voulaient manger.

– Ça vous dit, un couscous ? proposa Larry en chaussant ses tennis unisexe. Mitchell, tu as déjà mangé du couscous ?

– Non.

– Ah, il faut que tu goûtes ça.

Claire fit la grimace.

– Chaque fois que quelqu'un vient à Paris, dit-elle, il faut qu'il aille au Quartier latin manger un couscous. Le couscous au Quartier latin, c'est d'un cliché !

– Tu veux aller ailleurs ? demanda Larry.

– Non, dit Claire. Soyons banals.

Dans la rue, Larry prit Claire par la taille en lui chuchotant à l'oreille. Mitchell marcha derrière.

Ils zigzaguèrent à travers la ville, dans la flatteuse lumière du soir. Les Parisiens, déjà beaux au naturel, l'étaient à présent plus encore.

Le restaurant où les emmena Claire, dans les rues étroites du Quartier latin, était exigu et grouillant d'activité, ses murs recouverts de carrelage marocain. Assis face à la vitre, Mitchell regardait la foule défiler dans la rue. À un moment, une fille d'une petite vingtaine d'années, les cheveux coupés à la Jeanne d'Arc, passa juste devant la vitre. Lorsque Mitchell la regarda, elle fit une chose étonnante : elle lui rendit son regard. Avec une expression ouvertement provocante. Non qu'elle voulût coucher avec lui, pas forcément. Elle était simplement heureuse de montrer que, en cette soirée de fin d'été, il était un homme et elle une femme, et que, s'il la trouvait séduisante, elle n'y voyait pas d'inconvénient. Jamais une Américaine n'avait regardé Mitchell ainsi.

Deanie avait raison : c'était bien, l'Europe.

Mitchell garda les yeux fixés sur la fille jusqu'à ce qu'elle disparaisse. Lorsqu'il se tourna à nouveau vers la table, Claire l'observait en secouant la tête.

– Quel mateur, dit-elle.

– Quoi ?

— Sur le chemin jusqu'ici, tu as maté toutes les filles qu'on a croisées.

— Pas du tout.

— Oh, si.

— Je suis dans un pays étranger, dit Mitchell, essayant de s'en sortir par une pirouette. Mon intérêt est anthropologique.

— Tu vois donc les femmes comme une tribu à étudier ?

— Tu vas pas y couper, Mitchell, dit Larry, manifestement décidé à ne pas lui venir en aide.

Claire regardait Mitchell avec un mépris affiché.

— Tu traites toujours les femmes comme des objets ou seulement quand tu voyages en Europe ?

— Ce n'est pas parce que je regarde les femmes que je les traite comme des objets.

— Qu'est-ce que tu leur fais, alors ?

— Je les *regarde*.

— Parce que tu veux les baiser.

Ça, ce n'était pas complètement faux. Tout à coup, sous le regard accusateur de Claire, Mitchell eut honte. Il voulait être aimé des femmes, de toutes les femmes, à commencer par sa mère. Par conséquent, chaque fois que l'une d'elles, quelle qu'elle soit, était en colère contre lui, il sentait le poids de la désapprobation maternelle s'abattre sur ses épaules, comme un petit garçon qu'on réprimande.

En réaction à cette honte, Mitchell fit une autre chose typiquement masculine : il se tut. Leur commande passée, lorsque le vin et les plats leur eurent été servis, il s'appliqua à manger et à boire en parlant très peu. Claire et Larry parurent oublier sa présence. Ils discutaient, riaient, se donnaient la becquée.

Dehors, la foule devenait encore plus dense. Mitchell s'efforçait de ne pas trop regarder les femmes par la vitre, mais, soudain, l'une d'elles lui tapa dans l'œil. Une femme en robe moulante et en bottes noires.

— Oh, non ! s'écria Claire. Il recommence !

– Quoi, je regarde par la vitre !

– Non, mais quel mateur !

– Qu'est-ce que tu veux que je fasse ? Que je me bande les yeux ?

Mais Claire était joyeuse à présent, ravie de sa victoire sur Mitchell, que la gêne de celui-ci rendait tellement évidente. Elle en avait les joues roses de plaisir.

– Ton copain me déteste, dit-elle à Larry en posant la tête sur son épaule.

Larry leva les yeux vers ceux de Mitchell, non sans une certaine compassion. Il enlaça Claire d'un bras.

Mitchell ne lui en voulait pas. Il se serait conduit de la même façon.

Sitôt le dîner terminé, il s'excusa et dit qu'il avait envie de marcher un peu.

– Le prends pas mal ! le pria Claire. Tu peux regarder toutes les filles que tu veux. Promis, je ne dirai rien.

– Ça va, t'inquiète. Je vais rentrer tranquillement à mon hôtel.

– Passe chez Claire demain matin, dit Larry dans un effort d'apaisement. On pourra aller au Louvre.

Au début, seule la rage porta les pas de Mitchell. Claire n'était pas la première étudiante à l'accuser de sexisme. Ça lui arrivait depuis des années. Il avait toujours pensé que c'étaient les hommes de la génération de son père qui étaient les méchants. Ces vieux schnoques qui n'avaient jamais lavé une assiette ni plié une paire de chaussettes – c'étaient eux la véritable cible de l'ire féministe. Mais ça n'avait été là que la première offensive. À présent que nous étions dans les années 80, la répartition inégale des tâches ménagères ou le sexisme inhérent au fait de tenir la porte « aux dames » étaient de vieux chevaux de bataille. Le mouvement était devenu moins pragmatique et plus théorique. L'oppression masculine des femmes ne tenait plus simplement à certains actes mais à tout un mode de pensée. Les féministes des universités se moquaient des gratte-ciel, dans lesquels elles voyaient des symboles phalliques. Elles disaient la même chose des fusées spatiales, alors qu'il était évident, en y réfléchissant un peu, que la forme de celles-ci était due non pas au phallocentrisme mais aux lois de l'aérodynamique. Un vaisseau *Apollo* en forme de vagin serait-il arrivé sur la lune ? C'était l'évolution qui avait créé le pénis. Il s'agissait d'une structure utile pour remplir certaines fonctions. Et si ce qui convenait au pistil des fleurs convenait également aux organes génitaux de l'*Homo sapiens*, qui en était responsable sinon la nature ? Mais non : n'importe quelle réalisation de quelque ampleur – un long roman, une grande statue, un bâtiment imposant – devenait, aux yeux des « femmes » que Mitchell connaissait à la fac, des manifestations de l'insécurité des hommes quant à la taille de leur pénis. Il y avait aussi les soi-disant « rites » par lesquels les hommes tissaient entre eux des liens affectifs. Dès que deux garçons ou plus passaient un bon moment ensemble, il fallait qu'une fille y voie un aspect pathologique. En quoi les amitiés féminines étaient-elles si supérieures ? Mitchell aurait bien voulu le savoir. Quelques rites de communion ne leur auraient pas fait de mal, à elles non plus.

Pestant ainsi, parlant entre ses dents, Mitchell se retrouva devant la Seine. Il s'engagea sur un pont, le Pont Neuf. Le soleil s'était couché et les réverbères étaient allumés. Au milieu du pont, dans l'un de ces renfoncements en demi-cercle dotés de bancs, un groupe d'adolescents s'était rassemblé. L'un d'eux, les cheveux longs à la Jean-Luc Ponty, grattait les cordes d'une guitare acoustique pendant que ses amis l'écoutaient en fumant et en faisant tourner une bouteille de vin.

Mitchell les observa en passant devant eux. Même adolescent, il n'avait jamais été comme ça.

Un peu plus loin, il s'appuya contre la balustrade et contempla le fleuve obscur. Apaisée, sa colère avait laissé place à un mécontentement général vis-à-vis de lui-même.

Il était sans doute vrai qu'il traitait les femmes comme des objets. Il pensait à elles en permanence, non ? Il les regardait beaucoup. Et toutes ces pensées, tous ces regards, n'incluaient-ils pas leurs seins, leurs lèvres, leurs jambes ? Le corps féminin était pour Mitchell un objet digne du plus grand intérêt. Pourtant, il s'agissait plus de ce que les femmes (intelligentes et néanmoins séductrices) faisaient à Mitchell que de ce que Mitchell faisait aux femmes. Ce que ressentait Mitchell quand il voyait une jolie fille était de l'ordre du mythe grec, c'était comme si la vue de la beauté le transformait en arbre, l'enracinait sur place, à jamais, par la seule force du désir qu'elle provoquait. Les objets n'avaient pas le pouvoir que les filles – pardon, les *femmes* – avaient sur Mitchell.

Il y avait tout de même une chose qui apportait de l'eau au moulin de Claire. Pendant tout le temps où elle accusait Mitchell de traiter les femmes comme des objets, elle ignorait qu'elle avait été sa première victime. Quel cul magnifique elle avait ! Bien rond, parfait, *vivant*. Chaque fois que Mitchell y jetait un coup d'œil discret, il avait l'impression étrange que le cul de Claire lui rendait son regard, que, quelles que soient les opinions féministes de sa propriétaire, il était très content qu'on l'admire, bref, que le cul de Claire pensait par lui-même. De plus, Claire était la copine de son meilleur copain. Elle n'en était que plus attirante.

Un bateau-mouche tout scintillant de lumières passa sous le pont.

Plus Mitchell en apprenait sur les religions, les religions du monde en général et le christianisme en particulier, plus il constatait que les mystiques disaient tous la même chose : l'illumination naissait de l'extinction du désir. Le désir ne permettait pas l'épanouissement mais simplement une satisfaction temporaire, jusqu'à ce qu'une nouvelle tentation se présente. Et ça, c'était en admettant qu'on ait la chance d'obtenir ce qu'on désirait. Dans le cas contraire, on passait sa vie dans un état de manque permanent.

Depuis le temps qu'il nourrissait l'espoir secret d'épouser Madeleine Hanna, quelle part de ce désir était-elle motivée par le goût réel qu'il avait pour sa personne ? Ne souhaitait-il pas simplement la posséder et flatter ainsi son amour-propre ?

Ce n'était peut-être pas si formidable que ça d'épouser son idéal. Sans doute qu'après lui avoir passé la bague au doigt, on s'en lassait et on aspirait à un autre idéal.

Le troubadour chantait une chanson de Neil Young en imitant sa voix jusque dans ses moindres inflexions nasillardes sans comprendre les paroles. Des gens plus âgés et mieux habillés se promenaient sur les deux rives en direction des immeubles inondés de lumière. Paris était un musée consacré à lui-même.

Ne serait-ce pas un soulagement d'en être débarrassé ? D'être débarrassé du sexe et du désir ? Mitchell se sentait presque capable d'y renoncer, sur ce pont, cette nuit-là, avec la Seine qui coulait sous ses pieds. Il leva les yeux vers les fenêtres éclairées le long de l'arc décrit par le fleuve. Il pensa à tous ces gens qui allaient se coucher, lisaient ou écoutaient de la musique, toutes ces vies que renfermait une grande ville comme celle-ci, et, s'élevant dans les airs par l'esprit, se plaçant juste au-dessus des toits, il tenta de ressentir ces millions d'âmes frémissantes et de vibrer avec elles. Il en avait assez de languir, de désirer, d'espérer, de perdre.

Pendant longtemps les dieux avaient été en contact étroit avec l'humanité. Puis, dégoûtés, ou découragés, ils s'étaient retirés. Peut-être reviendraient-ils chercher l'âme égarée qui manifesterait encore un peu de curiosité.

Arrivé à son hôtel, Mitchell traîna dans le hall au cas où des voyageurs anglophones sympathiques se montreraient. Nul ne vint. Il monta dans sa chambre, récupéra une serviette et alla prendre une douche tiède dans la salle de bains commune. Au rythme actuel où il les dépensait, ses économies ne lui permettraient jamais d'atteindre l'Inde. Il lui faudrait changer de mode de vie dès le lendemain.

De retour dans sa chambre, Mitchell replia le dessus-de-lit gris souris et se coucha, nu, sur le drap. La lampe de chevet n'éclairant pas assez pour lire, il en ôta l'abat-jour.

Une des tâches des sœurs est de ramasser dans les rues de Calcutta les mourants et de les amener dans un bâtiment confié à mère Teresa à cet usage (un temple autrefois dédié au culte de la déesse Kali), afin que, selon son expression, ils y meurent en contemplant un visage ami. Certains meurent, d'autres survivent et l'on s'occupe d'eux. Ce Foyer des mourants est baigné d'une lumière diffuse par de petites fenêtres percées en haut des murs, et Ken était formel : il était impossible de tourner ici. Nous n'avions avec nous qu'un petit projecteur, et disposions de si peu de temps qu'il n'était pas question d'éclairer correctement cet intérieur. On décida tout de même que Ken tenterait le coup mais, pour plus de sûreté, il filma également une cour extérieure où quelques pensionnaires prenaient le soleil. Sur le film développé, la séquence intérieure est enveloppée d'une lumière douce, particulièrement belle, et la séquence prise à l'extérieur est sombre et brouillée. Comment expliquer cela ? Ken a passé son temps à nous démontrer que, techniquement, ce résultat est impossible. Pour le prouver, lors de son voyage suivant – au Moyen-Orient –, il utilisa la même pellicule dans une lumière aussi pauvre, avec des résultats complètement négatifs. [...] Le Foyer des mourants de mère Teresa déborde d'amour, on le sent en entrant. Cet amour est lumineux, comme les auréoles que les peintres ont vues et rendues visibles sur la tête des saints. [...] Je pense que Ken a enregistré le premier miracle photographique authentique.

Mitchell posa le livre, éteignit la lumière et s'étira sur le lit plein de bosses. Il pensa à Claire, d'abord avec colère, puis, rapidement, de façon érotique. Il s'imagina allant chez elle et la trouvant seule, et bientôt elle était à genoux devant lui et le prenait dans sa bouche. Mitchell se sentit coupable de fantasmer sur la petite amie de son copain mais pas suffisamment pour arrêter. Il n'aimait pas ce que ce fantasme de Claire dans cette position révélait sur lui, aussi se vit-il ensuite en généreux cunnilincteur, la faisant jouir comme elle n'avait jamais joui de sa vie. Il parvint alors lui-même à l'orgasme. Il se tourna sur le côté, son sperme coulant sur la moquette de l'hôtel.

Presque aussitôt, il ressentit une sensation de froid au bout du pénis. Il le secoua une dernière fois, puis se laissa retomber sur le dos, désespéré.

Le lendemain matin, il prit son sac sur l'épaule et descendit dans le hall, où il régla sa note avant de partir. Le petit-déjeuner se réduisait à un café accompagné d'un petit gâteau sec. Mitchell avait dans l'idée de retourner tenter sa chance à l'auberge de jeunesse et, au besoin, de passer la nuit par terre chez Claire. En arrivant à son immeuble, cependant, il vit Larry assis sur le perron. Il avait son sac à côté de lui et semblait fumer une cigarette.

– Tu ne fumes pas, lui fit remarquer Mitchell en s'approchant.

– Je commence.

Larry tira plusieurs bouffées, pour voir.

– Pourquoi tu as ton sac ?

Larry fixa ses yeux bleus perçants sur Mitchell. La cigarette sans filtre colla à sa lèvre inférieure charnue.

– On a rompu, avec Claire, dit-il.

– Qu'est-ce qui s'est passé ?

– Elle se demande si elle ne serait pas intéressée par les femmes. Elle n'est pas sûre. De toute façon, on n'allait plus pouvoir se voir.

– Elle t'a largué ?

Larry grimaça, ce fut presque imperceptible.

– Elle dit qu'elle ne veut pas d'une relation « exclusive ».

Mitchell regarda ailleurs pour ne pas gêner Larry.

– Cherche pas, grommela-t-il. T'es un bouc émissaire, c'est tout.

– De quoi ?

– Les mâles sexistes et toutes ces conneries.

– Il me semble que c'est toi qu'elle a pris pour un mâle sexiste, Mitchell.

Mitchell aurait pu protester, mais il s'abstint. À quoi bon ? Il avait retrouvé son ami.

Leur voyage pouvait enfin commencer.

•

Pour son quatorzième anniversaire, en novembre 1974, Madeleine avait reçu un cadeau de sa sœur aînée, Alwyn, qui avait quitté la maison pour aller à l'université. Le paquet était arrivé par la poste, emballé dans du papier à motifs psychédéliques et scellé avec de la cire rouge gravée de croissants de lune et de licornes. Quelque chose avait dit à Madeleine de ne pas l'ouvrir devant ses parents. Elle l'avait emporté en haut dans sa chambre et, lorsqu'elle l'avait déballé, allongée sur son lit, elle avait trouvé une boîte à chaussures avec l'inscription « Kit de survie de la petite célibataire » marquée au feutre noir sur le couvercle. À l'intérieur, écrit si petit qu'on l'aurait dit travaillé au poinçon, se trouvait le mot suivant :

Chère petite sœur,

Maintenant que tu as quatorze ans et que tu as commencé le lycée (!), il m'a semblé important que tu apprennes les rudiments du S-E-X-E afin de ne pas te retrouver, comme dirait notre cher père, « dans l'embarras ». En réalité, je ne m'inquiète pas pour toi. Tout ce que je veux, c'est que ma petite sœur S'AMUSE !!! Voici donc ton tout nouveau « Kit de survie de la petite célibataire », où tu trouveras tout ce dont une jeune femme moderne et sensuelle a besoin pour s'épanouir complètement. Petit ami non inclus.

Joyeux anniversaire,

Je t'embrasse, Ally

Maddy était encore en uniforme scolaire. Tenant la boîte à chaussures d'une main, elle y plongea l'autre pour en sortir le contenu. Le premier objet, un petit emballage carré de papier argenté, ne lui évoqua rien, même lorsqu'elle le retourna et vit la tête casquée imprimée dessus. Le pressant entre ses doigts, elle sentit quelque chose glisser à l'intérieur.

C'est alors qu'elle comprit.

– Non ! souffla-t-elle. Non, j'y crois pas !

Elle courut pousser le verrou de sa porte. Puis, à la réflexion, elle le rouvrit, retourna rapidement chercher l'emballage de papier d'aluminium et la boîte et emporta le tout dans la salle de bains, où elle pouvait s'enfermer sans éveiller les soupçons. Elle abaissa le couvercle de la cuvette des toilettes et s'y assit.

Madeleine n'avait encore jamais vu un emballage de préservatif, et c'était donc la première fois qu'elle en avait un entre les mains. Elle le tâta du pouce pour en sentir le relief. La forme qu'il suggérait au toucher fit naître en elle des sentiments confus. La substance lubrifiante dans laquelle le préservatif semblait baigner était à la fois répugnante et fascinante. La circonférence de l'anneau lui fit franchement peur. Elle ne s'était guère interrogée sur les dimensions que pouvait atteindre l'érection masculine. Jusque-là, les érections des garçons étaient un sujet à propos duquel ses amies et elle gloussaient mais dont elles ne parlaient pour ainsi dire pas. Elle pensait en avoir senti une un jour, en dansant un slow en camp de vacances, mais elle n'en était pas sûre : peut-être était-ce la boucle de la ceinture du garçon. Pour ce qu'elle en savait, les érections étaient des phénomènes occultes qui se produisaient ailleurs, comme un crapaud buffle déployant sa gorge dans un marais lointain, ou un poisson boule se gonflant dans un récif corallien. La seule érection que Madeleine ait vue de ses yeux était celle de Wylie, le labrador de sa grand-mère, sortie crûment de son fourreau de poils tandis que le chien se frottait frénétiquement contre sa jambe. De quoi vous dissuader à jamais de penser aux érections. Le souvenir de cette image dégoûtante n'enlevait cependant rien à la nature purement révélatrice du préservatif qu'elle tenait à présent dans sa main. Le préservatif était un artéfact du monde adulte. Loin d'elle, hors de son lycée, existait un cadre établi, mais dont personne ne parlait, à l'intérieur duquel les compagnies pharmaceutiques fabriquaient des prophylactiques que les hommes achetaient et déroulaient sur leur pénis, légalement, aux États-Unis d'Amérique.

Les deux objets suivants que Madeleine sortit de la boîte faisaient partie d'un coffret de gadgets, de ceux qu'on trouvait en vente dans les distributeurs des toilettes des hommes, et c'était sans doute là qu'Alwyn, ou plus probablement son petit ami, l'avait acheté avec le préservatif. Le coffret comprenait : un anneau de caoutchouc rouge parsemé d'ergots branlants et étiqueté « French tickler » ; une statuette de plastique bleu constituée de deux figurines animées, un homme en érection derrière une femme à quatre pattes, et dont le petit levier, comme le constata Maddy en l'actionnant, faisait coulisser la protubérance surdimensionnée de l'homme à l'intérieur de la femme ; un petit tube de crème appelée « Pro-long », que Maddy n'avait même pas envie d'ouvrir ; et deux boules de geisha, creuses et argentées, présentées sans mode d'emploi et qui, à vrai dire, ressemblaient à des boules de flipper. Au fond de la boîte se trouvait l'objet le plus étrange de tous, un petit gressin ultrafin avec une touffe de fourrure noire collée au bout. Madeleine approcha de son visage la carte sur laquelle il était scotché, afin de lire l'inscription manuscrite qui y figurait : « Bite déshydratée. À tremper dans l'eau. » Elle regarda à nouveau le mini-gressin, puis la touffe de fourrure, puis elle laissa tomber la carte et s'écria : « Berk ! »

Il lui fallut un moment avant d'oser la ramasser, en la tenant par le bord, le plus loin possible de la touffe de fourrure. Maintenant sa tête à distance, elle réexamina la touffe : c'était bien ce qu'elle pensait, des poils pubiens. Ceux d'Alwyn, certainement, à moins que ce ne soient ceux de son petit ami. Ally n'était pas incapable d'avoir poussé jusque-là la vraisemblance. C'étaient des poils noirs frisés, collés ensemble et fixés à la base du gressin. L'idée qu'il puisse s'agir de poils pubiens masculins dégoûtait et excitait Madeleine en même temps. Mais c'étaient sans doute ceux d'Ally, cette tordue. C'était un sacré numéro, sa sœur. Complètement folle et imprévisible, Alwyn était anticonformiste, végétarienne, engagée dans les mouvements étudiants contre la guerre, et dans la mesure où Madeleine aspirait à embrasser certaines de ces causes, elle aimait et admirait sa sœur (tout en continuant de la trouver tordue). Elle remit la bite déshydratée dans la boîte et reprit la statuette en plastique. Actionnant le levier, elle regarda l'homme pénétrer la femme à quatre pattes devant lui.

Le souvenir du « Kit de survie de la petite célibataire » revenait à Madeleine à présent, en ce mois d'octobre, au petit aéroport de Provincetown, alors qu'elle attendait Phyllida et Alwyn, qui arrivaient de Boston. La veille au soir, inopinément, Phyllida l'avait appelée pour lui apprendre qu'Alwyn avait quitté Blake, son mari, et qu'elle, Phyllida, avait filé à Boston par le premier avion pour tenter d'intervenir. Elle avait trouvé Alwyn installée au Ritz (une dépense dépassant le maximum autorisé par la carte AmEx du compte commun), d'où elle envoyait par coursier des biberons de son lait maternel à l'intention de Richard, son fils de six mois, qu'elle avait laissé à son père dans leur maison de Beverly. N'ayant pas réussi à convaincre Alwyn de rentrer chez elle, Phyllida avait décidé de l'amener à Cape Cod dans l'espoir que Madeleine réussisse à lui faire entendre raison.

— Ally n'a accepté de venir que pour la journée, avait dit Phyllida. Elle ne veut pas qu'on lui tombe dessus. Nous arrivons le matin et nous repartons l'après-midi.

— Qu'est-ce que je dois lui dire ? s'était inquiétée Madeleine.

— Dis-lui ce que tu penses. Elle t'écoute, toi.

— Pourquoi papa ne lui parle pas ?

— Il l'a fait. Ça s'est terminé dans les cris. Je ne sais plus quoi faire, Maddy. Je ne te demande rien de particulier. Sois simplement la personne sensée et raisonnable que tu es d'habitude.

En entendant cela, Madeleine eut presque envie de rire. Elle était éperdument amoureuse d'un garçon qui avait été hospitalisé, à deux reprises, pour une psychose maniaco-dépressive. Ces quatre derniers mois, au lieu de se concentrer sur sa « carrière », elle avait aidé Leonard à se remettre sur pied, lui faisant la cuisine et lui lavant son linge, calmant ses angoisses et le réconfortant lors de ses fréquentes baisses de moral. Elle composait avec les effets fortement indésirables de son nouveau dosage, augmenté, de lithium. Sans doute en grande partie à cause de tout cela, elle s'était retrouvée, un soir de fin août, à embrasser Mitchell Grammaticus devant le Chumley's, dans Bedford Street — elle l'avait embrassé et y avait pris du plaisir —, avant de vite rentrer à Providence au chevet de Leonard. « Sensée » et « raisonnable » étaient les deux derniers adjectifs qu'elle aurait choisis pour se qualifier. Elle venait de commencer sa vie d'adulte et ne s'était jamais sentie aussi vulnérable, effrayée et perdue.

Après avoir quitté son appartement de Benefit Street, en juin, Madeleine s'était installée, seule, chez Leonard, jusqu'à ce qu'il sorte de l'hôpital. Elle trouvait cela grisant de disposer de ses affaires. Elle écoutait ses disques d'Arvo Pärt sur la chaîne, allongée sur le canapé, les yeux fermés, exactement comme le faisait Leonard. Elle feuilletait ses livres et y lisait ses annotations.

À côté de passages denses chez Nietzsche ou Hegel, il avait dessiné des visages, soit souriants soit désapprobateurs, quand il ne s'était pas contenté d'un « ! ». La nuit, elle dormait avec l'un de ses tee-shirts. Tout dans l'appartement était resté exactement tel que le jour où Leonard avait été hospitalisé. Il y avait un carnet ouvert par terre, où, semblait-il, il avait tenté de calculer combien de temps ses économies lui permettraient de tenir. La baignoire était remplie de journaux. Parfois, Madeleine avait envie de pleurer tellement cet appartement dépouillé en disait long sur la solitude de Leonard. Il n'y avait aucune photo de ses parents ou de sa sœur. Puis, un matin, elle avait trouvé un cliché sous un livre. C'était une photo d'elle qu'il avait prise lors de leur premier séjour au cap. On l'y voyait allongée sur un lit dans un motel, en train de lire tout en mangeant une barre glacée Klondike.

Au bout de trois jours, incapable de supporter la saleté une minute de plus, elle avait craqué et s'était mise à faire le ménage. Au Star Market, elle avait acheté une serpillière, un seau, une paire de gants en caoutchouc et un assortiment de détergents. Consciente de créer un dangereux précédent, elle avait lavé le sol en vidant des seaux d'eau noire dans les toilettes. Il lui fallut sept rouleaux de papier hygiénique pour venir à bout de la crasse incrustée entre les carreaux de la salle de bains. Elle se débarrassa du rideau de douche moisi et en acheta un nouveau, d'un rose vif vengeur. Elle jeta tout le contenu du réfrigérateur et récura les clayettes. Après avoir totalement dénudé le matelas de Leonard, elle roula les draps en boule dans l'intention de les donner à laver à la blanchisserie du coin, puis elle changea d'avis et les fourra dans une poubelle derrière l'immeuble, les remplaçant par les siens. Elle mit des rideaux aux fenêtres et acheta un abat-jour en papier pour l'ampoule nue suspendue au plafond.

Quelques feuilles du ficus commençaient à devenir marron.

Tâtant la terre, Madeleine la sentit sèche. Elle en fit part à Leonard lors d'une visite, un jour.

— Tu peux arroser mon arbre, dit-il.

— Pas question. Tu me l'as suffisamment reproché la dernière fois.

— Je t'autorise à arroser mon arbre.

— Ce n'est pas une requête, ça.

— Tu veux bien arroser mon ficus pour moi, s'il te plaît ?

Elle arrosa l'arbre. L'après-midi, quand le soleil entrait par la fenêtre principale, elle le faisait glisser à la lumière et vaporisait d'eau ses feuilles.

Tous les jours, elle allait voir Leonard à l'hôpital.

En ajustant son traitement, le médecin avait éliminé son tic facial, et ne serait-ce que grâce à ça, il avait l'air d'aller beaucoup mieux. Il parlait principalement de tous les médicaments qu'il prenait, de leur usage et de leurs contre-indications. Prononcer leur nom semblait l'apaiser, comme s'il récitait des incantations : lorazépam, diazépam, chlorpromazine, chlordiazépoxide, halopéridol. Madeleine s'y perdait. Elle ne comprenait pas s'il s'agissait là des produits qu'on donnait à Leonard lui-même ou aux autres patients du service. À présent, il connaissait bien le dossier médical de la plupart des autres malades, qui le traitaient comme un interne. Ils le consultaient au sujet de leur cas, l'interrogeaient sur leur traitement. Leonard jouissait à l'hôpital de la même aura qu'à l'université. Il était un puits de science, l'homme qui avait réponse à tout. De temps en temps, il était dans un mauvais jour. En entrant dans la salle de séjour, Madeleine le trouvait sombre, désespéré de ne pas avoir obtenu son diplôme et se demandant s'il allait être capable de remplir sa mission à Pilgrim Lake : la litanie habituelle. Il était en boucle.

Le séjour de Leonard à l'hôpital, dont il espérait qu'il n'excéderait pas une quinzaine de jours, en dura finalement vingt-deux. Le jour de sa sortie, fin juin, Madeleine alla le chercher dans sa nouvelle voiture, une Saab décapotable avec vingt mille kilomètres au compteur – un cadeau de fin d'études de la part de ses parents. « Bien qu'on ne t'ait pas vue le recevoir, ce diplôme », avait plaisanté Alton, faisant référence à la disparition de Madeleine ce fameux jour. Parmi la foule de parents rassemblés devant les portes Van Wickle, Alton et Phyllida avaient attendu le passage de Madeleine, puis ils s'étaient dit qu'ils avaient dû la rater. L'ayant cherchée en vain dans College Street, ils avaient appelé chez elle, mais personne n'avait répondu. Ils avaient fini par se rendre au Narragansett et lui avaient laissé un mot disant qu'ils étaient inquiets et avaient décidé de ne pas rentrer à Prettybrook « comme prévu ». Ils l'attendraient dans le hall du Biltmore, où Madeleine les avait retrouvés cet après-midi-là. Elle leur avait raconté qu'elle avait raté le défilé car Kelly Traub, avec qui elle marchait, était tombée et s'était foulé la cheville, et elle avait dû l'accompagner au centre médical. Madeleine n'était pas sûre que ses parents l'aient crue, mais, soulagés de voir qu'elle allait bien, ils n'avaient pas demandé plus d'explications. Alton l'avait même appelée quelques jours plus tard pour lui dire d'aller s'acheter une voiture. « D'occasion, avait-il stipulé. Qu'elle ait un ou deux ans. Ça évite une trop grosse dépréciation. » Obéissante, Madeleine avait trouvé sa décapotable dans les petites annonces du *Providence Journal*. Elle était blanche avec des sièges-baquets couleur fauve. Garée devant l'entrée de l'hôpital, Madeleine avait baissé la capote afin que Leonard la voie quand il était apparu, dans un fauteuil roulant poussé par une infirmière.

– Jolie guimbarde, avait-il dit en y montant.

Ils s'étaient longuement serrés dans les bras, Madeleine reniflant, jusqu'à ce que Leonard se dégage de son étreinte.

– Vas-y, démarre. J'en ai assez de cet endroit.

Le reste de l'été, Leonard se montra d'une fragilité touchante. Il parlait tout doucement, regardait le base-ball à la télévision en tenant la main de Madeleine.

– Tu sais ce que signifie *paradis* ? lui demanda-t-il un jour.

– Ça ne signifie pas « paradis » ?

– Ça signifie « jardin entouré de murs ». Ça vient de l'arabe. C'est ce qu'est un stade de base-ball. Un jardin entouré de murs. Regarde comme la pelouse est verte ! C'est tellement relaxant d'être là avec toi, à contempler ce terrain.

– Tu devrais peut-être regarder le golf, dit Madeleine.

– Encore plus vert.

Le lithium l'assoiffait en permanence et, sporadiquement, lui donnait la nausée. Il commença à trembler légèrement de la main droite. Durant son séjour à l'hôpital, il avait pris près de sept kilos, et il continua de grossir tout au long des mois de juillet et d'août. Son visage et son corps avaient l'air boursouflés, et il avait un bourrelet de graisse, comme une bosse de bison, sur la nuque. Parallèlement à sa soif, il avait sans cesse besoin d'uriner. Il souffrait de maux d'estomac et de crises de diarrhée. Pire encore, le lithium lui donnait l'impression de lui ramollir le cerveau. Il prétendait qu'il y avait un « registre de pensée supérieur » qu'il ne parvenait plus à atteindre. Pour lutter contre ce ramollissement, il chiquait encore plus, et il se mit à fumer des cigarettes ainsi que de petits cigares nauséabonds pour lesquels il s'était pris de passion à l'hôpital. Ses vêtements puaient le tabac. Sa bouche avait un goût de cendrier et d'autre chose, aussi, un goût chimique et métallique. Madeleine n'aimait pas ça.

En conséquence de toutes ces choses, effet secondaire des effets secondaires, la libido de Leonard décrut. Après avoir fait l'amour deux ou trois fois par jour sous l'excitation des retrouvailles, ils ralentirent la cadence, puis cessèrent pour ainsi dire tout rapport sexuel. Madeleine ne savait pas quoi faire. Fallait-il qu'elle soit plus attentive au problème de Leonard, ou moins ? Elle n'avait jamais été particulièrement entreprenante, au lit. Le besoin ne s'en était jamais fait sentir. Les garçons s'en fichaient, ou ne le remarquaient pas, étant eux-mêmes tellement audacieux. Un soir, elle s'attaqua au problème comme si elle avait été face à un amorti sur un court de tennis : elle courut le plus vite possible vers l'objectif, l'atteignit apparemment à temps, puis se plia en deux et décocha son retour – lequel heurta la bande du filet et retomba, mort, de son côté du court.

Elle ne réessaya pas après cet échec et resta derrière la ligne de fond, s'en tenant à son jeu habituel.

Tout cela aurait pu gêner Madeleine davantage si la dépendance de Leonard ne l'avait pas autant attirée. C'était agréable d'avoir son gros saint-bernard rien que pour elle. Il ne voulait même plus sortir pour aller au cinéma. À présent, tout ce qui l'intéressait, c'était son panier, son écuelle et sa maîtresse. Il posait sa tête sur les genoux de Madeleine, voulait qu'elle le caresse. Il remuait la queue dès qu'il la voyait arriver. Il était toujours si démonstrativement *présent*, son gros compagnon poilu, sa grosse peluche baveuse.

Ils ne travaillaient ni l'un ni l'autre. Les longues journées d'été passaient lentement. Sa population estudiantine partie, College Hill était somnolente et verte. Leonard rangeait ses médicaments dans sa trousse de toilette sous le lavabo de la salle de bains. Il fermait toujours la porte quand il les prenait. Deux fois par semaine, il allait voir son psy, Bryce Ellis, rendez-vous dont il revenait mentalement lessivé et à bout de forces. Il s'écroulait alors sur le matelas et restait là une heure ou deux, avant de se lever pour mettre un disque.

– Tu sais quel âge avait Einstein quand il a présenté sa théorie spéciale de la relativité ? demanda-t-il à Madeleine un jour.

– Quel âge ?

– Vingt-six ans.

– Et alors ?

– La plupart des scientifiques réalisent leurs plus grands travaux entre vingt et vingt-cinq ans. J'ai vingt-deux ans, bientôt vingt-trois. C'est maintenant que je suis au maximum de mes capacités intellectuelles. Sauf que tous les matins et tous les soirs, je dois prendre un médicament qui me rend stupide.

— Il ne te rend pas stupide, Leonard.

— Si, je t'assure.

— Ça ne me paraît pas très scientifique de décréter que tu ne seras jamais un grand scientifique uniquement parce que tu n'as rien découvert avant vingt-deux ans.

— Ce sont les faits. Oublie le médicament. Même normal, je suis mal parti pour faire une découverte scientifique.

— Peut-être pas une découverte qui changera la face du monde, mais qui te dit que tu ne feras pas une petite avancée qui finira par améliorer la vie des gens ? D'accord, tu ne découvriras peut-être pas que l'espace est courbe, mais tu trouveras peut-être le moyen de faire rouler les voitures à l'eau pour supprimer la pollution.

— Inventer le moteur à hydrogène ne constituerait pas une avancée décisive, dit Leonard d'un air sombre en allumant une cigarette.

— D'accord, mais tous les grands scientifiques n'étaient pas jeunes. Quel âge il avait, Galilée ? Et Edison ?

— On peut arrêter de parler de ça ? Ça me déprime.

Madeleine se tut.

Leonard tira longuement sur sa cigarette et expira bruyamment.

— Pas au sens médical, finit-il par préciser.

Madeleine avait beau prendre à cœur son rôle d'infirmière, elle avait beau trouver satisfaisant de voir Leonard remonter la pente, elle éprouvait parfois le besoin de quitter l'atmosphère étouffante du studio. Pour échapper à l'humidité, elle se rendait à la bibliothèque climatisée. Elle jouait au tennis avec deux garçons de l'équipe de Brown. Certains jours, ne voulant pas rentrer à l'appartement, elle tournait en rond dans le campus désert, s'efforçant de penser à elle quelques minutes. Passant voir M. Saunders, elle fut déstabilisée par la vue du vieil universitaire en short et en sandales. Parcourant les piles de livres d'occasion du College Hill Bookstore, elle choisit vertueusement un exemplaire de *La Petite Dorrit* et du *Pasteur de Bullhampton*, qu'elle avait l'intention de lire intégralement. À l'occasion, elle s'offrait un cornet de glace et, assise sur les marches de l'Hospital Trust, elle regardait les autres jeunes couples se balader en se tenant la main ou en s'embrassant. Puis, sa glace terminée, elle rentrait retrouver Leonard.

Jusqu'à la fin du mois de juillet, il resta fragile, mais, à partir du mois d'août, il parut franchir un cap. De temps en temps, il redevenait lui-même. Un matin, en préparant des toasts, il montra une plaquette de beurre Land O'Lakes. « J'ai une question, dit-il. Quelle est la première personne qui a remarqué que les genoux de la squaw sur ces emballages ressemblaient à des seins ? Un type est en train de prendre son petit-déjeuner à Terre Haute, il regarde sa plaquette de beurre et il se dit : "Bizarre, ces genoux." Mais ça, ce n'est que la première étape. Cette observation faite, il a fallu qu'un deuxième type ait l'idée de découper une *autre* paire de genoux, de l'autre côté de la plaquette, et de la coller derrière la plaquette de beurre que la squaw tient devant sa poitrine, puis d'inciser le pourtour de la plaquette pour qu'elle se soulève et qu'on ait l'impression que la squaw nous montre ses nichons. Il ne reste aucune trace de tout ce processus. Les protagonistes se sont perdus dans les limbes de l'histoire. »

Ils commencèrent à sortir de l'appartement. Un jour, ils prirent la voiture et allèrent manger une pizza à Federal Hill. Après, Leonard insista pour qu'ils entrent dans une fromagerie. Il faisait noir à l'intérieur, les stores étaient tirés. L'odeur était une présence en soi dans la boutique. Derrière le comptoir, un vieux monsieur aux cheveux blancs était occupé, ils ne voyaient pas à quoi.

— Il fait vingt-sept, dehors, chuchota Leonard, mais ce type n'ouvrira jamais ses fenêtres. Il a un mélange bactériologique idéal, ici, et il ne veut pas qu'il s'échappe. J'ai lu un article sur des chimistes de Cornell qui ont identifié deux cents souches de bactéries différentes dans une cuve de présure. La réaction est aérobiologique, la composition de l'air influe donc sur le goût. Les Italiens savent tout ça d'instinct. Ce type n'a même pas conscience de ce qu'il sait.

Leonard s'avança vers le comptoir.

— Vittorio, comment va ?

L'homme leva les yeux et les plissa.

— Bonjour, mon ami ! Où tu étais passé ? Ça fait une paie que je t'ai pas vu.

— J'ai traversé une mauvaise passe, Vittorio.

— Rien de grave, j'espère. Me raconte pas ! J'ai pas envie de savoir. J'ai mes problèmes à moi.

— Qu'est-ce que tu recommandes aujourd'hui ?

— Comment ça, ce que je recommande ? Du fromage, comme toujours ! Le meilleur. C'est qui, ta copine ?

— Je te présente Madeleine.

— Vous aimez le fromage, jeune femme ? Tenez, goûtez. Emportez-en chez vous. Et débarrassez-vous de ce garçon. Il ne vaut rien.

Nouvelle révélation sur Leonard : il était ami avec le vieux fromager italien de Federal Hill. C'était peut-être là qu'il se rendait quand Madeleine le voyait attendre le bus sous la pluie. Il allait voir son ami Vittorio.

À la fin du mois d'août, ils emballèrent leurs affaires. Ils laissèrent des cartons au garde-meuble, entassèrent le reste dans le coffre et sur la banquette arrière de la Saab, et partirent pour le cap. Il faisait chaud, plus de trente degrés, et ils roulèrent capote baissée jusqu'à ce qu'ils quittent le Rhode Island. Le vent rendait cependant difficile de parler ou d'écouter l'autoradio, et ils remontèrent la capote en entrant dans le Massachusetts. Madeleine avait une cassette des Pure Prairie League que Leonard supporta jusqu'à ce qu'ils s'arrêtent dans la

supérette d'une station-essence, où il acheta les « Greatest Hits »
de Led Zeppelin, qu'il imposa jusqu'à ce qu'ils arrivent sur la
péninsule par le Sagamore Bridge. Dans un routier d'Orleans,
ils s'arrêtèrent manger des sandwichs au homard. Leonard avait
l'air en forme. Mais une fois qu'ils eurent repris la route, alors
que les pins de Virginie défilaient de chaque côté, il se mit à
fumer nerveusement ses petits cigares et à s'agiter sur le siège
passager. On était dimanche. La circulation était concentrée
dans l'autre sens, des gens qui regagnaient le continent après
un week-end ou les vacances, des équipements sportifs sanglés
sur le toit. À Truro, la highway 6 bifurquait sur la 6A, route
que Madeleine et Leonard suivirent avec attention, ralentissant
quand l'étendue bleue de Pilgrim Lake apparut à leur droite.
Près du bout du lac, ils aperçurent la pancarte du laboratoire,
et ils s'engagèrent sur un chemin de gravier bordé de dunes
en direction de la baie de Cape Cod.

– Qui est-ce qui m'a pris ma salive ? dit Leonard, tandis que
les bâtiments, où ils devaient passer les neuf prochains mois, se
dressaient devant eux. C'est toi qui as ma salive ? Parce que,
là, il ne m'en reste plus une goutte.

Durant leur bref séjour au printemps précédent, Madeleine
avait été trop préoccupée par sa nouvelle relation pour s'intéresser
vraiment au laboratoire et à sa situation magnifique en bord
de mer. C'était fascinant de se dire que des légendes comme
Watson et Crick avaient travaillé ou séjourné dans cet ancien
village de baleiniers, mais la plupart des noms des biologistes
alors en poste à Pilgrim Lake – dont son actuel directeur, David
Malkiel – étaient nouveaux pour elle. La salle d'expérience qu'ils
avaient visitée durant le séjour ne semblait guère différente de
celles qu'elle avait connues à Lawrenceville School.

Une fois installée, en revanche, lorsqu'elle commença à
vivre là-bas, Madeleine fut agréablement surprise. Elle ne
s'attendait pas à trouver six courts de tennis couverts, une
salle de gym remplie d'appareils de fitness et de musculation,

ni une salle de projection où, le week-end, on pouvait voir des films fraîchement sortis. Elle ne pensait pas que le bar serait ouvert vingt-quatre heures sur vingt-quatre, ni que les scientifiques y abonderaient à trois heures du matin, dans l'attente des résultats de leurs tests. Elle n'avait pas imaginé le défilé des cadres des compagnies pharmaceutiques et des célébrités, amenés en limousine depuis l'aéroport de Logan pour déjeuner ou dîner avec le Dr Malkiel dans sa salle à manger personnelle. Et la cuisine ! Les vins français de luxe, les pains, les huiles d'olive, choisis par le Dr Malkiel lui-même. Malkiel collectait des subventions astronomiques en faveur du laboratoire, argent qu'il dépensait sans compter pour le bien-être des scientifiques résidents, ainsi que pour inciter les autres à venir. C'était Malkiel qui avait acheté la toile de Cy Twombly dans le réfectoire et qui avait commandé la sculpture de Richard Serra derrière l'animalerie.

Madeleine et Leonard arrivèrent à Pilgrim Lake pendant le séminaire de génétique. Leonard devait suivre le célèbre cours sur les levures de Bob Kilimnik, le biologiste dans l'équipe duquel il avait été affecté. Il partait chaque matin comme un écolier apeuré. Il se plaignait que son cerveau ne fonctionnait pas et que les deux autres assistants de son équipe, Vikram Jaitly et Carl Beller, tous deux formés au MIT, étaient plus intelligents que lui. Mais le cours ne durait que deux heures. Le reste de la journée était libre. Au labo prévalait une ambiance décontractée. De nombreux assistants n'étaient pas encore diplômés (on les appelait les « Urts » : *undergraduate research technicians*), et il y avait parmi eux pas mal de femmes proches de l'âge de Madeleine. Presque tous les soirs avait lieu une fête où les gens faisaient des bizarreries de scientifiques, comme servir des daïquiris dans des ballons d'Erlenmeyer ou des coupelles d'évaporation, ou faire cuire des palourdes à l'autoclave plutôt qu'à la cocotte. Mais c'était amusant.

Après Labor Day[1], les choses devinrent plus sérieuses. Les Urts regagnèrent leurs universités respectives, faisant décroître radicalement la population féminine et portant un coup d'arrêt aux fêtes de l'été et au parfum de romantisme qui flottait dans l'air. Fin septembre, le *Sunday Telegraph* commença à publier les cotes du bookmaker Ladbrokes sur les prochains prix Nobel. Tandis que les jours passaient et que l'on décernait les autres prix scientifiques – à Kenneth Wilson celui de physique et à Aaron Klug celui de chimie –, on se mit à spéculer, au dîner, sur qui remporterait celui de physiologie-médecine. Les favoris étaient Rudyard Hill, de Cambridge, et Michael Zolodnek. Zolodnek était résident à Pilgrim Lake, il habitait une de ces hautes maisons à toit asymétrique du côté de la propriété qui faisait face à Truro. Puis, le 8 octobre, au petit matin, un vrombissement tira Madeleine et Leonard d'un profond sommeil. Allant à la fenêtre, ils virent un hélicoptère atterrir sur la plage devant leur immeuble. Trois camionnettes de télévision par satellite étaient garées sur le parking. Ils s'habillèrent à la hâte et foncèrent au centre de conférences, où ils apprirent, ravis, que le Nobel avait été attribué non pas à Michael Zolodnek mais à Diane MacGregor. L'amphithéâtre était déjà à moitié rempli par les journalistes et par le personnel de Pilgrim Lake. Debout au fond de la salle, Madeleine et Leonard regardèrent le Dr Malkiel accompagner MacGregor jusqu'à une estrade hérissée de micros. MacGregor portait un vieux ciré et des bottes en caoutchouc, exactement comme les quelques fois où Madeleine l'avait aperçue sur la plage, en train de promener son caniche royal noir. Elle avait tenté de coiffer ses cheveux blancs pour la conférence de presse. Ce détail, ajouté à sa taille minuscule, lui donnait l'allure d'une petite fille, malgré son âge.

Sur l'estrade, elle souriait, les yeux pétillants, tout en ayant l'air intimidée par ce fourmillement autour d'elle.

1. Fête du Travail (premier lundi de septembre).

Les questions commencèrent :

– Docteur MacGregor, où étiez-vous quand vous avez appris la nouvelle ?

– Je dormais. Comme maintenant.

– Pourriez-vous nous dire sur quoi portent vos travaux ?

– Je pourrais. Mais là, c'est vous qui dormiriez.

– Que comptez-vous faire de l'argent de la récompense ?

– Le dépenser.

Madeleine serait tombée sous le charme de Diane MacGregor si cela n'avait pas déjà été le cas. Bien qu'elle ne lui ait jamais parlé, tout ce que Madeleine avait appris de cette recluse de soixante-treize ans avait fait d'elle sa biologiste préférée. Contrairement aux autres scientifiques du labo, MacGregor n'employait aucun assistant. Elle travaillait totalement seule, sans appareils sophistiqués, analysant le mystérieux processus de changement de couleur des grains de maïs qu'elle cultivait sur un lopin de terre derrière chez elle. En discutant avec Leonard et d'autres gens, Madeleine avait compris les bases des travaux de MacGregor – il était question de transmission génétique, comment les caractéristiques physiques sont copiées, transposées ou effacées –, mais ce qu'elle admirait vraiment, c'était la manière solitaire et déterminée dont elle les menait à bien (si Madeleine avait dû devenir biologiste un jour, Diane MacGregor aurait été son modèle). D'autres scientifiques du laboratoire se moquaient d'elle parce qu'elle n'avait pas le téléphone ou parce qu'elle était excentrique d'une manière générale. Mais si MacGregor était à ce point à côté de la plaque, pourquoi tout le monde parlait d'elle tout le temps ? Ce qui rendait les gens mal à l'aise, d'après Madeleine, c'était la pureté de son engagement et la simplicité de sa méthode. Ils ne voulaient pas qu'elle réussisse, car cela remettrait en cause la légitimité de leurs équipes de recherche et de leurs budgets exorbitants. MacGregor avait par ailleurs des opinions arrêtées et ne mâchait pas ses mots. Les gens n'aimaient ça chez personne, mais encore moins chez une femme. Elle se morfondait au département de biologie de l'université de Floride, à Gainesville, quand le prédécesseur du Dr Malkiel, reconnaissant son génie, avait réuni les fonds pour la faire venir à Pilgrim Lake et lui donner un poste à vie. Pour ça aussi, MacGregor fascinait Madeleine. Elle était à Pilgrim Lake depuis 1947 ! Depuis trente-cinq ans, elle inspectait son maïs avec une patience mendélienne, sans que personne ne l'encourage ni ne lui donne son avis sur son travail. Elle se contentait de venir travailler chaque matin, guidée par son processus de découverte, oubliée du monde et s'en moquant. Et aujourd'hui, brusquement, la consécration : le Nobel, la justification d'une vie de travail. Elle avait l'air heureuse, mais on voyait que ce n'était pas après ça qu'elle courait. La récompense de MacGregor était son travail en soi, l'accomplissement quotidien de celui-ci, l'aboutissement d'un million de jours qui se ressemblaient.

À sa modeste mesure, Madeleine comprenait ce que Diane MacGregor endurait dans ce laboratoire dominé par les hommes. À la fin de chaque dîner auquel Leonard et elle étaient invités, Madeleine se retrouvait inévitablement dans la cuisine, à aider la maîtresse de maison avec les autres épouses et petites amies. Elle aurait pu refuser, bien sûr, mais ce serait passé pour un geste de protestation. Aussi, plutôt que de rester assise à écouter les hommes se tirer la bourre à propos de leurs recherches, elle allait faire la vaisselle et finissait par s'en vouloir. Ses seules autres interactions sociales, c'était quand elle allait jouer au tennis avec la jeune épouse de Malkiel, Greta – qui la traitait comme une partenaire d'entraînement –, ou quand elle voyait les autres « conjointes ». La plupart des assistants, comme des biologistes en poste, étaient des hommes, et, en excluant les techniciennes, il n'y avait donc que Diane MacGregor en qui Madeleine pouvait voir une source d'inspiration.

Étant donné que la bourse attribuée à Leonard couvrait leurs frais de bouche et d'hébergement, Madeleine aurait très bien pu passer son temps à lire, à dormir et à manger. Mais telle n'était pas son intention. Malgré la réorientation de ses priorités pendant l'été, son avenir universitaire avait été relancé. En plus d'avoir obtenu un A à son mémoire de deuxième cycle, Madeleine avait reçu un mot de M. Saunders l'encourageant à tirer un article de son mémoire et à le faire parvenir à une certaine M. Myerson de la *Janeite Review*. « Il se pourrait bien que ce soit publiable ! » avait écrit Saunders. Si le fait que M. Myerson se trouve être la femme de M. Saunders, Mary, jetait sur cette recommandation un soupçon de népotisme, une publication restait une publication. Lorsqu'elle était allée voir Saunders dans son bureau, il avait également critiqué avec véhémence le refus qu'elle avait essuyé de la part de Yale, en soutenant qu'elle avait été victime de la mode intellectuelle.

Puis, un week-end de la mi-septembre, à Boston, Madeleine assista à un colloque sur la littérature victorienne qui lui ouvrit de nouveaux horizons. À ce colloque, organisé par le Boston College dans un Hyatt au hall rempli de verdure et dont les ascenseurs évoluaient dans des boyaux vitrés, elle rencontra deux personnes aussi férues qu'elle des romans du XIXe siècle : Meg Jones, athlétique lanceuse de softball universitaire, coupe garçonne et mâchoire carrée, et Anne Wong, diplômée de Stanford, queue-de-cheval, pendentif en forme de cœur Elsa Peretti au cou, montre Seiko au poignet et léger accent de son Taiwan natal. Actuellement en MFA de poésie à l'université de Houston, Anne avait néanmoins l'intention de passer son doctorat de littérature, afin de gagner sa vie et de faire plaisir à ses parents. Meg préparait déjà le sien à Vanderbilt. Elle appelait Jane Austen « la divine Jane » et débitait des éléments de sa biographie comme un parieur sportif. Il y avait huit enfants chez les Austen, Jane était la benjamine. Elle souffrait de la maladie d'Addison, comme John F. Kennedy. Elle avait eu le typhus en 1783. *Raison et Sentiments* avait d'abord paru sous le titre *Elinor et Marianne*. Austen avait accepté la demande en mariage d'un homme du nom de Bigg-Wither, avant de changer d'avis le lendemain. Elle était enterrée à la cathédrale de Winchester.

– Tu penses te spécialiser sur Austen ? demanda Anne Wong à Madeleine.

– Je ne sais pas. Je lui ai consacré un chapitre de mon mémoire. Mais tu sais qui j'aime, aussi ? C'est un peu gênant...

– Qui ?

– Elizabeth Gaskell.

– J'adore Elizabeth Gaskell ! s'écria Anne Wong.

– Mme Gaskell ? dit Meg Jones. Je cherche quelque chose à répondre à ça.

Ce que Madeleine sentit à ce colloque était l'émergence d'une nouvelle race d'universitaires. Ils parlaient de tous les vieux bouquins qu'elle adorait, mais d'une façon nouvelle. Les communications s'intitulaient : « Femmes et biens immobiliers dans le roman victorien », « Les romancières victoriennes et la question féminine », « La masturbation dans la littérature victorienne », « La prison de la féminité »... Madeleine et Anne Wong écoutèrent Terry Castle parler de « la lesbienne invisible » dans la littérature victorienne, et elles aperçurent, de loin, Sandra Gilbert et Susan Gubar sortir d'une conférence sur *The Madwoman in the Attic*[1] qui avait fait salle comble.

La particularité des victoriennes, apprenait Madeleine, était qu'elles étaient bien moins victoriennes qu'on ne le pensait. Frances Power Cobbe avait vécu ouvertement avec une autre femme, qu'elle appelait son « épouse ». En 1868, Cobbe avait publié dans le *Fraser's Magazine* un article intitulé « Les criminels, les idiots, les femmes et les mineurs. Une classification valable ? » En Grande-Bretagne, au début de l'ère victorienne,

---

1. New Haven, Yale University Press, 1979. Célèbre étude féministe de la littérature victorienne, dont le titre, « La folle du grenier », fait référence au personnage de Bertha Mason dans *Jane Eyre*.

les femmes n'avaient pas le droit d'acquérir et d'hériter des biens, ni de participer à la vie politique. Et c'était dans ces conditions, alors qu'elles étaient officiellement classées parmi les idiots, que les romancières préférées de Madeleine avaient écrit leurs œuvres.

Vue sous cet angle, la littérature des XVIIIe et XIXe siècles, notamment celle due aux femmes, était tout sauf un sujet éculé. Envers et contre tout, bravant toutes les interdictions dont l'accès à une instruction correcte, ces femmes comme Anne Finch, Jane Austen, George Eliot, les Brontë ou Emily Dickinson avaient pris la plume et – à en croire Gilbert et Gubar –, non contentes d'apporter leur pierre à l'édifice littéraire, elles avaient créé une nouvelle littérature en se réappropriant cet exercice masculin. Deux phrases dans *The Madwoman in the Attic* retinrent particulièrement l'attention de Madeleine :

Depuis quelques années, notamment, alors que les écrivains hommes semblent de plus en plus épuisés par le besoin de révisionnisme si bien décrit par Bloom et sa théorie de l'« angoisse de l'influence[1] », les écrivaines se considèrent comme les pionnières d'une créativité telle que leurs homologues masculins n'en ont plus connu depuis la Renaissance, ou du moins depuis le romantisme. Fils de nombreux pères, l'écrivain d'aujourd'hui se sent irrémédiablement à la traîne ; fille de trop peu de mères, l'écrivaine d'aujourd'hui a le sentiment de contribuer à créer une tradition durable qui, incontestablement, se révèle enfin.

En deux jours et demi, Madeleine et ses nouvelles amies assistèrent à seize conférences. Elles s'incrustèrent à un cocktail

---

1. *The Anxiety of Influence: A Theory of Poetry*, New York, University Press, 1973. Harold Bloom y analyse le poids qui pèse selon lui sur les poètes, soucieux de se distinguer de leurs devanciers.

organisé dans le cadre d'un congrès d'assureurs et y mangèrent à l'œil. Anne ne cessait de commander des « sex on the beach » au bar du Hyatt, chaque fois en gloussant. À la différence de Meg, qui s'habillait comme un docker, Anne portait des robes à fleurs de chez Filene's Basement, et des talons. Le dernier soir, en remontant dans sa chambre, Anne posa sa tête sur l'épaule de Madeleine et lui avoua qu'elle était toujours vierge. « Je ne suis pas seulement taiwanaise ! s'écria-t-elle. Je suis taiwanaise et vierge ! C'est désespérant ! »

Malgré le peu de points communs qu'elle avait avec Meg et Anne, Madeleine ne se rappelait pas avoir passé un meilleur moment. Pas une seule fois de tout le week-end elles ne lui demandèrent si elle avait un petit ami. Elles ne voulaient parler que de littérature. Le dernier matin du colloque, les trois filles échangèrent leurs adresses et leurs numéros de téléphone, et se serrèrent dans les bras toutes en même temps, en se promettant de rester en contact.

— Peut-être qu'on se retrouvera toutes dans le même département ! dit Anne gaiement.

— Je doute qu'une même université embauche trois victorianistes, rétorqua Meg, réaliste.

En rentrant à Cape Cod, et pendant plusieurs jours après, Madeleine se sentit submergée de joie chaque fois qu'elle repensait à Meg Jones les qualifiant toutes les trois de « victorianistes ». Le mot donnait à ses aspirations vagues une réalité soudaine. Elle n'avait jamais eu de mot pour désigner ce qu'elle voulait être. Sur une aire de repos elle inséra quatre pièces de vingt-cinq *cents* dans un téléphone public et appela ses parents à Prettybrook.

— Papa, je sais ce que je veux devenir.

— Quoi ?

— Victorianiste ! Je rentre d'un colloque incroyable.

— Tu es déjà obligée de te spécialiser ? Tu n'as même pas encore commencé ton troisième cycle.

– Non, papa, c'est ça ma voie. Je le sais ! C'est un domaine tellement ouvert.

– Entre déjà quelque part, dit Alton en riant. Nous en reparlerons après.

De retour à Pilgrim Lake, à son bureau, elle tâcha de se mettre au travail. Elle avait apporté la plupart de ses livres préférés, sinon tous. Ses Austen, ses Eliot, ses Wharton, ses James. Par Alton, qui avait gardé des contacts à la bibliothèque de Baxter, elle avait réussi à emprunter à long terme un énorme stock de critique victorienne. Ayant lu ce qu'elle devait lire et pris des notes complémentaires, Madeleine entreprit de condenser son mémoire en un article publiable. Sa machine à écrire, une Royal, était celle sur laquelle elle avait tapé son mémoire, et Alton, avant elle, y avait tapé ses devoirs d'étudiant. Madeleine aimait cette machine d'acier peint en noir, mais les touches commençaient à se bloquer. Parfois, quand elle tapait vite, deux ou trois lettres s'emmêlaient et elle devait les dégager avec les doigts, comprenant mieux pourquoi on qualifiait ces machines de manuelles. Quand elle faisait cela ou qu'elle changeait le ruban, elle se mettait de l'encre plein les doigts. L'intérieur de la machine était repoussant : il y avait là des amas de poussière, des épluchures de gomme, des bouts de papier, des miettes de cookies et des cheveux. Madeleine se demandait comment elle fonctionnait encore. Depuis qu'elle avait découvert combien sa machine était sale, elle ne pouvait plus arrêter d'y penser. C'était comme dormir dans l'herbe après que quelqu'un a mentionné la présence de vers de terre. Essayer de nettoyer la Royal n'était pas une mince affaire. Elle pesait une tonne. Peu importe combien de fois elle la portait jusqu'à l'évier et la retournait, il ne cessait jamais d'en tomber des déchets. L'installant à nouveau sur son bureau, elle engageait une nouvelle feuille autour du cylindre et se remettait au travail, mais l'idée obsédante qu'il reste des saletés dans la machine, en plus des lettres qui s'emmêlaient constamment, lui faisait oublier ce qu'elle écrivait. Elle rapportait alors la machine à l'évier et terminait de la nettoyer avec une vieille brosse à dents.

De cette manière, Madeleine s'efforça de devenir victorianiste.

Elle espérait que son article serait prêt avant décembre, afin de pouvoir le joindre à ses demandes de troisième cycle. Un article accepté par la *Janeite Review* et figurant comme « à paraître » dans son CV était également très précieux. En l'éconduisant, tel un petit ami dont elle n'était pas sûre qu'il lui plaise tant que ça, Yale était logiquement devenue plus désirable à ses yeux. Mais elle n'avait pas pour autant l'intention de rester cloîtrée chez elle à attendre que le téléphone sonne. Bien décidée à papillonner cette fois-ci, elle avait commencé à flirter avec la vieille et riche Harvard, la courtoise Columbia, la cérébrale Chicago et la fiable Michigan ; elle faisait même les yeux doux à l'humble Baxter College (si Baxter ne l'acceptait pas dans son médiocre troisième cycle de littérature alors qu'elle était la fille de l'ancien président, Madeleine comprendrait qu'il valait mieux qu'elle renonce purement et simplement à l'idée de devenir universitaire). Mais elle ne pensait pas aller à Baxter. Elle priait pour ne pas y être contrainte. À cette fin, elle se remit à réviser pour le GRE, dans l'espoir d'améliorer son score dans les parties mathématiques et logique. Pour se préparer au test de littérature, elle comblait ses lacunes en feuilletant son anthologie de poésie anglaise.

Quoi qu'elle fasse, cependant – qu'elle écrive ou qu'elle lise –, ce n'était pas très efficace, pour la simple et bonne raison que ses obligations envers Leonard passaient avant. À présent qu'ils étaient à Cape Cod, Leonard n'avait plus de thérapeute local à qui parler. Il devait se contenter de séances par téléphone, au rythme d'une par semaine, avec Bryce Ellis, son psychiatre de Providence. Depuis quelque temps, il en voyait également un nouveau, le Dr Perlmann, au Massachusetts General Hospital de Boston, avec qui il n'accrochait pas. Hanté par la peur de ne pas donner satisfaction au labo, Leonard racontait ses problèmes à Madeleine, le soir, en rentrant. Pour lui, elle était une sorte de substitut de thérapie. « J'ai tremblé comme un fou aujourd'hui. J'arrive à peine à faire les préparations à cause de ces tremblements. Je fais tout tomber. Aujourd'hui, j'ai fait tomber un ballon. Il y avait de la gélose partout. Je sais ce qu'il se dit, Kilimnik. Il se dit : "Pourquoi on a donné une bourse à ce gars-là ?" »

Leonard tenait sa maladie secrète à Pilgrim Lake. Il savait d'expérience que lorsque les gens apprenaient qu'il avait été hospitalisé et, surtout, qu'il avalait un médicament deux fois par jour pour stabiliser son humeur, ils le traitaient différemment. Ils coupaient parfois les ponts avec lui, ou l'évitaient. Madeleine avait promis de n'en parler à personne, mais en août, à New York, elle l'avait dit à Kelly Traub. Elle lui avait fait jurer de garder le secret, mais Kelly finirait tôt ou tard par en parler à une amie, en lui faisant jurer de garder le secret, cette amie en parlerait à une autre, et de fil en aiguille la maladie de Leonard deviendrait connue de la terre entière.

Mais la terre entière, en ce jour d'octobre, à l'aéroport de Provincetown, Madeleine s'en fichait. C'était à Phyllida et à Alwyn, dont le coucou en provenance de Boston devait atterrir d'un instant à l'autre, qu'il lui importait de le cacher. Avec un peu de chance, la crise maritale d'Alwyn détournerait l'attention des histoires de cœur de Madeleine, mais, par sécurité, celle-ci avait l'intention de limiter au minimum les contacts entre sa famille et Leonard.

Le minuscule aéroport se réduisait à une piste unique et à une baraque préfabriquée en guise d'aérogare. Dehors, sous le soleil automnal, un petit groupe de gens attendaient, certains en bavardant, d'autres en guettant l'avion dans le ciel.

Pour accueillir sa mère, Madeleine avait mis un short en lin beige, un chemisier blanc et un pull marin rayé à col en V. L'avantage de ne plus être à l'université – et d'habiter Cape Cod, non loin de Hyannisport – était que rien désormais n'empêchait Madeleine de porter les tenues kennedyesques dans lesquelles elle se sentait le plus à l'aise. Le style bohème ne lui avait jamais réussi, de toute façon. En deuxième année, elle avait acheté une chemise de bowling en satin bleu électrique avec le prénom « Mel » brodé sur la poche et s'était mise à la porter lors des soirées chez Mitchell. Trop souvent sans doute, car un soir il avait fait la grimace et dit :

— Attends... C'est ça, ton genre artiste ?

— Qu'est-ce que tu veux dire ?

— Tu portes cette chemise de bowling chaque fois que tu es avec moi et mes copains.

— Larry a la même, s'était défendue Madeleine.

— Oui, mais la sienne est toute déchirée. La tienne est en parfait état. On dirait la chemise de bowling de Louis XIV. C'est pas « Mel » qui devrait être écrit sur la poche, c'est « Le Roi-Soleil ».

Madeleine sourit intérieurement en y repensant. Mitchell était en France à l'heure qu'il était, ou en Espagne, ou ailleurs. Le soir où elle était tombée sur lui à New York avait commencé par une sortie au théâtre : Kelly Traub l'avait emmenée voir *La Cerisaie* dans une petite salle avant-gardiste. L'ingéniosité de la mise en scène – on avait rempli des paniers de pétales de fleur de cerisier entre les sièges, pour que le public sente l'odeur de la cerisaie vendue par les Ranevski avec leur domaine – et l'air passionné des visages dans la salle avaient fait remarquer à Madeleine qu'elle se trouvait dans une grande ville. Après la pièce, Kelly l'avait emmenée dans un bar apprécié des nouveaux diplômés de Brown. À peine entrées, elles étaient tombées sur Mitchell et Larry. Les deux garçons partaient pour Paris le lendemain, et ils étaient de l'humeur festive des veilles de départ. Madeleine but deux vodkas tonic – Mitchell carburait à la tequila –, puis Kelly voulut aller au Chumley's dans le Village. Tous les quatre s'entassèrent dans un taxi, Madeleine s'asseyant sur les genoux de Mitchell. Il était largement plus de minuit. Alors que la chaleur tropicale des rues s'engouffrait par les fenêtres ouvertes, Madeleine s'appuyait contre Mitchell sans chercher à minimiser le contact physique avec lui. Tous deux faisaient comme si cette situation était dénuée de toute composante sexuelle, ce qui la rendait d'autant plus excitante. Madeleine regardait par la fenêtre pendant que Mitchell parlait avec Larry. Chaque secousse apportait son lot d'informations secrètes. Ils remontèrent ainsi toute la 9ᵉ Rue Est. Si Madeleine se sentait coupable, elle se raisonnait en se disant qu'elle avait bien droit à une soirée de détente après son été vertueux. De plus, personne dans le taxi n'allait le lui reprocher. En tout cas, pas Mitchell qui, tandis que le trajet se poursuivait, se montra effrontément entreprenant. Passant la main sous son chemisier, il se mit à lui caresser la peau du bout du doigt le long de la cage thoracique. Personne ne voyait ce qu'il faisait. Madeleine le laissa continuer, tous deux feignant d'être absorbés par leurs discussions respectives avec Kelly et Larry. Après quelques centaines de mètres, Mitchell s'aventura un peu plus haut. Lorsque son doigt tenta de se glisser sous le bonnet droit de son soutien-gorge, elle lui bloqua la main avec le bras, et il abandonna.

Au Chumley's, Mitchell amusa tout le monde en racontant la période, pendant l'été, où il avait lui-même travaillé comme taxi. Madeleine parla avec Kelly un moment, mais il ne fallut pas longtemps avant qu'elle se retrouve dans le coin à côté de Mitchell. Bien que l'esprit embrumé par la vodka, elle avait conscience d'éviter volontairement de prononcer le nom de Leonard. Mitchell lui montra les marques de piqûre sur le haut de ses bras, là où on l'avait vacciné cet après-midi-là. Puis il retourna chercher à boire. Elle avait oublié combien il pouvait être drôle. Il était tellement facile à vivre, comparé à Leonard. Environ une heure plus tard, Madeleine sortit héler un taxi et Mitchell la suivit. L'instant d'après, il l'embrassait et réciproquement. Ça ne dura pas longtemps, mais bien plus que ça n'aurait dû. À la fin, elle s'écarta et s'écria :

– Je croyais que tu voulais te faire moine !

– La chair est faible, dit Mitchell, tout sourire.

– Va-t'en ! dit Madeleine en lui frappant la poitrine. Pars en Inde !

Il la regardait de ses grands yeux. Il lui prit les mains. « Je t'aime », dit-il. Et Madeleine se surprit en répondant : « Je t'aime aussi. » Elle voulait dire d'affection, pas d'amour. C'était, du moins, une interprétation possible, mais là, dans Bedford Street, à trois heures du matin, Madeleine décida de ne pas creuser le sujet. Après un dernier baiser, bref et froid, elle arrêta un taxi et s'enfuit.

Le lendemain matin, quand Kelly lui demanda ce qui s'était passé avec Mitchell, Madeleine mentit.

– Rien.

– Je l'ai trouvé mignon, dit Kelly. Plus que dans mes souvenirs.

– Ah bon ?

– Il est assez mon genre.

En entendant cela, Madeleine eut une autre surprise : elle ressentit de la jalousie. Apparemment, elle voulait garder Mitchell pour elle toute seule, bien que refusant de l'admettre. Son égoïsme ne connaissait aucune limite.

– Il est sans doute dans l'avion à l'heure qu'il est, dit-elle, et elle s'en tint là.

Dans le train qui la ramenait dans le Rhode Island, Madeleine commença à avoir des remords. Elle décida qu'il fallait qu'elle dise à Leonard ce qui s'était passé, mais le temps que le train arrive à Providence, elle s'aperçut que cela ne ferait qu'aggraver les choses. Leonard penserait qu'il la perdait à cause de sa maladie. Il aurait l'impression de ne pas être à la hauteur sexuellement, et il n'aurait pas tout à fait tort. Mitchell était parti, il avait quitté le pays, et bientôt Madeleine et Leonard s'installeraient à Pilgrim Lake. Avec cette idée en tête, Madeleine s'abstint d'avouer. Elle se consacra à nouveau à son rôle d'infirmière amoureuse au service de Leonard, et au bout d'un moment ce fut comme si l'expérience de ce baiser nocturne avec Mitchell avait eu lieu dans une autre réalité, une réalité onirique et éphémère.

À présent, descendant lentement vers la péninsule au milieu de petits nuages cotonneux, le dix places en provenance de Boston apparut dans le ciel de Cape Cod. Parmi les gens venus accueillir les passagers, Madeleine regarda l'avion atterrir puis se ranger devant l'aérogare, le souffle de ses hélices couchant l'herbe sur les dunes de chaque côté.

Le personnel au sol installa une passerelle mobile devant la porte avant de l'appareil, qui s'ouvrit de l'intérieur, et les passagers commencèrent à débarquer.

Madeleine savait que le couple de sa sœur battait de l'aile. Elle savait que son rôle aujourd'hui était d'être obligeante et compréhensive, mais en voyant Phyllida et Alwyn sortir de l'avion, elle ne put s'empêcher de regretter que les signes de la main qu'elle leur adressait soient un bonjour et non un au revoir. Elle avait espéré repousser toute visite parentale jusqu'à ce que les effets secondaires du traitement de Leonard se soient dissipés, ce qui ne devait pas tarder, tous les médecins étaient formels. Madeleine n'avait pas vraiment honte de Leonard, elle était simplement déçue que Phyllida le voie dans son état présent. Leonard n'était pas lui-même. L'idée que Phyllida allait se faire de lui serait forcément faussée. Madeleine voulait que sa mère connaisse le vrai Leonard, le garçon dont elle était tombée amoureuse, et dont le retour était imminent.

Quant à ses retrouvailles avec Alwyn, elles ne s'annonçaient pas sous les meilleurs auspices. À l'époque où elle lui avait envoyé le « Kit de survie de la petite célibataire », la grande sœur de Madeleine profitait des années 60 et des privilèges qui allaient avec pour dénoncer tout ce qui ne lui plaisait pas et écouter ses envies – parmi lesquelles arrêter ses études au bout d'un an pour sillonner le pays à l'arrière de la moto de son petit ami Grimm, avoir un rat blanc étonnamment mignon nommé Hendrix comme animal domestique, apprendre à fabriquer des bougies selon les méthodes celtiques ancestrales –, et elle semblait ouvrir une voie moralement engagée de créativité antimatérialiste. Mais lorsque Madeleine avait atteint l'âge qu'Alwyn avait alors, elle s'était aperçue que l'iconoclasme et les engagements libertaires de sa sœur étaient dictés par une mode. Alwyn n'avait fait qu'imiter ses amis, ses prises de position étaient aussi les leurs. On était censé regretter de ne pas avoir vécu les années 60, mais ce n'était pas le cas de Madeleine. Elle avait l'impression qu'on lui avait épargné beaucoup d'absurdités et que les jeunes gens de sa génération, tout en héritant d'une bonne partie de ce qu'elle avait de positif, gardaient une distance saine par rapport à cette décennie, ce qui les dispensait du choc brutal qu'on éprouvait en étant maoïste un jour et mère au foyer à Beverly, Massachusetts, le lendemain. Lorsqu'il s'était avéré qu'Alwyn ne passerait pas sa vie à l'arrière de la moto de Grimm, celui-ci l'ayant abandonnée dans un campement du Montana sans même lui dire au revoir, Alwyn avait appelé à la maison et demandé à Phyllida de lui envoyer un mandat afin de se payer un billet d'avion pour Newark, et, un jour et demi plus tard, elle réintégrait son ancienne chambre à Prettybrook. Elle avait passé les deux années suivantes (pendant que Madeleine terminait le lycée) à travailler comme serveuse dans divers établissements tout en étudiant le graphisme dans un centre universitaire pour adultes. Durant cette période, le charme qu'avait Alwyn aux yeux de sa petite sœur avait considérablement diminué, pour ne pas dire complètement disparu. Une fois de plus, Alwyn s'était adaptée à son environnement. Elle sortait au pub local, l'Apothecary, avec celles de ses amies qui, elles non plus, n'avaient pas réussi à quitter Prettybrook, toutes revenant aux vêtements baba cool qu'elles portaient autrefois dans leurs lycées privés : pantalons en velours côtelé, pulls ras du cou et mocassins L.L.Bean. Un soir, à l'Apothecary, elle avait rencontré Blake Higgins, un garçon pas trop moche ni trop idiot qui avait étudié le commerce à Babson et habitait Boston, et elle avait rapidement commencé à aller le voir là-bas, et à s'habiller selon ses goûts à lui ou ceux de ses parents – plus chic, plus cher, chemisiers et robes Gucci ou Oscar de la Renta –, se préparant à être une épouse. Alwyn, dans cette dernière incarnation, était à présent mariée depuis quatre ans, et voilà que cette tentative de renouer avec ses valeurs d'origine tombait à l'eau à son tour, apparemment. Madeleine était donc appelée à la rescousse, en tant que membre la plus équilibrée de la fratrie, pour essayer de rattraper le coup.

Elle regarda sa mère et sa sœur descendre la passerelle, Phyllida se tenant à la rampe, la chevelure à la Janis Joplin d'Alwyn, dernier vestige de sa période hippie, fouettée par le vent. Tandis qu'elles avançaient sur le tarmac, Phyllida lança gaiement :

– Nous sommes de l'Académie suédoise ! Nous venons voir Diane MacGregor.

– C'est formidable que ce soit elle qui ait gagné, non ? dit Madeleine.

– Ç'a dû être l'euphorie, ici.

Elles se serrèrent dans les bras, puis Phyllida reprit :

– Nous avons dîné avec les Snyder l'autre soir. Le Pr Snyder enseignait la biologie à Baxter avant de prendre sa retraite, et je lui ai demandé de m'expliquer le travail du Dr MacGregor. Je sais tout sur les « facteurs génétiques mobiles » ! J'ai hâte d'en discuter avec Leonard.

– Il est assez occupé, aujourd'hui, dit Madeleine en essayant de prendre un ton détaché. On ne savait pas que vous veniez avant hier soir et il a du travail.

– Bien sûr, nous ne voulons pas l'accaparer. Nous nous contenterons d'un petit bonjour en vitesse.

Alwyn portait deux petits sacs, un à chaque épaule. Elle avait grossi et semblait avoir plus de taches de rousseur que jamais. Elle se laissa étreindre un moment avant de se dégager.

– Qu'est-ce que t'a dit maman ? demanda-t-elle. Elle t'a dit que j'avais *quitté* Blake ?

– Elle a dit que vous aviez des problèmes.

– Non. Je l'ai quitté. J'en ai assez. Le mariage, c'est terminé.

– Ne dramatise pas, chérie, dit Phyllida.

– Je ne dramatise pas, maman.

Alwyn regarda Phyllida d'un air mauvais, mais, ayant peut-être peur de l'affronter directement, elle se tourna vers Madeleine pour développer ses arguments.

– Blake bosse toute la semaine. Et, le week-end, il joue au golf. On dirait un père des années 50. Et on ne prend quasiment jamais de baby-sitter. Je voulais une nounou à domicile mais Blake a dit qu'il ne voulait pas qu'il y ait quelqu'un à la maison tout le temps. Je lui ai dit : « Mais toi, tu n'y es jamais, à la maison ! Essaie de t'occuper de Richard à temps complet. Moi, je m'en vais. »

Puis, faisant la grimace :

– Le problème, c'est que mes nichons vont exploser.

Dehors, devant tout le monde, elle empoigna à deux mains ses seins gorgés de lait.

– Ally, s'il te plaît, dit Phyllida.

– S'il te plaît, quoi ? Tu n'as pas voulu que je tire du lait dans l'avion. Qu'est-ce que tu crois ?

– Il y a plus intime qu'un avion. Et le vol était si court.

– Maman avait peur que ça excite les hommes de la rangée d'à côté, expliqua Alwyn.

– Je ne comprends déjà pas pourquoi tu allaites Richard en public. Mais que tu utilises ce machin…

– Ça s'appelle un tire-lait, maman. Toutes les mères en ont. Ce n'est plus comme à ton époque, on ne nourrit plus les enfants au lait maternisé.

– Vous n'avez pas l'air d'en avoir souffert, toutes les deux.

Quand Alwyn était tombée enceinte, il y avait un peu plus d'un an, Phyllida avait été ravie. Elle était allée à Beverly pour aider à décorer la chambre du bébé. Alwyn et elle avaient fait les boutiques pour acheter de la layette, et Phyllida avait expédié l'ancien berceau d'Alwyn et de Maddy depuis Prettybrook. Leur solidarité mère-fille avait duré jusqu'à la naissance. Une fois Richard venu au monde, Alwyn était soudain devenue une experte dans la manière de s'occuper des bébés et n'aimait rien de ce que leur mère faisait. Quand Phyllida avait apporté une tétine un jour, Alwyn avait réagi comme si on proposait de donner du verre pilé à manger à son enfant. Elle soutenait que la marque de lingettes pour bébés achetée par Phyllida était « toxique ». Et elle lui avait sauté à la gorge quand elle avait qualifié l'allaitement de « mode ». Pourquoi Alwyn avait tenu à allaiter Richard aussi longtemps dépassait l'entendement de Phyllida. Lorsqu'elle-même était jeune maman, la seule personne qu'elle connaissait qui avait voulu allaiter ses enfants était Katja Fridliefsdottir, leur voisine islandaise. Avoir un enfant était devenu incroyablement compliqué, selon Phyllida. Pourquoi fallait-il qu'Alwyn lise tous ces livres sur l'éducation ? Pourquoi avait-elle besoin d'une « coach d'allaitement » ? Si allaiter était aussi « naturel » que le prétendait Alwyn, pourquoi une coach était-elle nécessaire ? Ally avait-elle besoin d'une coach pour respirer, ou pour dormir ?

– Ton cadeau de fin d'études, je suppose, dit Phyllida lorsqu'elles arrivèrent à la voiture.

– Tout à fait. Je l'adore. Merci, maman.

Alwyn monta à l'arrière avec ses sacs.

– Vous ne m'avez jamais offert de voiture, à moi, dit-elle.

– Tu n'as pas terminé tes études, lui rappela Phyllida. Mais nous avons contribué à ton apport pour ton crédit immobilier.

Alors que Madeleine démarrait, Phyllida poursuivit :

– Je ne sais pas comment convaincre votre père d'acheter une nouvelle voiture. Il continue de rouler dans son affreuse

Thunderbird. Vous vous rendez compte ? J'ai lu dans le journal qu'il y avait un artiste qui s'était fait *enterrer* dans sa voiture. J'ai découpé l'article pour Alton.

– L'idée a dû plaire à papa, dit Madeleine.

– Penses-tu ! Il est devenu très solennel sur la question de la mort. Ça date de son soixantième anniversaire. Depuis, il fait de la gym suédoise au sous-sol.

Alwyn ouvrit la fermeture Éclair d'un de ses sacs et en sortit le tire-lait et un biberon vide. Elle commença à déboutonner son chemisier.

– C'est loin, chez toi ? demanda-t-elle à Madeleine.

– On en a pour cinq minutes.

Phyllida jeta un coup d'œil à l'arrière pour voir ce que faisait Alwyn.

– Tu veux bien remonter la capote, s'il te plaît, Madeleine ? dit-elle.

– Ne t'inquiète pas, maman, dit Alwyn. On est à P-town, ici. Les hommes sont tous homos. Personne n'est intéressé.

Obéissant aux ordres, Madeleine remonta la capote. Lorsque le déclic final eut retenti, elle quitta le parking de l'aéroport et s'engagea sur Race Point Road. La route s'enfonçait entre des dunes protégées, blanches sur le fond bleu du ciel. Derrière le premier virage, quelques maisons contemporaines isolées surgirent, avec vérandas et baies vitrées coulissantes, puis la voiture entra dans les allées bordées de haies de Provincetown.

– Puisque tu te sens si submergée, Ally, dit Phyllida, ce serait peut-être le moment de sevrer Richard Cœur de Lion.

– Il paraît qu'il faut six mois pour qu'un enfant développe tous ses anticorps, dit Alwyn en pompant.

– Je me demande si c'est très scientifique.

– Toutes les études préconisent au moins six mois. J'ai l'intention de faire un an.

– Dans ce cas, dit Phyllida en jetant à Madeleine un regard en coin, tu ferais peut-être bien de retourner auprès de ton fils.

– Je ne veux plus parler de ça.

– Très bien. Parlons d'autre chose. Madeleine, est-ce que tu te plais ici ?

– Énormément. Sauf que je me sens idiote parfois. Tout le monde ici a eu 800 en maths aux SAT[1]. Mais l'endroit est magnifique, et la cuisine est un délice.

– Et pour Leonard, ça se passe bien ?

– Il est content, mentit Madeleine.

– Tu ne t'ennuies pas trop ?

– Moi ? Je suis *débordée*. Je réécris mon mémoire pour la *Janeite Review*.

– Tu vas être publiée ? C'est merveilleux ! Comment s'abonne-t-on à cette revue ?

– L'article n'est pas encore accepté, mais la rédactrice en chef veut le lire, alors je croise les doigts.

– Si tu veux avoir une carrière, dit Alwyn, je te déconseille de te marier. Tu crois que les choses ont changé, qu'on est arrivé à une sorte d'égalité des sexes, que les hommes ne sont plus les mêmes, mais j'ai une mauvaise nouvelle pour toi : c'est faux. Les hommes sont toujours aussi salauds et égoïstes que l'était papa. Que l'*est* papa.

– Ally, je n'aime pas t'entendre parler de ton père ainsi.

– *Jawohl*, dit Alwyn, avant de se taire.

La pittoresque petite ville, avec ses maisons exposées aux intempéries, ses courettes au sol sableux et ses rosiers coriaces, se vidait progressivement depuis Labor Day, les hordes de vacanciers qui envahissaient Commercial Street se réduisant à la population des autochtones et gens travaillant là toute l'année. En passant devant le Pilgrim Monument, Madeleine

---

1. *Scholastic Aptitude Tests* : examen d'entrée à l'université. 800 est la note maximale de la partie mathématiques.

roula au pas pour que Phyllida et Alwyn le voient. Les seuls touristes présents étaient un couple avec deux enfants, la tête levée vers le sommet de la tour de pierre.

– On peut pas monter ? dit l'un des enfants.

– On regarde, c'est tout, dit la mère.

Madeleine reprit sa route, et elles arrivèrent bientôt de l'autre côté de la ville.

– Ce n'est pas Norman Mailer qui vit ici ? s'enquit Phyllida.

– Il a une maison sur le front de mer, dit Madeleine.

– Nous l'avons rencontré une fois, votre père et moi. Il était *complètement* ivre.

Quelques instants plus tard, Madeleine tourna pour franchir le portail du Pilgrim Lake Laboratory et suivit la longue allée jusqu'au parking près du réfectoire. Phyllida et elle descendirent, mais Alwyn resta assise avec son tire-lait.

– Laissez-moi juste terminer ce côté, dit-elle. Je ferai l'autre plus tard.

Elles attendirent sous le vif soleil d'automne. On était en pleine journée, en pleine semaine. La seule personne visible à l'extérieur était un homme avec une casquette de base-ball, qui livrait des fruits de mer à la cuisine. La Jaguar de collection du Dr Malkiel était garée à quelques emplacements de là.

Alwyn termina de pomper et referma le biberon. Son lait avait l'air étrangement vert. Ouvrant l'autre sac, qui, se révéla-t-il, était isotherme et contenait un bloc réfrigérant, elle plaça le biberon à l'intérieur et sortit de la voiture.

Madeleine fit rapidement visiter le complexe à sa mère et à sa sœur. Elle leur montra la sculpture de Richard Serra, la plage, le réfectoire, puis elle les emmena par l'allée principale en direction de son immeuble.

En passant devant le labo de génétique, Madeleine le montra du doigt.

– C'est là que travaille Leonard.

– Allons lui dire bonjour, suggéra Phyllida.

– Il faut d'abord que je passe chez Maddy, dit Alwyn.

– Ça peut attendre. Puisque nous sommes là.

Madeleine se demanda si ce n'était pas une manière pour Phyllida de punir Alwyn, de lui faire expier ses péchés. En tout cas, cela arrangeait bien Madeleine, qui ne voulait pas rester longtemps au labo, et elle les conduisit à l'intérieur. Elle eut du mal à trouver son chemin. Elle n'était entrée là que quelques fois et tous les couloirs se ressemblaient. Elle finit par aviser la pancarte où était écrit à la main « Équipe Kilimnik ».

Dans la salle bien éclairée régnait un désordre organisé. Des cartons s'empilaient sur les étagères et dans les coins. Tubes à essais et vases à bec garnissaient les vitrines murales et trônaient sur les tables comme de petits soldats. Près d'un lavabo, on avait laissé un vaporisateur de désinfectant ainsi qu'une boîte de lingettes Kimwipes.

Vikram Jaitly, vêtu d'un pull à motifs comme en portait Bill Cosby dans le *Cosby Show*, était assis à son bureau. Il leva les yeux lorsque Madeleine entra, redoutant que ce soit Kilimnik, mais, en reconnaissant Madeleine, il se détendit. Elle lui demanda où était Leonard.

– Il est dans la pièce à trente degrés, dit Vikram en pointant le doigt vers le fond de la salle. Allez-y.

Il y avait un réfrigérateur fermé par un cadenas à côté de la porte. Madeleine regarda par la vitre et vit Leonard, de dos, debout devant une machine qui vibrait. Il portait un bandana, un short et un tee-shirt – pas vraiment la tenue qu'elle espérait. Mais il était trop tard pour qu'il se change à présent, aussi ouvrit-elle la porte et elles entrèrent toutes les trois.

Madeleine avait compris trente degrés Fahrenheit, c'est-à-dire moins de zéro degré Celsius, mais Vikram avait parlé en Celsius. Il faisait chaud. Ça sentait comme dans une boulangerie.

– Coucou, dit Madeleine, c'est nous.

Leonard se retourna. Il n'était pas rasé, et son visage était sans expression. La machine derrière lui faisait entendre des tintements.

– Leonard ! s'exclama Phyllida. Quel plaisir de vous connaître enfin.

Leonard sortit alors soudain de sa torpeur.

– Bonjour, dit-il.

Il s'avança et tendit la main. Phyllida parut un instant déstabilisée, puis elle la lui serra et dit :

– Nous ne vous dérangeons pas, j'espère.

– Non, je faisais des manipulations de base. Désolé pour l'odeur. Il y a des gens que ça dérange.

– La science vaut tous les sacrifices, dit Phyllida, avant de présenter Alwyn.

Si Phyllida fut surprise par l'apparence de Leonard, elle ne le montra pas. Elle se mit aussitôt à parler des facteurs génétiques mobiles du Dr MacGregor, ressortant tout ce qu'elle avait appris lors de son dîner avec son ami biologiste. Puis elle demanda à Leonard d'expliquer son travail.

– Eh bien, dit-il, nous travaillons sur les levures, et c'est ici que nous les cultivons. Cette machine que vous voyez là est une table vibrante. Nous y plaçons les levures pour les aérer.

Il souleva le couvercle et sortit un ballon rempli de liquide jaune.

– Je vais vous montrer.

Il les fit ressortir dans la salle principale et posa le ballon sur une table.

– Les expériences que nous faisons portent sur la reproduction des levures.

Phyllida haussa les sourcils.

– J'ignorais que c'était si intéressant, la levure. Vous voulez bien nous éclairer ?

Tandis que Leonard commençait ses explications, Madeleine se détendit. C'était le genre de chose que Phyllida aimait : être informée par des experts dans le domaine concerné, quel que soit le domaine.

Leonard plongea dans le ballon une pipette sortie d'un tiroir.

– À l'aide de cette pipette, je dépose maintenant une goutte de culture sur une lamelle porte-objet, afin que nous puissions observer les levures.

– Mon Dieu, une pipette ! s'exclama Alwyn. Je n'avais pas entendu ce mot-là depuis le lycée.

– Il existe deux sortes de cellules de levure, les cellules haploïdes et diploïdes. Les cellules haploïdes sont les seules qui s'accouplent. Elles-mêmes se divisent en deux catégories : les cellules « a » et « α ». Pour s'accoupler, les cellules « a » choisissent les cellules « α » et vice versa.

Il installa la lamelle sur la platine du microscope.

– Regardez.

Phyllida s'approcha et se pencha vers l'oculaire.

– Je ne vois rien, dit-elle.

– Il faut utiliser la vis de réglage.

Quand Leonard leva la main pour l'aider, celle-ci tremblait légèrement, et il se tint au bord de la table.

– Ah, les voilà, dit Phyllida en réglant elle-même la netteté.

– Vous les voyez ? Ça, ce sont des cellules de levure. Si vous les observez attentivement, vous remarquerez qu'il y en a de plus grosses que d'autres.

– Oui !

– Les grosses sont des cellules diploïdes. Les haploïdes sont plus petites. Concentrez-vous sur les plus petites, les haploïdes. Certaines devraient être allongées. C'est la forme qu'elles prennent avant de s'accoupler.

– J'en vois une qui a une… protubérance à une extrémité.

– C'est ce qu'on appelle un shmoo. C'est une haploïde prête à s'accoupler.

– Un shmoo ? releva Alwyn.

– C'était le nom d'une créature en forme de quille de bowling dans *Li'l Abner*, expliqua Leonard. La bande dessinée.

– J'ai quel âge, d'après toi ? dit Alwyn.

– Je me souviens du personnage principal, dit Phyllida, regardant toujours dans le microscope. Un paysan grossier, stupide. Pas très amusant, d'après mes souvenirs.

– Parle-leur des phéromones, intervint Madeleine.

Leonard hocha la tête.

– Les cellules de levure libèrent des phéromones, une sorte de parfum chimique. Les cellules « a » libèrent des phéromones « a » et les cellules « α » des phéromones « α ». C'est comme ça qu'elles s'attirent.

Phyllida resta encore une minute l'œil collé à l'oculaire, en ne faisant que peu de commentaires sur ce qu'elle voyait. Elle finit par relever la tête.

– Eh bien, je ne penserai plus jamais à la levure tout à fait comme avant. Tu veux regarder, Ally ?

– Non, merci. Question accouplement, j'ai eu mon compte, dit Alwyn, amère.

Phyllida fit comme si elle n'avait pas entendu.

– Leonard, reprit-elle, les haploïdes, les diploïdes, c'est à peu près clair, maintenant. Mais que cherchez-vous à découvrir sur ces cellules ?

– Nous essayons de comprendre pourquoi la progéniture d'une division cellulaire donnée peut connaître des sorts développementaux différents.

– Mon Dieu... Je n'aurais peut-être pas dû poser la question.

– Ce n'est pas si compliqué. Vous vous rappelez, les deux types de cellules haploïdes, le type « a » et le type « α » ?

– Oui.

– Eh bien, ces cellules se divisent encore en deux sous-catégories. Nous les appelons les cellules mères et les cellules filles. Les cellules mères peuvent bourgeonner et créer de nouvelles cellules. Les cellules filles, non. Les cellules mères peuvent changer de sexe – passer de « a » à « α » – de façon à s'accoupler. Nous essayons de comprendre pourquoi les cellules mères sont capables de faire ça et pas leurs enfants.

– Je sais, moi, dit Phyllida. C'est parce que les mères ont toujours raison.

– Il y a mille raisons possibles pour expliquer cette asymétrie, poursuivit Leonard. Nous en testons une, qui est liée au gène HO. C'est compliqué, mais, en gros, nous démontons le gène HO et nous le remontons à l'envers, de manière que son sens de lecture soit inversé par rapport à l'autre brin d'ADN. Si cette manipulation permet à une cellule fille de changer de sexe, on pourra en déduire que c'est le gène HO qui détermine l'asymétrie.

– Je crains que vous ne m'ayez perdue en route.

C'était la première fois que Madeleine entendait Leonard s'ouvrir ainsi à propos de son travail. Jusque-là, il n'avait fait que se plaindre. Il n'aimait pas Bob Kilimnik, qui le traitait comme un larbin. Il disait qu'en réalité, le travail de laboratoire était aussi fastidieux que d'épouiller des cheveux au peigne. Tout à coup, il avait l'air réellement intéressé par ce qu'il faisait. Son visage s'animait tandis qu'il parlait. Heureuse de le voir reprendre vie, Madeleine en oublia que sa mère le voyait avec des kilos en trop, et un bandana sur la tête, et elle écouta ce qu'il disait.

– Si nous étudions les cellules de levure, c'est parce qu'elles sont fondamentalement semblables aux cellules humaines, en beaucoup plus simples. Les haploïdes ressemblent aux gamètes, nos cellules sexuelles. L'espoir, c'est que nos découvertes sur les cellules de levure s'appliqueront aux cellules humaines. Si nous arrivons à comprendre comment et pourquoi elles bourgeonnent, nous trouverons peut-être un moyen d'enrayer ce processus. Il y a des éléments qui tendent à montrer que le bourgeonnement des levures est analogue à celui des cellules cancéreuses.

– En fait, vous mettez au point un remède contre le cancer ? s'enthousiasma Phyllida.

– Pas dans le cadre de cette étude, non, dit Leonard. Je parlais en général. Ce que nous faisons ici, c'est tester une hypothèse. Si Bob a raison, ça aura de grandes répercussions. Sinon, nous aurons au moins éliminé une possibilité. Et nous en tirerons les conséquences.

Il baissa la voix :

– Personnellement, je trouve l'hypothèse de cette étude un peu tirée par les cheveux. Mais personne ne m'a demandé mon avis.

– Leonard, quand avez-vous su que vous vouliez devenir chercheur ? demanda Phyllida.

– Au lycée. J'avais un excellent professeur de biologie.

– Vous êtes issu d'une longue lignée de scientifiques ?

– Pas du tout.

– Que font vos parents ?

– Mon père était antiquaire.

– Vraiment ? Où donc ?

– À Portland. Dans l'Oregon.

– Vos parents habitent toujours là-bas ?

– Ma mère, oui. Mon père est en Europe, maintenant. Ils sont divorcés.

– Ah, je vois.

Madeleine intervint alors :

– Maman, il faut y aller.

– Comment ?

– Leonard doit se remettre au travail.

– Mais oui, bien sûr. Bon. Je suis ravie de vous connaître. Je regrette que nous devions repartir si vite. Nous sommes venues sur un coup de tête.

– Restez plus longtemps la prochaine fois.

– Avec joie. Je reviendrai peut-être vous voir avec le père de Madeleine.

– Ce serait bien. Je suis désolé d'être si occupé aujourd'hui.

– Ne vous excusez pas. C'est la marche du progrès !

– Le piétinement, plutôt, ironisa Leonard.

Sitôt sortie, Alwyn demanda à ce qu'on l'emmène chez Madeleine.

– Je vais me mettre à couler partout sur mon chemisier.

– Ça arrive, ça ? dit Madeleine avec une grimace de dégoût.

– Oui. C'est comme si on était une vache.

Madeleine rit. Elle était tellement soulagée que la rencontre avec Leonard soit terminée que cela lui était presque égal de s'occuper à présent de la crise familiale. Elle conduisit Alwyn et Phyllida jusqu'à son immeuble de l'autre côté du parking. Alwyn commença à déboutonner son chemisier avant même d'être entrée. Une fois à l'intérieur, elle s'écroula sur le canapé et ressortit le tire-lait de son sac. Elle dégrafa son soutien-gorge d'allaitement et appliqua la ventouse sur son mamelon.

– Les plafonds sont très bas, dit Phyllida en détournant volontairement le regard.

– Je sais, dit Madeleine. Leonard est obligé de se baisser.

– Mais la vue est magnifique.

– Oh, bon Dieu, dit Alwyn en soupirant de plaisir. Ça fait un bien... Il paraît qu'il y a des femmes qui ont des orgasmes en allaitant.

– C'est appréciable, une vue sur l'océan.

– Tu vois ce que tu as raté, maman, en ne nous donnant pas le sein ?

Phyllida ferma les yeux et, d'un ton autoritaire :

– Tu veux bien aller faire ça ailleurs ?

– On est de la même famille, rétorqua Alwyn.

– Tu es devant une *immense fenêtre panoramique*, dit Phyllida. Si des gens passent, ils peuvent tout voir.

– Bon, ça va. Je vais dans la salle de bains. Il faut que je fasse pipi, de toute façon.

Elle se leva en tenant la pompe et le biberon qui se remplissait rapidement, et elle gagna la salle de bains en refermant la porte derrière elle.

Phyllida lissa la jupe de son tailleur et s'assit. Elle leva les yeux vers Madeleine et sourit d'un air indulgent.

– Ce n'est jamais facile pour un ménage, l'arrivée d'un enfant. C'est un événement formidable, mais ça met la vie de couple à rude épreuve. Voilà pourquoi on ne fonde pas un foyer avec n'importe qui.

Madeleine était déterminée à ignorer tout sous-entendu. Elle comptait tout prendre au premier degré.

– Blake est formidable, dit-elle.

– Mais bien sûr, confirma Phyllida. Et Ally aussi. Et Richard Cœur de Lion est un chou ! Mais la situation chez eux est désastreuse.

– Vous parlez de moi ? lança Alwyn depuis la salle de bains. Arrêtez de parler de moi.

– Quand tu auras fini, là-bas, répondit Phyllida, je veux que nous ayons une discussion toutes les trois.

On entendit le bruit de la chasse d'eau. Quelques secondes plus tard, Alwyn réapparut en continuant de tirer son lait.

– Inutile de te fatiguer, je ne rentrerai pas.

– Ally, dit Phyllida, de son ton le plus compatissant, je comprends que tu connaisses des difficultés dans ta vie de couple. Je peux concevoir que Blake, comme tout individu de l'espèce masculine, soit parfois défaillant pour ce qui est de s'occuper des enfants. Mais celui qui pâtit le plus de ton absence...

– Parfois défaillant ?!

– ... c'est Richard !

– C'est le seul moyen de montrer à Blake que je ne plaisante pas.

– En abandonnant ton enfant !

– Il est avec son père. J'ai laissé mon enfant à son père.

– Mais il a besoin de sa mère à son âge.

– Tu as peur que Blake ne sache pas s'occuper de lui, c'est tout. C'est précisément là que je veux en venir.

– Blake doit travailler. Il ne peut pas rester à la maison.

– Là, il ne va pas avoir le choix.

Exaspérée, Phyllida se releva et alla à la fenêtre.

– Madeleine, dit-elle, parle à ta sœur.

En tant que cadette, Madeleine ne s'était jamais retrouvée dans cette position. Elle ne voulait pas humilier Alwyn, pourtant il y avait quelque chose de grisant à ce qu'on lui demande de juger le comportement de sa sœur.

Ayant retiré le tire-lait de son sein, Alwyn se tamponnait à présent le mamelon avec une poignée de papier hygiénique, sa tête baissée lui donnant un double menton.

– Qu'est-ce qui se passe entre vous deux ? demanda Madeleine d'une voix douce.

Alwyn la regarda d'un air peiné en dégageant sa crinière de son visage avec sa main libre.

– Je ne suis plus moi ! explosa-t-elle. Je suis « maman ». *Blake* m'appelle maman. Au début, il ne le faisait que quand j'avais Richard dans les bras, mais maintenant, c'est même quand on est tous les deux. Comme si, parce que je suis une mère, je devais être la sienne. C'est d'un glauque ! Avant de nous marier, on partageait toutes les corvées. Mais à la seconde où on a eu un enfant, Blake a commencé à se comporter comme s'il était logique que ce soit moi qui m'occupe du linge et qui fasse les courses. Tout ce qu'il fait c'est travailler, *tout le temps*. Il ne cesse de s'inquiéter pour l'argent. Il ne fait plus rien dans la maison. Quand je dis plus rien, c'est plus rien. On ne couche même plus ensemble.

Elle jeta un regard à Phyllida.

– Désolée, maman, mais Maddy m'a demandé comment ça se passait.

Puis, se tournant à nouveau vers Madeleine :

– Voilà comment ça se passe. Mal.

Madeleine écouta sa sœur avec patience. Elle comprenait que les plaintes d'Alwyn sur son couple visaient le couple et les hommes en général. Mais, comme toute personne amoureuse, Madeleine était convaincue que son couple à elle était différent de tous les autres, immunisé contre les problèmes ordinaires. Le discours d'Alwyn n'eut donc d'autre effet que de la remplir d'un intense bonheur secret.

— Qu'est-ce que tu vas faire de ça ? demanda Madeleine en désignant le biberon.

— Je vais l'emporter à Boston et l'envoyer à Blake.

— C'est de la folie, Ally.

— Merci pour ton soutien.

— Excuse-moi. Je veux dire, Blake a l'air de se comporter comme une vraie merde. Mais je suis d'accord avec maman. Il faut que tu penses à Richard.

— Pourquoi ce serait ma responsabilité à moi ?

— Ça ne te paraît pas évident ?

— Pourquoi ? Parce que j'ai eu un enfant ? Parce que je suis une « épouse » maintenant ? Tu n'y comprends rien. Tu sors à peine de l'université.

— Ah, et ça veut dire que je ne peux pas avoir une opinion ?

— Ça veut dire que tu as besoin de grandir.

— Je crois que c'est toi qui refuses de grandir, dit Madeleine.

Les yeux d'Alwyn se rétrécirent.

— Pourquoi, quand je fais quelque chose, c'est toujours cette folle d'Ally ? Cette folle d'Ally s'installe dans un hôtel. Cette folle d'Ally abandonne ses enfants. C'est toujours moi la folle et Maddy la raisonnable. Tu parles.

— Moi, au moins, je n'envoie pas mon lait maternel par coursier !

Alwyn lui adressa un étrange sourire cruel.

— Tout va bien dans ta vie, donc.

— Je n'ai pas dit ça.

— Il n'y a rien de fou dans ta vie.

– Si un jour j'ai un enfant et que je m'enfuie, je te donne la permission de me traiter de folle.

– Et si tu sors avec un fou ? dit Alwyn.

– De quoi tu parles ?

– Tu sais très bien de quoi je parle.

– Ally, dit Phyllida en se retournant, je n'apprécie pas le ton que tu prends avec ta sœur. Elle essaie seulement de t'aider.

– Tu devrais peut-être lui demander ce que c'est que ce flacon de médicaments dans la salle de bains.

– Quel flacon ?

– Tu le sais très bien.

– Tu as fouillé dans mon armoire à pharmacie ? dit Madeleine en élevant la voix.

– C'était en évidence sur le rebord du lavabo !

– Tu as fouillé !

– Arrêtez, dit Phyllida. Ally, je ne sais pas ce que c'est que cette histoire, mais ça ne te regarde pas. Je ne veux même pas en entendre parler.

– Ben voyons ! s'écria Alwyn. Tu viens voir si Leonard ferait un bon mari, et quand tu découvres un problème grave – comme, par exemple, qu'il est peut-être sous *lithium* –, tu ne veux pas en entendre parler. Alors que mon couple à moi…

– Tu n'avais pas à lire l'étiquette.

– C'est toi qui m'as envoyée dans la salle de bains !

– Pas pour violer la vie privée de Madeleine. Maintenant, toutes les deux, ça suffit.

Elles passèrent le reste de l'après-midi à Provincetown. Elles déjeunèrent dans un restaurant près de Whaler's Wharf, un restaurant avec des filets de pêche accrochés aux murs. Une pancarte derrière la vitre informait les clients que l'établissement allait fermer dans une semaine. Après le déjeuner, elles marchèrent toutes les trois en silence dans Commercial Street, regardant les maisons, s'arrêtant dans les boutiques de souvenirs et les librairies-papeteries encore ouvertes ; elles allèrent sur la jetée pour voir les bateaux de pêche. Elles visitèrent la ville comme si de rien n'était (même si Madeleine et Alwyn se regardaient à peine) parce qu'elles étaient des Hanna et que les Hanna se comportaient ainsi. Phyllida insista même, chose qui ne lui ressemblait pas, pour qu'elles prennent un sundae. À quatre heures, elles reprirent la voiture. Sur le chemin de l'aéroport, Madeleine écrasa l'accélérateur tel un insecte, et Phyllida dut lui dire de ralentir.

L'avion pour Boston était sur la piste à leur arrivée, ses hélices déjà en marche. Des familles plus heureuses, venues raccompagner les leurs, s'étreignaient ou se faisaient des signes. Sans dire au revoir à Madeleine, Alwyn se joignit aux passagers qui attendaient et s'empressa d'engager la conversation avec l'un d'eux pour montrer combien les autres gens la trouvaient agréable et sympathique.

Phyllida resta silencieuse jusqu'à ce qu'elle soit sur le point de franchir la porte d'embarquement.

– J'espère que les vents se sont calmés. Ça secouait un peu à l'aller.

– Ça a l'air plus calme, dit Madeleine en regardant le ciel.

– Remercie encore Leonard pour nous. C'était vraiment très gentil à lui de nous donner de son temps.

– Ce sera fait.

– Au revoir, ma chérie, dit Phyllida avant de s'avancer sur la piste pour gravir la passerelle du petit avion.

Des nuages se rassemblaient à l'ouest lorsque Madeleine rentra à Pilgrim Lake. Le soleil amorçait déjà sa descente, l'angle de ses rayons donnant aux dunes la couleur du caramel. Cape Cod était un des rares endroits de la côte Est où on pouvait voir le soleil se coucher sur la mer. Les mouettes plongeaient en piqué dans l'eau, comme pour faire exploser leurs cerveaux minuscules.

De retour chez elle, Madeleine s'allongea sur le lit et resta là un moment, le regard fixé au plafond. Elle alla à la cuisine faire chauffer de l'eau, mais elle ne prépara pas le thé prévu et mangea une demi-tablette de chocolat à la place. Enfin, elle prit une longue douche. Elle venait de terminer quand elle entendit Leonard arriver.

Elle s'enveloppa dans une serviette et alla jusqu'à lui, passant ses bras autour de son cou.

— Merci, dit-elle.

— Pour quoi ?

— Pour ta patience avec ma famille. Pour ta gentillesse.

Elle n'arrivait pas à déterminer si c'était le tee-shirt de Leonard ou elle qui était humide. Elle réclama un baiser en levant la tête. Leonard ne paraissant pas disposé à lui en donner un, elle se hissa sur la pointe des pieds et prit l'initiative. Continuant malgré le léger goût métallique de la bouche de Leonard, elle glissa une main sous son tee-shirt. Elle laissa tomber sa serviette.

— Ah d'accord, fit Leonard. C'est parce que j'ai été gentil que j'ai droit à tout ça ?

— C'est parce que tu as été gentil.

Il la porta, un peu maladroitement, jusque dans la chambre, l'allongea sur le lit et commença à se déshabiller. Étendue sur le dos, Madeleine attendit sans rien dire. Lorsque Leonard monta sur elle, elle répondit en l'embrassant et en lui caressant le dos. Elle passa la main entre ses jambes et l'appuya contre son sexe. Étonnée de le découvrir aussi raide, ne l'ayant pas senti ainsi depuis des mois, elle eut l'impression qu'il était deux fois plus gros que dans ses souvenirs. Elle n'avait pas mesuré à quel point ça lui avait manqué. Leonard se releva sur les genoux et balaya de ses yeux noirs chaque détail de son corps. En appui sur un bras, il prit son sexe dans sa main et lui imprima un mouvement circulaire en pénétrant légèrement Madeleine. Pendant un instant de folie, Madeleine envisagea de le laisser faire. Elle ne voulait pas casser l'ambiance. Elle était prête à s'abandonner au risque pour lui montrer combien elle l'aimait. Elle arqua le dos pour l'encourager. Mais alors que

Leonard la pénétrait plus profondément, Madeleine se ravisa et dit : « Attends. »

Elle fit aussi vite que possible. Jetant les jambes par-dessus le bord du lit, elle ouvrit le tiroir de la table de nuit et sortit la petite boîte contenant son diaphragme. Elle retira le disque, avec son odeur de caoutchouc. Le tube de spermicide était tout froissé. Dans sa hâte Madeleine fit sortir trop de gel et il lui en coula un peu sur la cuisse. Elle écarta les genoux et, pliant l'objet en huit, elle l'inséra profondément en elle et le laissa se déplier. Après s'être essuyé la main sur le drap, elle revint rouler près de Leonard.

Lorsqu'il recommença à l'embrasser, elle remarqua ce goût métallique et aigre à nouveau, plus fort que jamais. Elle s'aperçut avec déception qu'elle n'était plus excitée. Mais ça, ce n'était pas grave. L'important, c'était d'aller jusqu'au bout de l'acte. Animée de cette intention, elle plongea à nouveau la main entre les jambes de Leonard, mais il n'était plus en érection. Madeleine fit comme si elle n'avait rien remarqué et se remit à l'embrasser, goulûment collée à sa bouche aigre dans l'espoir de lui communiquer son excitation simulée. Mais, au bout de trente secondes, Leonard s'écarta. Il roula lourdement sur le flanc, lui tournant le dos, sans un mot.

Un long froid s'ensuivit. Pour la toute première fois, Madeleine aurait voulu n'avoir jamais connu Leonard. Il était déficient, pas elle, et elle ne pouvait rien faire pour lui. La cruauté de cette pensée était jouissive et Madeleine s'y complut pendant quelques instants.

Mais ce sentiment disparut à son tour, et elle eut de la peine pour Leonard et se sentit coupable d'être aussi égoïste. Elle tendit la main vers lui et lui caressa le dos. Il pleurait à présent et elle essaya de le réconforter, prononçant les mots qu'il fallait, lui embrassant le visage, lui disant qu'elle l'aimait, elle l'aimait, tout allait s'arranger, elle l'aimait si fort.

Elle se blottit contre lui, et tous deux restèrent silencieux.

Puis elle dut s'endormir, car, lorsqu'elle ouvrit les yeux, il faisait noir. Elle se leva et s'habilla. Enfilant son caban, elle sortit de l'immeuble pour aller sur la plage.

Il était un peu plus de dix heures. Le réfectoire et le bar étaient encore tout allumés. Droit devant elle, un quart de lune éclairait des lambeaux de nuages qui filaient au-dessus de la baie obscure. Le vent était fort. Il soufflait dans le visage de Madeleine, comme s'il s'intéressait à elle personnellement. Il avait fait tout ce chemin, il avait traversé le continent, pour lui délivrer un message.

Elle se concentra sur ce qu'avait dit la psychiatre du Providence Hospital, la fois où elle l'avait rencontrée. Il fallait souvent du temps avant de trouver le bon dosage, avait-elle expliqué. Les effets secondaires étaient généralement très pénibles au début. Étant donné que Leonard avait déjà bien réagi au lithium dans le passé, il n'y avait pas de raison pour qu'il en soit autrement dans l'avenir. Ce n'était qu'une question de rééquilibrage du traitement. De nombreux maniaco-dépressifs avaient une vie longue et productive.

Elle espérait que c'était vrai. Être avec Leonard donnait à Madeleine le sentiment d'être exceptionnelle. C'était comme si, avant de le connaître, c'était du sang gris qui avait circulé dans ses veines, alors qu'à présent c'était du sang bien rouge, bien oxygéné.

Elle était terrorisée à l'idée de redevenir la personne à moitié vivante qu'elle était auparavant.

Tandis qu'elle contemplait les vagues noires, un bruit parvint à ses oreilles. Le bruit sourd de quelque chose qui approchait rapidement en martelant le sable. Madeleine se retourna pour voir surgir une silhouette noire avançant au ras du sol. Dans la seconde qui suivit, elle reconnut le caniche royal de Diane MacGregor. Il passa devant elle en courant, la gueule ouverte, la langue tirée, le corps allongé et pointé comme une flèche.

Quelques instants plus tard, MacGregor elle-même apparut.

– Votre chien m'a fait peur, confia Madeleine. J'ai cru entendre un cheval.

– Je connais bien cette impression, dit MacGregor.

Elle portait le même ciré qu'à la conférence de presse deux semaines plus tôt. Ses cheveux gris pendaient mollement de chaque côté de son visage vif et ridé.

– Par où est-elle allée ? demanda-t-elle.

Madeleine indiqua la direction du doigt.

– Par là.

MacGregor scruta l'obscurité en plissant les yeux.

Elles restèrent plantées là sur la plage, ne ressentant pas le besoin de parler davantage.

Enfin, Madeleine rompit le silence :

– Quand partez-vous pour la Suède ?

– Pardon ? Ah, en décembre.

Le sujet n'avait pas l'air d'intéresser MacGregor.

– Vous comprenez pourquoi les Suédois veulent faire venir quelqu'un en Suède en décembre, vous ?

– Ce serait mieux en été.

– Il fera à peine jour ! C'est sans doute pour ça qu'on a créé ces prix. Pour occuper les Suédois pendant l'hiver.

Soudain, le chien repassa à toute allure, en soulevant des gerbes de sable.

– Je ne sais pas pourquoi j'aime tant la regarder courir, dit MacGregor. C'est comme si une partie de moi était sur son dos dans ces moments-là.

Elle secoua la tête.

– Voilà à quoi j'en suis réduite. À vivre par procuration à travers mon caniche.

– Il y a pire.

Après plusieurs passages, le chien revint caracoler devant sa maîtresse. En apercevant Madeleine, il alla la renifler et se mit à frotter sa tête contre ses jambes.

– Elle n'est pas très attachée à moi, dit MacGregor en

spectatrice objective. Elle suivrait n'importe qui. Si je mourais, elle m'oublierait en une seconde. Hein, que tu m'oublierais ?

Elle rappela le caniche près d'elle et le gratta vigoureusement sous le menton.

– Oh oui. Oh oui, tu m'oublierais.

•

Après avoir quitté Paris – de France, ils se rendirent en Irlande, puis ils redescendirent vers le sud et gagnèrent le Maroc via l'Andalousie –, Mitchell prit l'habitude de s'éclipser pour aller dans les églises à chaque occasion. On était en Europe et il y avait des églises partout, cathédrales spectaculaires ou discrètes petites chapelles, chacune encore opérationnelle (bien que généralement vide) et ouverte aux pèlerins errants, même à ceux qui, comme Mitchell, n'étaient pas sûrs de mériter le nom de pèlerin. Dans ces lieux de superstition obscurs, il contemplait les fresques à moitié effacées ou les peintures crues du Christ ensanglanté, plongeait son regard dans des vases contenant les reliques de tel ou tel saint. Ému, solennel, il allumait des cierges en faisant toujours le même vœu déplacé : qu'un jour, d'une manière ou d'une autre, Madeleine soit sienne. Mitchell ne croyait pas au pouvoir des cierges – il était opposé à l'idée de prier pour demander quelque chose –, mais ça lui faisait du bien d'en allumer un pour Madeleine et de penser à elle un moment, dans le calme d'une vieille église espagnole, tandis que, dehors, la mer de la foi se retirait « tout le long des vastes et mornes franges du monde, et sur ses galets nus[1] ».

Mitchell avait parfaitement conscience de l'étrangeté de son comportement, mais peu importait, personne n'était là pour le remarquer. Sur des bancs au dossier dur, humant l'odeur

---

1. Matthew Arnold, « La plage de Douvres », traduction de Pierre Leyris dans *Rencontres de poètes anglais* suivi de *Sonnets de Shakespeare*, José Corti, 2002.

de la cire, il fermait les yeux et, aussi immobile que possible, s'ouvrait à l'entité présente susceptible de s'intéresser à lui. Peut-être n'y avait-il aucune entité présente. Mais comment le savoir sans tenter d'entrer en contact avec elle ? C'était ce que faisait Mitchell : il envoyait un message à l'administration centrale.

Dans les trains, les cars et les bateaux qui les emmenaient d'un endroit à l'autre, Mitchell lisait un à un les livres que contenait son sac à dos. Après *L'Imitation de Jésus-Christ* (la pensée de Thomas a Kempis était difficile d'accès) et les *Confessions* de saint Augustin (certains passages étaient surprenants, notamment ceux où il parlait de sa jeunesse onaniste et de sa femme africaine), *Le Château de l'âme*, de sainte Thérèse d'Avila, se révéla passionnant de bout en bout. Mitchell le dévora en une nuit, sur le ferry qui les emmena du Havre à Rosslare. Depuis la gare Saint-Lazare, ils étaient allés en Normandie voir le restaurant où Larry avait travaillé lorsqu'il était au lycée. Après un déjeuner pantagruélique avec la famille des propriétaires, chez laquelle ils avaient ensuite passé la nuit, ils avaient rejoint Le Havre pour prendre le ferry. La mer était agitée. Les passagers restaient éveillés au bar, ou ils essayaient de dormir, allongés sur le sol de la cabine ouverte. Explorant la cale, Mitchell et Larry se retrouvèrent dans un salon inoccupé réservé aux officiers, avec couchettes et jacuzzi, et, dans ce luxe usurpé, Mitchell lut le récit de la progression de l'âme vers l'union mystique avec Dieu. *Le Château de l'âme* décrivait une vision qu'avait eue sainte Thérèse à ce sujet. « On peut considérer l'âme comme un château qui est composé tout entier d'un seul diamant ou d'un cristal très pur, et qui contient beaucoup d'appartements, ainsi que le ciel qui renferme beaucoup de demeures[1]. » Au début, l'âme errait dans les ténèbres à l'extérieur du château, harcelée par les serpents venimeux et les

---

1. Cet extrait, ainsi que les suivants, sont tirés de la traduction du père Grégoire de Saint-Joseph, Seuil, 1949.

insectes piqueurs de ses péchés. Puis, par la force de la grâce, certaines âmes s'extrayaient de ce marécage et frappaient à la porte du château. « Enfin ces âmes entrent dans les premières demeures d'en bas, mais elles y sont accompagnées de tant de reptiles qu'ils ne leur permettent ni de contempler la beauté du château, ni d'y trouver le repos. Néanmoins c'est déjà beaucoup qu'elles soient entrées. » Toute la nuit, tandis que le ferry tanguait et roulait, et que Larry dormait, Mitchell apprit comment l'âme progressait à travers les six autres demeures, en se nourrissant de l'enseignement des sermons, en se mortifiant par la pénitence et le jeûne, en accomplissant des actes de charité, en méditant, en priant, en faisant des retraites, en se débarrassant de ses vieilles habitudes pour devenir meilleure, jusqu'à ses fiançailles avec le Maître. « Lorsque Notre-Seigneur daigne enfin avoir pitié de ce que l'âme qu'il s'est déjà choisie pour Épouse a souffert et souffre à cause de son désir de s'unir à Lui, il l'introduit, avant de contracter avec elle le mariage spirituel, dans sa demeure qui est la septième dont nous parlons. Car s'il a sa demeure au ciel, il doit avoir aussi dans l'âme une autre demeure où lui seul habite, et disons-le un autre ciel. » Ce n'est pas tant ce genre d'images, empruntées, semblait-il, au Cantique des cantiques, qui frappa Mitchell dans ce livre, mais son pragmatisme. C'était un guide spirituel très détaillé. Par exemple, au sujet de l'âme introduite dans la septième demeure et unie alors aux « trois Personnes de la très sainte Trinité », sainte Thérèse écrivait : « Il vous semblera, d'après cela, qu'elle est tout en dehors d'elle-même et tellement absorbée, qu'elle ne peut plus s'occuper de rien. C'est une erreur ; elle est beaucoup plus apte qu'auparavant pour tout ce qui concerne le service de Dieu. » Ou, plus loin : « Remarquons-le pourtant, cette présence habituelle des trois divines Personnes n'est pas toujours aussi parfaite, ni, disons-le, aussi claire que la première fois, et les quelques autres circonstances où Dieu daigne accorder à l'âme cette faveur ; car s'il en était ainsi, il serait impossible à l'âme de s'occuper d'autre chose, et même de vivre au milieu du monde. » Cela donnait une impression d'authenticité. Il semblait s'agir d'une chose que sainte Thérèse – qui avait écrit ces mots cinq cents ans plus tôt – avait vécue, une chose aussi réelle que le jardin qu'elle voyait par la fenêtre de son couvent à Avila. La différence est perceptible entre quelqu'un qui invente et quelqu'un qui utilise un langage métaphorique pour décrire une expérience indicible mais vraie. À l'aube, Mitchell remonta sur le pont. Il était étourdi par le manque de sommeil autant que par sa lecture. En contemplant les eaux grises et la côte embrumée de l'Irlande, il se demanda dans quelle demeure était son âme à lui.

Ils passèrent deux jours à Dublin. Mitchell fit visiter à Larry les lieux sacrés de la vie de Joyce, Eccles Street et la tour Martello. Larry emmena Mitchell voir la troupe du « théâtre pauvre » de Jerzy Grotowski. Le lendemain, ils se rendirent dans l'ouest en stop. Mitchell essaya de s'intéresser à l'Irlande, en particulier au comté de Cork, d'où venait la famille de sa mère, mais il pleuvait tout le temps, le brouillard recouvrait les champs, et, à présent, il avait commencé Tolstoï. Il y avait des livres qui traversaient le tumulte de la vie pour vous prendre par le col et vous dire des choses essentielles. *Confession* était de ceux-là. Tolstoï y relatait une fable russe au sujet d'un homme qui, poursuivi par un monstre, saute dans un puits. En tombant, cependant, l'homme découvre qu'au fond, un dragon l'attend pour le dévorer. À ce moment-là, il aperçoit une branche sortant de la paroi, s'y agrippe et reste là, suspendu dans le vide. Il évite ainsi de tomber entre les mâchoires du dragon, et de se faire dévorer par le monstre au-dessus, mais un nouveau problème apparaît : deux souris, une noire et une blanche, courent le long de la branche, en la rongeant. Ce n'est qu'une question de temps avant que la branche ne cède et que l'homme ne tombe au fond du puits. Alors qu'il prend conscience du sort auquel il est voué, l'homme remarque autre chose : du bout de la branche qu'il tient, coulent quelques gouttes de miel. Il tire la langue pour les recueillir. Telle est notre condition, dit Tolstoï : nous sommes l'homme accroché à la branche. La mort nous attend, nous ne pouvons pas y échapper, aussi nous distrayons-nous en léchant les quelques gouttes de miel à notre portée.

Mitchell avait rarement trouvé dans ce qu'il avait lu à l'université une sagesse aussi grande que dans cette fable russe. Elle s'appliquait à tout le monde et à lui en particulier. Que faisaient-ils, ses amis et lui, en réalité, si ce n'était s'agripper à une branche en tirant la langue pour capter un peu de douceur ? Il pensa à ceux qui l'entouraient, avec leur jeune corps en pleine forme, leur maison d'été, leurs vêtements branchés, leurs drogues puissantes, leur libéralisme, leurs orgasmes, leurs coupes de cheveux. Tous leurs actes étaient conçus pour leur apporter du plaisir à plus ou moins brève échéance. Même les « activistes » qu'il connaissait et qui protestaient contre la guerre au Salvador le faisaient avant tout pour se montrer sous un jour séduisant. Quant aux artistes – les peintres, les écrivains –, c'étaient les pires, car ils croyaient vivre pour l'art alors qu'ils ne cherchaient qu'à nourrir leur narcissisme. Mitchell s'était toujours enorgueilli de sa discipline, il se savait plus studieux que n'importe qui, mais ce n'était que sa manière à lui de mieux serrer la branche.

Ce que Larry pensait des lectures de Mitchell n'était pas clair. En règle générale il limitait sa réaction à hausser l'un de ses sourcils fauves de jeune homme de Riverdale. Ayant tous deux appartenu au milieu artistique étudiant, Larry et Mitchell étaient habitués à voir des gens se transformer radicalement. Membre aux joues roses de l'équipe de cross-country durant sa première année à Brown, Moss Runk (une fille) avait, dès la deuxième, abandonné les tenues spécifiques à son sexe et s'était mise à porter des vêtements informes qu'elle taillait elle-même dans un épais feutre gris et qui donnaient chaud rien qu'à les regarder. La conduite à tenir face à ce genre d'individu, quand on était Mitchell et Larry, était de faire comme si de rien n'était. Quand Moss arrivait à votre table au Blue Room, la longueur de sa robe donnant à ses déplacements une fluidité d'aéroglisseur, vous vous poussiez pour lui faire une place. Quand on vous demandait ce que c'était, au juste, que ce machin, vous répondiez : « C'est Moss ! » Malgré son look étrange, Moss était la même jeune fille enjouée de l'Idaho qu'elle avait toujours été. Certains la trouvaient bizarre, mais pas Mitchell et Larry. Ce qui l'avait conduite à ce choix vestimentaire radical était un sujet sur lequel Mitchell et Larry ne posaient pas de questions. Par leur silence, ils exprimaient leur solidarité avec Moss contre le conformisme de tous les étudiants économistes et ingénieurs en doudoune sans manches et baskets Adidas, qui passaient leurs dernières années de totale liberté à ne rien faire qui sorte de l'ordinaire. Mitchell et Larry savaient que Moss Runk n'allait pas pouvoir porter des tenues androgynes toute sa vie (autre détail sympathique à propos de Moss, elle voulait devenir proviseur). Un jour viendrait où, pour être embauchée quelque part, elle devrait ranger ses robes de feutre et mettre une jupe, ou un tailleur. Mitchell et Larry ne voulaient pas être là pour voir ça.

Larry traitait l'intérêt de Mitchell pour le mysticisme chrétien de la même façon. Il n'était pas aveugle. Il faisait comprendre qu'il n'était pas aveugle. Mais, pour l'instant, il ne disait rien.

Lui-même, au fur et à mesure de leur périple, n'était d'ailleurs pas sans connaître certaines transformations. Il s'acheta un foulard en soie violet. Le fait qu'il fume, que Mitchell avait pris pour une affectation passagère, devint une habitude. Ayant acheté quelque temps ses cigarettes à l'unité – apparemment, c'était possible –, il passa rapidement à des paquets entiers de Gauloises bleues. Des inconnus l'arrêtaient parfois pour lui en demander, des espèces de gitans décharnés qui prenaient Larry par le cou, à l'européenne. Mitchell attendait tel un chaperon qu'ils aient fini de causer.

De plus, Larry n'avait pas l'air très affecté par sa rupture. Il y avait eu un moment, à bord du ferry pour Rosslare, où il était monté sur le pont pour fumer une cigarette d'un air mélancolique. Il était entendu qu'il pensait alors à Claire. Puis il avait jeté son mégot par-dessus bord, la fumée avait été emportée par le vent, et ça s'était arrêté là.

D'Irlande ils retournèrent à Paris, où ils prirent un train-couchettes pour Barcelone. Le temps était d'une douceur délicieuse. Le long des Ramblas, on pouvait acheter la faune de la jungle, macaques à l'air sage, perroquets en Technicolor. Continuant vers le sud, ils passèrent une nuit à Jerez puis à Ronda, avant de remonter pour trois jours à Séville. Puis, s'apercevant qu'ils étaient tout près de l'Afrique du Nord, ils décidèrent de descendre jusqu'à Algésiras pour prendre le ferry et gagner Tanger, de l'autre côté du détroit de Gibraltar. Durant leurs premiers jours au Maroc, ils ne réussirent pas à trouver de hasch. Leur guide touristique indiquait l'adresse d'un bar à Tétouan où on pouvait en acheter facilement mais ajoutait un avertissement, au bas de la même page, comparant les établissements pénitentiaires marocains à la prison turque de *Midnight Express*. Enfin, dans la petite ville montagnarde de Chefchaouen, en arrivant à leur hôtel, ils trouvèrent deux Danois installés dans le hall, avec un morceau de hasch gros comme une balle de softball sur la table devant eux. Mitchell et Larry passèrent les jours suivants merveilleusement défoncés. Ils flânaient dans le dédale des ruelles encaissées en écoutant le chant passionné des muezzins, buvaient du thé à la menthe dans des verres émeraude sur la place Uta-el-Hammam. Chefchaouen était peint en bleu clair pour se fondre avec le ciel. Invisible même pour les mouches.

C'est au Maroc qu'ils comprirent que leurs sacs à dos étaient une erreur. La mode n'était pas aux expéditions avec matériel de camping, mais aux baroudeurs qui revenaient du Ladakh avec un fourre-tout pour seul bagage. Les sacs à dos étaient encombrants et vous donnaient l'étiquette « touriste ». Même si vous n'étiez pas un Américain obèse qui marchait comme un canard, avec un sac à dos vous le deveniez. Mitchell se coinçait en entrant dans les compartiments des trains et devait se tortiller frénétiquement pour se dégager. Se débarrasser de leurs sacs était cependant impossible, car, lorsqu'ils regagnèrent l'Europe en octobre, les températures commençaient déjà à fraîchir. Quittant la douceur du sud de la France, ils trouvèrent une Lausanne automnale, une Lucerne ventée. Ils sortirent les pulls.

En Suisse, vint à l'idée de Mitchell d'utiliser sa MasterCard pour acheter des choses qui inquiéteraient ses parents lorsqu'ils recevraient les relevés. En trois semaines il dépensa : 65 francs suisses (29,57 $) pour une pipe tyrolienne et du tabac chez Totentanz : Zigarren und Pfeifen, 72 francs suisses (32,75 $) pour un repas dans un restaurant zurichois ayant pour nom Das Bordell, 234 schillings autrichiens (13 $) pour une édition en anglais de *Born Again*, l'autobiographie de l'ancien conseiller de Nixon, Charles Colson, que son séjour en prison après sa condamnation dans l'affaire du Watergate avait remis sur le chemin de la foi, et 62 500 lires (43,54 $) pour un abonnement à un magazine communiste, publié à Bologne, qui devait être envoyé une fois par mois au domicile des Grammaticus à Detroit.

Ils arrivèrent à Venise fin octobre, par un après-midi matelassé de nuages. N'ayant pas les moyens de se payer une gondole, ils passèrent leurs premières heures dans la ville à franchir des ponts et à gravir des volées d'escalier qui, comme dans un dessin d'Escher, semblaient tous les ramener à la même *piazza*, avec sa fontaine bouillonnante et ses deux vieux. Après avoir trouvé une *pensione* bon marché, ils allèrent visiter la place Saint-Marc. Dans le musée mal éclairé du palais des Doges, Mitchell resta longuement planté devant une vitrine où était exposé un mystérieux objet constitué de maillons métalliques très rouillés : une ceinture horizontale à laquelle en était rattachée une seconde, verticale. L'étiquette indiquait : « *cintura di castita* ».

– Cette ceinture de chasteté est la chose la plus horrible que j'aie vue de ma vie, confia Mitchell à Larry ce soir-là au dîner, dans un restaurant pour petits budgets.

– C'est une période sombre, le Moyen Âge, dit Larry.

– C'est plus que sombre, là...

Mitchell se pencha en avant et, baissant la voix :

– Il y avait deux ouvertures. Une devant pour le vagin, et une derrière pour le trou du cul. Avec des dents métalliques tout autour. Si tu chiais en portant une de ces ceintures, ta merde devait sortir cannelée comme un glaçage de pâtissier.

– Merci pour l'image.

– Tu imagines, porter ce truc-là pendant des mois et des mois ? Des années ! Comment tu le nettoierais ?

– Tu serais la reine. Tu aurais quelqu'un qui le nettoierait pour toi.

– Une dame de compagnie.

– Il fallait bien des avantages à être reine en ce temps-là.

Ils reprirent du vin. Larry était de bonne humeur. La vitesse à laquelle il s'était remis de sa rupture était spectaculaire. Peut-être n'était-il pas si amoureux que ça. Peut-être partageait-il les réserves de Mitchell à propos de Claire. Le fait qu'il soit capable de l'oublier en quelques semaines, alors que Mitchell demeurait anéanti d'avoir perdu Madeleine – bien qu'elle n'ait jamais été sa petite amie –, pouvait s'expliquer de deux manières : soit l'amour de Mitchell pour Madeleine était pur, sincère et incroyablement fort, ou alors il était accro à la tristesse de l'abandon, il *aimait* avoir le cœur brisé, et l'« émotion » qu'il ressentait pour Madeleine – quelque peu exacerbée par le chianti – n'était qu'une forme pervertie de narcissisme. Bref, pas de l'amour.

– Elle te manque pas, Claire ? demanda-t-il à Larry.

– Si.

– On dirait pas.

Larry regarda Mitchell dans les yeux mais ne releva pas.

– Elle était comment au lit ?

– Eh, oh, protesta gentiment Larry.

– Allez. Elle était comment ?

– Elle était *déchaînée*, Mitchell. Complètement déchaînée.

– Raconte.

Larry but une gorgée de vin, songeur.

– Elle était très dévouée. Elle était du genre à te dire : « Allez, allonge-toi sur le dos. »

– Et après elle te suçait ?

– Ben, ouais.

– « Allonge-toi sur le dos. » Comme chez le médecin.

Larry acquiesça.

– Ça devait être pas mal.

– C'était pas si bien que ça.

Pour Mitchell, c'en fut trop.

– Comment ça ! explosa-t-il. De quoi tu te plains ?

– Je manquais de motivation.

Mitchell se renversa en arrière sur sa chaise, comme pour s'éloigner d'une telle hérésie. Il vida son verre et en demanda un autre.

– On va dépasser notre budget, l'avertit Larry.

– Je m'en fous.

Larry reprit du vin lui aussi.

Ils burent jusqu'à ce que le patron leur annonce qu'il fermait. Rentrant à leur hôtel en titubant, ils s'écroulèrent sur le grand lit deux places. À un moment, dans son sommeil, Larry roula sur Mitchell. Mitchell rêvait-il ? Il bandait. Il avait envie de vomir. Il eut l'impression qu'on le suçait – quelqu'un dans son rêve ? Larry ? –, puis il se réveilla et entendit Larry dire : « Ah, tu pues », mais sans le repousser. Il retomba alors dans les vapes, et le lendemain matin tous deux firent comme s'il ne s'était rien passé. C'était peut-être le cas.

Fin novembre, ils arrivèrent en Grèce. De Brindisi ils gagnèrent Le Pirée à bord d'un ferry qui empestait le gasoil, et ils trouvèrent une chambre dans un hôtel non loin de la place Syntagma. En regardant la ville du balcon de cet hôtel, Mitchell eut une révélation. La Grèce, ce n'était pas l'Europe. C'était le Moyen-Orient. Jusqu'à l'horizon vaporeux s'étendait un panorama de tours grises aux toits plats, pareilles à celle où il se trouvait. Dépassant des toits et des façades, des poutrelles métalliques hérissaient les bâtiments comme des piquants dans l'air âcre. On se serait cru à Beyrouth. À l'épais brouillard se mêlaient quotidiennement des gaz lacrymogènes tandis que la police affrontait les manifestants dans les rues. Des manifestations avaient lieu en permanence, contre le gouvernement, contre l'ingérence de la CIA, contre le capitalisme, contre l'OTAN, pour le retour des frises du Parthénon. La Grèce, berceau de la démocratie, paralysée par la liberté de parole. Dans les cafés, chacun avait un avis éclairé, mais personne n'était capable de faire aboutir le moindre projet.

Quelques vieilles veuves, vêtues de noir de la tête aux pieds, rappelaient à Mitchell sa grand-mère. Il reconnaissait les pâtisseries, le son de la langue, mais la plupart des gens lui semblaient étrangers. Les hommes, en moyenne, faisaient une tête de moins que lui. Il avait l'impression d'être un Suédois, ainsi perché au-dessus de tout le monde. Çà et là il retrouvait un peu de lui-même sur un visage, mais rien de plus. Parmi les anarchistes et les poètes aux dents jaunes dans le bar en face de son hôtel, les chauffeurs de taxi au cou de taureau qui l'emmenaient d'un endroit à l'autre, ou les popes qu'il voyait dans les rues ou dans les chapelles envahies de fumée d'encens, Mitchell ne s'était jamais senti aussi américain de sa vie.

Partout où ils mangeaient, la nourriture était tiède. Moussaka, pasticcio, pilaf d'agneau, pommes de terre sautées, gombos à la sauce tomate – tout était maintenu quelques degrés au-dessus de la température ambiante dans des bains-marie visibles depuis la salle. Larry se mit au poisson grillé, mais Mitchell, fidèle à ses souvenirs, continua de commander les plats que sa grand-mère lui préparait quand il était enfant. Il persistait à espérer qu'on lui serve une bonne assiette de moussaka bien chaude, mais, après quatre tentatives en trois jours, il comprit que les Grecs *aimaient* manger tiède. En même temps qu'il comprit cela, comme si le fait de l'ignorer l'en avait protégé, vinrent ses premiers problèmes digestifs. Il rentra précipitamment à sa chambre d'hôtel et passa les trois heures suivantes aux toilettes sur un siège étrangement bas, le regard fixé sur les pages du *I Kathimerini* du jour. En photo, on voyait le Premier ministre Andréas Papandréou, une émeute à l'université d'Athènes, des policiers tirant des gaz lacrymogènes, et une femme extrême-ment ridée dont on avait peine à croire, comme l'indiquait la légende, qu'il s'agissait de Melina Mercouri.

L'alphabet grec restait pour Mitchell un obstacle infranchis-sable. À l'âge de douze ans, assis aux pieds de sa yaya, dont il était l'enfant chéri, il apprenait l'alphabet grec. Mais il n'avait jamais dépassé le Σ et il avait aujourd'hui tout oublié à part A et Ω.

Après trois jours à Athènes, ils décidèrent de se rendre dans le Péloponnèse en car. Avant de partir, ils s'arrêtèrent dans une agence American Express pour échanger des traveller's chèques contre du liquide. Mais d'abord, Mitchell demanda au guichet des services généraux s'ils n'avaient pas reçu de courrier pour eux. La guichetière lui remit deux enveloppes. Sur la première, il reconnut l'écriture ronde et tarabiscotée de sa mère. Mais, en voyant la seconde, il eut un coup au cœur. Son nom et l'adresse de l'agence American Express avaient été tapés sur une machine à écrire manuelle ayant besoin d'un nouveau ruban. Les *a* et le *s* de son nom de famille n'avaient pratiquement pas d'encre. Au dos, il lut l'adresse de l'expéditeur : M. HANNA,

Pɪʟɢʀɪᴍ Lᴀᴋᴇ Lᴀʙᴏʀᴀᴛᴏʀʏ, Sᴛᴀʀʙᴜᴄᴋ N° 12, Pʀᴏᴠɪɴᴄᴇᴛᴏᴡɴ, MA 02657.

Rapidement, comme si son contenu était blasphématoire, il la fourra dans la poche arrière de son jean. Dans la queue pour les guichets des caissiers, il ouvrit la lettre de Lillian à la place.

Cher Mitchell,

Depuis que nous avons acheté cet appartement à Vero Beach, ton père et moi sommes devenus des sortes d'« oiseaux migrateurs », mais cette année nous méritons plus que jamais ce qualificatif. Mardi, nous avons fait tout le chemin entre Detroit et Fort Myers à bord d'« Herbie ». C'est sacrément grisant, de se déplacer avec son avion privé, et le trajet n'a duré que six heures (je me souviens, quand nous mettions vingt-quatre heures en voiture !). C'est agréable de regarder la campagne défiler tout en bas. On vole moins haut qu'avec un avion de ligne, on voit donc vraiment les détails, toutes les rivières qui serpentent çà et là, et, bien sûr, les champs, qui m'ont fait penser au patchwork des vieilles couvertures de Mamie. En revanche, je ne peux pas dire que le voyage ait été favorable à la conversation. On n'entend pratiquement rien à cause du bruit du moteur, et ton père a gardé son casque sur les oreilles la majeure partie du temps, afin d'écouter le « trafic ». Je n'avais donc personne à qui parler à part Kerbi, que j'avais sur les genoux (je ne m'aperçois que maintenant de la rime entre « Herbie » et « Kerbi »).

Ton père m'a indiqué du doigt les choses à regarder pendant le vol. Nous sommes passés juste au-dessus d'Atlanta et au-dessus d'immenses marécages, ce qui m'a un peu angoissée. Si nous avions dû atterrir là, nous n'aurions été entourés que par des serpents et des alligators sur des kilomètres à la ronde.

Tu l'auras compris en lisant ces lignes, ta mère n'a

pas été exactement une « copilote » modèle. Dean n'arrêtait pas de me dire de me détendre, qu'il avait la situation « bien en main », mais ça secouait tellement qu'il
m'était impossible de lire mon livre. Je ne pouvais rien
faire d'autre que de regarder par la vitre, et au bout d'un
moment même notre bon vieux pays perd de son intérêt.
Mais au moins, nous sommes arrivés en un seul morceau,
et maintenant nous sommes à Vero, où, comme d'habitude, il fait trop chaud. Winston doit nous rejoindre
depuis Miami pour le jour de Noël (il a une séance
d'enregistrement la veille, nous a-t-il dit, et ne peut pas
se libérer plus tôt). Nick et Sally arrivent demain soir
en avion avec le petit Nick. Dean et moi avons prévu
d'aller les chercher à l'aéroport de Fort Lauderdale et de
les emmener dîner dans un très bon restaurant que nous
avons trouvé à Fort Pierce, à la sortie de l'A1A, sur le
bord de mer.

Ça va nous faire drôle de ne pas avoir notre « bébé »
avec nous pour Noël cette année. Ton père et moi
sommes ravis que Larry et toi ayez cette occasion de « voir
le monde ». Après toute la peine que tu t'es donnée à
l'université, tu le mérites. Je pense à toi tous les jours et
j'essaie d'imaginer où tu es et ce que tu fais. D'habitude,
je sais où tu vis et où tu dors. Même pendant tes études,
nous savions à quoi ressemblait ton appartement, et je
n'avais donc aucun mal à me représenter ton quotidien.
Mais maintenant, je ne sais même pas où tu te trouves la
plupart du temps, et toutes tes cartes sont les bienvenues.
Nous avons bien reçu celle que tu nous as envoyée de
Venise, avec la flèche indiquant « notre hôtel ». Je n'ai pas
bien vu l'hôtel en question, mais je suis contente que la
chambre vous coûte « trois fois rien », comme tu nous l'as
dit. Venise semble être une ville magique, l'endroit parfait
pour donner l'inspiration à un jeune « littéraire ».

Kerbi a une plaque sur le dos où il n'a presque plus de poils. Il faut voir avec quelle rage il se la lèche. La façon dont il s'entortille comme un bretzel pour l'atteindre me fait toujours rire (j'aimerais être capable d'une telle souplesse quand j'ai envie de me gratter le dos !). Si ça ne va pas mieux d'ici quelques jours, il faudra que je l'emmène chez le vétérinaire.

Je suis en ce moment même installée sur notre terrasse, sous le parasol. J'essaie de rester à l'ombre. J'ai beau me tartiner de crème hydratante, le soleil ici me sèche la peau, même en hiver. Pendant que je t'écris, ton « vieux père » est dans le séjour, en train de se prendre le bec avec un politicien à la télévision (je t'épargnerai les expressions les plus salées, mais en gros, il dit que ce sont des « Foutaises ! »). Je ne comprends pas comment on peut regarder autant de journaux télévisés en une journée. Dean m'a chargée de te transmettre le message suivant : quand tu seras en Grèce, n'oublie pas de dire à « toute cette bande de socialistes » de remercier Dieu qu'Il leur ait envoyé Ronald Reagan.

En parlant de « Dieu », un paquet de la part des « Pères paulistes » est arrivé pour toi à la maison du lac avant notre départ du Michigan. Je sais que tu envisages de poursuivre tes études de théologie et que c'est sans doute lié à ça, mais je me pose des questions. Ta dernière lettre – pas la carte de Venise, celle sur ce papier bleu qui se replie et sert aussi d'enveloppe (on appelle ça un aérogramme, je crois) – ne te ressemblait pas. C'était quoi cette histoire de « Royaume de Dieu » qui ne serait pas un lieu mais un état d'esprit et dont tu croirais apercevoir des « lueurs » ? Tu le sais, pendant des années j'ai cherché une église où vous emmener, tes frères et toi, mais je n'ai jamais vraiment réussi à croire en quelque chose, à mon grand désespoir. Ton intérêt pour la religion ne me surprend donc pas. Mais tout ce « mysticisme » dont tu parles dans tes lettres – la « Nuit obscure de l'âme », etc. – peut sembler un peu « zarbe », comme dirait ton frère Winston. Voilà maintenant quatre mois que tu es parti, Mitchell, et que nous ne t'avons pas vu. C'est difficile pour nous de deviner comment tu vas. Heureusement que Larry est avec toi. Si tu voyageais seul, je crois que je ne vivrais plus. Ton père et moi ne sommes toujours pas enchantés à l'idée que tu ailles en Inde, mais tu es un adulte à présent et tu fais ce qui te plaît. Tout de même, en cas d'urgence, nous n'avons aucun moyen de te contacter, et réciproquement. <u>Ça, ça nous inquiète beaucoup.</u>

Allez, j'arrête de jouer les mères poules. Peu importe combien tu nous manques, et tu nous manqueras particulièrement à Noël, ton père et moi sommes heureux que tu aies pu te lancer dans cette grande aventure. Depuis que tu es né, Mitchell, tu es un ravissement pour nous, et j'ai beau ne pas être sûre de croire en « Dieu », je remercie chaque jour « quelqu'un là-haut » de nous avoir donné un fils aussi formidable, aimant et talentueux que toi. Déjà, quand tu étais petit, je te savais destiné à un brillant avenir. Comme Mamie te l'a toujours dit, « Vise haut, mon garçon, vise haut ».

J'ai dégoté un très joli petit secrétaire chez un antiquaire de Vero et je vais le faire installer ici dans la chambre d'amis, qu'il soit prêt pour toi quand tu viendras nous voir. Avec toutes les expériences que tu auras vécues au long de ton voyage, tu auras peut-être envie de

Mitchell en était là quand on lui tapa sur l'épaule. C'était la personne derrière lui, une femme plus âgée que lui, une trentenaire.

– Il y a un guichet libre, dit-elle.

Mitchell la remercia. Remettant la lettre de Lillian dans son

enveloppe, il gagna le guichet en question. Alors qu'il contre-
signait ses traveller's chèques, le guichet d'à côté se libéra et la
femme qui le suivait dans la file d'attente s'y présenta. Mitchell
et elle échangèrent un sourire. Quand le caissier lui eut donné
ses drachmes, Mitchell retourna chercher Larry.

Ne le voyant pas, il s'assit sur une chaise du hall et sortit la
lettre de Madeleine. Il n'était pas sûr de vouloir la lire. Cette
dernière semaine, depuis sa cuite monumentale à Venise, Mitchell commençait à retrouver son équilibre affectif. Autrement
dit, il ne pensait plus à Madeleine que deux ou trois fois par
jour au lieu de dix ou quinze. Le temps et la distance faisaient
leur effet. Cette lettre risquait de tout démolir en quelques
secondes. Dans un monde de Selectric IBM et d'Olivetti extra-
plates, Madeleine s'entêtait à utiliser une machine à l'ancienne,
et ses tapuscrits avaient l'air de documents d'archives. Qu'elle
soit amoureuse des choses démodées avait donné à Mitchell
l'espoir qu'elle pourrait l'aimer lui. La fidélité de Madeleine
à cette vieille machine allait de pair avec son incompétence
pour tout ce qui était mécanique, ce qui expliquait pourquoi
elle n'avait pas changé le ruban, en conséquence de quoi le
a et le *s* étaient presque invisibles (ces lettres étant celles qui
s'usaient le plus vite). Manifestement, si brillant scientifique
fût-il, Bankhead n'était pas capable de remplacer le ruban de
la machine à écrire de Madeleine. Manifestement, Bankhead
était trop préoccupé par lui-même, ou paresseux, peut-être
même était-il *opposé* à ce qu'elle utilise une machine manuelle.
Avant même d'ouvrir la lettre, il apparaissait évident que c'était
Mitchell et non Bankhead qu'il fallait à Madeleine.

Mitchell savait ce qu'il devait faire. S'il tenait à conserver
son équilibre, à se détacher des choses terrestres, il devait aller
à la poubelle de l'autre côté du hall et y jeter la lettre. Voilà
ce qu'il devait faire.

Au lieu de ça, il la rangea dans son sac à dos, tout au fond
de la poche intérieure, où il pourrait ne plus y penser.

Lorsqu'il releva les yeux, il vit la femme de la file d'attente qui approchait. Elle avait de longs cheveux blonds raides et ternes, les pommettes hautes, de petits yeux rapprochés. Elle n'était pas maquillée et était bizarrement vêtue. Sous un tee-shirt flottant elle portait une jupe qui lui descendait aux chevilles. Aux pieds, elle avait des baskets.

— C'est ta première fois en Grèce ? demanda-t-elle en souriant excessivement, d'un sourire commercial.

— Oui.

— Tu es là depuis longtemps ?

— Non, trois jours.

— Moi, ça fait trois mois. La plupart des gens viennent voir l'Acropole. Et c'est beau, c'est très beau. Si on aime l'archéologie, on est servi. Mais moi, ce qui me touche, c'est toute la dimension historique. Je ne parle pas de l'Antiquité. Je parle du christianisme. Il s'est passé tellement de choses ici ! Où crois-tu qu'ils étaient, les Thessaloniciens ? Ou les Corinthiens ? Sa Révélation, Jean l'a écrite sur l'île de Patmos. Et on pourrait continuer comme ça longtemps. L'Évangile a été révélé en Terre sainte, mais c'est en Grèce que l'évangélisme a commencé. Qu'est-ce qui t'amène ici, toi ?

— Je suis grec, répondit Mitchell. C'est là que j'ai commencé. La femme rit.

— Tu gardes cette chaise pour quelqu'un ?

— J'attends un ami.

— Je m'assieds juste une minute. Si ton ami arrive, je m'en irai.

— Je t'en prie. On doit partir, de toute façon.

Mitchell pensait que la conversation s'arrêterait là. La femme s'assit et se mit à farfouiller dans son sac à bandoulière. Mitchell scruta à nouveau l'agence, à la recherche de Larry.

— Je suis venue étudier, reprit la femme. Au New Bible Institute. J'apprends la koinè. Tu sais ce que c'est, la koinè ?

— C'est la langue dans laquelle le Nouveau Testament a été écrit. Une ancienne forme démotique du grec.

– Ouah… Peu de gens en savent autant. Je suis impressionnée.

Elle se pencha vers lui et, à voix basse :

– Tu es chrétien ?

Mitchell hésita à répondre. Le pire, dans la religion, c'étaient les gens religieux.

– Je suis grec orthodoxe, finit-il par dire.

– C'est chrétien, ça.

– Le patriarche serait content de l'apprendre.

– Tu as beaucoup d'humour, n'est-ce pas ? dit la femme, pour la première fois sans sourire. Ça doit te permettre d'esquiver pas mal de problèmes dans ta vie.

La provocation fonctionna. Mitchell tourna la tête pour la regarder en face.

– Les orthodoxes sont comme les catholiques, dit-elle. Ce sont des chrétiens mais ils ne croient pas toujours la Bible. Le dogme est tellement compliqué que, parfois, on perd de vue le message.

Mitchell décida qu'il était temps de prendre ses distances. Il se leva.

– Ravi de te connaître, dit-il. Bonne chance avec la koinè.

– Moi aussi, je suis ravie de te connaître ! Je peux te poser une question avant que tu partes ?

Mitchell attendit. Le regard fixe de la femme était déstabilisant.

– Tu es sauvé ?

Dis oui, songea Mitchell. Dis oui et tire-toi.

– C'est difficile à dire, avoua-t-il.

Il comprit aussitôt son erreur. La femme se leva, ses yeux bleus braqués sur les siens comme des rayons laser.

– Non, c'est faux, dit-elle. Ce n'est pas difficile du tout. Il suffit de demander à Jésus-Christ d'entrer dans ton cœur. C'est ce que j'ai fait et ça a changé ma vie. Je n'ai pas toujours été chrétienne. J'ai passé la plus grande partie de ma vie loin de Dieu. Je ne Le connaissais pas. Je ne faisais pas attention à Lui. Je ne me droguais pas ni rien, je ne passais pas mes nuits dans les bars. Mais j'avais un vide en moi. Parce que je ne vivais que pour moi-même.

Mitchell se surprit à l'écouter. Ce n'était pas son discours fondamentaliste sur le salut et l'acceptation du Seigneur qui l'intéressait, mais ce qu'elle disait sur sa vie.

— C'est drôle de naître en Amérique. Tu grandis, et qu'est-ce qu'on te dit ? On te dit que tu as droit à la poursuite du bonheur. Et que pour être heureux, il y a un certain nombre de choses à acquérir, pas vrai ? J'ai fait tout ça. J'avais une maison, un travail, un petit ami. Mais je n'étais pas heureuse. Je n'étais pas heureuse parce que tout ce que je faisais tous les jours, c'était penser à moi. J'avais l'impression que le monde tournait autour de moi. Mais tu sais quoi ? Je me trompais.

Ce discours-là avait l'air sensé, et authentique. Mitchell crut qu'il allait pouvoir exprimer son assentiment et s'en aller, mais la femme ne lui en laissa pas le temps :

— Tout à l'heure, quand on attendait, tu lisais une lettre. C'était une lettre de ta mère.

Mitchell releva le menton.

— Comment tu le sais ?

— Ça m'est venu à l'instant.

— Tu as regardé par-dessus mon épaule.

— Pas du tout ! s'indigna-t-elle en lui donnant une tape joueuse sur le bras. Absolument pas. C'est Dieu qui vient de me faire savoir dans mon cœur que tu lisais une lettre de ta mère. Mais j'ai quelque chose à te dire. Le Seigneur, Lui aussi, t'a envoyé une lettre chez American Express. Tu sais ce que c'est ? C'est moi. Je *suis* cette lettre. Le Seigneur m'a envoyée sans même que je le sache, pour que je me retrouve derrière toi dans la file et que je te rappelle que le Seigneur t'aime, qu'Il est mort pour toi.

À ce moment-là, Larry apparut près des ascenseurs.

— Voilà mon ami, dit Mitchell. J'ai été ravi de discuter avec toi.

— Tout le plaisir était pour moi. Passe un bon séjour en Grèce et Dieu te bénisse.

Il était au milieu du hall quand elle lui tapa sur l'épaule à nouveau.

— Je voulais seulement te donner ça.

Dans sa main se trouvait un Nouveau Testament de poche. Vert, vert feuille.

— Prends ça et lis les Évangiles. Reçois la bonne parole de Jésus. Et souviens-toi, ce n'est pas compliqué. C'est simple. Tout ce qui compte, c'est d'accepter Jésus-Christ comme ton Sauveur et Maître, et tu auras la vie éternelle.

Pour se débarrasser d'elle, pour la faire taire, Mitchell prit le livre et poursuivit son chemin vers le bout du hall.

— T'étais où ? dit-il à Larry lorsqu'il l'eut rejoint. Ça fait une heure que j'attends.

Vingt minutes plus tard, ils étaient en route pour le Péloponnèse. Le car roula des kilomètres dans la cuvette de la ville, saturée de constructions, avant de s'engager dans le raidillon d'une route côtière. Les autres passagers avaient des paquets sur les genoux : les trésors rapportés de la capitale. Régulièrement, sur le bas-côté, s'élevait un petit oratoire marquant le lieu d'un accident de la circulation. Le chauffeur du car s'arrêta pour déposer une pièce dans le tronc de l'un d'eux. Plus tard, il gara le car sur le parking d'un relais routier et, sans aucune explication, il entra déjeuner, pendant que les passagers attendaient patiemment à leur place. Larry descendit fumer une cigarette et boire un café. Mitchell sortit la lettre de Madeleine de son sac, la regarda à nouveau, puis la rangea.

Ils arrivèrent à Corinthe en milieu d'après-midi. Après avoir visité le temple d'Apollon en traînant les pieds sous un léger crachin, ils se réfugièrent dans un restaurant, et Mitchell sortit son Nouveau Testament pour se remémorer ce que saint Paul avait écrit aux Corinthiens vers 55 après Jésus-Christ.

Il lut :

Aussi est-il écrit : Je détruirai la sagesse des sages, et j'anéantirai l'intelligence des intelligents.

Puis :

... parce que vous êtes encore charnels... On entend dire généralement qu'il y a parmi vous de l'impudicité... Je pense qu'il est bon pour l'homme de ne point toucher de femme. Toutefois, pour éviter l'impudicité, que chacun ait sa femme, et que chaque femme ait son mari... À ceux qui ne sont pas mariés et aux veuves, je dis qu'il leur est bon de rester comme moi. Mais s'ils manquent de continence, qu'ils se marient ; car il vaut mieux se marier que de brûler.

La femme qui lui avait donné ce Nouveau Testament de poche avait laissé sa carte à l'intérieur, avec un numéro de téléphone à Athènes. Elle s'appelait Janice P.

Elle a forcément lu par-dessus mon épaule, décida Mitchell.

L'hiver arrivait. À Corinthe, ils prirent un minibus vers le sud, en direction du Magne, et ils s'arrêtèrent pour la nuit dans le petit village montagnard d'Andritsena. L'air vif sentait les pins et le retsina local était d'un rose presque fluo. La seule chambre qu'ils trouvèrent était située au-dessus d'une taverne. Une chambre non chauffée. Tandis que des nuages d'orage approchaient en provenance du nord, Larry se coucha dans l'un des lits en se plaignant du froid. Mitchell garda son pull. Lorsqu'il fut certain que Larry dormait, il sortit la lettre de Madeleine et commença à la lire à la faible lumière rouge de la lampe de chevet.

Contre toute attente, la lettre elle-même n'était pas dactylographiée mais écrite, en tout petit, de la main de Madeleine (elle avait peut-être l'air normale au premier abord, mais quand

on avait vu son écriture on savait qu'au fond elle était délicieusement compliquée).

Le 31 août 1982

Cher Mitchell,

Je t'écris cette lettre dans le train, le même Amtrak
que toi et moi avons pris pour aller passer Thanksgiving
à Prettybrook quand nous étions en deuxième année. Il
faisait plus froid à ce moment-là, les arbres avaient perdu
leurs feuilles et j'avais les cheveux brushés à la Farrah
Fawcett (c'étaient encore les années 70, je te le rappelle).
Mais ça n'avait pas l'air de te déranger.

Je ne te l'ai jamais dit, mais pendant tout ce voyage j'ai
pensé à coucher avec toi. D'abord, on voyait que tu en
mourais d'envie. Je savais que ça te ferait plaisir et j'avais
envie de te faire plaisir. Ensuite, j'avais dans l'idée que ce
serait une bonne chose pour moi. À l'époque, je n'avais
encore couché qu'avec un seul garçon. Je craignais que la
virginité ne soit comme se faire percer les oreilles. Que,
si on arrêtait de porter des boucles, le trou risquait de se
refermer. De toute façon, je suis arrivée à l'université avec
l'intention d'être aussi insensible et mufle qu'un homme.
Tu étais l'occasion qui faisait la larronne.

Après, bien sûr, tu t'es montré irrésistiblement charmant
tout le week-end. Mes parents t'ont adoré, ma sœur a
commencé à flirter avec toi – et ça m'a rendue possessive.
Tu étais <u>mon</u> invité, quand même. Alors je suis montée
au grenier un soir et je me suis assise sur ton lit. Et toi,
qu'as-tu fait ? <u>Rien</u>. Au bout d'une demi-heure, je suis
redescendue. Au début, j'ai simplement été vexée, puis la
colère m'a envahie. Je me suis dit que tu n'étais pas assez
viril pour moi, etc. Je me suis juré de ne jamais coucher
avec toi, jamais, même si tu en manifestais l'envie. Puis, le

lendemain, nous avons repris le train pour Providence, et nous avons ri pendant tout le voyage. Je me suis aperçue que c'était bien mieux ainsi. Pour une fois dans ma vie je voulais avoir un ami garçon qui ne soit pas mon petit ami. Excepté notre récent dérapage, c'est ce que tu as été pour moi, un ami. Je sais que tu en as souffert. Mais pour moi ç'a été formidable, et je me suis toujours dit que, au fond de toi, tu ressentais la même chose.

Notre deuxième année est loin maintenant. On est dans les années 80. Le feuillage des arbres qui bordent l'Hudson est vert et touffu, et j'ai l'impression d'avoir cent ans de plus. Tu n'es plus le garçon avec lequel j'ai pris ce train, Mitchell. Je n'ai plus à avoir de peine pour toi, ou à coucher avec toi par affection ou pitié. Tu t'en sortiras très bien. Il faut même que je me méfie de toi. Tu as été assez agressif, hier soir. Jane Austen dirait « importun ». Je t'ai dit de ne pas m'embrasser, mais tu l'as fait quand même. Et si, dans le feu de l'action, je ne me suis certes pas plainte (j'étais ivre !), je me suis sentie si coupable et perdue ce matin en me réveillant chez Kelly que j'ai décidé de t'écrire sur-le-champ.

(Le train remue beaucoup. J'espère que tu arrives à me lire.)

J'ai un petit ami, Mitchell. Je tiens à lui. Je n'ai pas voulu parler de lui hier soir parce que tu te mets toujours en colère quand je le fais et que, en toute honnêteté, je suis descendue à New York pour l'oublier quelques jours. Leonard et moi traversons une mauvaise passe en ce moment. Je ne peux pas entrer dans les détails. Mais c'est difficile pour lui, difficile pour moi, et difficile pour notre couple. Bref, si je n'étais pas complètement déboussolée, je n'aurais pas bu autant hier soir et je ne me serais pas retrouvée en train de t'embrasser. Je ne dis pas que je n'en aurais pas eu envie. Je ne l'aurais pas fait, c'est tout.

Ce qui est curieux, c'est que là, tout de suite, une partie de moi aimerait descendre au prochain arrêt et retourner à New York auprès de toi. Mais il est trop tard, ton avion est certainement parti, tu es en route pour l'Inde.

Et c'est tant mieux, car ça n'a pas marché ! Tu n'es pas devenu cet ami garçon qui n'était pas mon petit ami. Tu n'es devenu qu'un mâle importun comme les autres. Le but de cette lettre est donc de rompre avec toi par anticipation. Nos rapports ont toujours échappé à toute catégorie, il est donc logique que ce soit le cas également pour cette lettre.

Cher Mitchell,

Je ne veux plus sortir avec toi (même si nous ne sortions pas ensemble).

Je veux sortir avec d'autres gens (même si je sors déjà avec quelqu'un).

J'ai besoin de respirer un peu (même si ce n'est pas toi qui m'étouffes).

D'accord ? Tu as compris ? À situation désespérée, mesures désespérées.

Je sais que je vais souffrir de ne plus t'avoir dans ma vie. Mais ma vie et mon couple sont déjà suffisamment chaotiques sans que tu les perturbes davantage. C'est peut-être cruel, et stupide, mais je veux rompre avec toi. J'ai toujours été une personne raisonnable. Aujourd'hui, j'ai l'impression de perdre les pédales.

Je te souhaite le plus fabuleux, le plus extraordinaire des voyages. Va partout où tu veux aller, vis toutes les expériences que tu veux vivre. Un jour, peut-être, quand nous nous retrouverons pour fêter le cinquantième anniversaire de notre promotion, tu verras une vieille femme toute ridée venir vers toi en souriant, et ce sera moi. Ce jour-là, peut-être, tu pourras me raconter tout ce que tu as vu en Inde.

Prends soin de toi,
Maddy

P.-S. Le 27 septembre
Voilà près d'un mois que je trimbale cette lettre avec
moi, en me demandant si je dois l'envoyer ou non. Et je
ne l'envoie toujours pas. Je suis à Cape Cod maintenant.
Il y a des biologistes partout, et je ne sais pas si je vais
survivre.

P.-P.-S. Le 6 octobre
Je viens d'avoir ta mère au téléphone. Je me suis aperçue que je n'avais pas d'adresse où t'écrire. Ta mère m'a
dit que tu étais « sur la route » et injoignable mais qu'à
un moment tu relèverais ton courrier à l'AmEx d'Athènes.
Elle m'a donné l'adresse. Entre parenthèses, tu devrais
peut-être appeler tes parents. Ta mère a l'air inquiète.
Bon, allez. J'envoie cette lettre.
M.

Quelque part au-dessus du toit de la taverne, dans le ciel grec
obscur, deux fronts orageux entrèrent en collision, déversant
des torrents de pluie sur le village et transformant en cascades
les rues en pente. Cinq minutes plus tard, alors que Mitchell
lisait la lettre une deuxième fois, le courant fut coupé.
Dans le noir, allongé sur son lit, il évalua la situation. Il
avait conscience que la lettre de Madeleine était un document
dévastateur. Et dévasté, il l'était. D'un autre côté, depuis le
temps que Madeleine le remballait, ses refus étaient comme
de fastidieux contrats qu'il lisait en diagonale à la recherche de
failles ou de clauses cachées signifiant réellement quelque chose.
À cet égard, il trouva de nombreux points positifs. D'abord,
la révélation valorisante que Madeleine avait voulu coucher
avec lui lors de ces lointaines vacances de Thanksgiving. Cette

missive était chargée d'un érotisme qui ne ressemblait pas à Madeleine mais qui laissait entrevoir tout un nouveau pan de sa personnalité. Elle avait peur que le trou se referme ? C'était Madeleine qui avait écrit ça ? Mitchell avait entendu dire que les filles avaient l'esprit aussi mal tourné que les garçons, mais il n'y avait jamais cru. Cependant, si, en feuilletant son *Vogue* pendant ce voyage en train, Madeleine avait pensé au sexe, si elle était montée au grenier avec l'intention de baiser, il était clair qu'il n'avait jamais vraiment réussi à deviner ce qu'elle pensait. Cette idée le fit réfléchir un bon moment, pendant qu'au-dessus l'orage se déchaînait. Parmi toutes les options qui s'étaient présentées à Madeleine, elle avait choisi de s'installer pour écrire à Mitchell. Elle avouait avoir pris du plaisir à l'embrasser et être tentée de descendre du train pour retourner auprès de lui. Elle avait tapé le nom de Mitchell, léché l'enveloppe et tapé son adresse à elle, afin qu'il puisse lui répondre, qu'il sache où la trouver, le cas échéant.

Chaque lettre est une lettre d'amour.

Certes, celle-ci aurait pu être meilleure. Que Madeleine demande, par exemple, à ne pas le revoir avant un demi-siècle n'était guère réjouissant, pas plus qu'elle souligne « tenir » à son « petit ami » (même s'il était réconfortant de savoir qu'ils traversaient une « mauvaise passe »). Ce que Mitchell retint surtout de cette lettre était le fait douloureux qu'il ait laissé passer sa chance. Sa chance avec Madeleine s'était présentée tôt, en deuxième année, et il n'avait pas su la saisir. C'était d'autant plus déprimant que cela laissait entendre qu'il était destiné à rester toute sa vie un spectateur, un second rôle, un loser. Madeleine avait raison : il n'était pas assez viril pour elle.

Les jours suivants mirent son amour-propre à rude épreuve. À Calamata, ville portuaire qui sentait non pas les olives, comme s'y attendait Mitchell, mais l'essence, il ne cessa de rencontrer ses sosies. Le serveur du restaurant, le réparateur de bateaux, le fils du patron de l'hôtel, la caissière de la banque :

tous étaient son portrait craché. Mitchell ressemblait même à quelques icônes de l'église locale qui tombait en ruine. Au lieu de lui donner l'impression de retrouver ses racines, l'expérience lui sapa le moral, comme s'il était la pâle copie d'un original reproduit d'innombrables fois.

Le temps se refroidit encore. Le soir, la température tombait sous les cinq degrés. Où qu'ils aillent, des constructions à moitié terminées s'accrochaient aux flancs rocheux des collines. Pour encourager le secteur du bâtiment, le Parlement grec avait voté une loi exemptant les gens de payer des impôts sur les résidences neuves jusqu'à la fin des travaux. Malins, les Grecs avaient, en conséquence, décidé de ne jamais terminer le dernier étage de leurs maisons, tout en vivant douillettement dessous. Deux froides nuits, dans le village d'Itilo, Mitchell et Larry couchèrent pour un dollar chacun chez les Lamborghos, sur la dalle à ciel ouvert de leur deuxième étage en construction. Le fils aîné, Iannis, les avait abordés à leur descente du car sur la place du village. Il n'avait pas tardé à leur montrer le toit, jonché de fers à béton et de parpaings, où ils dormiraient sous les étoiles, utilisant leurs sacs de couchage et leurs tapis Ensolite pour la première et unique fois de leur voyage.

Malgré la barrière de la langue, Larry se mit à passer du temps avec Iannis. Laissant Mitchell, encore secrètement meurtri par la lettre de Madeleine, boire du café dans le seul bar du village, tous deux partaient se promener au milieu des chèvres dans les collines environnantes. Avec sa chevelure noir corbeau et sa chemise laissant voir son torse, Iannis avait l'allure d'un crooner grec. Il avait de vilaines dents et, manifestement, une tendance à mettre le grappin sur les gens, mais il était d'une compagnie agréable, si on avait envie de compagnie, ce qui n'était pas le cas de Mitchell. Toutefois, lorsque Iannis leur proposa de les ramener en voiture à Athènes, en expliquant qu'il avait là-bas des affaires à régler, Mitchell ne vit pas de raison de refuser, et, le lendemain matin, ils prirent la route dans la minuscule auto yougoslave de Iannis, Larry assis à l'avant, Mitchell à l'arrière, sur la banquette escamotable.

Noël approchait. Les rues autour de leur hôtel, un bâtiment gris sans intérêt que leur avait indiqué Iannis, étaient illuminées. La température suffisait à leur rappeler qu'il était temps de s'envoler pour l'Asie. Une fois Iannis parti régler ses affaires, Larry et Mitchell se rendirent dans une agence de voyages afin d'acheter leurs billets. Athènes était connue pour ses billets d'avion bon marché, et ils purent le vérifier : pour moins de cinq cents dollars, ils trouvèrent chacun un billet à dates flexibles, Athènes-Calcutta-Paris, sur Air India, départ le lendemain soir.

Iannis les emmena ce soir-là dans un restaurant de fruits de mer, puis dans trois bars différents, avant de les ramener à l'hôtel. Le lendemain matin, dans le quartier de Plaka, Mitchell et Larry achetèrent de nouveaux sacs, plus petits. Larry choisit un sac à bandoulière, en chanvre, rayé de couleurs vives ; Mitchell un sac marin foncé. De retour à leur hôtel, ils transférèrent leurs biens essentiels dans les nouveaux sacs, veillant à ce que ceux-ci restent le plus légers possible. Les pulls, les pantalons longs, les baskets, le sac de couchage et le tapis de sol, les livres, même le shampooing – ils se débarrassèrent de tout ça. Mitchell se sépara de son sainte Thérèse, son saint Augustin, son Thomas Merton, son Pynchon, ne conservant que le fin livre de poche sur mère Teresa. Tout ce dont ils n'avaient pas besoin, ils le mirent dans leurs sacs à dos, qu'ils apportèrent à la poste, pour les renvoyer aux États-Unis par bateau. En ressortant, ils se tapèrent dans la main. Pour la première fois, ils avaient l'impression d'être de vrais voyageurs, sans attaches ni fardeaux.

L'humeur joyeuse de Mitchell fut de courte durée. Parmi les objets qu'il avait gardés il y avait la lettre de Madeleine, et lorsqu'ils rentrèrent à leur hôtel il s'enferma dans la salle de bains pour la relire à nouveau. Cette fois, elle lui sembla plus atroce et irrévocable que jamais. En sortant de la salle de bains, il s'allongea sur le lit et ferma les yeux.

Larry fumait sur le balcon.

— On n'a toujours pas vu l'Acropole, dit-il. Il faut qu'on la voie.

— Je l'ai vue, grommela Mitchell.

— On n'y est pas montés.

— J'en ai pas très envie, là.

— Tu viens jusqu'à Athènes et tu ne vas pas aller voir l'Acropole ?

— Vas-y, je te rejoins.

Mitchell attendit que Larry soit parti pour se laisser aller à pleurer. C'était un ensemble de choses, la lettre elle-même, bien sûr, mais aussi les aspects de sa personnalité qui avaient conduit Madeleine à la rédiger : sa maladresse, son charme, son agressivité, sa timidité, tout ce qui avait manqué de peu de faire de lui l'élu de son cœur. Cette lettre était pour lui comme un jugement porté sur toute sa vie jusqu'ici, une condamnation à finir allongé sur ce lit, seul, dans cette chambre d'hôtel athénienne, trop occupé à s'apitoyer sur lui-même pour monter voir l'Acropole. L'idée d'un quelconque pèlerinage était ridicule. Du vent, tout ça ! Si seulement il n'était pas qui il était ! Si seulement il était quelqu'un d'autre, quelqu'un de différent !

Il se redressa en s'essuyant les yeux. Se penchant sur le côté, il tira le Nouveau Testament de la poche arrière de son pantalon, l'ouvrit et en sortit la carte de celle qui le lui avait donné. En haut figurait l'inscription « Athens Bible Institute », à côté d'un drapeau grec à la croix dorée. Le numéro était écrit dessous.

Mitchell le composa depuis le téléphone de la chambre. Son appel n'aboutit pas les deux premières fois (il s'était trompé d'indicatif), mais, à son troisième essai, il entendit sonner. À son grand étonnement, la femme rencontrée à l'agence AmEx, Janice P., répondit. Sa voix semblait toute proche.

— Allô ?

– Bonjour. Ici Mitchell. On s'est rencontrés l'autre jour chez American Express.

– Le ciel soit loué ! s'exclama Janice. J'ai prié pour toi. Et maintenant, tu appelles. Alléluia !

– Je suis tombé sur ta carte, alors voilà.

– Es-tu prêt à accepter le Seigneur dans ton cœur ?

C'était un peu soudain. Mitchell leva les yeux vers le plafond. Une fissure le traversait sur toute sa longueur.

– Oui, dit-il.

– Alléluia !

Janice avait l'air sincèrement heureuse, elle débordait d'enthousiasme. Elle se mit à parler de Jésus et du Saint-Esprit, et Mitchell l'écouta, à titre expérimental. Il jouait le jeu sans le jouer. Il voulait voir s'il allait ressentir quelque chose.

– Je t'avais dit que notre rencontre n'était pas un hasard ! Dieu a fait naître dans mon cœur la volonté de te parler et maintenant tu es prêt à être sauvé ! Loué soit Jésus.

Janice parla ensuite des Actes des Apôtres, de la Pentecôte, de Jésus montant au ciel mais faisant don aux chrétiens du Saint-Esprit, le Consolateur, le vent qui surpasse toute intelligence. Elle expliqua les dons de l'Esprit : parler de nouvelles langues, guérir les malades. Elle avait l'air de se réjouir pour Mitchell, mais comme elle se serait réjouie pour n'importe qui.

– L'Esprit va où il veut. Il est comme le vent. Veux-tu prier maintenant avec moi, Mitchell ? Veux-tu te mettre à genoux et accepter Jésus comme ton Sauveur et Maître ?

– Là, je ne peux pas.

– Où es-tu ?

– À mon hôtel. Dans le hall.

– Alors attends d'être seul. Attends d'être seul dans ta chambre, mets-toi à genoux et demande au Seigneur d'entrer dans ton cœur.

– Tu as déjà parlé des langues inconnues ? demanda Mitchell.

– Ce don m'a été donné une fois, oui.

— Comment ça se passe ?

— Je l'ai demandé. Parfois, il faut demander. Un jour, je priais, et les mots ont commencé à me venir. Tout à coup, il a fait très chaud. On se serait cru dans l'Indiana en été. Une humidité incroyable. Il y avait une présence dans la pièce. Je la sentais. Puis j'ai ouvert la bouche et les mots sont sortis.

— Qu'est-ce que tu as dit ?

— Je ne sais pas. Mais il y avait un homme avec moi, un chrétien, qui a reconnu la langue que je parlais. C'était de l'araméen.

— La langue de Jésus.

— C'est ce qu'il a dit.

— Ça peut m'arriver, à moi aussi ?

— Bien sûr, tu n'as qu'à demander. Une fois que tu auras accepté Jésus comme ton Sauveur et Maître, tu pourras demander au Père de t'accorder le don des langues, au nom de Jésus.

— Et après ?

— Il suffira d'ouvrir la bouche !

— Et les mots sortiront ?

— Je prierai pour toi. Alléluia !

Après avoir raccroché, Mitchell monta à l'Acropole. Il portait l'une sur l'autre les deux chemises qu'il lui restait pour se protéger du froid. Arrivant à Plaka, il passa devant les stands des marchands de souvenirs où on pouvait acheter des imitations d'amphores et d'assiettes antiques, des sandales, des komboloïs. Sur un cintre, un tee-shirt proclamait, en anglais : « Embrassez-moi, je suis grec. » Mitchell commença à gravir le sentier tortueux en terre qui menait au plateau historique.

Arrivé en haut, il se retourna et contempla Athènes, baignoire géante remplie de mousse crasseuse. Des nuages s'enroulaient d'une façon spectaculaire dans le ciel, transpercés çà et là par les rayons du soleil, qui tombaient au loin sur la mer comme des faisceaux de projecteurs. L'altitude majestueuse, le parfum pur des pins et la lumière dorée conféraient à l'atmosphère une clarté représentative de ce qu'on appelle le style attique. Des échafaudages recouvraient le Parthénon, ainsi qu'un temple plus petit à côté. En dehors de cela, et d'un poste de sécurité isolé à l'autre bout du sommet, il n'y avait aucun signe d'une présence administrative nulle part, et Mitchell se sentait libre d'aller où il voulait.

Comme le vent selon saint Jean.

À la différence de tous les autres sites touristiques célèbres que Mitchell avait vus dans sa vie, l'Acropole était plus impressionnante en vrai ; aucune carte postale ni photo ne pouvait lui rendre justice. Le Parthénon était à la fois plus grand et plus beau, plus héroïquement conçu et construit, qu'il ne l'avait imaginé.

Larry était introuvable. Mitchell alla de l'autre côté des rochers, derrière le petit temple. Lorsqu'il fut certain que personne ne pouvait le voir, il s'agenouilla.

Entendre une illuminée lui rebattre les oreilles de sa « vie pour le Christ » était peut-être le genre d'épreuve que Mitchell avait besoin de s'imposer pour se débarrasser de sa vieille vanité. Et s'il était vrai que les débonnaires hériteraient la terre ? Et si la vérité était simple, à la portée de tous et non des seuls titulaires d'un diplôme d'enseignement supérieur ? La vérité ne pouvait-elle pas être perçue à travers un autre organe que le cerveau, et n'était-ce pas là exactement ce en quoi consistait la foi ? Mitchell ne connaissait pas les réponses à ces questions, mais là, au sommet de cette colline à la gloire d'Athéna, lui vint une pensée révolutionnaire : que lui et tous ses amis instruits ne connaissaient rien à la vie, et que peut-être cette femme (cette folle ?) savait quelque chose d'important.

À genoux sur l'Acropole, Mitchell ferma les yeux.

Il avait conscience d'une infinie tristesse en lui.

Embrassez-moi je suis mourant.

Il ouvrit la bouche. Il attendit.

Un coup de vent emporta des détritus entre les rochers.

Mitchell sentit un goût de poussière sur sa langue. Mais ce fut tout.

Rien. Pas une seule syllabe d'araméen. Après encore une minute, il se releva et s'épousseta.

Il redescendit rapidement de l'Acropole, comme s'il fuyait une catastrophe. Il se sentait ridicule d'avoir essayé de recevoir le don des langues et, en même temps, il était déçu de ne pas avoir réussi. Le soleil déclinait, la température chutait. À Plaka, les vendeurs de souvenirs fermaient leurs stands, les néons s'allumaient dans les vitrines des restaurants et des cafés du quartier.

Il passa devant son hôtel trois fois sans le reconnaître. Pendant son absence, l'ascenseur était tombé en panne. Mitchell prit l'escalier jusqu'au premier, enfila le couloir sans âme et inséra sa clef dans la serrure.

Alors qu'il poussait la porte, il vit quelque chose bouger dans la chambre obscure, furtivement, rapidement. Il chercha l'interrupteur à tâtons sur le mur et, le trouvant, découvrit Larry et Iannis au centre de la pièce. Larry était allongé sur le lit, le jean sur les chevilles, Iannis agenouillé par terre, à côté. Faisant preuve d'un certain aplomb étant donné les circonstances, Larry dit : « Surprise, surprise, Mitchell. » Iannis disparut en se tassant sur lui-même.

« Salut », dit Mitchell, avant d'éteindre la lumière. Il ressortit et referma la porte derrière lui.

Dans un restaurant en face de l'hôtel, il commanda une carafe de retsina et une assiette de feta avec des olives. Il n'essaya même pas de parler quelques mots de grec, il se contenta d'indiquer du doigt ce qu'il voulait. Tout s'expliquait à présent. Pourquoi Larry avait oublié Claire si vite. Pourquoi il avait disparu si souvent pour aller fumer des cigarettes avec des Européens douteux. Pourquoi il portait ce foulard en soie violet autour du cou. Larry n'était plus la même personne qu'à New York. À cet égard, Mitchell se sentait très proche de son ami, même s'il se doutait que c'était là la fin de leur voyage ensemble. Larry ne prendrait pas l'avion pour l'Inde avec lui ce soir-là. Larry allait rester encore quelque temps à Athènes avec Iannis.

Au bout d'une heure, Mitchell retourna à l'hôtel, où ses suppositions se confirmèrent. Larry promit de le rejoindre en Inde, avant le début de leur stage avec M. Hughes. Ils se serrèrent dans les bras, et, son léger sac marin à la main, Mitchell regagna le hall afin de prendre un taxi pour l'aéroport.

À neuf heures ce soir-là, sanglé dans son fauteuil de classe économique à bord d'un 747 d'Air India, il quitta l'espace aérien chrétien à une vitesse de 840 kilomètres/heure. Les hôtesses étaient en sari. Pour le dîner, on leur servit un délicieux assortiment de plats végétariens. Il n'avait jamais vraiment cru qu'il allait parler de nouvelles langues. À quoi ça lui aurait servi, de toute façon ?

Plus tard, alors qu'on éteignait les lumières de la cabine et que les autres passagers essayaient de dormir, Mitchell alluma sa veilleuse. Il relut *Something Beautiful for God*, en observant attentivement les photos.

UNE MANŒUVRE INGÉNIEUSE

Peu après avoir appris que la mère de Madeleine ne l'aimait pas et qu'en plus elle travaillait activement à leur séparation, à une époque de l'année où, au cap, la courte durée d'ensoleillement faisait écho à l'intensité électrique de plus en plus faible de son propre cerveau, Leonard trouva le courage de prendre son destin, pour ce qui était de son trouble mental, en main.

C'était une manœuvre ingénieuse. La raison pour laquelle il n'y avait pas pensé plus tôt n'était qu'un des effets secondaires de son médicament. Le lithium était très efficace pour induire un état dans lequel prendre du lithium semblait une bonne idée. Il était très propice à l'inactivité. En tout cas, Leonard n'avait pas fait grand-chose, en six mois, depuis sa sortie de l'hôpital. Il avait demandé à ses psychiatres – à la fois au Dr Shieu du Providence Hospital et à celui qui le suivait désormais, Perlmann, du Massachusetts General – de lui expliquer les mécanismes biochimiques du carbonate de lithium (Li_2CO_3). Pour lui faire plaisir, s'adressant à lui comme à un « collègue scientifique », ils lui avaient parlé des neurotransmetteurs et récepteurs, de la libération diminuée de norépinéphrine, de la synthétisation accrue de sérotonine. Ils avaient énuméré, sans les développer, les désagréments dont pouvait s'accompagner la prise du lithium, et ce, principalement dans le but de discuter d'autres médicaments susceptibles de réduire ces désagréments. Tout cela faisait beaucoup de termes et de noms de produits à assimiler pour Leonard, surtout vu ses capacités intellectuelles amoindries.

Quatre ans plus tôt, quand le diagnostic de psychose maniaco-dépressive avait officiellement été posé au second semestre de sa première année de fac, il n'avait pas beaucoup réfléchi aux effets que le lithium avait sur lui. Tout ce qui l'intéressait, c'était de retrouver un état normal. Ce diagnostic s'ajoutait à ces choses – comme le manque d'argent et l'éclatement de sa famille – qui menaçaient d'empêcher Leonard d'avancer, juste au moment où il commençait à avoir l'impression que le sort avait cessé de s'acharner contre lui. Il prit consciencieusement ses comprimés deux fois par jour et fit quelques séances avec une psychologue du centre médical avant de trouver Bryce Ellis, qui, comprenant sa précarité financière, accepta d'y adapter ses honoraires. Les trois années qui suivirent, Leonard traita sa maladie comme une matière obligatoire un peu ennuyeuse, travaillant juste assez pour avoir la moyenne.

Leonard avait grandi dans une maison de style Arts & Crafts dont le propriétaire précédent avait été assassiné dans le hall d'entrée. À cause de son macabre passé, la maison du 133, Linden Street était restée quatre ans sur le marché avant que Frank, le père de Leonard, ne l'achète pour la moitié du prix qui en était demandé au départ. Frank Bankhead avait un magasin de gravures anciennes à Nob Hill, spécialisé dans les lithographies anglaises. Déjà, à cette époque, les clients ne se bousculaient pas, et ce magasin était surtout un endroit où Frank allait fumer la pipe en attendant l'heure de l'apéro. Lorsque Leonard grandit, Frank lui raconta que les Bankhead étaient de « vieux Portlandais », il entendait par là les familles venues s'installer dans l'Oregon quand cet État faisait encore partie des Territoires du Nord-Ouest. Rien ne le confirmait, ni Bankhead Street dans le centre-ville ni buste d'un Bankhead quelconque à l'Oregon Historical Society, pas même une vieille plaque quelque part où figurerait le nom de Bankhead. Restait toutefois les trois-pièces en tweed de Frank, et ses manières d'autrefois. Restait son magasin, rempli d'objets que personne ne voulait acheter : lithographies non pas du passé de la ville ni de rien qui aurait pu intéresser un autochtone, mais d'endroits comme Bath, la Cornouailles ou Glasgow. Scènes de chasse ou de fête dans des tavernes de Londres, dessins de pickpockets en action, deux Hogarth de choix dont Frank ne s'était jamais résolu à se séparer, et beaucoup de vieilleries.

Frank rentrait à peine dans ses frais avec ce magasin. Les Bankhead survivaient grâce aux revenus de plus en plus maigres de placements boursiers que Frank avait hérités de son grand-père. De temps en temps, à une vente aux enchères, il mettait la main sur une gravure de valeur qu'il revendait alors en dégageant un bénéfice (pour cela, il se rendait parfois en avion à New York). Mais la courbe de rentabilité de son affaire était globalement descendante, contrairement à ses prétentions sociales, d'où l'intérêt de Frank pour cette maison.

Il en avait entendu parler par un client qui habitait le quartier. Le propriétaire précédent, un célibataire du nom de Joseph Wierznicki, avait été tué à coups de couteau, juste derrière sa porte, avec une violence telle que la police avait soupçonné une vengeance personnelle. Personne n'avait été interpellé. Les journaux en avaient parlé, ils avaient publié des photos des murs et du plancher couverts de sang. Cela aurait pu s'arrêter là. Après un certain temps, la maison avait été mise en vente. Des ouvriers avaient nettoyé et refait le hall d'entrée, mais l'agence immobilière, tenue par la loi de signaler toute information susceptible d'affecter la revente, était obligée de parler du meurtre ayant eu lieu dans la maison. Quand les acheteurs potentiels apprenaient l'information, ils menaient leur enquête (s'ils étaient encore intéressés), et, après avoir vu les photos, plus aucun d'eux n'avait envie de faire une offre.

La mère de Leonard refusait même d'envisager l'idée. Le stress d'un déménagement lui semblait difficilement supportable, *a fortiori* si c'était pour s'installer dans une maison hantée. Rita passait la plupart de ses journées dans sa chambre, à feuilleter des magazines ou à regarder le *Mike Douglas Show* à la télévision, son « verre d'eau » sur la table de nuit. De temps en temps, elle pouvait devenir une tornade d'activité domestique et décorer chaque centimètre carré de la maison pour Noël, ou préparer de fastueux dîners de six plats. Aussi loin que remontaient les souvenirs de Leonard, il avait toujours vu sa mère soit se cacher des gens, soit se donner beaucoup de mal pour les impressionner. La seule autre personne de sa connaissance qui était aussi imprévisible que Rita était Frank.

Cela aurait pu faire un jeu de société amusant : de quel côté de la famille Leonard tenait-il son instabilité mentale ? Il y avait tant de sources possibles, tant de fruits pourris sur l'arbre généalogique des Bankhead et des Richardson. Les alcooliques étaient présents des deux côtés. Ruth, la sœur de Rita, avait eu une vie mouvementée, que ce soit sexuellement ou financièrement. Elle avait été arrêtée plusieurs fois et avait fait, d'après ce que Leonard en savait, au moins une tentative de suicide. Il y avait aussi les grands-parents de Leonard, dont la droiture avait quelque chose de désespéré, comme si elle contenait une violente envie de révolte. Leonard savait que son père, sous ses dehors collet monté, était dépressif et misanthrope, enclin, lorsqu'il était soûl, à de violentes diatribes contre le « vulgus » et à des crises de mégalomanie, pendant lesquelles il parlait d'aller vivre en Europe et d'y mener grand train.

La maison correspondait à la vision que Frank avait de lui-même. Elle était bien plus belle, bien plus grande, que ne le lui permettaient normalement ses moyens : il y avait des panneaux de bois sculpté dans le salon, une cheminée carrelée, quatre chambres. Un après-midi, rentré de bonne heure du magasin, il emmena Rita et Leonard la voir. Lorsqu'ils arrivèrent, Rita refusa de descendre de la voiture, et Frank y alla seul avec Leonard, qui, à l'époque, n'avait que sept ans. Tandis que l'agent immobilier leur faisait faire la visite, Frank indiqua à Leonard où serait sa nouvelle chambre au rez-de-chaussée, et il lui montra le jardin où, s'il le voulait, il pourrait construire une cabane dans un arbre.

Puis il le ramena à la voiture, où Rita était toujours installée.

— Leonard a quelque chose à te dire, annonça Frank.

— Quoi ? demanda Leonard.

— Ne joue pas les malins. Tu sais très bien quoi.

— Il n'y a pas de taches de sang, maman, dit Leonard.

— Et ? l'encouragea Frank.

— Tout le sol a été changé. Dans l'entrée. Le carrelage est tout neuf.

Rita resta le dos collé au dossier du siège avant. Elle portait des lunettes de soleil, comme toujours quand elle sortait, même en hiver. Enfin, elle but une longue gorgée de son « verre d'eau » – il l'accompagnait partout, les glaçons tintant à l'intérieur – et sortit de la voiture.

— Donne-moi la main, dit-elle à Leonard.

Tous les deux, sans Frank, ils montèrent les marches du perron et entrèrent dans la maison. Ils inspectèrent ensemble chacune des pièces.

— Qu'est-ce que tu en penses ? demanda Rita quand ils eurent terminé.

— C'est une belle maison, je trouve.

— Ça ne te dérangerait pas d'habiter ici ?

— Je ne sais pas.

— Et ta sœur ?

— Elle, elle est pour. Papa lui a raconté comment c'était. Il lui a dit qu'elle pourrait choisir sa moquette.

Avant de donner sa réponse, Rita exigea que Frank l'emmène dîner chez Bryant's. Leonard voulait rentrer jouer au base-ball, mais ils l'obligèrent à venir. Chez Bryant's, Frank et Rita burent des cocktails, pas mal de cocktails. Bientôt ils riaient et s'embrassaient, et se moquaient de la répugnance de Leonard à manger les huîtres qu'ils avaient commandées. Rita avait soudain décidé que cet assassinat était un attrait. Il donnait une « histoire » à la maison. En Europe, c'était commun d'habiter dans des maisons où des gens avaient été assassinés ou empoisonnés.

— Je ne comprends pas pourquoi tu as si peur d'habiter là, reprocha-t-elle à Leonard.

— Je n'ai pas peur.

— Tu as déjà vu quelqu'un faire autant d'histoires pour rien, toi ? demanda-t-elle à Frank.

— Non, jamais, dit Frank.

— Je n'ai pas fait d'histoires, protesta Leonard, contrarié. C'est toi qui en as fait. Moi, ça m'est égal où on habite.

— Oh, mais ce n'est pas sûr qu'on t'emmène avec nous, si tu t'entêtes à le prendre sur ce ton !

Ils continuèrent de rire et de boire, tandis que Leonard quittait rageusement la table pour aller regarder fixement le juke-box en faisant défiler les titres encore et encore.

Un mois plus tard, la famille emménageait au 133, Linden Street, Frank et Rita acquérant, en plus de cette nouvelle maison, une nouvelle raison de se disputer.

Tout cela, Leonard l'apprit ultérieurement par ses thérapeutes, était une forme de maltraitance. Non pas qu'on l'oblige à habiter une maison où un meurtre avait été commis mais que ses parents l'utilisent comme intermédiaire dans leurs affaires, qu'ils lui demandent constamment son opinion avant qu'il n'ait la maturité nécessaire, qu'ils lui donnent l'impression qu'il était indirectement responsable de leur bonheur et, plus tard, de leur malheur. Année après année, thérapeute après thérapeute, il avait appris à imputer à peu près toutes les facettes de son caractère à une réaction psychologique aux conflits entre ses parents : sa paresse, son perfectionnisme, sa tendance à s'isoler, sa tendance à séduire, son hypocondrie, son sentiment d'invulnérabilité, sa haine de lui-même, son narcissisme.

Les sept années qui suivirent furent chaotiques. Des fêtes

avaient lieu en permanence à la maison. Il y avait toujours un antiquaire de Cincinnati ou de Charleston en ville qu'il fallait distraire. Présidant à ces rassemblements orgiaques, Frank remplissait les verres. Les adultes buvaient, mangeaient, criaient, les femmes tombaient de leurs chaises, leurs robes s'envolaient. Des hommes d'une cinquantaine d'années allaient traîner dans la chambre de Janet. Leonard et Janet étaient mis à contribution pour servir les invités, en boissons, en hors-d'œuvre. Bien des soirs, quand les invités étaient repartis et parfois quand ils étaient encore là, des disputes éclataient entre Frank et Rita. Dans leurs chambres respectives, chacun à leur étage, Leonard et Janet montaient le son de leur stéréo pour couvrir le bruit. Il était question d'argent, de ce que ne gagnait pas Frank, de ce que dépensait Rita. Le temps que Leonard atteigne l'âge de quinze ans, le mariage de ses parents était terminé. Frank quitta Rita pour une Belge du nom de Sara Coorevits, une antiquaire de Bruxelles rencontrée à un salon à Manhattan et avec qui, s'avéra-t-il, il entretenait une relation depuis cinq ans. Quelques mois plus tard, Frank vendit son magasin et partit s'installer en Europe, comme il l'avait toujours dit. Rita se retira dans sa chambre, laissant Janet et Leonard se débrouiller seuls alors qu'ils étaient lycéens. Six mois plus tard, harcelée par les créanciers, Rita, assez héroïquement, sortit de sa torpeur pour se faire embaucher à la YMCA locale, où elle finit – ça, ça tenait du miracle – par devenir directrice et adorée de tous les gamins, qui l'appelaient « Madame Rita ». Elle travaillait souvent tard. Janet et Leonard se préparaient eux-mêmes à dîner, puis ils allaient dans leur chambre. On aurait dit que c'était leur famille qui avait été assassinée dans cette maison.

Mais c'était là le sentiment d'un dépressif. Un dépressif *latent*, à l'époque. La maladie de Leonard avait cette particularité étrange, la façon presque jouissive dont elle s'était déclarée. Au début, ses baisses de moral étaient plus proches de la mélancolie que du désespoir. Il ne trouvait pas cela désagréable de marcher seul dans la ville, le cœur en peine. Il éprouvait même un sentiment de supériorité – c'était lui qui avait raison, lui semblait-il – à ne pas aimer ce que les jeunes de son âge aimaient : le football américain, les pom-pom girls, James Taylor, la viande rouge. Il avait un copain, Godfrey, qui était mordu de groupes comme Lucifer's Friend et Pentagram, et pendant une période il passa beaucoup de temps chez Godfrey à les écouter. Les parents de Godfrey ne supportant pas ce vacarme infernal, Godfrey et Leonard utilisaient un casque. C'était d'abord Godfrey qui le mettait, il posait le saphir sur le disque et commençait à se contorsionner silencieusement, en indiquant par ses mimiques sidérées la profondeur de la dépravation à laquelle il était soumis. Puis venait le tour de Leonard. Ils écoutaient certaines chansons à l'envers pour entendre les messages sataniques cachés. Ils analysaient les paroles où il était question de bébés morts et les illustrations de matières en décomposition sur les pochettes. Afin d'écouter un peu de musique en même temps, Leonard et Godfrey volaient de l'argent à leurs parents et achetaient des billets pour des concerts au Paramount. Ce fut là, lorsqu'il faisait la queue sous la bruine incessante de Portland, avec quelques centaines d'autres adolescents mal dans leur peau, que Leonard vécut les seuls moments de sa vie où il eut l'impression d'être intégré à quelque chose. Ils virent Nazareth, Black Sabbath et Judas Priest, sans oublier Motordeath, un groupe franchement nul mais dont les concerts mettaient en scène des femmes nues célébrant des sacrifices d'animaux. On pouvait être un fan des ténèbres, un connaisseur du désespoir.

Pendant quelque temps, la Maladie – encore anonyme à cette époque – lui fit les yeux doux. Viens plus près, lui disait-elle. Leonard était flatté de ressentir plus de choses que la plupart des gens ; il était plus sensible, plus *profond*. Voir un film « intense » comme *Mean Streets* le laissait sous le choc, incapable de parler, et il fallait que trois filles le prennent dans leurs bras pendant une heure pour qu'il s'en remette. Inconsciemment, il se mit à cultiver cette sensibilité. Il était « vachement déprimé » en salle de permanence ou à telle ou telle soirée, et un groupe ne tardait pas à se former autour de lui, l'air inquiet.

C'était un élève irrégulier. Ses professeurs disait de lui qu'il était brillant mais manquait de motivation. Il lui arrivait de ne pas faire ses devoirs, préférant rester allongé sur le canapé devant la télévision. Il regardait le *Tonight Show*, puis le film de deuxième partie de soirée, puis celui d'encore après. Le matin, il était épuisé. Il s'endormait en classe, ne retrouvant de l'énergie qu'après les cours pour aller traîner avec ses copains. Ensuite il rentrait chez lui, regardait à nouveau la télé jusqu'à point d'heure, et le cycle se répétait.

Et ça, ce n'était pas encore la Maladie. Être déprimé par les malheurs du monde – la pollution, les famines, l'invasion du Timor oriental –, ce n'était pas la Maladie. Passer des heures devant la glace de la salle de bains, à inventorier les veines apparentes sous sa peau et les pores de son nez, jusqu'à ce qu'il soit convaincu qu'il était une créature hideuse qu'aucune fille ne pourrait jamais aimer – même ça, ce n'était pas la Maladie. C'étaient des prémices caractérologiques, mais ce n'était ni chimique ni somatique. L'anatomie en question était celle de la mélancolie, pas celle de son cerveau.

Son premier accès réel de dépression, Leonard le connut à la rentrée de sa première année de lycée. Un jeudi soir, Godfrey, qui venait d'avoir son permis, vint le chercher avec la Honda de ses parents. Ils se baladèrent, la musique à fond. Godfrey s'était ramolli. Il voulait écouter Steely Dan.

– C'est de la merde, ça, dit Leonard.

– Non, mec, faut prendre la peine d'écouter.

– On n'a qu'à se mettre un peu de Sabbath.

– C'est plus mon truc, cette musique-là.

Leonard regarda son ami.

– C'est quoi, ton problème ?

Mais il connaissait déjà la réponse. Les parents de Godfrey

étaient croyants (pas méthodistes, comme ceux de Leonard ; eux, ils lisaient vraiment la Bible). Ils avaient envoyé Godfrey dans un camp de vacances organisé par la paroisse durant l'été et là, parmi les arbres et les piverts, les bons pasteurs avaient fait leur ouvrage. Il continuait de boire et de fumer du hasch, mais il avait renoncé à son Judas Priest et à son Motordeath. Ce n'était pas que ces groupes manquaient à Leonard. Lui-même commençait à s'en lasser. Mais il n'allait pas laisser Godfrey s'en tirer comme ça.

Il désigna l'autoradio d'un geste méprisant de la main.

– C'est des chochottes, ces mecs-là.

– Musicalement, cet album est très bon, insista Godfrey. Donald Fagen a reçu une formation classique.

– Je vais te dire un truc, God-frey : si on doit rouler en écoutant cette musique de fiotte, autant que je baisse mon froc tout de suite et que tu me pompes le nœud.

Sur quoi Leonard chercha dans la boîte à gants quelque chose de plus attrayant, et il en sortit un album de Big Star qu'il aimait bien.

Un peu avant minuit, Godfrey le déposa devant chez lui et Leonard alla immédiatement se coucher. Lorsqu'il se réveilla le lendemain matin, quelque chose n'allait pas. Son corps était douloureux, ses membres comme pris dans du ciment. Il n'avait pas envie de se lever, mais Rita fit irruption en braillant qu'il allait être en retard. Leonard finit par réussir à sortir de son lit et à s'habiller. Sans prendre de petit-déjeuner, il quitta la maison en oubliant son sac et marcha jusqu'à Cleveland High. Un orage approchait, baignant d'une lumière crépusculaire les devantures miteuses des magasins et les autoponts. Toute la journée, tandis que Leonard traînait sa carcasse de cours en cours, de sinistres nuages violacés se massaient derrière les fenêtres. Les profs ne cessaient de l'engueuler parce qu'il n'avait pas ses livres. Il devait emprunter feuilles et stylos aux autres élèves. Deux fois, il s'enferma dans l'un des box des toilettes et, sans raison identifiable, se mit à pleurer. Godfrey, qui, la veille, avait bu autant que Leonard, avait l'air en forme. Ils allèrent manger ensemble à midi mais Leonard n'avait pas d'appétit.

– Qu'est-ce qui t'arrive, mec ? T'as fumé ?

– Non. J'ai dû choper un truc.

À trois heures et demie, au lieu de se présenter à l'entraînement de l'équipe de foot junior, Leonard rentra directement chez lui. Un sentiment de ruine imminente, de malveillance universelle, le poursuivit tout le long du chemin. Les branches des arbres s'agitaient d'une manière menaçante à la périphérie de son champ de vision. Les câbles téléphoniques pendaient comme des pythons entre les poteaux. Cependant, lorsqu'il regarda le ciel, il fut surpris de n'y trouver aucun nuage. Aucun orage. Le temps était clair, le soleil radieux. Il se dit que le problème devait venir de ses yeux.

Dans sa chambre, il sortit ses livres de médecine et essaya de déterminer ce qui n'allait pas chez lui. Il en avait acheté tout un lot à un vide-grenier, six manuels illustrés aux titres délicieusement inquiétants : *Atlas des maladies rénales*, *Atlas des maladies cérébrales*, *Atlas des maladies dermatologiques*, etc. C'est avec ces livres qu'était né l'intérêt de Leonard pour la biologie. Les photos des malades anonymes exerçaient sur lui un attrait morbide. Il aimait montrer les plus horribles à Janet pour la faire crier. L'*Atlas des maladies dermatologiques* était le meilleur pour cela.

Les lumières de sa chambre étaient allumées, et pourtant Leonard n'y voyait pas très bien. Il avait l'impression qu'un corps étranger se trouvait derrière ses yeux et lui bloquait la vue. Dans l'*Atlas des maladies de l'appareil endocrinien* il trouva quelque chose qui s'appelait un adénome hypophysaire. Il s'agissait d'une tumeur, généralement bénigne, qui se formait dans l'hypophyse et qui, souvent, faisait pression sur le nerf optique. Elle causait des troubles de la vision et altérait le fonctionnement de l'hypophyse, ce qui entraînait « baisse de la pression artérielle, asthénie et difficultés à affronter les situations de stress ». Trop d'activité hypophysaire, vous deveniez un surhomme, trop peu, une loque. Aussi impossible que cela puisse paraître, Leonard semblait souffrir des deux états à la fois.

Il referma le livre et s'écroula sur son lit. Il avait l'impression d'être violemment vidé de son contenu, comme si une pompe ultrapuissante siphonnait son sang et tous ses fluides pour les déverser dans la terre. Il pleurait à nouveau, il était incapable de s'arrêter, sa tête pareille au lustre de chez ses grands-parents à Buffalo, trop haut pour qu'ils l'atteignent et qui, chaque fois qu'il allait les voir, avait une ampoule en moins d'allumée. Sa tête était un vieux lustre en train de rendre l'âme.

En rentrant ce soir-là, Rita trouva son fils couché, tout habillé. Lorsqu'elle lui dit que le dîner serait bientôt prêt, il répondit qu'il n'avait pas faim, et elle mit un couvert de moins sur la table. Elle ne retourna pas le voir de la soirée.

Depuis sa chambre au rez-de-chaussée, Leonard entendit sa mère et sa sœur parler de lui en mangeant. Janet, rarement de son côté, demanda ce qu'il avait. Rita dit : « Rien. C'est juste un paresseux. » Il les entendit faire la vaisselle après le repas, puis Janet monter dans sa chambre et parler au téléphone.

Le lendemain matin, Rita envoya Janet voir comment il allait. Elle s'approcha du bord du lit.

– Qu'est-ce que tu as ?

Ce peu de compassion manifesté par sa sœur suffit à amener Leonard au bord des larmes. Il se cacha le visage sous le bras et prit sur lui pour ne pas éclater à nouveau en sanglots.

– Tu fais semblant ? demanda Janet à voix basse.

– Non, réussit-il à répondre.

– Ça pue ici.

– Ben t'as qu'à partir, dit Leonard, qui avait pourtant envie qu'elle reste, qui aurait donné n'importe quoi pour que sa sœur se glisse à côté de lui comme quand ils étaient petits.

Il entendit les pas de Janet traverser la pièce puis s'éloigner dans le couloir. Il l'entendit dire :

— Maman, je crois qu'il est vraiment malade.

— Sûrement une interro qu'il n'a pas préparée, gloussa froidement Rita.

Bientôt elles partirent et la maison fut plongée dans le silence.

Leonard resta couché, enseveli sous les couvertures. La mauvaise odeur détectée par Janet était celle de son corps en train de pourrir. Son dos et son visage étaient couverts de boutons. Il aurait fallu qu'il se lève pour aller se nettoyer la peau au Physoderm mais il n'en avait pas la force.

Dans un coin de la chambre se trouvait sa vieille table de hockey, les Bruins contre les Blackhawks. À l'âge de douze ans, Leonard avait acquis une technique suffisante pour battre sa grande sœur et tous ses amis. Il insistait toujours pour être les Bruins. Il avait inventé un nom pour chaque joueur, un Italien, un Irlandais, un Indien américain et un Canadien français. Il notait leurs résultats dans un cahier réservé à cet effet, avec une crosse et un palet enflammé dessinés sur la couverture. Tout en jouant – tandis qu'il actionnait les tirettes métalliques pour déplacer les joueurs sur la glace et en faisait tourner les poignées pour tirer –, il commentait les matchs. « DiMaglio prend le palet au pied du plexi. Il passe à McCormick. McCormick passe à Ours-qui-dort, qui passe à Lecour, qui tire... ET MARQUE ! » Etc. De sa voix perçante d'adolescent, Leonard détaillait ses victoires face à un adversaire inexistant, notant les buts de Lecour et les passes décisives d'Ours-qui-dort avant d'oublier. Obsédé par les résultats, il se pressait d'additionner les buts de Lecour même lorsqu'il jouait contre Janet, qui comprenait à peine le fonctionnement des tirettes. Combien Janet détestait jouer au hockey de table avec Leonard ! Et combien c'était justifié, il en avait conscience à présent. Tout ce qui importait à Leonard était de gagner. Il était content – enfin, moins mécontent – de lui lorsqu'il gagnait. Peu importait que son adversaire sache jouer ou non.

La Maladie, qui, par ailleurs, déformait sa perception, rendait ces défauts de sa personnalité douloureusement clairs.

Mais le mépris de Leonard n'était pas réservé à lui-même. Il détestait les sportifs du lycée, les « flicards » de Portland dans leurs voitures de patrouille, l'employé du 7-Eleven qui lui disait que s'il voulait lire *Rolling Stone* il n'avait qu'à l'acheter ; il détestait, tous autant qu'ils étaient, les politiciens, les hommes d'affaires, les propriétaires d'armes à feu, les intégristes religieux, les hippies, les gros, il détestait l'Utah dans son ensemble pour avoir profité du rétablissement de la peine de mort en envoyant Gary Gilmore au peloton d'exécution, les 76ers de Philadelphie pour avoir battu les Trailblazers de Portland, et, plus que tout, Anita Bryant pour sa croisade contre les homosexuels.

Il manqua toute une semaine de cours. À la fin du week-end suivant, il était sur pied. L'apparition de Godfrey à la fenêtre de sa chambre le vendredi après-midi n'y était pas pour rien. Vers trois heures et demie ce jour-là, Janet rentra du lycée et laissa tomber ses livres sur la table de la cuisine. Quelques minutes plus tard, Leonard perçut l'odeur de la pizza surgelée qu'elle se faisait chauffer au mini-four. Bientôt elle était au téléphone avec son petit ami. Leonard écoutait sa sœur – il trouvait qu'elle n'était vraiment pas naturelle et se disait que Jimmy, le petit ami en question, ne connaissait pas son vrai visage – quand quelqu'un cogna à la fenêtre de sa chambre. C'était Godfrey. En le voyant là, il se demanda s'il n'était pas moins déprimé qu'il ne le pensait. Il était content de voir son copain. Oubliant toutes ses haines, il se leva pour aller ouvrir la fenêtre.

– Tu pourrais passer par-devant, lui fit-il observer.

– Pas moi, rétorqua Godfrey en escaladant la fenêtre. Je passe toujours par-derrière.

– Tu devrais aller voir la vieille d'à côté, alors. Elle t'attend.

– Pourquoi pas ta sœur ?

– C'est bon, tu peux repartir, maintenant.

– J'ai de l'herbe, dit Godfrey.

Il montra son sachet. Leonard y fourra son nez et sa dépression monta encore d'un cran. On se serait cru dans la forêt amazonienne, c'était comme enfouir sa tête entre les jambes d'une indigène qui n'avait jamais entendu parler du christianisme. Ils allèrent fumer derrière le garage, sous l'avant-toit pour se protéger de la pluie. C'est un peu comme ça, pourrait-on dire, que Leonard passa l'essentiel de ses années de lycée : sous un abri, à fumer du cannabis en regardant la pluie tomber. Il pleuvait en permanence à Portland et il y avait toujours un abri dans les parages – l'avant-toit derrière le lycée, le Steel Bridge à Waterfront Park ou, laissant passer quelques gouttes, les branches d'un pin blanc ravagé par le vent dans le jardin de quelqu'un. Leonard ignorait comment, mais, le lundi suivant, il réussit à se traîner jusqu'au lycée. Il prit l'habitude d'aller pleurer en cachette au moins deux fois par jour dans les toilettes et de ressortir comme si de rien n'était. Sans savoir ce qu'il faisait, il commença à prendre des médicaments, à fumer pratiquement tous les jours, à boire de grandes canettes de bière chez lui ou chez Godfrey l'après-midi, et à aller le week-end à des soirées où il finissait complètement défoncé. Des fêtes s'improvisaient chez lui tous les après-midi de la semaine. Certains apportaient de l'herbe, d'autres des packs de bières. Tous voulaient qu'on leur parle de l'assassinat. Leonard en rajoutait, il disait qu'il y avait encore des taches de sang lorsqu'ils avaient emménagé. « Attendez, vous pouvez peut-être encore les voir si vous regardez bien. » Janet fuyait ces fêtes comme la peste. Elle menaçait toujours d'en parler à leur mère mais ne le faisait jamais. À cinq heures, Leonard et ses copains allaient faire du skate dans les ruelles, ils se cognaient partout et se tordaient de rire devant les chutes les plus spectaculaires.

Ce mode de vie ne traduisait pas une grande santé mentale, mais il lui permit de tenir le coup. La Maladie n'était pas encore bien installée en lui. Il lui était encore possible de s'anesthésier pendant ses journées ou ses semaines de dépression.

Puis une chose étonnante se produisit. En deuxième année de lycée, il commença à se reprendre en main. Il y avait plusieurs raisons à cela. La première était que, fin août, Janet était partie pour Whitman College, à Walla Walla, dans l'État de Washington, à quatre heures et demie de route de Portland. Bien qu'ils se soient ignorés la plupart du temps jusqu'ici, Leonard trouvait la maison vide sans elle. Le départ de Janet y rendait la vie encore un peu plus insupportable. Et il lui montra une issue.

C'était la poule et l'œuf : Leonard était incapable de déterminer quel élément avait précédé l'autre, son désir de devenir un meilleur élève ou l'énergie et la concentration qui lui en avaient donné les moyens. À partir de cette rentrée-là, il se jeta à corps perdu dans les études. Il se mit à lire la totalité des livres au programme et à rendre ses devoirs à temps. Avec un minimum d'efforts, il obtint des A à ses contrôles de maths. Il était bon en chimie mais préférait la biologie, qui lui semblait une matière plus tangible, plus « humaine ». Tandis que ses résultats s'amélioraient, il fut intégré à des cours d'élite, qu'il trouvait encore plus à son goût. C'était amusant de faire partie des grosses têtes. En littérature, ils étudiaient *Henri IV, seconde partie*. En son for intérieur, Leonard ne pouvait s'empêcher de s'identifier avec le passage où Henri disait adieu à son ancienne vie de négligence. Au printemps, lorsque vint le moment de passer les SAT, le retard, pourtant conséquent, qu'il avait en maths au début de l'année était plus que rattrapé, et il excella à la fois dans les parties mathématiques et expression. Il se découvrit une force de concentration surprenante, capable d'aligner dix heures de travail d'affilée, ne s'interrompant que le temps d'avaler un sandwich. Il se mit à terminer ses devoirs *en avance*. Il lut *Ontogénie et Phylogénie* et *Darwin et les Grandes Énigmes de la vie* de Stephen Jay Gould uniquement parce que le sujet l'intéressait. Il écrivit à Gould une lettre pour lui exprimer son admiration et reçut en réponse une carte postale du célèbre biologiste. « Cher Leonard, merci pour ta lettre. Tiens bon. S. J. Gould. » Le recto de la carte montrait un portrait de Darwin à la National Portrait Gallery. Leonard l'accrocha au-dessus de son bureau.

Plus tard, une fois le diagnostic posé, Leonard comprendrait qu'il avait passé ses deux dernières années de lycée dans un état dit « borderline ». Chaque fois qu'il cherchait un mot, il le trouvait. S'il avait besoin de développer un argument, des paragraphes entiers se formaient dans sa tête. Il était capable de prendre la parole en cours et de ne plus s'arrêter, tout en faisant rire son auditoire. Mieux, sa nouvelle assurance et son nouveau statut de fort en thème lui permettaient d'être généreux. Il excellait sans la ramener, le visage insupportable qu'il avait montré au hockey de table ayant disparu. Faire ses devoirs était tellement facile pour lui qu'il avait du temps pour aider ses amis à faire les leurs. Il ne s'amusait jamais de leurs difficultés, expliquait patiemment les maths à ceux qui n'y comprenaient rien. Leonard ne s'était jamais senti aussi bien. Sa moyenne passa de 2,9 à 3,7/4 en un seul semestre. En terminale, il suivit quatre cours préparatoires à l'entrée à l'université et obtint 5/5 en biologie, en littérature et en histoire, et 4/5 en espagnol. Était-ce une mauvaise chose si son sang contenait un antidote contre la dépression dont il souffrait au printemps dernier ? En tout cas, personne ne s'en plaignait, ni ses professeurs, ni sa mère, et certainement pas la conseillère d'orientation de Cleveland High School. C'est d'ailleurs le souvenir de ses deux dernières années de lycée, quand la Maladie n'avait pas encore de dents et était plus une bénédiction qu'autre chose, qui donna à Leonard l'idée de sa manœuvre ingénieuse.

Il envoya un dossier de candidature à trois universités, toutes dans l'Est car l'Est était loin. Celle qui l'accepta et lui proposa l'aide financière la plus élevée était Brown, une université dont il ne savait pas grand-chose mais que sa conseillère d'orientation lui avait recommandée. Après de nombreuses négociations téléphoniques internationales avec Frank, qui se plaignait à présent des taux d'imposition européens et plaidait la pauvreté, Leonard réussit à obtenir de son père qu'il accepte de lui payer son hébergement et sa nourriture. Il renvoya alors son dossier d'inscription à Brown.

Lorsqu'il fut clair que Leonard allait partir loin de la maison, Rita essaya de rattraper le temps perdu. Elle prit une semaine de congés pour se rendre à Walla Walla en voiture avec lui, afin d'aller voir Janet, restée travailler l'été à la bibliothèque de Whitman. Rita surprit Leonard en lui disant, les larmes aux yeux, au volant, combien elle était fière de lui. Comme s'il avait déjà la maturité d'un adulte, il comprit soudain la dynamique entre sa mère et lui. Naturellement plus proche de Janet, elle en éprouvait de la culpabilité et cherchait chez lui des défauts pour justifier sa préférence. En tant que mâle, Leonard lui rappelait Frank, et, inconsciemment ou non, elle le tenait légèrement à distance à cause de cela. Lui, de son côté, avait adopté malgré lui l'attitude de Frank en rabaissant intérieurement Rita comme Frank l'avait fait ouvertement. Bref, Leonard comprit que toute sa relation avec sa mère avait été déterminée par quelqu'un qui n'était plus là.

Le jour de son départ pour Providence, Rita le conduisit à l'aéroport. Ils attendirent ensemble dans le salon avant l'embarquement. Rita, qui portait de grosses lunettes de soleil rondes dernier cri et un foulard en mousseline sur la tête, était assise, immobile comme un sphinx.

— Elle est loin, l'université que tu as choisie, dit-elle. Dois-je le prendre personnellement ?

— C'est une bonne université, dit Leonard.

— C'est pas Harvard. Personne n'en a entendu parler.

— Elle fait partie de l'Ivy League !

— C'est le genre de chose qui intéresse ton père. Pas moi.

Leonard eut envie de lui voler dans les plumes. Mais il comprit, fort de sa nouvelle maturité d'adulte, que Rita dénigrait son université uniquement parce que c'était quelque chose qu'il désirait et qui n'était pas elle. Pendant un moment, il se mit à sa place. Après Frank et Janet, c'était maintenant lui qui la quittait. Rita était toute seule.

Il chassa cette idée de sa tête car elle le rendait triste. Dès qu'il put, il se leva, serra sa mère dans ses bras et s'éloigna vers le guichet.

Leonard ne versa aucune larme avant d'être installé à sa place dans l'avion. Il se tourna vers le hublot pour cacher son visage. La force brute du décollage le grisa. Le regard fixé sur le réacteur, il s'émerveilla devant la poussée fournie pour arracher l'avion à la terre à une telle vitesse. Il s'appuya au dossier de son fauteuil, ferma les yeux et encouragea les réacteurs par la pensée, comme s'ils apportaient une violence nécessaire. Portland était loin lorsqu'il rouvrit les yeux.

Au début, tous les étudiants que Leonard rencontrait à la fac semblaient originaires de la côte Est. Son colocataire, Luke Miller, était de Washington. Les filles d'en face, Jennifer Talbot et Stephanie Friedman, respectivement de New York et de Philadelphie. Les autres pensionnaires de la résidence étaient de Teaneck, de Stamford, d'Amherst, de Portland (celui du Maine) et de Cold Spring. Sa troisième semaine sur le campus, Leonard rencontra Lola Lopez – une bouille de Bambi, le teint caramel et une coupe afro soignée –, qui venait de Spanish Harlem. Assise dans la cour, elle lisait Zora Neale Hurston quand Leonard l'aborda en faisant semblant de chercher le Ratty. Il lui demanda d'où elle était et comment elle s'appelait, puis, lorsqu'elle eut répondu, quelle était la différence entre Spanish Harlem et Harlem tout court. « Je dois terminer ça pour tout à l'heure », dit Lola, avant de se replonger dans son livre.

Les seuls étudiants de la côte Ouest que rencontrait Leonard venaient de Californie, autant dire d'une autre planète. « Gardons la Californie dés-oregonisée », proclamaient de nombreux autocollants sur les voitures aux plaques du « Golden State », ce à quoi leurs voisines du Nord répondaient par un message de leur cru : « Bienvenue dans l'Oregon. N'oubliez pas de rentrer chez vous. » Mais au moins, les Californiens que croisait Leonard à la fac savaient d'où il venait. Tous les autres, qu'ils soient du Sud, du Nord-Est ou du Midwest, ne lui parlaient que de la pluie. « Il pleut beaucoup, là-bas, non ? » « Il paraît qu'il pleut tout le temps. » « Ça te plaît, la pluie, là-bas ? »

« C'est moins pire qu'à Seattle », répondait Leonard.

Il s'en fichait un peu. Il venait d'avoir dix-huit ans en août et la Maladie, comme si elle avait attendu qu'il atteigne l'âge légal de consommer de l'alcool, commença à l'inonder de ses substances psychotropes. En phase maniaque, deux de ses effets étaient de vous garder éveillé toute la nuit et de vous permettre de baiser comme un lapin : à peu près la définition de l'université. Tous les soirs jusqu'à minuit, Leonard travaillait à la Rockefeller Library comme un étudiant d'une yeshiva lisant la Torah. Dès que minuit sonnait, il regagnait le West Quad, où il y avait toujours une fête dans une chambre quelque part, souvent la sienne. Miller, qui était allé au lycée à Milton et avait déjà bénéficié de quatre ans loin de chez lui pour perfectionner ses méthodes dionysiaques, avait fixé deux énormes enceintes Burmester au plafond. Il avait une gigantesque bonbonne de gaz hilarant dans le coin près de son lit, on aurait dit une torpille argentée. Toutes les filles qui respiraient au tuyau en caoutchouc qui y était relié perdaient immanquablement connaissance et vous tombaient dans les bras comme des demoiselles en détresse. Leonard s'aperçut qu'il n'avait pas besoin de recourir à de tels stratagèmes. Sans vraiment le vouloir, il était devenu, en grandissant, le genre de garçon qui plaît aux filles. En décembre, il commença à entendre parler d'une liste dans les toilettes des filles d'Airport Lounge, une liste des garçons les plus mignons du campus et sur laquelle figurait son nom. Un soir, Miller lui remit un message de la part d'une punkette anglaise, une certaine Gwyneth qui avait les cheveux teints en rouge et des ongles noirs de sorcière. Le message disait : « Je veux ton corps. »

Elle obtint satisfaction. Elle et toutes les autres. Une image représentative de la première année de fac de Leonard serait celle d'un garçon levant la tête d'entre les jambes d'une fille le temps de tirer sur un bong et de donner une bonne réponse en cours. Ne pas dormir facilitait les relations multiples. On pouvait quitter le lit d'une fille à cinq heures du matin et traverser le campus pour filer se glisser dans celui d'une autre. Tout alla pour le mieux – Leonard avait de bonnes notes, il était absorbé intellectuellement et érotiquement – jusqu'à la semaine des révisions, qu'il passa intégralement sans dormir. Après son dernier partiel, il organisa une soirée dans sa chambre et s'écroula au lit avec une fille qu'il ne reconnut pas le lendemain matin, non pas parce qu'il ne la connaissait pas (il s'agissait, en fait, de Lola Lopez), mais parce que la phase de dépression qui s'ensuivit ne lui laissait percevoir rien d'autre que sa propre souffrance. Elle colonisait chaque cellule de son corps, un concentré d'angoisse diffusé goutte à goutte dans ses veines comme un sous-produit toxique de l'épisode maniaque précédent.

Cette fois, la psychose donnait sa pleine puissance. Elle était d'une magnitude tellement supérieure à l'exaltation hyperactive qu'il avait connue lors de ses dernières années de lycée qu'elle y ressemblait peu. Les épisodes maniaques étaient tout aussi dangereux que les épisodes dépressifs. Au début, on se sentait euphorique. On était captivant, charmant ; tout le monde vous aimait. On prenait des risques ridicules, comme sauter du deuxième étage de sa résidence dans un talus de neige. On dépensait son année de bourse en cinq jours. C'était comme avoir une fête endiablée dans la tête, une fête dont on était l'hôte ivre qui refusait de laisser les gens partir, qui les retenait par le col et leur disait : « Allez. Un dernier ! » Quand ceux-là finissaient par disparaître, on allait en chercher d'autres, prêt à n'importe quoi avec n'importe qui pour que la fête continue. On était incapable d'arrêter de parler. Tout ce qu'on disait était génial. On avait toujours la meilleure idée de toutes. Descendons à New York en voiture ! Ce soir ! Montons sur le toit du List Art Center et regardons le soleil se lever ! Leonard parvenait à convaincre les gens de faire ces choses. Il les entraînait dans des escapades incroyables. Mais, à un moment, un basculement s'opérait. Il avait l'impression que son cerveau entrait en effervescence. Dans sa tête, les mots devenaient d'autres mots, comme les motifs à l'intérieur d'un kaléidoscope. Il enchaînait les calembours. Personne ne comprenait ce qu'il disait. Il s'agaçait, se mettait en colère. Lorsqu'il regardait ceux qui, une heure plus tôt, riaient de ses plaisanteries, il voyait qu'ils étaient inquiets pour lui. Aussi s'évanouissait-il dans la nuit, ou le jour, à la recherche d'autres compagnons avec qui continuer les folies...

Tel un alcoolique buvant plusieurs jours d'affilée, Leonard finit par avoir un trou noir. Il se réveilla à côté de Lola Lopez, totalement anéanti. Lola réussit à le faire sortir du lit et le conduisit en lui tenant le bras jusqu'au centre médical, en lui disant de ne pas s'inquiéter et de s'appuyer contre elle, que ça allait s'arranger.

Ce fut d'autant plus cruel pour lui quand, trois jours plus tard, à l'hôpital, le médecin vint expliquer à Leonard dans sa chambre qu'il souffrait d'un mal qui ne disparaîtrait jamais, un mal qui ne pouvait être que « maîtrisé », comme si, quand on avait dix-huit ans et la vie devant soi, on pouvait se satisfaire d'une telle situation.

En septembre, alors que l'arrivée de Madeleine et de Leonard à Pilgrim Lake était encore récente, l'herbe des dunes était d'une magnifique couleur vert clair. En ondulant et en se couchant, elle donnait au paysage l'apparence d'une peinture sur un paravent japonais. Des ruisseaux d'eau de mer s'écoulaient à travers les marais, et les pins de Virginie formaient de petits bosquets discrets. Le monde, ici, se réduisait à des éléments de base – sable, mer, ciel –, ne laissant exister qu'un minimum d'espèces d'arbres et de fleurs.

Avec le départ des estivants et la baisse des températures, la pureté du paysage ne fit que s'accroître. Les dunes se teintèrent d'un gris assorti au ciel. Les jours raccourcirent notablement. C'était l'environnement idéal pour la dépression. Il faisait nuit quand Leonard se levait le matin et quand il rentrait du labo. Il avait tellement grossi du cou qu'il ne pouvait plus fermer le col de ses chemises. La preuve que le lithium stabilisait l'humeur était confirmée chaque fois qu'il se voyait nu dans la glace et ne se suicidait pas. Ce n'était pas l'envie qui lui en manquait, et il estimait avoir de bonnes raisons, mais il n'arrivait pas à se détester suffisamment.

Cela aurait dû lui apporter un peu de réconfort, mais les sentiments positifs étaient eux aussi hors de sa portée. Ses hauts et ses bas étant ramenés sur une même ligne, il avait l'impression d'une vie uniforme. Sa dose augmentée de lithium, 1 800 mg/jour, s'accompagnait de complications sévères. Quand il s'en plaignait auprès du Dr Perlmann lors de son rendez-vous hebdomadaire au Massachusetts General Hospital, à une heure et demie de route, le très chic psychiatre au crâne étincelant lui disait toujours la même chose : « Soyez patient. » Perlmann semblait plus intéressé par la vie de Leonard au Pilgrim Lake Laboratory que par le fait que sa signature ressemble désormais à celle d'un vieillard de quatre-vingt-dix ans. Perlmann voulait savoir comment était le Dr Malkiel. Il était friand de commérages. Si Leonard était resté à Providence, soigné par le Dr Shieu, on lui aurait déjà réduit sa dose, mais à présent il était revenu à la case départ.

À la bibliothèque de Pilgrim Lake, Leonard tenta d'en savoir plus sur le médicament qu'il prenait. Lisant à la vitesse d'un élève de primaire, remuant même les lèvres, il apprit que l'utilisation des sels de lithium comme thymorégulateurs remontait au XIXe siècle. Puis, essentiellement parce qu'on ne pouvait pas la breveter pour s'enrichir, cette thérapie était tombée en désuétude. Le lithium avait été utilisé pour soigner la goutte, l'hypertension et les maladies cardiaques. Il avait été l'ingrédient clef du 7 Up (qui s'était d'abord appelé « Bib-Label Lithiated Lemon-Lime Soda[1] ») jusque dans les années 50. Actuellement, des essais cliniques étaient en cours pour tester l'efficacité du lithium dans le traitement de la maladie de Huntington, du syndrome de Tourette, de la migraine, des céphalées en grappe, de la maladie de Ménière et de la paralysie périodique hypokaliémique. Les compagnies pharmaceutiques s'y prenaient dans le mauvais sens. Au lieu de partir d'une maladie et de développer des médicaments pour la soigner, elles développaient des médicaments puis cherchaient à quoi ils pouvaient servir.

Ce que Leonard savait du lithium sans avoir besoin de faire de recherches était qu'il le rendait apathique et lui brouillait les idées. La gorge toujours sèche, quelles que soient les quantités d'eau qu'il buvait, il avait en outre un goût dans la bouche comme s'il suçait une vis en acier. S'il chiquait, c'était en partie pour couvrir ce goût métallique. À cause des tremblements de ses mains, il avait une très mauvaise coordination (il ne pouvait plus jouer au ping-pong, ni même attraper un ballon). Et, même si tous ses médecins soutenaient que le lithium n'était pas en cause, sa libido avait énormément diminué. Il était toujours capable de bander et d'avoir des rapports sexuels, mais ça ne l'intéressait plus beaucoup. L'impression que lui donnait le lithium d'être moche et d'avoir vieilli prématurément n'y était sans doute pas pour rien. À la pharmacie de Provincetown, Leonard allait acheter non seulement des rasoirs mais aussi du Gaviscon et de la Préparation H. Il ressortait toujours du

---

1. « Soda lithié au citron vert et à étiquette papier ».

magasin avec un petit sac plastique dont il redoutait que la transparence révèle son contenu embarrassant et qu'il serrait donc contre ses petits seins naissants dans le vent de Cape Cod. Il préférait la pharmacie de P-town au drugstore du labo, où il risquait de tomber sur quelqu'un qu'il connaissait. Pour dissuader Madeleine de l'accompagner, il inventait des excuses, la plus inattaquable étant, bien sûr, sa dépression. Il ne l'évoquait pas ouvertement. Il se contentait de grommeler qu'il avait *besoin d'être seul,* et Madeleine n'insistait pas.

En conséquence de ses dysfonctionnements physiques et mentaux, il était confronté à un nouveau problème : le rapport de force s'était inversé entre Madeleine et lui. Au début, c'était Madeleine qui était en position d'infériorité. Elle était jalouse quand Leonard parlait à d'autres filles aux soirées, elle manifestait son insécurité. À la fin, elle avait carrément jeté l'éponge et lui avait dit : « Je t'aime. » Leonard avait réagi de manière froide et cérébrale, pensant qu'en maintenant Madeleine dans le doute il pouvait renforcer son emprise sur elle. Mais elle l'avait surpris. Elle avait rompu avec lui sur-le-champ. Une fois Madeleine partie, Leonard avait regretté l'incident Roland Barthes. Il ne se pardonnait pas sa stupidité. Il avait passé de nombreuses séances avec Bryce à examiner ses motivations. Et l'analyse que Bryce avait faite de la situation – que, par peur d'une trop grande intimité, Leonard s'était protégé en se moquant de l'aveu de Madeleine – avait beau être assez pertinente, elle ne ramena pas Madeleine. Celle-ci manquait à Leonard. Abattu, il cessa bêtement de prendre son lithium en espérant aller mieux. Mais cela ne lui apporta que de l'angoisse. De l'angoisse et un abattement plus profond. En long, en large et en travers, il expliqua à tous ses amis combien Madeleine lui manquait et combien il avait envie qu'elle revienne. Jamais, leur affirmait-il, une fille n'avait autant compté pour lui que celle qu'il venait de faire fuir. Sentant ses amis lassés par ce discours, il modulait ses monologues, par instinct de conteur d'une part, pour varier le récit, mais aussi parce que, désormais, ses angoisses se multipliaient. Il parlait donc de ses soucis d'argent et de santé, jusqu'à perdre le fil de ce qu'il disait et oublier à qui il s'adressait. C'est durant cette période-là que Ken Auerbach était venu chez lui, accompagné de deux types de la sécurité, et l'avait emmené au centre médical. Et le plus dingue était la colère que Leonard avait éprouvée lorsqu'il avait été transféré à l'hôpital le lendemain. Ce qu'il ne supportait pas, c'était d'avoir été interné dans ce service psychiatrique sans avoir profité au préalable d'un total pétage de plombs. Il aurait dû s'éclater trois nuits d'affilée. Il aurait dû se taper huit nanas et sniffer de la coke et boire des *jelly shots* sur le ventre d'une strip-teaseuse nommée Moonstar. Au lieu de ça, il était resté enfermé dans son appartement à abuser de son Rolodex, à se griller au téléphone avec toutes ses connaissances et à s'enfoncer dans la dépression jusqu'à ce qu'il se retrouve à l'asile avec les autres barjos.

Lorsqu'il était sorti, trois semaines plus tard, le rapport de force s'était complètement inversé. Maintenant, c'était lui qui était en position d'infériorité. Certes, il avait récupéré Madeleine, et ça, c'était merveilleux, mais son bonheur était gâché par la peur constante de la perdre à nouveau. Le physique ingrat qui était à présent le sien faisait ressortir à ses yeux la beauté de Madeleine. À côté d'elle, au lit, il se sentait comme un gros eunuque. Chaque poil de ses cuisses avait à sa base un follicule enflammé. Parfois, quand Madeleine dormait, il baissait doucement les couvertures pour admirer sa peau rose éclatante. L'avantage, quand on était en position d'infériorité, c'était l'intensité de l'amour qu'on éprouvait. On se disait presque que ça en valait la peine. Cette dépendance était ce dont Leonard s'était protégé toute sa vie, mais il n'en était plus capable. Il avait perdu le pouvoir de se comporter comme un mufle. Désormais il était amoureux, et c'était à la fois fantastique et effrayant.

Madeleine s'était efforcée d'égayer un peu son studio pendant son séjour à l'hôpital. Elle avait changé les draps, mis des rideaux aux fenêtres et installé un rideau de douche rose. Elle avait récuré le sol et le plan de travail de la cuisine. Elle prétendait être contente de vivre avec lui et d'être débarrassée d'Olivia et d'Abby, mais, pendant cet été long et chaud, Leonard entrevit pourquoi Madeleine pourrait finir par se lasser de cette vie médiocre avec son petit ami désargenté. Chaque fois qu'un cafard sortait en courant du grille-pain, on aurait dit qu'elle allait vomir. Elle portait des sandales sous la douche pour se protéger du moisi. La première semaine après le retour de Leonard, elle resta avec lui chaque jour, mais la semaine suivante elle commença à sortir pour aller à la bibliothèque ou rendre visite à son ancien directeur de recherche. Leonard n'aimait pas que Madeleine quitte l'appartement. Il soupçonnait que la raison de ses sorties n'était pas son amour pour Jane Austen ou pour M. Saunders, mais une volonté de s'éloigner de lui. Elle jouait en outre au tennis deux ou trois fois par semaine. Un jour, pour tenter de la convaincre de ne pas y aller, Leonard avait avancé qu'il faisait trop chaud pour jouer au tennis. Il avait suggéré qu'ils aillent plutôt voir un film ensemble dans un cinéma climatisé.

– J'ai besoin de faire de l'exercice, avait répondu Madeleine.

– Je vais t'en faire faire, moi, avait-il vainement fanfaronné.

– Pas ce genre d'exercice.

– Comment ça se fait que tu joues toujours avec des garçons ?

– Parce que les garçons peuvent me battre. J'ai besoin de rivalité.

– Si je disais ça, tu me traiterais de sexiste.

– Écoute, si Chrissie Evert habitait Providence, je jouerais avec elle. Mais toutes les filles que je connais ici sont nulles.

Leonard savait à qui il ressemblait quand il se comportait de la sorte. À toutes les emmerdeuses avec qui il était sorti. Afin de ne plus parler ainsi, il avait fait la moue, et, dans le silence qui avait suivi, Madeleine avait pris sa raquette et son tube de balles, puis elle était sortie.

Dès qu'elle avait eu refermé la porte, il s'était levé d'un bond et précipité à la fenêtre. Il l'avait regardée s'éloigner avec ses baskets blanches, sa queue-de-cheval et son bracelet en éponge au poignet de son bras de service.

Il y avait certaines choses dans le tennis – ses rites aristo-cratiques, le silence affecté qu'il exigeait de ses spectateurs, l'obstination prétentieuse à dire « *love* » pour zéro et « *deuce* » pour égalité, l'accès restreint au court lui-même, où seules deux personnes étaient autorisées à se déplacer librement, la rigidité de gardes royaux des juges de ligne et les courses serviles des ramasseurs de balles – qui en faisaient un sport moralement condamnable. Le fait que Leonard ne puisse pas dire cela à Madeleine sans la mettre en colère montrait bien la profondeur du gouffre social qui les séparait. Il y avait un court public près de chez lui à Portland, vieux et fissuré, à moitié inondé la plupart du temps. Godfrey et lui y allaient fumer de l'herbe. Entre Leonard et le tennis, ça n'était jamais allé plus loin. De son côté, durant deux semaines entières en juin et en juillet, Madeleine s'était levée tous les matins pour regarder *Breakfast at Wimbledon* sur son Trinitron portable, qu'elle avait installé chez Leonard. Depuis le matelas, Leonard, groggy, l'avait regar-dée grignoter des muffins anglais en suivant les matchs. C'était là la place de Madeleine : à Wimbledon, sur le court central, faisant une révérence devant la reine.

Il l'avait regardée regarder Wimbledon. La voir là le rendait heureux. Il ne voulait pas qu'elle parte. Si elle partait, il allait se retrouver à nouveau seul, comme dans la maison où il avait grandi, comme dans sa tête et souvent dans ses rêves, et comme dans sa chambre au service psychiatrique.

Il se souvenait à peine de ses premiers jours à l'hôpital. On l'avait mis sous Thorazine, un antipsychotique qui l'avait assommé. Il avait dormi quatorze heures d'affilée. À son admission, l'infirmière en chef avait confisqué tous les objets tranchants qu'il avait dans son nécessaire de voyage (son rasoir, son coupe-ongles). Elle avait pris aussi sa ceinture. Elle lui avait demandé s'il avait des objets de valeur, et Leonard lui avait remis son portefeuille, qui contenait six dollars.

Il s'était réveillé dans une petite chambre, une chambre à un lit, sans téléphone ni téléviseur. À première vue, on aurait dit une chambre d'hôpital normale, mais il avait remarqué ensuite de petites différences. Le cadre du lit et les charnières du plateau de la table de chevet étaient soudés, sans vis ni boulons avec lesquels le patient aurait pu se couper en les démontant. La patère derrière la porte n'y était pas vissée ou collée mais attachée à un élastique de tendeur qui s'étirait à partir d'un certain poids, pour empêcher qu'on s'y pende. Leonard n'avait pas le droit de fermer la porte, qui, comme toutes les autres du service, y compris celles des box des toilettes, n'avait pas de verrou. La surveillance était primordiale dans ce service : Leonard était conscient d'être observé en permanence. Bizarrement, c'était rassurant. Les infirmières n'étaient pas surprises par son état. Elles ne considéraient pas qu'il était en faute. Elles le soignaient comme s'il avait été victime d'une chute ou d'un accident de voiture. La quasi-lassitude avec laquelle elles s'occupaient de lui l'aida beaucoup – plus encore que les médicaments – à traverser ces sombres premiers jours.

Leonard était un « interné volontaire », ce qui signifiait qu'il était libre de partir quand il le voulait. Il avait cependant signé un formulaire l'obligeant à donner à l'hôpital un préavis de vingt-quatre heures. Il s'était engagé à prendre les médicaments qu'on lui donnerait, à respecter le règlement du service, à se conformer à certaines normes d'hygiène et de propreté. Il avait signé tous les papiers qu'on avait mis devant lui. Une fois par semaine, il avait le droit de se raser. Une aide-soignante lui apportait un rasoir jetable, restait présente le temps qu'il s'en serve et repartait avec. On lui imposait un emploi du temps strict : on le levait à six heures du matin pour le petit-déjeuner, puis les activités s'enchaînaient – thérapie, thérapie de groupe, travail manuel, re-thérapie de groupe, gym – avant les visites l'après-midi. Le soir, on éteignait les lumières à neuf heures.

Chaque jour, le Dr Shieu passait le voir. Shieu était une petite bonne femme à la peau parcheminée et au comportement vigilant. Une seule chose semblait l'intéresser : si, oui ou non, Leonard était suicidaire.

– Bonjour, Leonard, comment vous sentez-vous aujourd'hui ?

– Épuisé. Déprimé.

– Vous sentez-vous suicidaire ?

– Pas activement.

– C'est une plaisanterie ?

– Non.

– Des projets ?

– Pardon ?

– Projetez-vous de vous faire du mal ? En rêvez-vous ? Échafaudez-vous des scénarios dans votre tête ?

– Non.

Les maniaco-dépressifs, se trouvait-il, étaient plus susceptibles de se suicider que les dépressifs ordinaires. La priorité numéro un du Dr Shieu était de garder ses patients en vie. Sa seconde priorité était de les remettre à peu près sur pied en moins de trente jours, afin qu'ils quittent l'hôpital avant que leur assurance ne cesse de les prendre en charge. La poursuite de ces objectifs (un mode de pensée obsessionnel qui, ironiquement, n'était pas sans rappeler celui des malades comme Leonard) l'obligeait à beaucoup s'appuyer sur le traitement médicamenteux. Elle plaçait systématiquement les schizophrènes sous Thorazine, un produit dont les effets étaient comparés à une « lobotomie chimique ». Tous les autres recevaient des sédatifs et des thymorégulateurs. Leonard passait ses séances du matin avec l'interne à discuter de tout ce qu'il prenait. Est-ce qu'il « tolérait » bien le Valium ? Nausées ? Constipations ? Oui. La Thorazine pouvait provoquer des dyskinésies tardives (des mouvements répétitifs, souvent au niveau de la bouche et des lèvres), mais c'était généralement passager. L'interne prescrivait des médicaments supplémentaires pour contrer les effets secondaires de Leonard et, sans aucune question sur ce qu'il ressentait *psychologiquement*, le renvoyait dans sa chambre.

Au moins, Wendy Neuman, la psychologue clinicienne, s'intéressait à son passé affectif, mais il ne la voyait qu'en séance de groupe. Rassemblés, toxicomanes compris, sur les chaises pliantes de la salle de réunion, ils formaient un groupe hétérogène, éventail parfaitement démocratique du déraillement de l'esprit. Il y avait là de vieux Blancs avec des tatouages militaires et de vieux Noirs qui jouaient aux échecs toute la journée, une comptable d'une cinquantaine d'années, qui buvait autant qu'une équipe de rugby anglaise, et une jeune femme menue, chanteuse en herbe, dont la maladie mentale se manifestait par le désir d'être amputée de la jambe droite. Pour stimuler la discussion, on faisait circuler un livre, un vieux bouquin relié usé, le dos déchiré. Intitulé *Hors des ténèbres, la lumière*, il contenait des témoignages de personnes ayant guéri de maladies mentales ou ayant appris à vivre avec. Il se défendait d'avoir un propos religieux mais on avait peine à y croire. Sous les néons cruels de la salle de réunion, chacun en lisait un paragraphe à haute voix avant de le passer à son voisin. Certains le traitaient comme un objet mystérieux. Ils ne savaient pas prononcer *déité*. Ils ignoraient le sens de *couard*. La langue utilisée était désuète. Certains témoins, en parlant de leur dépression, disaient qu'ils « broyaient du noir » ou qu'ils étaient « au trente-sixième dessous ». Lorsqu'on lui passait le livre, Leonard lisait son paragraphe avec une cadence et une diction qui montraient qu'il venait tout droit de College Hill. Il eut l'impression, ces premiers jours, qu'il existait une hiérarchie chez les malades mentaux, que lui-même appartenait à une classe supérieure de maniaco-dépressifs. Si le combat contre une maladie mentale se livrait sur deux fronts, l'un médicamenteux et l'autre thérapeutique, et si la vitesse de la thérapie dépendait de l'intelligence du malade, alors de nombreux membres du groupe étaient désavantagés. Comment, lorsqu'on se souvenait à peine de ce qui s'était passé dans sa vie, pouvait-on relier les événements entre eux ? Un des types avait un tic facial si prononcé que, sous la violence des spasmes, ses pensées cohérentes semblaient être éjectées hors de sa tête. Il se contractait et oubliait ce qu'il était en train de dire. Ses problèmes étaient physiologiques, il y avait un faux contact dans les connexions de base de son cerveau. L'écouter parler était comme écouter la radio sur un poste réglé entre deux stations : régulièrement, on entendait gueuler un morceau de phrase qui n'avait rien à voir avec le reste. Leonard prêtait une attention compatissante aux confidences des autres, il essayait de trouver du réconfort dans ce qu'ils disaient, mais ce à quoi il pensait surtout c'était combien ils étaient plus mal lotis que lui. Cette idée lui donnait une meilleure image de lui-même, et donc il s'y accrochait. Puis venait son tour de raconter son histoire à lui, et là, lorsqu'il ouvrait la bouche, sortait le tissu de mensonges le mieux construit et formulé qu'on puisse imaginer. Il détaillait les événements qui l'avaient conduit à craquer. Il récitait des passages entiers du *DSM-III* (troisième et dernière version en date du *Manuel diagnostique et statistique des troubles mentaux*) qu'il avait retenus sans le vouloir. C'était un réflexe, chez lui, de montrer son intelligence. Il ne pouvait pas s'en empêcher.

Leonard comprit alors une chose essentielle sur la dépression. Plus on était intelligent, *pire* c'était. Plus votre esprit était affûté, plus il faisait de dégâts. Lorsqu'il parlait, par exemple, Leonard remarquait que Wendy Neuman croisait les bras sur sa poitrine, comme pour se protéger du manque de sincérité flagrant de ce qu'il disait. Pour la reconquérir, il avouait ce manque de sincérité. « Non, disait-il, je retire. Je mens. C'est symptomatique chez moi. Ça fait partie de ma maladie. » Il scrutait Wendy pour voir si l'argument l'avait convaincue, ou si elle y voyait une preuve supplémentaire de son manque de sincérité. Plus il observait les réactions de Wendy, moins il disait la vérité sur lui-même. Il finissait par se taire, honteux, les joues en feu. Son déni crevait les yeux.

Le même phénomène se produisait lors de ses séances avec le Dr Shieu, mais d'une manière différente. Assis dans le fauteuil grinçant du bureau de Shieu, Leonard n'avait pas conscience de parler comme quelqu'un d'instruit, mais son esprit continuait d'analyser coup par coup la partie en cours. Afin de pouvoir quitter l'hôpital, il devait montrer qu'il n'était pas suicidaire. Il savait cependant que le Dr Shieu guettait tout déguisement de l'idée de suicide (les suicidaires étant de brillants tacticiens lorsqu'il s'agit de se donner l'occasion de se supprimer). Il ne fallait donc pas sembler *trop* bien dans sa peau. En même temps, il ne fallait pas non plus avoir l'air de ne pas aller mieux du tout. Tandis qu'il répondait aux questions du médecin, Leonard avait le sentiment d'être un suspect interrogé par la police. Il s'efforçait, dans la mesure du possible, de dire la vérité, mais quand la vérité desservait ses intérêts il l'enjolivait, ou il mentait carrément. Il remarquait le moindre changement dans l'expression faciale du Dr Shieu, l'interprétait comme favorable ou défavorable et formulait sa phrase suivante en conséquence. Il avait souvent l'impression que la personne interrogée dans ce fauteuil grinçant était une marionnette qu'il manipulait, qu'il en avait toujours été ainsi et que manipuler cette marionnette avait pris une telle importance dans sa vie que lui, le ventriloque, avait cessé d'avoir une existence propre, n'étant plus qu'un bras à l'intérieur d'un personnage de fourrure.

Les visites de l'après-midi ne lui apportaient aucun soulagement. Les amis qui venaient le voir se divisaient en deux catégories : il y avait les sentimentaux, en majorité les filles, qui traitaient Leonard comme s'il était en sucre, et il y avait les plaisantins, en majorité les garçons, qui pensaient que la meilleure façon de l'aider était de tourner en dérision les visites d'hôpital en général. Jerry Heidmann lui apporta une carte mièvre de prompt rétablissement, Ron Lutz un ballon d'hélium sur lequel était dessiné un visage souriant. En écoutant parler ses amis pendant les heures de visite, Leonard comprit peu à peu que, pour eux, la dépression c'était comme se sentir déprimé. Comme être de mauvaise humeur, en pire. Du coup, ils essayaient de lui remonter le moral. Ils lui apportaient des barres chocolatées, l'encourageaient à penser à toutes les bonnes choses de la vie.

Fidèles à eux-mêmes, ni son père ni sa mère ne prirent l'avion pour venir le voir. Frank l'appela une fois, Janet lui ayant donné le numéro. À trois reprises, durant cette brève conversation (d'autres patients attendaient de pouvoir utiliser le téléphone public), Frank dit à Leonard de « s'accrocher ». Il l'invita à venir à Bruxelles lorsqu'il irait mieux. Frank envisageait à présent d'aller s'installer sur une péniche à Anvers. « Quand tu viendras, on ira faire un tour sur les canaux », conclut-il, avant de raccrocher. Rita justifia par sa hernie discale (c'était la première fois que Leonard en entendait parler) son inaptitude à voyager. Elle s'entretint néanmoins avec le Dr Shieu, et, un soir, elle appela Leonard au poste des infirmières. Il était tard, près de dix heures, mais l'infirmière de nuit le laissa prendre la communication.

– Allô ?

– Qu'est-ce que je vais faire de toi, Leonard ? Hein ? Dis-moi.

– Je suis à l'hôpital, maman. Au service psychiatrique.

– Je te remercie, je suis au courant. C'est pour ça que je t'appelle, bon Dieu. Le médecin m'a dit que tu avais arrêté de prendre ton traitement.

Leonard le reconnut en restant silencieux.

– Qu'est-ce qui t'arrive, Leonard ?

La colère le submergea. Un instant, il eut l'impression de revivre son enfance.

— Attends que je réfléchisse. Pour commencer, mes parents sont alcooliques. Ma mère est sans doute maniaco-dépressive elle-même, sauf qu'elle n'a pas été diagnostiquée. C'est d'elle que j'ai hérité ma maladie. Elle se manifeste pour nous deux de la même façon. Nous n'avons pas de cycles courts. Nous ne passons pas du sommet au creux de la vague en quelques heures. Nous traversons de longues périodes maniaques ou dépressives. Mon cerveau manque chimiquement des neurotransmetteurs dont il a besoin pour réguler mon humeur et parfois il en est saturé. Je suis déglingué biologiquement à cause de ma génétique et psychologiquement à cause de mes parents, voilà ce qui m'arrive, *maman*.

— Et tu continues de te conduire comme un gros bébé chaque fois que tu es malade. Je me rappelle le cirque que tu faisais pour un rhume.

— En l'occurrence, c'est pas un rhume.

— Je sais, dit Rita, son ton cessant enfin d'être vindicatif pour devenir soucieux. C'est grave. J'ai parlé avec le médecin. Je suis inquiète pour toi.

— On dirait pas.

— Si, je t'assure. Mais Leonard, mon chéri, écoute-moi. Tu es grand, maintenant. Quand c'est arrivé la dernière fois, quand on m'a dit que tu étais à l'hôpital, je suis venue en courant. Pas vrai ? Mais je ne peux pas me précipiter à ton chevet le reste de ma vie chaque fois que tu oublieras de prendre ton traitement. Parce qu'il ne s'agit que de ça, tu sais. Il ne s'agit que de négligence.

— J'étais déjà malade. C'est pour ça que j'ai arrêté de prendre mon lithium.

— Ça ne tient pas debout. Si tu avais pris ton traitement, tu n'aurais pas été malade. Bon, écoute-moi, mon chéri. Tu n'es plus sur mon assurance. Tu comprends ? On t'a retiré de ma police quand tu as eu vingt et un ans. Ne t'en fais pas. Je vais payer tes frais d'hôpital. Je vais payer, pour cette fois, même si je ne roule pas sur l'or. Tu crois que ton père voudra m'aider ? Non. Je vais payer. Mais quand tu sortiras, il faudra que tu prennes une assurance à ton nom.

En entendant ces mots, Leonard eut une brusque montée d'angoisse. Il serra le combiné dans sa main, sa vision s'obscurcit.

– Comment veux-tu que je prenne une assurance, maman ?

– Comment ça, comment ? En terminant tes études et en te trouvant un travail, comme tout le monde.

– Mon année ne va pas être validée ! J'ai trois UV à repasser !

– Eh bien, repasse-les. Il est temps que tu te débrouilles tout seul, Leonard. Tu entends ? Tu es un adulte maintenant et je ne peux pas toujours être derrière ton dos. Prends ton traitement pour que cette situation ne se reproduise pas.

Au lieu de venir à Providence elle-même, elle envoya la sœur de Leonard. Janet arriva pour le week-end, venue de San Francisco où elle avait trouvé un poste au service marketing de chez Gump's. Elle vivait avec un homme plus âgé, divorcé, qui avait une maison à Sausalito, et elle parla d'une fête d'anniversaire qu'elle manquait et de son patron exigeant pour montrer à Leonard la mesure du sacrifice qu'elle faisait en venant lui tenir la main. Janet semblait sincèrement convaincue que ses problèmes à elle étaient plus importants que cette espèce de vague à l'âme où elle soupçonnait Leonard de se complaire. « Moi aussi, je serais déprimée si je me laissais aller, dit-elle. Mais je ne me laisse pas aller. » Elle avait l'air effrayée par certains patients dans la salle de séjour commune et regardait régulièrement sa montre. Ce fut un soulagement lorsqu'elle repartit enfin le dimanche.

À présent, les partiels de fin d'année avaient commencé. Pour Leonard, le flot de visites se réduisit à une ou deux par jour, et il se mit à vivre pour la pause cigarette. L'après-midi et le soir, l'infirmière en chef distribuait des cigarettes et autres tabacs. Chiquer n'étant pas autorisé, Leonard prenait ce que les autres garçons de son âge, James et Maurice, aimaient fumer : des cigarillos humides appelés Backwoods et vendus dans des paquets de papier d'alu. Ils descendaient en groupe, accompagnés soit par Wendy Neuman soit par un gardien, au rez-de-chaussée de l'hôpital. Dans un espace goudronné, entouré d'un haut grillage, ils se passaient un unique briquet et chacun allumait ce qu'il avait à fumer. Les Backwoods avaient un goût suave et donnaient un bon coup de fouet. Leonard tirait sur le sien en faisant les cent pas et en regardant le ciel. Il avait l'impression d'être Burt Lancaster dans *Le Prisonnier d'Alcatraz*, les canaris en moins. Tandis que les jours passaient, il commença à sentir une amélioration notable. Le Dr Shieu attribuait celle-ci aux premiers effets du lithium, mais, pour Leonard, c'étaient plutôt ceux de cette bonne vieille nicotine, associée à l'air frais et au spectacle d'un nuage filant dans le ciel. De temps en temps, il entendait des coups de klaxon, ou des cris d'enfant, et, une fois, ce qui ressemblait à une balle de base-ball frappée pleine batte sur un terrain voisin, un bruit qui l'apaisa instantanément, le *chtac !* sonore du bois contre le cuir. Leonard se revit en championnat des moins de douze ans, décochant un coup parfait. Le début de sa guérison tint à cela. Au souvenir de la simplicité d'un bonheur d'autrefois.

Puis Madeleine apparut dans le séjour, ratant la cérémonie de remise des diplômes, et il suffit à Leonard de la regarder pour savoir qu'il voulait revivre.

Restait cependant un problème : on ne voulait pas le laisser sortir. Jouant la prudence, le Dr Shieu ne cessait de repousser son départ. Aussi Leonard continua-t-il d'aller aux séances de thérapie de groupe, de faire des dessins pendant les heures de travail manuel et de jouer au badminton ou au basket pendant celles de gym.

En thérapie de groupe, il y avait une patiente qui l'impressionnait beaucoup. Elle s'appelait Darlene Withers. Boulotte, elle se tenait les genoux, les pieds relevés sur sa chaise pliante, et était toujours la première à parler. « Bonjour, je m'appelle

Darlene. Je suis toxicomane et alcoolique et je souffre de dépression. C'est la troisième fois que je suis hospitalisée pour dépression. Ça fait trois semaines que je suis là, et... madame Neuman ? je suis prête à partir quand vous voulez. »

Elle avait un grand sourire. Lorsqu'elle souriait, sa lèvre supérieure se retroussait, faisant apparaître un luisant bourrelet de muqueuse rose. Dans sa famille, on la surnommait « Triple-Lèvre ». Leonard passait une bonne partie de la séance à guetter le sourire de Darlene.

« Le témoignage de cette femme me parle parce qu'elle dit que sa dépression vient de la mauvaise opinion qu'elle a d'elle-même, commença un jour Darlene. Et ça, moi, c'est quelque chose que je vis tous les jours. Dernièrement, par exemple, je m'en suis voulu à cause de mon couple. J'étais en couple avec quelqu'un quand je suis arrivée à l'hôpital, une relation stable et tout. Mais depuis que je suis ici ? Aucune nouvelle de mon copain. Il est pas venu me voir une seule fois. Ce matin, en me réveillant, je me suis détestée. "T'es trop grosse, Darlene. T'es pas assez belle. C'est pour ça qu'y vient pas." Mais ensuite, j'ai commencé à penser à mon copain, eh ben vous savez quoi ? Y pue de la gueule ! C'est vrai ! Chaque fois qu'il s'approche de moi faut que j'me farcisse son haleine de chacal. Pourquoi je suis avec un mec comme ça, qui se lave jamais les dents, qu'a une mauvaise hygiène buccale ? Et là, j'ai pigé : c'est l'image que t'as de toi, Darlene. T'es tellement convaincue que tu vaux rien que t'es prête à prendre le premier qui veut bien de toi. »

Darlene était une source d'inspiration dans le service. Souvent elle s'asseyait dans un coin de la salle et elle chantonnait.

– Pourquoi tu chantes, Triple-Lèvre ?

– Je chante pour pas pleurer. Tu devrais essayer, au lieu de te morfondre.

– Qui a dit que je me morfondais ?

– C'est pas comme ça que tu vas t'en sortir ! Y te faudrait

un nouveau diagnostic, à toi. Trouble de la tête de six pieds de long. Voilà ce que t'as.

D'après ce qu'elle racontait en thérapie de groupe, Darlene avait arrêté le lycée après la seconde. Son beau-père avait abusé d'elle et elle était partie de chez elle à dix-sept ans. Elle avait travaillé, brièvement, comme prostituée à East Providence, sujet sur lequel elle s'était ouverte avec une facilité surprenante lors d'une séance, pour ne jamais en reparler. À vingt ans, elle était accro à l'héroïne et à l'alcool. Pour décrocher, elle avait découvert Dieu.

– Je me droguais, c'était pour moins souffrir, vous comprenez ? Je me défonçais jusqu'à plus savoir où j'étais. J'ai vite perdu mon boulot, mon appart. J'ai tout perdu. Ma vie est devenue ingérable. J'ai fini par aller m'installer chez ma sœur. Ma sœur elle a un chien, il s'appelle Grover. Un croisé pit-bull. Des fois le soir, en rentrant, j'allais le promener. Même tard. Quand vous promenez un pit-bull, vous risquez rien. Vous vous pointez dans la rue et tout le monde fait : « Oh, merde ! » Y avait un cimetière où on allait, Grover et moi, parce qu'y avait de l'herbe. Ce soir-là, on était derrière l'église, j'étais bourrée, comme d'habitude, je regarde Grover, Grover me regarde, et tout à coup y me dit : « Pourquoi tu te tues, Darlene ? » Sans déconner ! Je sais que c'était dans ma tête, mais juré, c'est la *vérité*. C'est sorti de la bouche du chien ! Le lendemain, je suis allée chez le médecin, le médecin m'a envoyée à Sunbeam House, et on m'a internée aussi sec. On m'a même pas laissée repasser chez moi prendre des affaires. Direct dans une piaule en désintox. C'est *après*, une fois clean, que la dépression m'est tombée dessus. Comme si elle attendait que j'arrête l'héro et l'alcool pour me baiser la gueule – pardonnez-moi l'expression, madame Neuman. Je suis restée trois mois à Sunbeam House. C'était y a deux ans. Et me revoilà. Ça a pas été facile ces derniers temps, problèmes de fric, problèmes de cœur. Ma vie *s'améliore*, mais elle est toujours aussi compliquée. Faut juste que je me tienne à mon programme pour ce qui est de mes addictions et que je prenne mes médicaments pour ce qui est de ma maladie. Si j'ai retenu un truc, entre addiction et dépression ? La dépression c'est bien pire. La dépression, on n'en décroche pas comme ça. Y a pas de clean ou pas clean quand on est dépressif. La dépression, c'est comme un bleu qui s'en va jamais. Un bleu dans la *tête*. Faut faire gaffe à pas y toucher sinon ça fait mal. Mais il est toujours là. Voilà, c'est tout. Merci de m'avoir écoutée. Paix à vous.

Leonard n'était pas surpris que Darlene se soit tournée vers la religion. C'était courant chez les gens désespérés. Pour autant, elle ne semblait ni faible, ni crédule, ni stupide. Si elle parlait souvent de sa « Puissance supérieure », et parfois de « ma Puissance supérieure que je choisis d'appeler Dieu », elle semblait remarquablement rationnelle, intelligente et ouverte d'esprit. Quand Leonard s'exprimait devant le groupe et déroulait la longue pelote emmêlée de ses bobards, il trouvait souvent Darlene en train de l'écouter d'un air encourageant lorsqu'il levait les yeux, comme si ce qu'il disait n'était pas des bobards, ou que, même si c'en était, Darlene comprenait son besoin de les dire, de s'en purger pour découvrir quelque chose de vrai et d'important sur lui-même. La plupart des patients souffrant de dépendance à une substance suivaient des programmes d'abstinence inspirés des Alcooliques anonymes, dont ils épousaient le message religieux. Wendy Neuman, aux yeux de Leonard, avait l'air d'une humaniste tout ce qu'il y a de plus laïque, mais elle ne prenait jamais parti d'un côté ou de l'autre, et c'était sans doute préférable. Il était clair que tous les patients du service maintenaient tout juste la tête hors de l'eau. Personne ne voulait dire ou faire quoi que ce soit qui risque d'entraver la guérison de l'un d'eux. À cet égard, ce service était très différent du monde extérieur, il lui était moralement supérieur.

Mais croire en Dieu n'était pas à la portée de Leonard. L'irrationalité de la foi religieuse lui était apparue évidente bien avant que sa lecture de Nietzsche ne confirme ses suppositions. Le seul cours de théologie qu'il avait suivi était un module général très populaire intitulé « Introduction aux religions orientales ». Leonard ne savait plus pourquoi il s'y était inscrit. C'était sa première rentrée après son diagnostic au printemps précédent et il se ménageait. Il s'asseyait au fond de l'amphi bondé, lisait au moins la moitié des bouquins au programme et venait aux TD mais ne prenait jamais la parole. Ce qui l'avait marqué dans ce cours c'était surtout ce garçon qui portait des costumes d'occasion flottants et des chaussures bousillées, le look prêtre alcoolique, un Tom Waits jeune. Il trimbalait le genre de mallette noire à bords métalliques qu'on aurait imaginée contenir cinquante mille dollars en liquide plutôt qu'un exemplaire broché des Upanishad édité par Mircea Eliade et un brownie à moitié mangé, enveloppé dans une serviette en papier. Leonard aimait chez ce garçon sa manière de corriger gentiment les opinions béotiennes exprimées autour de la table de réunion. Le cours regorgeait d'activistes politiques, végétariens en salopette et tee-shirt *tie and dye*. Ces jeunes ignares partaient du principe que les religions occidentales étaient responsables de tous les maux de la terre (le pillage des ressources naturelles, les abattoirs, les expérimentations animales), alors que les religions orientales étaient respectueuses de l'environnement et pacifiques. Leonard n'avait ni l'envie ni l'énergie de les contredire, mais il aimait quand Tom Waits jeune s'en chargeait. Lorsqu'ils avaient discuté du concept d'*ahimsa*, par exemple, Tom Waits jeune avait fait observer que le Sermon sur la montagne disait à peu près la même chose. Il avait impressionné Leonard en soulignant que Schopenhauer avait tenté d'intéresser le monde européen à la pensée védique dès 1814, et que les deux cultures se mélangeaient depuis longtemps. L'idée qu'il défendait bec et ongles était que la vérité n'était pas la propriété d'une foi plutôt qu'une autre et que, en y regardant de près, on trouvait un terrain où toutes convergeaient.

Un autre jour, alors qu'ils s'étaient écartés du sujet, quelqu'un parla de Gandhi et soutint que son apologie de la non-violence avait inspiré Martin Luther King, ce qui avait mené à la fin de la ségrégation. L'idée de celui qui parlait était que c'était en fait un hindou qui avait fait de l'Amérique, une nation prétendument chrétienne, un endroit plus juste et plus démocratique.

Waits jeune intervint alors.

— Gandhi a été influencé par Tolstoï, dit-il.

— Quoi ?

— Sa philosophie non violente, Gandhi l'a empruntée à Tolstoï. Ils échangeaient des lettres.

— Euh, Tolstoï, il n'a pas vécu, genre, au XIXᵉ siècle ?

— Il est mort en 1912. Gandhi lui écrivait pour lui exprimer son admiration. Il appelait Tolstoï son « grand professeur ». Tu as donc raison. Martin Luther King a emprunté la non-violence à Gandhi. Mais Gandhi la tenait de Tolstoï, qui la tenait du christianisme. La philosophie gandhienne n'est donc au fond pas très différente du pacifisme chrétien.

— Alors pour toi, Gandhi était chrétien ?

— Fondamentalement, oui.

— Ça, c'est faux. Les missionnaires n'ont pas arrêté d'essayer de convertir Gandhi, mais ça n'a jamais marché. Il ne pouvait pas accepter des dogmes comme la résurrection et l'Immaculée Conception.

— Ce ne sont pas des dogmes chrétiens.

— Bien sûr que si !

— Non, ce sont des mythes qui se sont développés autour des idées centrales.

— Mais le christianisme est bourré de mythes. C'est là toute la supériorité du bouddhisme. Il n'oblige à croire en rien, même pas en un dieu.

Waits jeune pianota sur sa mallette avant de répondre.

– Quand le dalaï-lama meurt, il est censé se réincarner dans un nouveau-né. Les moines tibétains partent à sa recherche à travers la campagne, en emportant certains effets personnels du dalaï-lama défunt, qu'ils agitent au-dessus du visage des bébés. Ils guettent certains signes connus d'eux seuls – ils n'ont le droit de les révéler à personne –, et, en fonction de ces signes, ils désignent le nouveau dalaï-lama. Et, comme par hasard, le bon bébé naît toujours au Tibet, où les moines peuvent le trouver, jamais, disons, à San Jose. Et c'est toujours un garçon.

Amoureux de Nietzsche à l'époque (et à moitié endormi), Leonard n'avait pas envie d'entrer dans ce débat, la vérité étant que les religions n'étaient pas toutes aussi valables mais toutes aussi absurdes. À la fin du semestre, il oublia Waits jeune. Il ne repensa à lui que deux ans plus tard, après avoir commencé à sortir avec Madeleine, quand, en parcourant un paquet de photos qu'elle rangeait dans le tiroir de son bureau, il trouva Waits jeune sur un assez grand nombre d'entre elles. Un nombre perturbant.

– C'est qui, ce mec ? demanda-t-il.

– Ça ? C'est Mitchell, répondit Madeleine.

– Mitchell comment ?

– Grammaticus.

– Ouais, Grammaticus. On était en théologie ensemble.

– Ça ne m'étonne pas.

– T'es sortie avec lui ?

– Non ! protesta Madeleine.

– Vous avez l'air drôlement proches, là-dessus.

Il montra une photo où Grammaticus était couché sur elle, sa tête bouclée sur ses genoux.

Madeleine prit la photo en fronçant les sourcils, puis la remit en place dans son tiroir. Elle expliqua qu'elle connaissait Grammaticus depuis la première année mais qu'ils s'étaient fâchés. Lorsque Leonard demanda pourquoi ils s'étaient fâchés, elle parut évasive et dit que c'était compliqué. Leonard voulut savoir en quoi c'était compliqué, et Madeleine reconnut que Grammaticus et elle avaient entretenu une histoire platonique, du moins platonique du côté de Madeleine, car récemment il en avait voulu « un peu plus » et avait été blessé de ne pas obtenir satisfaction.

Cette information n'avait pas inquiété Leonard sur le moment. Il s'était comparé à Grammaticus sur un plan animal, il avait évalué la taille de leurs bois respectifs, et il s'était donné un net avantage. À l'hôpital, cependant, ayant tout le temps de gamberger, il commença à se demander si Madeleine lui avait bien tout dit. Il imagina Grammaticus en satyre grimpant sur Madeleine par-derrière. L'image de Grammaticus prenant Madeleine, ou de Madeleine lui taillant une pipe, contenait le juste mélange de douleur et d'excitation pour tirer Leonard de sa torpeur sexuelle. Pour des raisons qui lui échappaient – mais qui étaient sans doute liées à un besoin de se rabaisser –, l'idée de Madeleine le trompant sans pudeur avec Grammaticus excita Leonard. Pour rompre la monotonie de l'hôpital, il se tortura avec ce fantasme tordu et se masturba dans un box des toilettes, en maintenant fermée de sa main libre la porte sans verrou.

Même après s'être remis avec Madeleine, Leonard continua de se tourmenter ainsi. Le jour de sa sortie, une infirmière le raccompagna dehors et il monta dans la nouvelle voiture de Madeleine. Assis, ceinture attachée, sur le siège passager, il se sentait comme un nouveau-né qu'elle ramenait de la maternité. La ville avait considérablement verdi pendant l'internement de Leonard. Elle était d'une beauté indolente. Les étudiants partis, College Hill était désert et tranquille. Madeleine conduisit Leonard chez lui. Ils s'installèrent ensemble. Et parce que Leonard n'était pas un bébé, parce que c'était un adulte complètement taré, il passa chaque absence de Madeleine à l'imaginer en train de sucer son partenaire de tennis dans les vestiaires, ou de se faire prendre par-derrière entre les rayons de la bibliothèque. Un jour, une semaine après le retour de Leonard, Madeleine lui apprit qu'elle était tombée sur Grammaticus le matin de la remise des diplômes et qu'ils s'étaient réconciliés. Grammaticus était rentré passer l'été chez ses parents, mais Madeleine avait beaucoup téléphoné pendant que Leonard était à l'hôpital. Elle s'engagea à payer toutes les communications longue distance, et Leonard se mit alors à éplucher ses factures New England Bell, à la recherche d'appels vers un numéro du Midwest. Dernièrement, et cela l'inquiétait, elle emportait le combiné dans la salle de bains et parlait la porte fermée, expliquant ensuite qu'elle n'avait pas voulu le déranger (le déranger de quoi ? De glander au lit, à engraisser comme un veau en batterie ? De relire pour la troisième fois le même paragraphe de *L'Antéchrist* ?).

Fin août, Madeleine descendit en voiture à Prettybrook pour aller voir ses parents et chercher des affaires. Quelques jours après être rentrée, elle glissa d'un ton détaché qu'elle avait vu Grammaticus à New York, d'où il devait s'envoler pour Paris.

— Tu es tombée sur lui par hasard ? demanda Leonard depuis le matelas.

— Oui, avec Kelly. Dans un bar où elle m'a emmenée.

— T'as baisé avec lui ?

— Quoi ?!

— T'as peut-être baisé avec lui. T'as peut-être besoin d'un mec qui ne prenne pas des doses massives de lithium.

— Oh, Leonard, je te l'ai déjà dit. Je m'en fiche, de ça. Et puis le médecin dit que ce n'est même pas à cause du lithium, pas vrai ?

— Le médecin dit beaucoup de choses.

— Écoute, sois gentil, ne me parle pas comme ça. Ça ne me plaît pas. D'accord ? Vraiment, c'est humiliant.

— Pardon.

— Tu es déprimé ? Tu as l'air déprimé.

— Non. Je suis anesthésié.

Madeleine le rejoignit au lit et s'enroula autour de lui.

– Anesthésié ? Et ça, tu ne sens pas ?

Elle posa la main sur sa braguette.

– C'est comment ?

– Agréable.

Ça marcha un moment, mais pas longtemps. Si, au lieu d'être caressé par elle, Leonard avait imaginé Madeleine caressant Grammaticus, cela aurait pu l'exciter. Mais la réalité ne lui suffisait plus. Et c'était là un problème qui dépassait sa maladie, un problème qu'il était loin de pouvoir affronter. Il ferma donc les yeux et serra fort Madeleine dans ses bras.

– Pardon, dit-il à nouveau. Pardon, pardon.

Leonard se sentait plus à l'aise en compagnie de gens soumis aux mêmes efforts que lui. Durant l'été, il resta en contact avec quelques patients rencontrés à l'hôpital. Darlene s'était installée chez une amie à East Providence, et Leonard alla la voir deux ou trois fois. Elle avait l'air hyperactive. Elle ne tenait pas en place et c'était un vrai moulin à paroles. « Alors, Leonard, ça va ? » demandait-elle régulièrement, sans attendre de réponse. Quelques semaines plus tard, fin juillet, Kimberly, la sœur de Darlene, appela Leonard pour lui dire que Darlene ne répondait plus au téléphone. Ils se rendirent chez elle ensemble et la trouvèrent en pleine crise psychotique. Elle était convaincue que ses voisins complotaient pour la faire expulser, qu'ils disaient du mal d'elle au propriétaire. Elle n'osait plus sortir, même pour descendre la poubelle. L'appartement sentait la nourriture pourrie, et elle s'était remise à boire. Leonard appela le Dr Shieu pour lui expliquer la situation, pendant que Kimberly persuadait Darlene de prendre une douche et de se changer. Affolée, les yeux écarquillés, elle finit par accepter de monter dans la voiture, et ils l'emmenèrent à l'hôpital, où le Dr Shieu préparait les papiers pour sa réadmission. Chaque après-midi de la semaine suivante, Leonard alla la voir. Elle était dans les vapes la plupart du temps, mais il trouvait du réconfort à être là. Il oubliait ses problèmes à lui.

La seule chose qui aida Leonard à tenir le coup jusqu'à la fin de l'été fut la perspective du départ pour Pilgrim Lake. Début août, une enveloppe du laboratoire arriva. À l'intérieur, sur des pages joliment imprimées, chacune d'elles frappée d'un en-tête en relief digne d'une carte topographique, étaient rassemblées des informations pratiques. Était jointe une lettre adressée à « M. Leonard Bankhead, assistant de recherche » et signée par David Malkiel lui-même. Ce courrier rassurait Leonard quant à ses craintes que le laboratoire apprenne son hospitalisation et annule son stage. Il lut la liste des assistants et des universités qu'ils avaient fréquentées, et il trouva son nom là où il devait être. Outre des détails sur les lieux d'hébergement et les infrastructures, le dossier contenait un formulaire où Leonard devait indiquer ses préférences concernant les domaines de recherche. Les quatre domaines proposés à Pilgrim Lake étaient : « Cancer », « Biologie végétale », « Biologie quantitative » et « Génomique et bioinformatique ». Leonard mit « Cancer » en 1, « Biologie végétale » en 2, « Biologie quantitative » en 3 et « Génomique et bioinformatique » en 4. Ce n'était pas grand-chose, mais remplir ce formulaire et le renvoyer au laboratoire constituait la première tâche qu'il accomplissait cet été-là, l'unique signe tangible qu'il avait un avenir de chercheur.

À partir du moment où Madeleine et lui arrivèrent à Pilgrim Lake le dernier week-end d'août, ces signes se multiplièrent. On leur remit la clef d'un appartement spacieux. Les placards de la cuisine étaient remplis de vaisselle toute neuve et de casseroles ayant peu servi. Dans le séjour, un canapé, deux fauteuils, une table pour manger et un bureau. Le lit était un 160 et il n'y avait aucun problème ni d'électricité ni de plomberie. Après l'été que Madeleine et lui venaient de passer dans son studio sous-équipé, où ils avaient squatté plus que vécu en couple, c'est avec une excitation de jeunes mariés qu'ils franchirent le seuil de leur nouvelle demeure au bord de la mer. Leonard cessa immédiatement de se sentir comme un invalide dont

Madeleine prenait soin et commença à retrouver une identité propre.

Ce regain de confiance dura jusqu'au dîner de bienvenue le dimanche soir. Sur l'insistance de Madeleine, il avait mis une veste et une cravate. Il s'attendait à être trop chic, mais, à leur arrivée au bar contigu au réfectoire, presque tous les hommes étaient habillés comme lui, et Leonard resta admiratif devant le sixième sens de Madeleine pour ces choses-là. Ils allèrent chercher leurs badges nominatifs, prirent connaissance de leurs places à table et se joignirent au cocktail guindé. Cela ne faisait qu'une dizaine de minutes qu'ils se mêlaient aux invités quand les deux autres assistants affectés à l'équipe de Leonard vinrent se présenter. Carl Beller et Vikram Jaitly, tous deux diplômés du MIT, se connaissaient déjà. Eux aussi n'étaient à Pilgrim Lake que depuis deux jours, et pourtant ils donnaient l'impression de tout savoir sur le laboratoire et sur son fonctionnement.

— Alors, demanda Beller, qu'est-ce que tu as demandé comme domaine de recherche ? En choix numéro un.

— Cancer, répondit Leonard.

Beller et Jaitly semblèrent amusés.

— C'est ce que tout le monde a demandé, dit Jaitly. À quatre-vingt-dix pour cent.

— Du coup, expliqua Beller, c'est souvent le deuxième ou le troisième choix qui a été attribué.

— On a eu quoi, nous ?

— « Génomique et bioinfo ».

— Ça, c'était mon choix numéro quatre.

— Vraiment ? dit Jaitly, l'air surpris. En général, c'est plutôt la « Bio quantitative » qu'on met en quatre.

— Ça te plaît, les levures ? demanda Beller.

— Personnellement, je suis plutôt drosophiles.

— Dommage. Parce que c'est sur les levures qu'on va bosser les neuf mois qui viennent.

— Peu importe, je suis content d'être ici, dit Leonard, sincère.

– C'est sûr que c'est bon pour le CV, dit Jaitly en attrapant un petit-four sur un plateau qui passait. Et niveau confort, c'est difficile de trouver mieux. Mais même dans un endroit comme celui-ci, on peut finir sur une voie de garage.

Comme tous les autres assistants, Leonard espérait être affecté à l'équipe d'un biologiste connu, pourquoi pas le Dr Malkiel lui-même. Quelques minutes plus tard, cependant, quand leur chef d'équipe apparut, Leonard ne reconnut pas le nom qu'il lut sur son badge en plissant les yeux. Bob Kilimnik était un homme d'une quarantaine d'années qui parlait fort et qui ne se donnait pas la peine de regarder les gens dans les yeux. La veste de tweed qu'il portait paraissait trop chaude pour la saison.

– Bon, toute l'équipe est là, dit-il. Bienvenue à Pilgrim Lake.

D'un geste large, il désigna le réfectoire luxueux, les serveurs en veste blanche, les rangées de tables ornées de bouquets de fleurs sauvages.

– Ne vous habituez pas à tout ça. La recherche, ce n'est généralement pas ça. En général, c'est pizza à emporter et café soluble.

Dirigés vers le réfectoire par le personnel administratif, ils s'installèrent à table, où le serveur les informa qu'au menu ce soir-là il y avait du homard. Outre Madeleine, étaient présentes la femme de Beller, Christine, et la petite amie de Jaitly, Alicia. Leonard constata avec fierté que Madeleine était la plus belle des trois. Alicia habitait New York, et elle se plaignit de devoir rentrer tout de suite après le dîner. Christine voulut savoir si quelqu'un d'autre avait un bidet dans son appartement et pourquoi on leur avait donné ce truc-là. Tandis qu'on servait les entrées et qu'une bouteille de pouilly-fuissé faisait le tour de la table, Kilimnik interrogea Beller et Jaitly au sujet de plusieurs professeurs de biologie du MIT, qu'il semblait tous connaître personnellement. Lorsque le plat principal arriva, il commença à expliquer les détails de ses recherches sur les levures.

Si une grande part de ce qu'il dit échappa à Leonard, un

certain nombre de distractions y contribuèrent. Il y eut d'abord l'apparition du Dr Malkiel qui l'éblouit quelque peu. Élégant, ses cheveux gris ramenés en arrière dégageant son front haut, il entra pendant que Kilimnik parlait et, accompagné de sa femme, gagna sa salle à manger privée, déjà remplie de scientifiques de renom et de représentants de l'industrie médicale. À cela s'ajoutaient le dressage élaboré de la table et la difficulté de manger du homard avec les mains qui tremblaient. Son bavoir en plastique attaché autour du cou, Leonard essaya de casser les pinces, mais elles ne cessaient de glisser et de retomber dans son assiette. Il avait peur d'utiliser sa fine fourchette pour déloger la queue du crustacé et finit par demander à Madeleine de le faire à sa place, sous prétexte que, originaire de la côte Ouest, il avait plutôt l'habitude des crabes. Au début, il réussit malgré tout à suivre la conversation. Travailler avec les levures présentait des avantages évidents. Les levures étaient des organismes eucaryotes simples. Elles avaient un temps de génération court (de une heure et demie à deux heures) et pouvaient facilement être modifiées, en y insérant de nouveaux gènes ou par recombinaison homologue. C'étaient des organismes génétiquement assez basiques, rien à voir avec les plantes ou les animaux, et chez qui les séquences dites « poubelles » (non codantes) étaient relativement rares. Tout cela, Leonard le comprit, mais alors qu'il mettait un morceau de homard dans sa bouche et était pris instantanément d'un haut-le-cœur, Kilimnik aborda « l'asymétrie développementale entre les cellules filles ». Il parla de souches de levures « homothalliques » et « hétérothalliques », ainsi que de deux études apparemment célèbres, la première par « Oshima et Takano » et la seconde par « Hicks et Herskowitz », comme si ces noms étaient censés évoquer quelque chose à Leonard. Beller et Jaitly hochaient la tête.

« Les molécules d'ADN clivées introduites dans les levures favorisent une recombinaison homologue efficace au niveau des extrémités clivées, dit Kilimnik. À partir de là, nous devrions pouvoir insérer nos constructions dans le chromosome près de CDC36. »

Leonard avait alors cessé de manger et se contentait de siroter son eau. Il avait l'impression que son cerveau se transformait en bouillie et lui coulait par les oreilles comme les entrailles verdâtres du homard dans son assiette. Lorsque Kilimnik poursuivit en disant : « En un mot, nous allons insérer un gène HO inversé dans des cellules filles afin de voir si cela affecte leur capacité à changer de sexe pour s'accoupler », les seuls mots que Leonard comprit furent *sexe* et *s'accoupler*. Il ignorait ce qu'était un gène HO. Il avait du mal à se rappeler la différence entre *Saccharomyces cerevisiæ* et *Schizosaccharomyces pombe*. Heureusement, Kilimnik ne posa pas de questions. Il leur dit que ce qu'ils ne savaient pas ils l'apprendraient pendant le cours sur les levures, qu'il assurerait lui-même.

Après ce dîner-là, Leonard fit de son mieux pour se mettre au niveau. Il lut les articles appropriés, l'Oshima, le Hicks. Leur contenu n'était pas si compliqué, du moins dans les grandes lignes, mais Leonard pouvait à peine terminer une phrase sans penser à autre chose. Il avait le même problème en cours. De temps en temps, pendant dix minutes et malgré les effets stimulants de la chique dans sa joue, il sentait son esprit décrocher des explications de Kilimnik au tableau. Il avait les aisselles trempées de peur d'être interrogé à tout moment et de se ridiculiser.

Lorsque le cours sur les levures se termina, l'angoisse de Leonard se mua rapidement en ennui. Son travail consistait à préparer l'ADN, à le découper à l'aide des enzymes de restriction et à lier les fragments. C'était long, mais pas très difficile. Il aurait pu y trouver un peu plus de satisfaction si Kilimnik lui avait adressé un mot d'encouragement ou s'il lui avait demandé son avis sur quelque chose. Mais le chef d'équipe ne venait quasiment jamais au labo. Il passait presque toute la journée dans son bureau, à analyser les échantillons, et levait à peine les yeux quand Leonard entrait dans la pièce. Leonard se sentait comme une secrétaire déposant des courriers à signer. Lorsqu'il croisait Kilimnik dans l'enceinte du complexe ou au réfectoire, ce dernier s'abstenait souvent de le saluer.

Beller et Jaitly étaient à peine mieux traités. Ils commençaient à parler de changer d'équipe. Leurs collègues d'à côté essayaient de trouver la cause de la maladie de Charcot en travaillant sur des drosophiles génétiquement modifiées. Quant à Leonard, il profitait de l'absence de Kilimnik pour multiplier les pauses et aller fumer derrière le labo, rafraîchi par le vent du large.

Son but principal au labo était de cacher sa maladie. Après avoir préparé les échantillons d'ADN, il devait les soumettre à l'électrophorèse, ce qui impliquait de mouler le gel d'agarose dans les bacs. Il attendait toujours que Jaitly et Beller aient le dos tourné pour retirer le peigne au moyen duquel étaient réalisées les empreintes des puits, car il ne savait jamais, d'une minute à l'autre, à quel point ses mains allaient trembler. Une fois le gel dans la cuve et les échantillons dans les puits, il mettait le courant en marche et, après environ une heure, il n'avait plus qu'à rajouter le bromure d'éthidium et à exposer les échantillons aux UV pour visualiser l'ADN. Puis il répétait l'opération avec les échantillons suivants.

C'était là la tâche la plus difficile : ne pas mélanger les échantillons. Préparer brin après brin d'ADN, trier, étiqueter et ranger chacun d'eux, malgré son attention fluctuante et ses moments de flottement.

Chaque soir, il comptait les minutes avant de pouvoir partir. La première chose qu'il faisait en rentrant était de filer sous la douche et de se laver les dents. Ensuite, se sentant momentané-ment propre, sans mauvais goût dans la bouche, il se risquait à s'allonger à côté de Madeleine, sur le lit ou sur le canapé, et à poser sur ses genoux sa grosse tête trempée. C'était le meilleur moment de la journée. Parfois, Madeleine lui lisait un extrait du roman dans lequel elle était plongée. Si elle était en jupe, il posait sa joue sur ses cuisses ultradouces. Tous les soirs, quand venait l'heure de dîner, Leonard disait : « On n'a qu'à rester ici. » Mais, tous les soirs, Madeleine l'obligeait à s'habiller, et ils allaient au réfectoire, où Leonard s'efforçait de ne pas montrer qu'il avait la nausée et de ne pas renverser son verre d'eau.

Fin septembre, quand Madeleine partit assister à son colloque victorien à Boston, Leonard faillit craquer. Pendant les trois jours entiers que dura son absence, elle lui manqua énormément. Il ne cessait de tenter, en vain, de la joindre au Hyatt. Quand elle l'appelait, elle était généralement pressée d'aller à un dîner ou à une communication. Parfois, il entendait d'autres gens autour d'elle, des gens heureux, au comportement normal. Il la retenait au téléphone le plus longtemps possible, et dès qu'elle raccrochait il comptait combien d'heures il lui faudrait attendre avant de pouvoir la rappeler. Quand venait le moment de dîner, il prenait une douche, se changeait et s'engageait sur l'allée de planches en direction du réfectoire, mais la perspective de se mesurer à Beller et à Jaitly sur un sujet technique le persuadait d'acheter plutôt une pizza surgelée à la supérette, ouverte vingt-quatre heures sur vingt-quatre, au sous-sol du réfectoire. Il retournait la faire chauffer à l'appartement et la mangeait en regardant *Capitaine Furillo*. Le dimanche, de plus en plus angoissé, il appela le Dr Perlmann, qui transmit une ordonnance d'Ativan par téléphone à la pharmacie de P-town. Leonard y alla avec la Honda de Jaitly, à qui il fit croire qu'il avait besoin d'un antihistaminique.

Il était donc là, après trois semaines et demie de stage, qui prenait son lithium et son Ativan, s'étalait une noix de Préparation H entre les fesses chaque matin et chaque soir, buvait un verre de Metamucil avec son jus d'orange matinal et avalait, au besoin, un antinauséeux dont il avait oublié le nom. Tout seul dans son splendide appartement, parmi les génies et futurs génies, au bout de cette virgule de terre.

Le lundi après-midi, Madeleine rentra du colloque, rayonnante d'enthousiasme. Elle lui parla de ses nouvelles amies, Anne et Meg, et de son intention de se spécialiser dans les auteurs victoriens, bien que, à strictement parler, Austen n'en fasse pas partie, s'inscrivant plutôt dans la Régence. Elle exprima sa joie d'avoir rencontré Terry Castle, dont elle vanta l'intelligence, et Leonard apprit avec soulagement que Terry Castle était une femme (puis, soudain moins soulagé, qu'elle était lesbienne). L'excitation de Madeleine quant à l'avenir était d'autant plus criante que Leonard s'en trouvait tout à coup dépourvu. Il était désormais à peu près équilibré, à peu près d'aplomb, mais son énergie et sa curiosité habituelles – ses « esprits animaux », comme aurait dit Keynes – l'avaient totalement quitté. Ils allèrent se promener sur la plage, au coucher du soleil. Tout maniaco-dépressif qu'il était, Leonard n'en demeurait pas moins grand, et Madeleine tenait toujours parfaitement sous son bras. Mais même la nature ne lui faisait plus aucun effet.

– Tu trouves que ça sent quelque chose ? demanda-t-il.

– Ça sent l'océan.

– Moi je sens rien.

Parfois ils allaient déjeuner ou dîner à Provincetown. Leonard s'efforçait, dans la mesure du possible, de vivre au jour le jour. Il faisait son travail au labo et affrontait vaillamment les soirées. Il veillait à réduire son niveau de stress au minimum. Mais une semaine après que MacGregor eut reçu son Nobel, Madeleine lui annonça, pendant leur promenade du soir, que sa sœur, Alwyn, traversait une « crise maritale » et que sa mère allait l'amener au cap pour en discuter.

Leonard avait toujours eu horreur de rencontrer les parents de ses petites amies. La dépression dans laquelle l'avait plongé sa rupture avec Madeleine au printemps dernier l'avait au moins dispensé de devoir rencontrer M. et Mme Hanna le jour de la remise des diplômes. Durant l'été, peu pressé qu'on le voie empâté et tremblant, il avait réussi à retarder les présentations en restant cloîtré chez lui à Providence. Mais il ne pouvait pas se dérober plus longtemps.

La journée commença de manière mémorable, bien qu'un peu tôt, par le bruit de Jaitly et Alicia s'envoyant en l'air dans l'appartement du dessus. L'immeuble où ils habitaient, le Starbuck, était une ancienne grange réaménagée et ne jouissait d'aucune isolation phonique. Ce n'était pas seulement comme si Jaitly et Alicia se trouvaient dans la même pièce qu'eux, c'était carrément comme s'ils étaient dans le même lit, entre Madeleine et Leonard, et leur montraient comment faire.

Le calme revenu, Leonard se leva pour aller pisser. Il avala trois comprimés de lithium avec son café du matin, en regardant l'aube éclairer la baie. Il se sentait plutôt pas mal, en fait. Il se dit que ç'allait être un de ses bons jours. Il s'habilla un peu mieux que d'habitude, pantalon de toile et chemise blanche. Au labo, il mit du Violent Femmes dans la radiocassette et commença à préparer des échantillons. Quand Jaitly arriva, Leonard le regarda avec un sourire insistant.

— Bien dormi, Vikram ?

— Oui.

— Tu t'es pas brûlé les genoux sur le matelas ?

— Attends, tu nous as… Salaud !

— J'y suis pour rien, moi. J'étais tranquillement au lit, je m'occupais de mes affaires.

— Ouais, bon, Alicia ne vient que le week-end. Toi, tu as Madeleine avec toi tout le temps.

— Absolument, Vikram. Absolument.

— Tu nous as vraiment entendus ?

— Mais non. Je te fais marcher.

— Ne dis rien à Alicia. Elle serait morte de honte ! Promis ?

— Compte sur moi, dit Leonard. Personne ne saura que tu as le coït lyrique.

Vers dix heures, cependant, le brouillard mental commença à s'installer. Leonard avait mal à la tête. Ses chevilles étaient tellement gonflées par la rétention d'eau qu'il avait l'impression d'être Godzilla tandis qu'il entrait et sortait de la pièce à trente degrés. Plus tard, alors qu'il retirait le peigne d'une cuve, il créa des bulles dans le gel en tremblant et dut vider la cuve et recommencer.

Il avait également des problèmes digestifs. Prendre ses comprimés avec du café le ventre vide avait été une mauvaise idée. Ne voulant pas empuantir les toilettes du labo, il retourna à l'appartement à l'heure du déjeuner, soulagé de constater que Madeleine était déjà partie chercher sa mère et sa sœur. Il s'enferma dans la salle de bains avec *La Foire aux atrocités* en espérant faire vite, mais il se sentit si sale après la séance explosive qui suivit qu'il se déshabilla et prit une douche. Ensuite, au lieu de remettre ses beaux vêtements, il enfila un short et un tee-shirt et noua un bandana autour de sa tête. Il lui restait du temps à passer dans la pièce à trente degrés et il avait envie d'être à l'aise. Il glissa une boîte de Skoal dans l'une de ses chaussettes tubes et, le pas lourd, regagna le labo.

Madeleine lui amena sa mère et sa sœur dans l'après-midi. Phyllida était à la fois plus cérémonieuse et moins intimidante qu'il ne s'y attendait. Son accent de la haute société bostonienne, comme Leonard n'en avait entendu que dans les actualités des années 30, était une curiosité. Les dix premières minutes, tandis qu'il lui montrait les lieux, il crut qu'elle faisait semblant. On aurait dit une visite de la reine d'Angleterre. Coiffure impeccable et sac à main pendu au bras, posant des questions d'une voix suraiguë, Phyllida voulut regarder au microscope et être informée des dernières avancées du travail de ses sujets. Leonard fut heureux de voir qu'elle était intelligente, et qu'elle avait même le sens de l'humour. Enfilant son costume de scientifique pointu, il avait expliqué les particularités des levures et, pendant quelques instants, il s'était senti dans la peau d'un vrai biologiste.

Le contact fut plus difficile avec la sœur. Madeleine ne cessait de répéter que sa famille était « normale » et « heureuse », mais l'impression qu'Alwyn avait faite à Leonard laissait entendre le contraire. L'hostilité qui se dégageait d'elle était aussi facile à voir que du bleu de bromophénol. Son visage bouffi et couvert de taches de rousseur comportait les mêmes ingrédients que celui de Madeleine, mais mal proportionnés. Elle avait manifestement souffert toute sa vie d'être la moins jolie des deux sœurs. Tout ce qu'il disait paraissait l'ennuyer, et elle avait l'air physiquement mal à l'aise. Leonard avait été soulagé quand Madeleine était repartie avec Alwyn et Phyllida.

Globalement, il lui sembla que la visite s'était plutôt bien passée. Il n'avait pas tremblé de manière trop visible et avait honoré sa part de la conversation en manifestant à Phyllida un intérêt poli. Ce soir-là, lorsqu'il arriva à l'appartement, Madeleine l'accueillit seulement vêtue d'une serviette de bain. Puis, même la serviette disparut. Il porta Madeleine jusqu'au lit en essayant de ne pas trop gamberger. En retirant son pantalon, il fut rassuré de constater qu'il avait une érection tout à fait honorable. Il tenta de profiter de cette fenêtre de tir, mais les lourdeurs pratiques de la contraception refermèrent cette fenêtre aussi vite qu'elle s'était ouverte. Pour couronner le tout, comble de l'humiliation, il se mit à pleurer. Il écrasa son visage contre le matelas et se laissa aller. Était-ce seulement une émotion réelle ? Peut-être n'était-ce qu'un des effets du médicament. Ou alors la présence calculatrice tapie au fond de son esprit songea-t-elle que pleurer attendrirait Madeleine, qu'elle se rapprocherait de lui. Car ce fut le cas. Elle le prit dans ses bras, lui frotta le dos, lui susurra qu'elle l'aimait.

À ce moment-là, il dut s'endormir. Lorsqu'il se réveilla, il était seul dans le lit. La taie d'oreiller était humide, tout comme le drap sous lui. Le réveil indiquait 22:17. Il resta allongé dans le noir, son cœur battant à tout rompre, suffoqué par la peur que Madeleine soit partie pour toujours. Après une demi-heure, il se leva prendre un Ativan ; bientôt, il se rendormit.

Le vendredi suivant, dans le bureau de Perlmann au Massachusetts General, Leonard plaida sa cause.

— Je prends mille huit cents milligrammes depuis juin. On est en octobre. Ça fait quatre mois.

— Et vous semblez tolérer le lithium assez bien.

— Assez bien ? Regardez ma main.

Leonard la tendit devant lui. Elle était d'une immobilité parfaite.

— Attendez. Elle va se mettre à trembler dans une minute.

— Vos taux sériques ont l'air normaux. Les reins fonctionnent bien, la thyroïde aussi. Vos reins éliminent le lithium très rapidement. C'est pour cela qu'il vous en faut une dose élevée, pour qu'il reste thérapeutique.

C'était Madeleine, avec la Saab, qui avait amené Leonard à Boston. La veille, vers dix heures du soir, Kilimnik avait appelé Leonard à l'appartement pour lui dire qu'il avait besoin d'une nouvelle fournée d'échantillons pour le lendemain matin et que Leonard devait les préparer ce soir-là. Leonard s'était donc rendu de nuit au labo, avait passé les bacs de gel à l'électrophorèse, visualisé l'ADN et déposé les photos des fragments sur le bureau de Kilimnik. En repartant, il avait remarqué que Beller ou Jaitly avait laissé un des microscopes allumé. Il allait actionner l'interrupteur lorsqu'il remarqua qu'il y avait une lamelle sur la platine. Il se pencha donc pour regarder.

Observer quelque chose au microscope procurait encore à Leonard le même émerveillement que la première fois, avec le microscope Toys « R » Us qu'il avait eu pour Noël lorsqu'il avait dix ans. Il éprouvait toujours une sensation de transport, comme si, au lieu de regarder à travers un objectif, il plongeait la tête la première dans une autre dimension. Le dispositif d'éclairage avait désagréablement chauffé l'oculaire. Leonard tourna la molette de mise au point rapide, puis celle de mise au point fine, et elles apparurent : un troupeau de cellules haploïdes de levure ondulant comme des enfants dans les vagues de Race Point

Beach. Leonard les distinguait si nettement qu'il s'étonna de ne pas les voir réagir à sa présence ; mais elles restèrent imperturbables, comme d'habitude, et continuèrent de nager dans leur rond de lumière. Même dans le milieu dépourvu d'émotion que constituait la gélose, les cellules haploïdes semblaient avoir du mal à supporter la solitude. L'une d'elles, dans le quart inférieur gauche, s'orientait en direction de sa voisine. C'était gracieux, comme une danse. Leonard aurait aimé assister à la totalité du spectacle, mais il y en avait pour des heures et il était fatigué. Éteignant le microscope, il retourna dans le noir à son immeuble. Il était alors plus de deux heures.

Le lendemain matin, Madeleine l'emmena à Boston. Elle l'y accompagnait chaque semaine, heureuse de passer une heure dans les librairies de Harvard Square. Tandis qu'ils roulaient sur la route 6, sous un ciel bas du même gris terne que les petites maisons au toit asymétrique éparpillées dans le paysage, Leonard examina Madeleine du coin de l'œil. Sous l'effet nivelant du système universitaire, il leur avait été possible d'ignorer leurs différences d'éducation. Mais la visite de Phyllida avait tout changé. Leonard comprenait maintenant d'où venaient les particularités de Madeleine : pourquoi elle prononçait certains mots d'une manière étrange, pourquoi elle aimait la sauce Worcestershire, pourquoi elle était convaincue que dormir les fenêtres ouvertes, même quand il gelait dehors, était bon pour la santé. Chez les Bankhead, on n'était pas du genre à ouvrir les fenêtres. On aimait les fenêtres fermées et les stores tirés. Madeleine était prosoleil et antipoussière ; elle était adepte du nettoyage de printemps et battait volontiers les tapis sur les balustrades des vérandas. Pour elle, il n'y avait pas plus de place dans une maison ou un appartement pour les toiles d'araignée et la saleté que dans la tête pour l'indécision et les idées noires. Son aisance au volant (elle soutenait souvent que les sportifs faisaient de meilleurs chauffeurs) témoignait d'une foi simple en elle-même que Leonard, malgré toute son intelligence et son originalité d'esprit, n'avait pas. On sortait avec une fille au début parce qu'en la voyant on avait les genoux qui se dérobaient. On tombait amoureux d'elle et on était prêt à tout pour la garder. Et pourtant, plus on pensait à elle, moins on la connaissait. Restait l'espoir que l'amour transcende toutes les différences. Restait cet espoir-là. Leonard n'y avait pas renoncé. Pas encore.

Se penchant en avant, il ouvrit la boîte à gants et, parmi le fouillis de cassettes, en sortit une de Joan Armatrading. Il l'inséra dans l'autoradio.

– N'y vois surtout pas un signe d'approbation de ma part, dit-il.

– J'adore cette cassette ! s'exclama Madeleine, touchante de prévisibilité. Monte le son !

C'était la fin de l'automne et ils trouvèrent les arbres nus en entrant dans Boston. De la vapeur sortait de la bouche des joggeurs, en survêtement à capuche, le long de la Charles River.

Leonard avait quarante-cinq minutes d'avance pour son rendez-vous. Au lieu d'aller directement à l'hôpital, il entra dans un parc voisin. Le parc était à peu près dans le même état que lui. Le banc sur lequel il s'assit semblait avoir été rongé par des castors. À une dizaine de mètres, sur la pelouse envahie par les mauvaises herbes, s'élevait la statue taguée d'un Minuteman, un de ces soldats volontaires de la guerre d'Indépendance. S'ils avaient été sous lithium, on ne les aurait pas appelés les « hommes-minute ». On les aurait appelés les « hommes-quart-d'heure », ou les « hommes-demi-heure ». Ils auraient été longs à charger leur fusil et à arriver sur le champ de bataille, et les Anglais auraient gagné.

À onze heures, Leonard était à l'hôpital et plaidait sa cause auprès de Perlmann.

– Bon, vous avez arrêté le lithium volontairement. Mais la question est : pourquoi ?

– Parce que j'en avais assez. J'en avais assez de l'état dans lequel il me mettait.

– C'est-à-dire ?

– Je me sentais abruti. Lent. À moitié vivant.

– Déprimé ?

– Oui, concéda Leonard.

Perlmann sourit. Il posa une main sur son crâne chauve comme pour retenir une idée brillante.

– Vous vous sentiez affreusement mal *avant* d'arrêter le lithium. Et vous voulez que je vous redonne la dose que vous preniez alors.

– Docteur Perlmann, ça fait maintenant plus de quatre mois que je prends cette nouvelle dose augmentée. Et les effets secondaires dont je souffre sont de loin plus pénibles que tout ce que j'ai jamais connu. Ce que je vous dis, c'est que j'ai l'impression d'être lentement empoisonné.

– Et moi, qui suis votre psychiatre, je vous dis que si c'était le cas nous le verrions dans vos résultats sanguins. Rien de ce que vous décrivez à propos de vos effets secondaires ne semble sortir de l'ordinaire. J'aurais aimé les voir diminuer davantage, mais cela prend parfois du temps. Étant donné votre taille et votre poids, mille huit cents milligrammes, ce n'est pas si élevé. Maintenant, je ne suis pas opposé à l'idée de baisser votre dose à un moment donné. J'y suis ouvert. Mais le fait est que vous êtes un patient relativement nouveau pour moi. Je dois tenir compte de cet élément pour évaluer votre cas.

– Autrement dit, en venant vous voir, je retourne au bout de la file.

– Votre métaphore ne convient pas. Il n'y a pas de file.

– Une porte fermée, alors. Joseph K. qui essaie d'entrer dans le château.

– Leonard, je ne suis pas critique littéraire. Je suis psychiatre. Je vous laisse vos comparaisons.

Leonard redescendit dans le hall de l'hôpital par l'ascenseur, épuisé par sa tentative de négociation avec Perlmann. Au risque de rencontrer des enfants malades et d'être encore plus déprimé, il s'engouffra dans la cafétéria pour boire un café et manger une patte-d'ours. Il acheta un journal et le lut de la première à la dernière page, tuant ainsi près d'une heure. Le temps de retrouver Madeleine dehors, à cinq heures, les réverbères étaient allumés pour remplacer la morne lumière du jour, qui, en ce mois de novembre, faiblissait déjà. Quelques minutes plus tard, la Saab surgit du crépuscule et vint se ranger en douceur le long du trottoir.

— Comment ça s'est passé ? demanda Madeleine en se penchant pour avoir un baiser.

Leonard boucla sa ceinture en faisant comme s'il n'avait rien remarqué.

— J'étais en *thérapie*, Madeleine, répondit-il froidement. Une thérapie ne se « passe » pas.

— Je demandais ça comme ça.

— Non, c'est faux. Tu veux un rapport de progression. « Est-ce que tu commences à aller mieux, Leonard ? Est-ce que tu vas bientôt cesser d'être un zombie, Leonard ? »

Quelques secondes s'écoulèrent tandis que Madeleine encaissait le coup.

— Je comprends que tu puisses voir les choses de cette manière, dit-elle, mais ce n'est pas ce que j'ai voulu dire. Vraiment pas.

— Allez, emmène-moi loin d'ici. Je déteste Boston. J'ai toujours détesté Boston. Chaque fois que je suis venu dans cette ville, il m'est arrivé quelque chose de mauvais.

Ni l'un ni l'autre ne parla pendant un moment. Après avoir quitté l'hôpital, Madeleine s'engagea sur Storrow Drive et longea la Charles. C'était plus long par là, mais Leonard s'abstint de le lui faire remarquer.

— C'est normal que je m'intéresse à ta santé, non ? dit-elle.

— C'est normal, répondit-il d'un ton plus calme.

— Alors ?

– Alors Perlmann ne veut pas baisser ma dose. On attend encore que mon métabolisme s'acclimate.

– À propos, dit gaiement Madeleine, j'ai appris une chose intéressante aujourd'hui. Dans une librairie, j'ai trouvé un magazine avec un article sur la psychose maniaco-dépressive et les remèdes possibles à l'étude.

Elle lui sourit.

– Alors je l'ai acheté. Il est sur la banquette arrière.

Leonard ne fit aucun geste pour le prendre.

– Les remèdes, dit-il.

– Les remèdes et les nouveaux traitements. Je n'ai pas encore tout lu.

Leonard soupira en plaquant sa nuque contre l'appuie-tête.

– Pour l'instant, on ne comprend même pas le *mécanisme* de la maniaco-dépression. On en sait très peu sur le fonctionnement du cerveau.

– Ça, l'article le dit. Mais on fait beaucoup de progrès. L'article parle des dernières avancées de la recherche.

– Tu m'écoutes, oui ou non ? Il est impossible, sans connaître la cause d'une maladie, d'élaborer un remède.

Madeleine s'efforçait de traverser deux files encombrées pour accéder à l'entrée de la voie express. D'un ton joyeusement déterminé, elle dit :

– Certes, mon chéri, mais être maniaco-dépressif implique d'être, comment dire ? un peu dépressif. Parfois tu vois les choses en noir avant même de savoir de quoi il s'agit.

– Alors que toi, tu es une optimiste prête à croire à tous les remèdes.

– Lis au moins l'article.

Après l'embranchement avec la route 3, ils s'arrêtèrent prendre de l'essence. Gageant que Madeleine, pour éviter de nouvelles frictions, l'autoriserait à fumer dans la voiture, Leonard acheta un paquet de Backwoods. Lorsqu'ils eurent repris leur vitesse de croisière, il en alluma un en entrouvrant la fenêtre. C'était le premier bon moment de la journée.

Lorsqu'ils arrivèrent au cap, son humeur s'était légèrement améliorée. Pour faire plaisir à Madeleine, il tendit la main derrière son siège et prit le magazine, dont il déchiffra la couverture à la lueur du tableau de bord. Il s'écria alors :

– Le *Scientific American* ! Tu te fous de moi ?

– Quel est le problème ?

– Ce n'est pas de la science. C'est du journalisme. Les articles ne sont même pas validés par d'autres spécialistes !

– Je ne vois pas ce que ça change.

– Non, parce que tu ne connais rien à la science.

– Je voulais seulement t'aider.

– Tu sais comment tu peux m'aider ? dit méchamment Leonard. Roule.

Il ouvrit la fenêtre en grand et jeta le magazine dehors.

– Leonard !

– Roule !

Ils ne s'adressèrent plus la parole jusqu'à Pilgrim Lake. En sortant de la voiture, devant leur immeuble, Leonard tenta de passer un bras autour des épaules de Madeleine, mais elle se dégagea et monta seule à l'appartement.

Il ne la suivit pas. Il devait retourner au laboratoire après cette absence, et un peu de distance leur ferait du bien.

Sur l'allée de planches qui traversait les dunes, il passa devant le jardin avec la sculpture et gagna le laboratoire de génétique. Il faisait nuit à présent, et une demi-lune argentait les bâtiments du complexe. L'air brassé par le vent était presque froid. Leonard y sentait l'odeur des cages à souris en provenance de l'animalerie à sa droite. Il était presque content d'aller travailler. Il avait besoin de s'occuper l'esprit avec des choses qui ne soient pas d'ordre affectif.

Le laboratoire était vide lorsqu'il arriva. Jaitly lui avait laissé un message énigmatique sur un Post-it : « Attention au dragon. » Leonard alluma la radiocassette, prit un Pepsi dans le réfrigérateur, pour la caféine, et se mit au travail.

Après environ une heure, il eut la surprise d'entendre la porte s'ouvrir et de voir entrer Kilimnik. Celui-ci vint droit vers lui, l'air furieux.

– Qu'est-ce que je vous ai demandé de faire hier soir ? dit-il d'un ton sec.

– De vous préparer des échantillons.

– Une tâche assez simple, nous sommes d'accord ?

Leonard eut envie de rétorquer qu'elle aurait été plus simple si Kilimnik n'avait pas appelé si tard, mais il jugea préférable de se taire.

– Regardez les numéros, dit Kilimnik en lui tendant les photos. Leonard les prit, docile.

– Ce sont les mêmes numéros que sur la série que vous m'avez donnée *il y a deux jours*, s'exclama Kilimnik. Vous avez mélangé les échantillons ! Vous êtes débile ou quoi ?

– Je suis désolé. Je suis venu hier soir tout de suite après votre appel.

– Et vous avez fait n'importe quoi ! Comment voulez-vous que je mène une étude si mes techniciens sont incapables de suivre les protocoles les plus simples ?

Le qualifier de « technicien » se voulait insultant. Cela n'échappa pas à Leonard.

– Je suis désolé, dit-il à nouveau, vainement.

– Débarrassez-moi le plancher, dit Kilimnik en le congédiant d'un geste de la main. Vous serez mieux dans votre lit. Je ne tiens pas à ce que vous fassiez d'autres conneries ce soir.

Leonard était bien obligé d'obéir. Sitôt sorti du labo, en revanche, il fut envahi par une colère telle qu'il faillit retourner dire ses quatre vérités à Kilimnik. Celui-ci lui reprochait d'avoir mélangé les échantillons, mais, en réalité, cela n'avait aucune importance. Il était très clair – du moins pour Leonard – que ce n'était pas en déplaçant le gène HO d'un brin d'ADN à l'autre qu'on allait changer l'asymétrie reproductive entre les cellules mères et filles. Mille autres choses pouvaient expliquer cette asymétrie. À la fin de son étude, d'ici deux à six mois, Kilimnik serait en mesure de prouver, de manière catégorique, que la position du gène HO n'avait aucun effet sur le changement de type sexuel chez la levure bourgeonnante, ce qui permettrait d'éliminer un brin de paille dans la botte de foin où on cherchait l'aiguille.

Leonard s'imaginait disant ces choses à Kilimnik. Mais il savait qu'il ne le ferait jamais. Où irait-il s'il perdait son stage et la bourse qui allait avec ? Et il n'arrivait à rien, même pas à accomplir les tâches les plus élémentaires.

Derrière son immeuble, il termina son paquet de Backwoods.

Madeleine était assise sur le canapé lorsqu'il entra dans l'appartement. Elle avait le téléphone sur les genoux, mais elle n'était pas en communication. Elle ne le regarda même pas.

– Salut, dit-il.

Il avait envie de s'excuser, mais cela se révéla plus difficile que d'aller chercher une Rolling Rock dans le réfrigérateur. Debout dans la cuisine, il but au goulot de la bouteille.

Madeleine resta sur le canapé.

Leonard espérait qu'en ignorant leur dispute récente ce serait comme si elle n'avait jamais eu lieu. Malheureusement, le téléphone sur les genoux de Madeleine laissait entendre qu'elle avait parlé à quelqu'un, sans doute à une de ses copines, du mauvais comportement de Leonard. Quelques instants plus tard, d'ailleurs, elle aborda le sujet.

– On peut parler ? dit-elle.

– Oui.

– Il faut que tu apprennes à te contrôler. Tu as perdu ton sang-froid tout à l'heure dans la voiture. C'était effrayant.

– J'étais contrarié.

– Tu t'es montré violent.

– Oh, n'exagérons rien.

– Si, je t'assure. Tu m'as fait peur. J'ai cru que tu allais me frapper.

– Tout ce que j'ai fait, c'est jeter ce magazine par la fenêtre.

– Tu étais en rage.

Elle poursuivit. Son discours semblait avoir été répété, ou, sinon répété, alimenté par des expressions qui n'étaient pas les siennes, des expressions utilisées par celui ou celle avec qui elle avait parlé au téléphone. Madeleine se disait victime de « maltraitance verbale », refusait d'être l'« otage des sautes d'humeur d'un autre », soulignait l'importance d'une « autonomie à l'intérieur du couple ».

– Je comprends très bien que tu en aies marre de te faire balader par le Dr Perlmann, dit-elle. Mais je n'y suis pour rien et il faut que tu arrêtes de t'en prendre à moi. Ma mère pense qu'on a des façons différentes de se disputer. La dispute dans un couple doit obéir à des règles communes, il faut définir ce qui est acceptable et ce qui ne l'est pas. Quand tu perds ton sang-froid comme tout à l'heure...

– Tu as parlé de ça avec ta mère ? s'indigna Leonard.

Puis, désignant le téléphone du doigt :

– C'est avec elle que tu étais à l'instant ?

Madeleine reposa le téléphone sur la table basse.

– Je parle à ma mère de beaucoup de choses.

– Mais dernièrement, surtout de moi.

– Ça arrive.

– Et qu'est-ce que dit ta mère ?

Madeleine baissa la tête. Comme pour ne pas se donner le temps d'y réfléchir, elle s'empressa de répondre :

– Ma mère ne t'aime pas.

Leonard reçut ces mots comme un coup de poing au visage. Ce qui l'ébranla fut moins le contenu de l'affirmation, si négatif fût-il, que la décision de Madeleine de la prononcer. Une fois dite, une chose comme celle-là ne se retirait pas facilement. Elle serait désormais là tout le temps, chaque fois que Leonard et Phyllida se retrouveraient dans la même pièce. Ce qui laissait envisager que Madeleine ne souhaitait pas que cela se reproduise.

— Comment ça, elle ne m'aime pas ?

— Elle ne t'aime pas, c'est tout.

— Qu'est-ce qu'elle me reproche ?

— Je n'ai pas envie d'en parler. Ce n'est pas de ça qu'il est question.

— Maintenant, si. Ta mère ne m'aime pas ? Elle ne m'a rencontré qu'une fois.

— Et ça n'a pas été un franc succès.

— Quand elle était là ? Qu'est-ce qui s'est passé ?

— Eh bien, pour commencer, tu lui as serré la main.

— Et alors ?

— Alors, ma mère est vieux jeu. Elle ne serre généralement pas la main aux hommes. Si elle le fait, c'est à elle d'en prendre l'initiative.

— Désolé. Il faudrait que je révise mon guide des bonnes manières.

— Et la façon dont tu étais habillé… Le short et le bandana…

— Il fait chaud au labo.

— Je ne défends pas les sentiments de ma mère. Je les explique, c'est tout. Tu n'as pas fait bonne impression.

Ça, Leonard le concevait. En même temps, il ne comprenait pas comment ce manquement à l'étiquette avait pu pousser Phyllida à porter sur lui un jugement aussi définitif. Il y avait une autre explication possible.

— Tu lui as dit que j'étais maniaco-dépressif ?

Madeleine baissa les yeux.

— Elle le sait.

— Tu lui as dit !

— Non, c'est Alwyn qui l'a fait. Elle a trouvé tes comprimés dans la salle de bains.

– Ta sœur a fouillé dans mes affaires ? Et c'est moi le mal élevé ?

– Je lui ai fait savoir ce que j'en pensais. On s'est disputées à ce sujet.

Leonard alla s'asseoir sur le canapé à côté de Madeleine et lui prit les mains. C'était gênant, il se sentait tout à coup au bord des larmes.

– C'est pour ça que ta mère ne m'aime pas ? dit-il d'un ton plaintif. Parce que je suis malade ?

– Pas uniquement. Elle estime que nous ne sommes pas faits l'un pour l'autre.

– C'est complètement faux ! protesta Leonard en s'efforçant de sourire, et en cherchant dans les yeux de Madeleine une confirmation.

Mais Madeleine n'en apporta aucune. Elle se contenta de regarder fixement leurs mains entremêlées, le front plissé.

– Je ne sais plus, dit-elle.

Elle dégagea ses mains et les rentra sous ses bras.

– C'est quoi, le problème ? demanda Leonard, perdu. C'est ma famille ? C'est ma situation financière ? C'est le fait que je sois boursier ?

– Ça n'a rien à voir avec ça.

– Ta mère a peur que je transmette ma maladie à nos enfants ?

– Leonard, arrête.

– Pourquoi j'arrêterais ? Je veux savoir. Tu dis que ta mère ne m'aime pas mais tu refuses de me dire pourquoi.

– Elle ne t'aime pas, un point c'est tout.

Elle se leva et prit son manteau sur la chaise.

– Je sors prendre l'air un moment, dit-elle.

– Je comprends maintenant pourquoi tu as acheté ce magazine, dit Leonard, incapable de contenir son amertume. Tu espères trouver un remède.

– Et alors ? Tu n'as pas envie d'aller mieux ?

– Je suis désolé de souffrir d'une maladie mentale, Madeleine.

C'est terriblement grossier, je sais. Si mes parents m'avaient mieux élevé, je ne serais peut-être pas comme ça.

– Ça, c'est injuste ! s'écria Madeleine, vraiment en colère cette fois.

Elle se détourna, comme s'il la dégoûtait, et quitta l'appartement.

Debout, Leonard resta cloué sur place. Ses yeux se remplissaient de larmes, mais s'il battait des paupières suffisamment rapidement, aucune ne tombait. Malgré toute la haine qu'il lui portait, à cet instant, le lithium était son ami. Il sentait l'immense vague de tristesse sur le point de le submerger, mais il en était protégé comme par un dôme invisible. C'était comme pétrir un sac plastique rempli d'eau et ressentir toutes les propriétés du liquide sans se mouiller. Ça, au moins, c'était appréciable. La vie qui était gâchée n'était pas totalement la sienne.

Il se rassit sur le canapé. Par la fenêtre, il voyait les rouleaux de bord déferler sur la plage, l'écume illuminée par le clair de lune. L'eau noire lui parlait. Elle lui disait qu'il venait du néant et retournerait au néant. Il n'était pas aussi intelligent qu'il le pensait. Son stage à Pilgrim Lake serait un échec. Même s'il parvenait à garder sa place jusqu'au mois de mai, on ne lui demanderait pas de revenir. Il n'avait pas les moyens d'entamer un troisième cycle, ni même de louer un appartement. Il ne savait pas quoi faire d'autre de sa vie. La peur avec laquelle il avait grandi, celle de manquer d'argent, que toutes les bourses qu'il avait obtenues n'avaient jamais supprimée, se fit sentir plus fort que jamais. L'immunité de Madeleine contre le besoin, il le comprenait à présent, était une des choses qui l'attiraient chez elle. Il avait toujours cru que l'argent de Madeleine n'avait aucune importance pour lui, mais il se rendait compte à présent que, si elle partait, son argent partirait avec elle. Leonard ne croyait pas un instant que la mauvaise image que la mère de Madeleine avait de lui ne tenait qu'à sa maniaco-dépression. La maniaco-dépression n'était que le plus avouable de ses préjugés.

Elle ne pouvait se réjouir qu'il appartienne à une vieille famille de Portland sans l'aisance qui allait avec, qu'il ait un look de biker, ou qu'il sente les cigares bon marché qu'on achète dans les stations-service.

Il n'essaya pas de rattraper Madeleine. Assez courbé l'échine. Il était temps à présent, dans la mesure du possible, de se ressaisir et de montrer un peu de courage, ce qu'il entreprit de faire en se laissant lentement tomber sur le côté et en se roulant en boule en travers du canapé.

Leonard ne pensait ni à Madeleine, ni à Phyllida, ni à Kilimnik. Couché sur le canapé, il pensait à ses parents, ces deux planètes autour desquelles gravitait toute son existence. Puis le passé le happa, ce passé qui réapparaissait sans cesse. Quand on grandit dans une maison où on ne vous aime pas, on ignore qu'il peut en être autrement. Quand on a pour parents des handicapés affectifs, malheureux dans leur couple et enclins à le faire payer à leurs enfants, on n'en est pas conscient. C'est votre vie, c'est tout. Quand on fait caca dans sa culotte à l'âge de quatre ans, alors qu'on est censé être propre, et qu'on vous sert ensuite au dîner un plat d'excréments – on vous dit de le manger parce que vous aimez ça, hein, vous devez aimer ça pour faire caca dans votre culotte aussi souvent –, on ignore que ce genre de chose ne se passe pas dans les autres maisons du quartier. Quand votre père abandonne le foyer et disparaît, pour ne jamais revenir, et que votre mère semble vous en vouloir, à mesure que vous grandissez, d'être du même sexe que lui, vers qui se tourner ? Dans toutes ces situations, le mal est fait avant qu'on s'en aperçoive. Le pire est que, avec les années, on s'attache à ces souvenirs, ils deviennent comme des trésors que l'on sort de temps en temps d'un coffre secret pour les admirer. Ils sont l'explication de votre tristesse. Ils sont la preuve que la vie est injuste. Si on n'a pas eu de chance quand on était petit, on ne le sait que plus tard. Et alors on ne pense plus qu'à ça.

Difficile de dire combien de temps Leonard resta sur ce canapé. Mais, après un long moment, une lueur s'alluma dans son regard, et il se redressa. Il faut croire que son cerveau n'était pas totalement hors d'usage, car il venait d'avoir une idée de génie. Une idée qui lui permettrait à la fois de garder Madeleine, de vaincre Phyllida et de damer le pion à Kilimnik. Il se leva d'un bond. Sur le chemin de la salle de bains, il avait déjà l'impression de peser deux kilos de moins. Il était tard. C'était l'heure de prendre son lithium. Il ouvrit le flacon et en fit tomber quatre comprimés de 300 mg. Il était censé en prendre trois. Mais il n'en prit que deux. Il prit 600 mg au lieu des 900 habituels, puis il remit les autres comprimés à l'intérieur du flacon et revissa le bouchon...

Il fallut un certain temps avant de voir se produire quelque chose. Il y avait de l'inertie dans les effets du médicament. Les dix premiers jours, Leonard se sentit toujours aussi gros, lent et stupide, mais, à la fin de la deuxième semaine, il retrouva par moments une vivacité d'esprit et un moral dignes de ses plus belles heures. Utilisant ces moments judicieusement, il se mit au jogging et commença à fréquenter la salle de gym. Il perdit du poids. Sa bosse de bison disparut.

Leonard comprenait la démarche des psychiatres. L'impératif, face à un maniaco-dépressif, était d'annihiler les symptômes. Étant donné la forte tendance suicidaire de ces patients, c'était la solution la plus prudente, Leonard en convenait. Ce qu'il n'approuvait pas était la manière dont on gérait la maladie. Les médecins conseillaient la patience. Ils promettaient que le corps allait s'adapter. Et, jusqu'à un certain point, c'était ce qui se passait. À la fin, on était sous traitement depuis si longtemps qu'on ne se rappelait même plus ce que c'était d'être normal. C'est en cela que consistait l'adaptation.

Il était plus intéressant, semblait-il à Leonard, de trouver le point précis, au tout début de la phase maniaque, où on ne souffrait d'aucun effet indésirable et débordait d'énergie. Il fallait trouver ce point et s'y maintenir, profiter uniquement des bons côtés de la maladie. C'était comme un moteur dont on veut optimiser l'efficacité : qu'il tourne à plein régime, sans risque de surchauffe ni de casse, une combustion parfaite pour un maximum de vitesse.

Où étaient passés les Dr Miracle qui vous donnaient des amphétamines pour vous retaper ? Aujourd'hui on n'avait plus que des Dr Pas-Trop-Mal, des Dr Couci-Couça. On ne voulait pas innover, c'était trop dangereux, trop difficile. Ce qu'il fallait, c'était quelqu'un qui ait assez de cran, de motivation et d'intelligence pour expérimenter des dosages qui sortent des recommandations cliniques, quelqu'un comme Leonard, quoi.

Au début, il prit simplement moins de comprimés. Puis, ayant besoin de réduire la dose par paliers inférieurs à 300 mg, il se mit à les couper au cutter. C'était assez efficace, mais il arrivait que des morceaux soient projetés sur le sol, où il ne les retrouvait pas. Il finit par s'acheter un coupe-comprimé à la pharmacie de P-town. Les comprimés ovales de 300 mg se coupaient facilement en deux, mais plus difficilement en quatre. Leonard devait les coincer entre des mâchoires souples à l'intérieur de l'appareil, puis refermer le couvercle avant d'abaisser la lame. Pour découper des cinquièmes ou des sixièmes, il calculait au pifomètre. Il procéda lentement, restant à 1 600 mg/jour une semaine avant de passer à 1 400. Étant donné que c'était ce que Perlmann promettait de faire dans six mois, Leonard se dit qu'il hâtait simplement un peu les choses. Mais il passa ensuite à 1 200 mg. Puis à 1 000. Et ainsi de suite jusqu'à 500.

Dans un carnet de moleskine, Leonard consigna précisément ses doses quotidiennes, accompagnées de notes sur son état physique et mental au cours de la journée.

30/11. Matin : 600 mg. Soir : 600 mg.
Bouche pâteuse. Tête cotonneuse. Tremblement idem, voire pire. Salive : fort goût métallique.

3/12. Matin : 400 mg. Soir : 600 mg.
Bonne période ce matin. Comme une fenêtre ouverte dans ma tête-Tour de Londres, par laquelle j'ai pu regarder quelques minutes. C'est joli dehors. Gibet en construction ? Peut-être moins de tremblement, aussi.

6/12. Matin : 300 mg. Soir : 600 mg.
Perdu 1,8 kg. Bonne énergie mentale presque toute la journée. Tremblement à peu près idem. Moins soif.

8/12. Matin : 300 mg. Soir : 500 mg.
Ai tenu une nuit complète sans aller aux toilettes.
Esprit vif toute la journée. Ai lu 150 p. de Ballard sans reprendre ma respiration. Pas la bouche sèche.

10/12. Matin : 200 mg. Soir : 300 mg.
Un peu trop exubérant au dîner. M. m'a éloigné mon verre de vin, elle a pensé que je buvais trop. Vais remonter de 300 mg les deux prochains jours pour stabiliser.
Hypothèse : fonction rénale moins bonne que ne le pense Dr P. ? Fluctuations ? Si lenteur à éliminer le lithium, s'accumulerait-il dans l'organisme, d'où le ralentissement du cerveau, les troubles digestifs, la léthargie, etc. ? La dose quotidienne serait donc plus élevée, en réalité, que ne le pensent les médecins. À creuser...

14/12. Matin : 300 mg. Soir : 600 mg.
Humeur à nouveau normale. De plus, pas de retour notable d'effets indésirables. Rester à cette dose quelques jours, puis baisser à nouveau.

L'idée qu'il menait des recherches scientifiques importantes entra dans la tête de Leonard imperceptiblement, il ne la vit pas arriver. Tout à coup, elle était là. Il s'inscrivait dans la lignée des scientifiques audacieux comme J.B.S. Haldane, qui s'était enfermé dans une chambre de décompression pour étudier les effets de la plongée en eau profonde (et s'était perforé le tympan), ou Stubbins Ffirth, qui avait versé sur ses propres coupures le vomi d'un malade de la fièvre jaune pour prouver que cette maladie n'était pas contagieuse. À Stephen Jay Gould, le héros de Leonard au lycée, on avait diagnostiqué un mésothéliome péritonéal un an auparavant, et on lui avait donné huit mois à vivre. La rumeur disait que Gould suivait un traitement expérimental qu'il avait lui-même mis au point et qu'il allait bien.

Leonard comptait avouer ses agissements au Dr Perlmann dès qu'il aurait réuni assez de données pour prouver sa théorie. En attendant, il devait faire semblant de suivre la prescription, ce qui impliquait de feindre des effets secondaires ayant déjà disparu. Il lui fallait également calculer à quel moment il aurait dû manquer de médicaments, de manière à les renouveler en quantités suffisantes pour éviter les soupçons. Tout cela lui était facile à présent qu'il avait retrouvé sa lucidité.

Le problème, quand on est Superman, c'est que les autres vous semblent tous insupportablement lents. Même dans un endroit comme Pilgrim Lake, où il n'y avait que des grosses têtes, les gens marquaient des pauses tellement longues lorsqu'ils parlaient que Leonard aurait eu le temps d'aller porter son linge au pressing et de revenir avant qu'ils ne terminent leurs phrases. Alors il les terminait pour eux. Pour faire gagner du temps à tout le monde. Avec un peu d'attention, deviner le prédicat d'une phrase à partir de son sujet est bête comme chou. La plupart des gens n'utilisent qu'un nombre de schémas conversationnels limité. En revanche, ils n'aiment pas que l'on termine leurs phrases. Ou plutôt, ils aiment ça au début. Au début, ils y voient la marque d'une compréhension mutuelle entre eux et vous. Mais, à force, vous les agacez. Ce qui n'est pas plus mal, car vous finissez par vous épargner la corvée de devoir leur parler.

C'est plus difficile avec la personne qui partage votre vie. Madeleine se plaignait de l'« impatience » de Leonard. Il ne tremblait peut-être plus des mains mais tapait constamment du pied. Jusqu'à cet après-midi où, alors qu'il aidait Madeleine à préparer son GRE, Leonard, mécontent de la lenteur avec laquelle elle mettait en schéma un problème logique, lui arracha le stylo de la main.

— On n'est pas en cours d'arts plastiques, dit-il. Tu vas manquer de temps à ce rythme-là. Un peu de nerf.

Il réalisa le schéma en cinq secondes, avant de se renverser en arrière sur sa chaise et de croiser les bras d'un air satisfait.

— Rends-moi mon stylo, dit Madeleine en le lui reprenant rageusement.

— Quoi ? Je te montre, juste.

— Tu veux bien me laisser, oui ? explosa Madeleine. Ce que tu peux être agaçant !

Voilà comment Leonard se retrouva, quelques minutes plus tard, à quitter l'immeuble pour laisser Madeleine travailler. Il décida d'aller à Provincetown à pied pour perdre encore du poids. Malgré le froid, il ne portait qu'un pull, des gants et son nouveau couvre-chef hivernal : une casquette de chasse fourrée avec des protège-oreilles qui s'attachaient l'un à l'autre sous le menton. Le ciel de décembre était bleu lorsqu'il sortit du complexe pour s'engager sur la route côtière. Il ne gelait pas encore à Pilgrim Lake et il y avait des roseaux partout. Les dunes paraissaient hautes par rapport au reste du paysage. Elles étaient parsemées de touffes d'herbe, sauf près du sommet, où rien ne poussait à cause du vent et où s'étendaient des bandes nues de sable blanc.

Le fait d'être seul augmentait le volume des informations qui bombardaient Leonard. Personne n'était là pour l'en distraire. Tandis qu'il marchait d'un bon pas, les pensées s'amoncelaient dans sa tête comme les avions au-dessus de Logan Airport, au nord-ouest. Il y avait deux ou trois gros porteurs remplis de Grandes Idées, toute une flotte de 707 chargés des impressions sensibles (la couleur du ciel, l'odeur de la mer) et des Learjet avec à leur bord de riches pulsions solitaires qui souhaitaient voyager incognito. Tous ces appareils demandaient en même temps la permission d'atterrir. Depuis sa tour de contrôle intérieure, Leonard les guidait, leur ordonnait de continuer de tourner, les déroutait vers d'autres aéroports. Le flot ne cessait jamais ; Leonard devait coordonner les arrivées depuis la minute où il se levait jusqu'à celle où il allait se coucher. Mais c'était un vieux de la vieille à présent, après deux semaines à Maniaque-juste-ce-qu'il-faut International. L'œil rivé sur son écran radar, il était capable de faire atterrir chaque avion à l'heure tout en échangeant des plaisanteries viriles avec son collègue assis à côté de lui et en mangeant un sandwich, comme si c'était facile. L'aisance des pros.

Plus on avait froid, plus on brûlait de calories.

Son cerveau en ébullition, le rythme soutenu de son pouls et sa grosse casquette fourrée suffisaient à tenir chaud à Leonard tandis qu'il passait devant les immenses maisons sur le front de mer et les villas recouvertes de bardeaux massées le long des étroites allées. Lorsqu'il finit par arriver dans le centre-ville, il fut surpris de le voir aussi désert pour un week-end. Les magasins et les restaurants avaient commencé à fermer après Labor Day. À présent, à deux semaines de Noël, il n'en restait que quelques-uns d'ouverts. Le Lobster Pot, fermé. Le Napi's, ouvert, ainsi que le Front Street. Le Crown & Anchor, fermé.

Ce fut donc avec plaisir qu'il trouva un peu de monde rassemblé en pleine journée au Governor Bradford. Il se percha sur un tabouret et se tourna vers le téléviseur, s'efforçant d'avoir l'air de quelqu'un qui n'avait qu'une idée dans la tête et non cinquante. Lorsque le barman s'approcha de lui, Leonard lui demanda :

— C'est vous, le Governor Bradford ?

— Non.

— Je voudrais une pinte de Guinness, s'il vous plaît, dit Leonard en pivotant sur son tabouret pour regarder les autres clients.

La chaleur lui montait à la tête mais il ne voulait pas retirer sa casquette.

Des quatre femmes dans la salle, trois se pomponnaient en se passant la main dans les cheveux pour indiquer qu'elles étaient prêtes à la copulation. Les hommes répondaient en parlant d'une voix plus grave et parfois en les tripotant. Si on faisait abstraction des particularités humaines comme la parole et le port de vêtements, les comportements de primate devenaient plus apparents.

Lorsque sa Guinness arriva, Leonard pivota à nouveau vers le comptoir pour la boire.

— Vous devriez revoir votre technique du trèfle, dit-il en examinant la surface de sa bière.

— Pardon ?

Leonard montra le dessin sur la couche de mousse.

— Ça ne ressemble pas à un trèfle. On dirait plutôt un huit.

— Vous êtes barman ?

— Non.

— De quoi vous vous mêlez, alors ?

Leonard sourit. Il dit : « Santé », et plongea les lèvres dans la bière brune crémeuse. Une partie de lui serait bien restée là tout l'après-midi, à boire de la bière en regardant le foot à la télé et en guettant d'autres comportements de primate chez les femelles humaines qui se pomponnaient. Lui aussi était un primate, bien sûr, en l'occurrence un mâle solitaire. Les mâles solitaires créaient toutes sortes de problèmes. Ç'aurait pu être amusant de voir ce qu'il pouvait provoquer, mais il sentait de mauvaises vibrations de la part du barman et avait envie de marcher un peu plus. Son verre terminé, il tira donc un billet de dix dollars de la poche de son jean et le laissa sur le comptoir. Sans attendre sa monnaie, il sauta de son tabouret et sortit précipitamment dans l'air glacé.

Le ciel s'obscurcissait déjà. Il était à peine plus de deux heures et déjà le jour déclinait. En levant les yeux, Leonard sentit son moral en faire autant. Son euphorie commençait à l'abandonner. Une erreur, cette Guinness. Fourrant ses mains dans les poches de son jean, il se balança d'avant en arrière sur ses talons. Et il n'en fallut pas plus. Confirmation supplémentaire de l'efficacité de sa manœuvre ingénieuse, à peine son énergie commença-t-elle à retomber qu'il la sentit se renouveler, comme si de petites valves envoyaient dans ses artères des giclées d'élixir de vie.

Revigoré par ce processus chimique, il poursuivit sa balade dans Commercial Street. Devant lui, un type en blouson et casquette de cuir descendait les marches qui menaient au Vault. Les basses de la musique à l'intérieur s'échappèrent dans la rue jusqu'à ce que la porte se referme derrière lui.

Un sujet intéressant, l'homosexualité, d'un point de vue darwinien. Un caractère génétique prédisposant une population à des relations sexuelles stériles aurait dû disparaître, or les garçons du Vault étaient la preuve qu'il existait toujours. Sans doute une forme de transmission autosomique – les gènes en cause devaient se faire prendre en stop par des chromosomes X homologues.

Leonard continua d'avancer. Il regarda les sculptures sur bois flotté dans les galeries d'art fermées et les cartes postales homoérotiques derrière les vitres d'une librairie-papeterie, elle encore ouverte. Soudain, un détail étonnant attira son attention. Sur le trottoir d'en face, un magasin de *saltwater taffies*[1] semblait ouvert. L'enseigne au néon était allumée dans la vitrine et Leonard voyait une silhouette se déplacer à l'intérieur. Une force mystérieuse mais insistante, une force qui faisait appel à sa nature de primate, le poussa à s'approcher. Un carillon sonna lorsqu'il poussa la porte. Ce qui avait mis ses cellules en éveil se révéla être la vendeuse, une adolescente, derrière le comptoir. Une petite rousse aux pommettes hautes, vêtue d'un pull jaune moulant.

— Vous désirez ?

— J'aurais besoin d'un renseignement. C'est encore la saison pour observer les baleines ?

— Euh, je sais pas.

— Mais il existe bien des circuits à partir d'ici pour aller les observer ?

— À mon avis, ça doit plutôt être en été.

— Ah ! fit Leonard, ne sachant quoi dire ensuite.

Il était pleinement conscient du petit corps parfait de la fille. En même temps, l'odeur de sucreries lui rappelait une confiserie où il allait, enfant, sans argent pour acheter quoi que ce soit. Il fit alors semblant de s'intéresser aux caramels sur les rayonnages, qu'il parcourut du regard, les mains jointes dans le dos.

— Elle me plaît, votre casquette, dit la fille.

Leonard se tourna vers elle et lui adressa un large sourire.

— C'est vrai ? Merci. Je viens de l'acheter.

— Mais vous n'avez pas froid sans manteau ?

— Pas ici avec toi, dit Leonard.

Ses capteurs enregistrant un regain de méfiance chez son interlocutrice, il s'empressa d'ajouter :

— Comment ça se fait que vous soyez ouverts en cette saison ?

1. Caramels mous, déclinés en une multitude de couleurs et de parfums, vendus dans des magasins spécialisés sur le littoral américain, principalement sur la côte Est. La légende veut que, lors d'une tempête en 1883, une immense vague ait inondé le magasin d'un confiseur d'Atlantic City, imprégnant d'eau de mer toute sa marchandise. D'où le nom, « caramels à l'eau de mer ».

La question se révéla judicieuse. Elle permit à la fille d'exprimer sa frustration.

– Parce que mon père veut me gâcher mon week-end, dit-elle.

– Ton père est le patron ?

– Oui.

– Tu es un peu l'héritière aux caramels, alors.

– Si on veut.

– Tu sais ce que tu devrais dire à ton père ? Tu devrais lui dire qu'on est en décembre. Personne n'achète de caramels à l'eau de mer en décembre.

– Oh, j'ai bien essayé. Il répond qu'il y a des touristes qui viennent pour le week-end, qu'il faut rester ouvert pour eux.

– Tu as eu combien de clients aujourd'hui ?

– Je sais pas, trois. Plus vous.

– Tu me considères comme un client ?

Elle fit basculer son poids sur une hanche, sceptique.

– Ben, vous êtes là.

– Absolument, confirma Leonard. Comment t'appelles-tu ?

Elle hésita.

– Heidi.

– Salut, Heidi.

Elle rougit. Fut-ce cela ou la façon dont son pull la moulait, ou simplement le fait d'être un Superman en présence d'une supernana ? Quoi qu'il en soit, Leonard se sentit bander vitesse grand V. C'était là une donnée clinique importante. Il regretta de ne pas avoir son carnet de moleskine sur lui pour la noter.

– Heidi, dit Leonard. Salut, Heidi.

– Bonjour, dit-elle.

– Salut, Heidi, répéta Leonard. *Hi-de-ho*. Le Hi De Ho Man. Tu connais le Hi De Ho Man, Heidi ?

– Mm-mm.

– Cab Calloway. Célèbre musicien de jazz. Le Hi De Ho

Man. Je ne sais pas trop pourquoi on l'appelait comme ça. Hi-ho, Silver. Hawaï Five-O.

Elle plissa le front. Leonard vit qu'il la perdait.

— Ravi de faire ta connaissance, Heidi. Mais dis-moi : ils sont fabriqués ici, vos caramels ?

— En été, oui. Pas en ce moment.

— Et vous utilisez l'eau de l'océan ?

— Hein ?

Il s'approcha du comptoir, assez près pour écraser son sexe en érection contre la paroi vitrée.

— Je me demande toujours pourquoi on appelle ça des caramels à l'eau de mer. Je veux dire, vous utilisez du sel et de l'eau séparément, ou il faut que ce soit de l'eau de mer ?

Heidi s'éloigna du comptoir en reculant d'un pas.

— J'ai des trucs à faire dans l'arrière-boutique. Si vous avez besoin de quelque chose...

Sans savoir pourquoi, Leonard s'inclina cérémonieusement.

— Je t'en prie, dit-il. Je ne veux pas t'empêcher de travailler. Ce fut un plaisir, Heidi-Ho. Quel âge as-tu ?

— Seize ans.

— Tu as un petit ami ?

Elle parut réticente à répondre.

— Oui.

— Il a de la chance. Il devrait être ici en ce moment, pour te tenir compagnie.

— Mon père sera là dans une minute.

— Je regrette, mais je vais le rater, dit Leonard, plaqué contre le comptoir. Je lui aurais dit d'arrêter de te gâcher tes week-ends. Mais avant de partir, je crois que je vais t'acheter quelques caramels.

À nouveau il parcourut les rayonnages. Lorsqu'il se pencha en avant, sa casquette tomba et il la rattrapa. Des réflexes impeccables. Dignes de Fred Astaire. S'il avait voulu, il aurait pu la jeter en l'air et la faire retomber sur sa tête après un tour complet.

— Ces caramels ont toujours des tons pastel, commenta-t-il. Comment ça se fait ?

Cette fois, Heidi ne répondit rien.

— Tu veux que je te donne mon explication, Heidi ? Je pense que les pastels sont la palette du bord de mer. Je vais prendre ces verts, qui sont comme l'herbe des dunes, et aussi ces roses, comme le soleil qui se couche sur l'eau. Et ces blancs, comme l'écume des vagues, et ces jaunes, comme le soleil sur le sable.

Il apporta les quatre sachets au comptoir, puis décida d'y ajouter quelques autres parfums. Crème au beurre. Chocolat. Fraise. Sept sachets en tout.

— Vous voulez tout ça ? dit Heidi, incrédule.

— Oui, pourquoi ?

— Je sais pas. Ça fait beaucoup.

— C'est bien, beaucoup, dit Leonard.

Elle passa son achat en caisse. Leonard sortit ses billets de sa poche.

— Garde la monnaie, dit-il. Mais il va me falloir un sac pour porter tout ça.

— Ceux que j'ai sont trop petits. Ou alors, j'ai des sacs-poubelle.

— Un sac-poubelle, très bien.

Heidi disparut dans l'arrière-boutique. Elle revint avec un épais sac vert foncé de cent litres et commença à y mettre les sachets de caramels, ce qui l'obligeait à se pencher en avant.

Leonard regardait fixement ses petits seins sous son pull moulant. Il savait exactement quoi faire. Il attendit qu'elle pose le sac-poubelle sur le comptoir. À ce moment-là, le lui prenant des mains, il dit :

— Tu sais quoi ? Puisque ton père n'est pas là ?

Et, lui tenant les poignets, il s'avança et l'embrassa. Pas longtemps. Pas passionnément. Juste un petit baiser sur les lèvres, qui la surprit totalement. Elle écarquilla les yeux.

– Joyeux Noël, Heidi, fit Leonard. Joyeux Noël.

Puis il se retourna brusquement et sortit du magasin.

Il avait à présent un sourire hilare. Jetant le sac-poubelle par-dessus son épaule à la manière d'un marin, il avança à grands pas dans la rue. Son érection ne faiblissait pas. Il essaya de se rappeler quelle dose il avait prise ce matin-là et se demanda s'il ne devrait pas l'augmenter légèrement.

La logique de sa manœuvre ingénieuse partait du principe suivant : la maniaco-dépression n'était pas un handicap mais un avantage. Un caractère génétique choisi. Si elle n'était que le « trouble mental » que l'on croyait, elle aurait disparu depuis longtemps, effacée de l'espèce comme tout ce qui ne favorisait pas sa survie. L'avantage était évident. Il résidait dans l'énergie, la créativité, voire le sentiment de génie, qui animaient Leonard en ce moment même. Combien de grands personnages de l'histoire avaient été maniaco-dépressifs ? Combien de découvertes scientifiques et de chefs-d'œuvre artistiques avaient été inspirés à leurs auteurs durant des phases maniaques ?

Il accéléra, pressé de rentrer. Il sortit de la ville et repassa devant le lac, devant les dunes.

Madeleine était sur le canapé, son beau visage plongé dans son manuel de préparation au GRE, lorsque Leonard arriva dans l'appartement.

Il laissa tomber le sac-poubelle par terre. Sans un mot, il souleva Madeleine du canapé et la porta dans la chambre, l'allongea sur le lit.

Il défit sa ceinture, ôta son pantalon et se tint devant elle en souriant.

Se dispensant des préliminaires habituels, il retira le collant et la culotte de Madeleine et s'enfonça en elle aussi profondément qu'il put. Sa bite lui semblait merveilleusement dure. Il donnait à Madeleine ce que Phyllida ne pouvait pas lui donner et exerçait ainsi son avantage. Il ressentait au bout du gland des sensations exquises. Pleurant presque de plaisir, il s'écria : « Je t'aime, je t'aime », et il était sincère.

Après, ils reprirent leur souffle, blottis l'un contre l'autre.

— Ça a l'air d'aller mieux, dis donc, dit Madeleine d'un air entendu, heureuse.

À ces mots, Leonard se redressa. Les pensées ne se bousculaient pas dans sa tête. Il n'en avait qu'une. Roulant hors du lit, il s'agenouilla par terre et prit les mains de Madeleine, toutes petites dans les siennes. Il venait de trouver la solution à tous ses problèmes, sentimentaux, financiers, stratégiques. Une manœuvre ingénieuse en appelait une autre.

— Épouse-moi, dit-il.

REPOSE AUPRÈS DU SEIGNEUR

Mitchell n'avait jamais ne serait-ce que changé la couche d'un bébé. Lui qui ne s'était jamais occupé d'un malade, ni n'avait jamais vu quelqu'un mourir, était là à présent, entouré d'une foule d'agonisants, avec pour mission de les aider à mourir en paix, en se sachant aimés.

Depuis trois semaines, il travaillait comme bénévole au Foyer des mourants de mère Teresa. Cinq jours par semaine, de neuf heures du matin jusqu'à un peu plus de treize heures, il accomplissait les tâches nécessaires, parmi lesquelles donner leurs médicaments aux hommes, les faire manger, leur masser la tête, s'asseoir au bord de leur lit pour leur tenir compagnie, les regarder dans les yeux en leur prenant la main. Aucune de ces activités ne demandait de compétences particulières, et pourtant, en vingt-deux ans d'existence sur la planète, rares étaient celles que Mitchell avait déjà pratiquées.

Cela faisait maintenant quatre mois qu'il voyageait, il avait visité trois continents et neuf pays différents, mais il avait l'impression que Calcutta était le premier lieu authentique où il s'arrêtait. Le fait qu'il y soit seul y était pour beaucoup. La présence de Larry lui manquait. À son départ d'Athènes, lorsqu'ils s'étaient organisés pour se retrouver au printemps, ils avaient évité d'évoquer la raison pour laquelle Larry restait en Grèce. Que Larry couche à présent avec des garçons n'était en soi pas un problème, mais le jour nouveau sous lequel apparaissait leur amitié – en particulier leur nuit d'ivresse à Venise – compliquait les choses et les mettait tous les deux mal à l'aise.

Si Mitchell avait été en mesure de répondre aux sentiments de Larry, sa vie s'en serait trouvée radicalement différente. Toute cette affaire commençait à prendre un tour assez comique, voire shakespearien : Larry aimait Mitchell, qui aimait Madeleine, qui aimait Leonard Bankhead. Être seul dans la ville la plus pauvre du monde, où il ne connaissait personne, avec des téléphones publics inexistants et un service postal lent, ne mettait pas fin à cette farce sentimentale, mais cela écartait Mitchell de la scène.

Si Calcutta lui donnait cette impression d'authenticité, c'était aussi parce qu'il y était venu avec un but. Pour l'instant, il n'avait fait que du tourisme, et ses voyages ne présentaient guère d'intérêt jusque-là. Au mieux pouvait-il y voir l'itinéraire d'un pèlerinage qui l'avait mené là où il se trouvait à présent.

Il consacra la première semaine à l'exploration de la ville. Il assista à une messe dans une église anglicane dont le toit était percé d'un trou béant, avec six octogénaires pour fidèles. Dans un théâtre communiste, il vit un *Mère Courage* de trois heures en bengali. Il arpenta Chowringhee Road, où les astrologues lisaient des tarots défraîchis et où les coiffeurs travaillaient accroupis sur le bord du trottoir. Un marchand ambulant interpella Mitchell pour lui montrer ce qu'il vendait : une paire de lunettes de vue et une brosse à dents usagée. Les tronçons de canalisation d'égout démontés sur la chaussée étaient d'un diamètre gigantesque, de quoi accueillir une famille entière. Au guichet de la Bank of India, l'homme d'affaires qui précédait Mitchell dans la file d'attente portait une montre à énergie solaire. Les policiers qui réglaient la circulation gesticulaient comme Toscanini. Les vaches étaient décharnées et avaient les yeux maquillés comme des mannequins de magazine. Tout ce que Mitchell voyait, mangeait ou respirait était différent de ce qu'il connaissait.

Dès l'instant où son avion toucha le sol au Calcutta International Airport, à deux heures du matin, Mitchell s'aperçut que l'Inde était l'endroit parfait pour disparaître. Le trajet jusqu'au centre-ville se déroula dans une obscurité quasi totale. À travers la vitre arrière munie d'un rideau du taxi Ambassador, Mitchell distingua des massifs d'eucalyptus le long de l'autoroute non éclairée. Les immeubles d'habitation, lorsque la voiture les atteignit, étaient imposants et sombres. Seuls les feux de bois qui brûlaient au milieu des intersections donnaient un peu de lumière.

Le taxi l'avait déposé devant la guest house de l'Armée du Salut, dans Sudder Street, et c'était là qu'il logeait depuis, non pas dans le bâtiment principal, bondé, mais dans un petit bungalow d'appoint qu'il partageait avec Rüdiger, un Allemand de trente-sept ans, et Mike, un ancien vendeur d'électroménager venu de Floride. Sudder Street et ses environs constituaient le quartier touristique minimaliste de la ville. De l'autre côté de la rue, se dressait un hôtel entouré de palmiers et fréquenté par les expatriés, principalement des Britanniques. Quelques pâtés de maisons plus haut, dans Jawaharlal Nehru Road, se trouvait l'Oberoi Grand avec ses portiers enturbannés. Le restaurant à l'angle, qui ciblait la clientèle des routards, servait des pancakes à la banane et des hamburgers au buffle d'eau. D'après Mike, on pouvait acheter du *bhang lassi* dans la rue voisine.

En général, les gens ne venaient pas en Inde pour se mettre au service d'un ordre de religieuses catholiques. Ils venaient pour visiter les ashrams, fumer de la ganja et profiter du faible coût de la vie. Un matin, en entrant dans le réfectoire pour le petit-déjeuner, Mitchell trouva Mike assis à une table en compagnie d'un Californien d'une soixantaine d'années, tout de rouge vêtu.

– Je peux m'asseoir ici ? demanda-t-il en désignant une chaise vide.

Le Californien, qui s'appelait Herb, leva les yeux vers Mitchell. Herb se considérait comme un sage et vous le faisait savoir dans sa manière de soutenir votre regard.

– Notre table est ta table, dit-il.

Mike mâchait un morceau de toast. Une fois Mitchell assis, il avala sa bouchée et dit à Herb :

– Vas-y, raconte.

Herb but une gorgée de son thé. Il se dégarnissait et avait une barbe grise hirsute. À son cou pendait un médaillon avec une photo de Bhagwan Shree Rajneesh.

– Il y a une énergie incroyable à Poona, dit Herb. C'est quelque chose qu'on sent quand on est là-bas.

– J'ai entendu parler de cette énergie, dit Mike en faisant un clin d'œil à Mitchell. J'irai peut-être un jour. C'est où, Poona, exactement ?

– Au sud-est de Bombay, dit Herb.

À l'origine, les rajneeshees – qui se décrivaient eux-mêmes comme des « adeptes » – s'habillaient en safran, mais, récemment, Bhagwan avait décrété qu'il y avait trop de safran en circulation et avait appelé ses disciples à porter dorénavant du rouge.

– Qu'est-ce que vous faites, là-bas ? reprit Mike. Il paraît que vous partouzez.

Herb esquissa un sourire tolérant.

– Je vais tâcher d'employer des termes que tu comprennes, dit-il. Ce ne sont pas les actes en eux-mêmes qui sont bons ou mauvais. C'est l'intention des actes. Pour beaucoup de gens, il vaut mieux que les choses restent simples. Le sexe, c'est mauvais. Le sexe, c'est interdit. Mais pour d'autres, qui ont, disons, atteint un niveau supérieur de sagesse, la frontière entre le bien et le mal s'estompe.

– Alors c'est vrai, pour les partouzes ? insista Mike.

Herb se tourna vers Mitchell.

– Notre ami a des idées fixes.

– Bon, dit Mike. Et la lévitation. Il paraît que vous lévitez.

Herb rassembla sa barbe grise entre ses deux mains.

– Nous lévitons, finit-il par concéder.

Pendant ce temps, Mitchell s'affairait à beurrer ses toasts et à déposer des cubes de sucre brut dans sa tasse de thé. Il était important d'avaler le plus de toasts possible avant la fin du service.

– Si j'allais à Poona, on me laisserait entrer ? demanda Mike.

– Non, dit Herb.

– Même si j'étais habillé tout en rouge ?

– Ne sont admis à l'ashram que les adeptes sincères. Bhagwan verrait que tu n'es pas sincère, peu importe ta tenue.

– Pourtant, ça m'intéresse. Je plaisantais, à propos du sexe. Toute cette philosophie, tout ça, c'est intéressant.

– Tu n'es qu'un hypocrite, Mike. Je sais reconnaître l'hypocrisie quand je la vois.

– Tu en es sûr ? intervint tout à coup Mitchell.

Face à ce défi évident, Herb conserva sa sérénité en sirotant son thé. Il jeta un coup d'œil à la croix de Mitchell.

– Comment va ton amie mère Teresa ? demanda-t-il.

– Très bien.

– J'ai lu quelque part qu'elle revenait du Chili. Apparemment, elle s'entend très bien avec Pinochet.

– Elle voyage beaucoup pour trouver de l'argent.

– Les mecs, dit Mike d'un ton plaintif, vous me filez le bourdon. Toi, Herbie, t'as Bhagwan. Mitchell a mère Teresa. Et moi, j'ai qui ? Personne.

Comme le réfectoire, les toasts se voulaient britanniques, en vain. Les tranches de pain avaient la forme qui convenait, visuellement elles étaient convaincantes, mais au lieu d'avoir été passées au four elles avaient été grillées au charbon et avaient un goût de cendre. Même les tranches qui n'étaient pas carbonisées avaient un goût étrange et différent de celui du pain.

Les gens continuaient d'arriver pour le petit-déjeuner, descendant peu à peu des dortoirs de l'étage. Un groupe de Néo-Zélandais brûlés par le soleil entrèrent, chacun un pot de Marmite à la main, suivis de deux femmes aux yeux noircis au khôl, des anneaux aux orteils.

– Vous savez pourquoi je suis venu ici ? disait Mike. Je suis venu parce que j'ai perdu mon boulot. Chez nous, c'est la crise, alors je me suis dit, et merde, moi je vais en Inde. Le taux de change est imbattable.

Il se lança dans une liste exhaustive de tous les endroits où il était allé et de tout ce qu'il avait acheté pour trois fois rien. Billets de train, currys de légumes, nuitées dans des cases sur les plages de Goa, massages à Bangkok.

– À Chiang-Maï, j'ai rencontré les tribus des montagnes. Vous avez déjà fait ça ? C'est quelque chose. On a pris un guide qui nous a emmenés dans la jungle. Un soir, on était dans notre case et un des hommes de la tribu, le sorcier, je ne sais pas, est venu nous apporter de l'opium. Pour cinq dollars, t'en avais un morceau gros comme ça ! La vache, ce qu'on s'est mis.

Il se tourna vers Mitchell.

– Tu as déjà fumé de l'opium ?

– Une fois, dit Mitchell.

Herb écarquilla alors les yeux.

– Voilà qui me surprend, dit-il. Vraiment. J'aurais cru que le christianisme condamnait ce genre de chose.

– Tout dépend de l'intention de celui qui fume.

Les yeux de Herb se rétrécirent.

– Quelqu'un est d'humeur un peu hostile, ce matin, dit-il.

– Pas du tout, dit Mitchell.

– Si. C'est évident.

Si Mitchell devait un jour devenir un bon chrétien, il allait devoir cesser de prendre les gens en grippe aussi facilement. Mais c'était peut-être un peu trop lui demander de commencer avec Herb.

Heureusement, celui-ci ne tarda pas à se lever de table.

Mike attendit qu'il ne puisse plus l'entendre avant de dire :

– Poona. Personnellement, j'entends *puta*. Les partouzes font partie de leur folklore. Bhagwan demande aux hommes de porter des capotes. Tu sais comment ils appellent ça ? Ils appellent ça les « gants de l'amour ».

– Tu devrais peut-être les rejoindre, dit Mitchell.

– Les « gants de l'amour », gloussa Mike. J'te jure. Et les nanas, elles marchent. Suce-moi la bite, tu connaîtras la paix intérieure. Géniale, l'arnaque.

Il gloussa à nouveau et se leva à son tour.

– Faut que j'aille chier, dit-il. Si y a un truc auquel je me fais pas ici, c'est ces chiottes asiatiques. Juste un trou dans le sol, tu t'en fous de partout. C'est vraiment dégueulasse.

– Une technologie différente, dit Mitchell.

– C'est barbare, trancha Mike, et, avec un salut de la main, il quitta le réfectoire.

Se retrouvant seul, Mitchell reprit du thé et scruta la salle, son élégance fanée, la véranda carrelée pleine de plantes en pots, les colonnes blanches défigurées par les fils électriques qui alimentaient les ventilateurs aux pales d'osier au plafond. Deux serveurs indiens en veste blanche crasseuse filaient parmi les tables, où se prélassaient les voyageurs avec leurs écharpes de soie et leurs pantalons de coton à cordon. Le type aux cheveux longs et à la barbe rousse assis en face de Mitchell était habillé tout en blanc, comme John Lennon sur la pochette d'*Abbey Road*.

Mitchell avait toujours cru qu'il était né trop tard pour être hippie. À tort. Aujourd'hui encore, en 1983, l'Inde était envahie de hippies. Telles que Mitchell voyait les choses, les années 60 étaient un phénomène anglo-américain. Il trouvait illégitime de la part des Européens continentaux, qui n'avaient eux-mêmes rien produit de valable en la matière, de tomber sous l'emprise du rock, de danser en tortillant des fesses, de former des communautés, de chanter du Pink Floyd avec un accent à couper au couteau. Que les Suédois et les Allemands qu'il rencontrait en Inde continuent de porter des colliers multicolores dans les années 80 ne faisait que conforter Mitchell dans son analyse selon laquelle leur participation aux années 60 n'avait été au mieux qu'imitative. Ils reprenaient les couplets sur le nudisme, sur l'écologie, sur la nature et la santé. Vis-à-vis des années 60, comme pour de plus en plus de choses aujourd'hui, Mitchell considérait les Européens essentiellement comme des spectateurs. Ils regardaient depuis le banc de touche et, au bout d'un moment, ils essayaient d'entrer sur le terrain.

Les hippies n'étaient cependant pas les seuls chevelus dans la salle. Sur le mur du fond trônait l'un des plus fameux d'entre eux : Jésus-Christ en personne. Cette fresque, qu'on devait retrouver, pensait Mitchell, dans tous les réfectoires de l'Armée du Salut du monde, montrait le Fils de l'Homme illuminé par un faisceau de lumière céleste, ses yeux bleus perçants fixés sur les occupants des tables.

En légende, on lisait :

Le Christ est le Maître de la Maison.
Il participe, invisible, à chaque repas.
Il écoute en silence chaque conversation.

Autour d'une longue table, juste sous la fresque, était rassemblé un grand groupe. Là, les hommes avaient les cheveux courts. Les femmes portaient des jupes longues, des chemisiers à col Claudine et des sandales avec des chaussettes. Le dos droit, leurs serviettes sur les genoux, ils conversaient à voix basse, l'air grave.

Il s'agissait des autres bénévoles de mère Teresa.

Et si, en arrivant au paradis, après une vie de piété et d'actes de charité, on ne trouvait que des gens qu'on n'aimait pas ? Mitchell avait déjà mangé à la table des bénévoles. Les Belges, les Autrichiens, les Suisses et les autres l'avaient accueilli chaleureusement. Prompts à lui passer la marmelade, ils lui avaient posé des questions polies sur sa vie et l'avaient poliment renseigné sur la leur en retour. Ils ne faisaient cependant aucune plaisanterie et semblaient un peu gênés par les siennes. Mitchell avait vu ces gens à l'œuvre à Kalighat, il les avait vus effectuer des tâches difficiles et rebutantes. Il les trouvait humainement impressionnants, surtout comparés à quelqu'un comme Herb, mais il ne se sentait pas à sa place avec eux.

Il avait pourtant essayé de s'intégrer. À son troisième jour à Calcutta, Mitchell s'était accordé le luxe d'un rasage. Dans son salon délabré, le coiffeur lui appliqua des serviettes chaudes sur le visage, lui savonna les joues et les lui rasa, avant de conclure par un massage des épaules et de la nuque à l'aide d'un appareil à piles. Il fit alors pivoter le siège, et Mitchell, face à la glace, se regarda attentivement. Il observa son teint pâle, ses grands yeux, son nez, ses lèvres et son menton. Qu'est-ce qui n'allait pas ? Il n'avait pas de défaut physique particulier, et pourtant il ne plaisait pas aux autres, enfin, aux filles, enfin, à Madeleine Hanna. Que lui reprochait-elle ? Mitchell étudia son reflet, à la recherche d'un indice. Au bout de quelques secondes, pris d'une pulsion presque violente, il dit au coiffeur qu'il voulait qu'il lui coupe les cheveux.

Le coiffeur montra une paire de ciseaux. Mitchell secoua la tête. Le coiffeur montra la tondeuse, et Mitchell opina.

Il fallut déterminer la longueur. Après plusieurs tentatives, ils s'entendirent sur cinq millimètres. En quelques minutes, ce fut terminé. Mitchell fut débarrassé de ses boucles châtaines, qui s'amoncelèrent sur le sol. Un jeune garçon au short déchiré les poussa dehors dans le caniveau avec son balai.

Après avoir quitté le salon, Mitchell ne cessa de se regarder dans les vitrines de l'avenue. Le résultat était spectaculaire. On aurait dit un fantôme de lui-même.

L'une des vitrines devant lesquelles il s'arrêta pour se regarder était celle d'une bijouterie. Il entra et trouva le présentoir des médaillons religieux. Il y avait des croix, des croissants islamiques, des étoiles de David, des symboles du yin et du yang, et d'autres emblèmes qu'il ne reconnut pas. Après avoir hésité entre plusieurs croix de divers styles et tailles, il en choisit une. Le bijoutier la pesa, ainsi que la chaîne qui allait avec, puis il mit le tout dans un petit sac de satin, mit le sac dans un écrin de bois sculpté et emballa l'écrin dans du papier très orné, qu'il scella avec de la cire. Sitôt ressorti du magasin, Mitchell déchira le joli paquet pour en extraire la croix. Elle était en argent, incrustée d'une matière bleue. Elle n'était pas petite. Au début, il la porta sous son tee-shirt, mais une semaine plus tard, une fois officiellement devenu bénévole, il se mit à la porter par-dessus, l'offrant au regard de tous, y compris des malades et des mourants.

Mitchell avait eu peur de repartir en courant au bout de dix minutes, mais ça s'était mieux passé que prévu. Le premier jour, il eut pour guide un apiculteur du Nouveau-Mexique. Un type sympa, aux épaules larges.

— Tu vas voir, il n'y a pas beaucoup d'organisation ici, dit-il en avançant devant Mitchell entre les rangées de lits en gradins. Ça n'arrête pas d'aller et venir, à toi de trouver ta place.

La structure était beaucoup plus réduite que ne l'avait imaginé Mitchell en lisant *Something Beautiful for God*. Le pavillon des hommes contenait moins de cent lits, autour de soixante-quinze, sans doute. Celui des femmes était encore plus petit. L'apiculteur montra à Mitchell la réserve, où étaient entreposés les médicaments et les pansements. Il le fit passer devant la cuisine noire de suie et la buanderie, tout aussi primitive. Munie d'un long bâton, une religieuse appuyait sur le linge dans une cuve d'eau bouillante, tandis qu'une autre emportait des draps mouillés pour aller les étendre sur le toit.

— Tu es là depuis combien de temps ? demanda Mitchell à l'apiculteur.

— Une quinzaine de jours. Je suis venu avec toute ma famille pour les vacances de Noël. Et du nouvel an. Ma femme et mes enfants travaillent dans un des orphelinats. Je me suis dit qu'ici, ce serait peut-être un peu dur pour les gamins. Les bébés, c'est mignon, c'est pas pareil.

Avec sa peau bronzée et ses boucles blondes, il avait l'air d'une légende du surf ou d'un quarterback sur le retour. Son regard était droit et serein.

— Deux choses m'ont amené ici, dit-il avant de laisser Mitchell se débrouiller seul. Mère Teresa et Albert Schweitzer. Il y a quelques années, j'ai eu un vrai coup de cœur pour Schweitzer. J'ai lu tout ce qu'il a écrit. Tout de suite après, je me suis retrouvé à étudier la médecine. En cours du soir, tu imagines ? Biologie. Chimie organique. J'avais vingt ans de plus que tous les autres élèves, mais j'ai continué. J'ai terminé le cursus préparatoire l'année dernière, j'ai envoyé mon dossier à seize facs de médecine, et j'ai été reçu dans une. Je commence à la rentrée prochaine.

— Et tes abeilles ?

— Je vais vendre l'exploitation. Je tourne une nouvelle page. J'ouvre un nouveau chapitre. Choisis ton cliché.

Mitchell y alla mollo ce jour-là, il prit ses marques. Il aida à servir le déjeuner, remplit les bols de *daal*. Il apporta des verres d'eau aux malades. Dans l'ensemble, les hommes étaient plus propres et en meilleure santé qu'il ne l'aurait cru. Une dizaine d'entre eux étaient des vieillards, le visage émacié, immobiles dans leurs lits, mais la majorité avait entre quarante et cinquante ans, il y avait même quelques jeunes. Il était souvent difficile de déterminer de quoi ils souffraient. Aucun dossier n'était accroché au pied de leurs lits. Une chose était claire : ils n'avaient nulle part où aller.

La responsable, sœur Louise, était un vrai gendarme. Avec ses lunettes à monture d'écaille noire, elle passait ses journées à l'entrée du foyer à aboyer ses ordres, et traitait les bénévoles comme des indésirables. Les autres religieuses, au contraire, étaient toutes aussi douces et gentilles les unes que les autres. Elles étaient si menues que Mitchell se demandait où elles trouvaient la force de charger les démunis dans la vieille ambulance, comment elles portaient les morts.

On trouvait de tout parmi les bénévoles : un groupe d'Irlandaises qui croyaient en l'infaillibilité du pape, un pasteur anglican pour qui la résurrection était une « idée séduisante », un Néo-Orléanais (homosexuel) de soixante ans qui, avant de venir à Calcutta, avait fait le pèlerinage de Compostelle et s'était arrêté à Pampelune pour aller courir avec les taureaux. Sven et Ellen, le couple luthérien du Minnesota, portaient des sahariennes assorties, les poches remplies de sucreries que les religieuses leur interdisaient de distribuer. Les deux Français revêches, des étudiants en médecine, écoutaient leurs Walkman en travaillant et ne parlaient à personne. Il y avait des couples mariés qui venaient donner un coup de main une semaine et des étudiants qui restaient six mois ou un an. Qui qu'ils soient, d'où qu'ils viennent, tous s'efforçaient d'appliquer au mieux la philosophie directrice.

Chaque fois que Mitchell avait vu mère Teresa à la télévision, pour une rencontre avec un chef d'État ou la remise d'un prix humanitaire — elle avait toujours l'air d'une vieille sorcière débarquant à un grand bal —, chaque fois qu'elle s'était avancée vers le micro, inévitablement trop haut pour elle, ce qui l'obligeait à lever hiératiquement la tête – son visage, autant celui d'une petite fille que d'une grand-mère, était aussi indéfinissable que sa voix, marquée par ce drôle d'accent d'Europe de l'Est et qui sortait de cette bouche sans lèvres –, ç'avait été pour citer le même verset de l'Évangile selon saint Matthieu : « Ce que vous faites au plus petit d'entre les miens, c'est à moi que vous le faites. » Telle était la sainte parole sur laquelle elle avait fondé son œuvre, à la fois l'expression d'une croyance mystique et un guide pratique pour aider son prochain. Les corps au Foyer des mourants, brisés, malades, étaient les corps du Christ, chacun porteur d'une divinité immanente. Charge à ceux qui travaillaient là de prendre cette parole à la lettre, d'y croire profondément et avec sincérité de sorte que, par quelque alchimie de l'âme, le phénomène se produise : on regardait un mourant dans les yeux et on voyait apparaître le Christ.

Ce phénomène tardait à survenir pour Mitchell. Il n'y comptait pas trop, mais, à la fin de la deuxième semaine, il dut se rendre à l'évidence : il n'exécutait au foyer que les tâches les plus simples et les moins exigeantes. Il n'avait encore fait la toilette à personne, par exemple, alors que laver les malades était la mission principale des bénévoles étrangers. Chaque matin, Sven et Ellen, tous deux paysagistes dans le Minnesota, parcouraient les rangées de lits et accompagnaient les hommes à la salle d'eau à l'autre bout du bâtiment. Si l'un d'eux était trop faible ou trop malade pour marcher, Sven allait chercher l'apiculteur ou le pasteur anglican pour l'aider à porter la civière. Se restreignant aux massages de tête, Mitchell regardait ces gens qui semblaient tout à fait ordinaires accomplir l'extraordinaire tâche de laver et d'essuyer les malades et les mourants, les ramenant à leur lit les cheveux mouillés, leur corps frêle enveloppé dans des draps propres. Jour après jour, Mitchell se débrouillait pour y échapper. Il avait peur de laver ces hommes. À quoi ressemblaient leurs corps nus ? Quelles maladies se cachaient-elles sous leurs chemises de nuit ? L'idée de leur puanteur, de toucher leur urine et leurs excréments, le dégoûtait.

Quant à mère Teresa, Mitchell ne l'avait vue qu'une fois. Elle ne travaillait plus au foyer quotidiennement. Elle avait ouvert des dispensaires et des orphelinats dans toute l'Inde, ainsi que dans d'autres pays, et elle passait désormais la plupart de son temps à superviser le fonctionnement de l'ensemble. Mitchell avait entendu dire que le meilleur moyen de voir mère Teresa était d'aller à la messe au siège de la congré-gation, et c'est ainsi qu'un matin, avant le lever du soleil, il quitta l'Armée du Salut et marcha dans les rues sombres et silencieuses jusqu'au couvent de A. J. C. Bose Road. En entrant dans la chapelle éclairée à la bougie, Mitchell s'efforça de contenir son excitation – il avait l'impression d'être un fan muni d'un accès en coulisse. Il se joignit à un petit groupe d'étrangers déjà installés sur les bancs. Devant eux, à même le sol, des religieuses priaient, non seulement agenouillées mais prosternées devant l'autel.

Lorsque les têtes des volontaires se tournèrent toutes en même temps, Mitchell comprit que mère Teresa venait d'entrer. Elle était incroyablement minuscule, pas plus grande qu'une fillette de douze ans. Gagnant le centre de la chapelle, elle s'agenouilla et toucha le sol de son front. Mitchell ne distinguait que la plante de ses pieds nus. Ils étaient jaunes et craquelés – des pieds de vieille femme –, mais ils semblaient empreints d'une signification immense.

Le vendredi matin, c'était sa troisième semaine à Calcutta, Mitchell se leva, se brossa les dents à l'eau iodée, avala un com-primé de chloroquine (contre le palu) et, après s'être aspergé le visage et son crâne presque chauve d'eau du robinet, il alla prendre son petit-déjeuner. Mike le rejoignit, mais ne mangea rien (il avait des problèmes d'estomac). Rüdiger vint à table avec un livre. Se pressant de terminer, Mitchell redescendit dans la cour et sortit dans Sudder Street.

C'était début janvier, et Mitchell ne pensait pas qu'il pouvait faire si froid en Inde. Devant l'entrée principale, les conducteurs de rickshaw l'appelèrent, mais il les repoussa de la main, horrifié par l'idée d'employer des êtres humains comme bêtes de somme. Dans Jawaharlal Nehru Road, il se faufila au milieu de la circulation. Quand son bus arriva, dix minutes plus tard, en penchant dangereusement à cause des passagers accrochés aux portes, le soleil hivernal avait eu raison de la brume, et le temps se réchauffait.

Le quartier de Kalighat, dans le sud de la ville, devait son nom au temple dédié à la déesse Kali qui s'y trouvait. Le temple en lui-même n'avait rien d'extraordinaire, plutôt succursale que maison mère, mais les rues environnantes étaient vivantes et colorées. Des marchands ambulants vendaient toutes sortes d'objets de culte − guirlandes de fleurs, pots de *ghee*, posters effrayants de Kali tirant la langue − aux pèlerins qui se pressaient à l'entrée du temple. Tout de suite derrière le temple, il partageait même un mur avec lui − raison pour laquelle les bénévoles l'appelaient lui-même « Kalighat » −, se trouvait le foyer.

Se frayant un chemin à travers la foule, Mitchell entra par une porte discrète et descendit les marches menant au semi-sous-sol. On se serait cru dans un tunnel. La salle était sombre, seulement éclairée par des fenêtres tout en haut du mur extérieur, à travers lesquelles on apercevait les jambes des passants. Mitchell attendit que ses yeux s'habituent à l'obscurité. Lentement, comme déposés sur leur lit depuis l'enfer, apparurent les trois rangées de corps meurtris. À présent capable de voir, Mitchell traversa le pavillon jusqu'à la réserve. Là, il trouva le médecin irlandais, occupé à consulter une page de notes manuscrites. Ses lunettes avaient glissé au bout de son nez et elle dut renverser la tête en arrière pour identifier qui venait d'entrer.

– Ah, te voilà, dit-elle. C'est presque prêt.

Elle parlait du chariot des médicaments, dont elle remplissait de comprimés les compartiments numérotés du plateau. Derrière elle, des cartons de fournitures médicales s'empilaient jusqu'au plafond. Même Mitchell, qui ne connaissait rien aux produits pharmaceutiques, voyait le problème : il y avait quelques rares choses en excès (comme la gaze ou, plus curieusement, le bain de bouche) et trop peu d'antibiotiques à large spectre comme la tétracycline. Certains fabricants envoyaient leurs invendus quelques jours avant la date de péremption, afin de bénéficier de déductions fiscales. Beaucoup de ces médicaments étaient conçus pour traiter des pathologies répandues dans les pays riches, telles que l'hypertension ou le diabète, et ne pouvaient rien contre les maladies indiennes courantes comme la tuberculose, le paludisme ou le trachome. Il n'y avait quasiment rien en antalgiques – pas de morphine, pas d'opiacés, seulement du paracétamol d'Allemagne, de l'aspirine des Pays-Bas et du sirop contre la toux du Liechtenstein.

– Très bien, ça, dit le médecin en regardant, les yeux plissés, l'étiquette d'un flacon. De la vitamine E. Bon pour la peau et la libido. Exactement ce qu'il faut à ces messieurs.

Elle jeta le flacon à la poubelle et désigna le chariot d'un geste de la main.

– À toi de jouer, dit-elle.

Mitchell manœuvra pour sortir de la réserve et s'engagea entre les lits. Il aimait bien distribuer les médicaments. C'était relativement facile, intime mais pas trop. Il ignorait à quoi servaient ces comprimés. Il devait seulement s'assurer qu'ils allaient aux bons malades. Certains étaient capables de se redresser dans leurs lits et de les prendre tout seuls, d'autres avaient besoin qu'on leur soutienne la tête et qu'on les aide à boire. Ceux qui mâchaient le *paan* avaient la bouche comme une plaie béante et sanguinolente. Les plus vieux étaient souvent complètement édentés. L'un après l'autre, ils ouvraient la bouche afin que Mitchell leur dépose les comprimés sur la langue.

Il n'y avait rien pour l'occupant du lit 24. Mitchell comprit vite pourquoi. Un pansement décoloré lui recouvrait la moitié du visage. La gaze de coton s'enfonçait profondément dans la chair, comme si elle était collée au crâne. L'homme avait les yeux fermés, mais ses lèvres étaient légèrement écartées en un rictus de douleur. Tandis que Mitchell enregistrait tous ces détails, une voix grave se fit entendre derrière lui.

– Bienvenue en Inde.

C'était l'apiculteur. Dans ses mains, de la gaze propre, du sparadrap et une paire de ciseaux.

– Infection staphylococcique, dit-il en montrant l'homme bandé. Il a dû se couper en se rasant. C'est aussi bête que ça. Ensuite, il va se laver dans le fleuve, ou pratiquer la *puja*, et c'est terminé. Les bactéries pénètrent par la coupure et commencent à lui bouffer le visage. On lui a changé son pansement il y a trois heures et il faut déjà recommencer.

Des informations comme celle-là, l'apiculteur, du fait de son intérêt pour la médecine, en avait à revendre. Profitant du manque de personnel médical qualifié, il faisait un peu office d'interne au foyer. Les médecins lui déléguaient certaines tâches : nettoyer les plaies, ôter les asticots des tissus nécrosés à la pince à épiler.

Il se glissa dans l'espace étroit entre les lits et s'agenouilla. Lorsqu'il posa la gaze et le sparadrap délicatement sur le matelas, l'homme ouvrit son œil valide, l'air effrayé.

– Du calme, mon gars, dit l'apiculteur. Je suis ton ami. Je suis là pour t'aider.

L'apiculteur était un être profondément sincère et bon. Si, selon la classification de William James, Mitchell était une « âme douloureuse », l'apiculteur appartenait indéniablement à la catégorie des « optimistes » : « Mettez certains hommes en présence de la tristesse et du malheur ; ils se refusent à les sentir, comme s'il était honteux d'en être affecté. » On avait plaisir à l'imaginer sur son plateau désertique, dévoué à ses abeilles, à ses enfants et à sa femme, dont il était toujours éperdument amoureux (il en parlait souvent), semant le miel aux quatre vents. Et pourtant il avait ressenti le besoin de rompre avec cette vie parfaite, de la mettre à l'épreuve, de la confronter au pire malheur, afin de soulager la souffrance des autres. C'était pour côtoyer des gens comme lui que Mitchell était venu à Calcutta, pour voir de quoi ils étaient faits, en espérant qu'un peu de leur bonté déteindrait sur lui.

L'apiculteur leva son visage radieux vers celui de Mitchell.

– Tu tiens le coup, aujourd'hui ? demanda-t-il.

– Ça va. Je distribue les médicaments.

– C'est bien que tu sois ici. Tu viens depuis combien de temps, maintenant ?

– C'est ma troisième semaine.

– Bravo ! Il y en a qui se défilent au bout de deux jours. Continue de t'accrocher. Toute aide est la bienvenue.

– Ça marche, dit Mitchell, avant de reprendre sa progression avec le chariot.

Il termina les lits des deux premières rangées, puis il passa de l'autre côté de l'allée centrale pour s'occuper de ceux contre le mur intérieur. Appuyé sur un coude, l'occupant du lit 57 l'observait d'un air détaché. Il avait des traits fins et racés, les cheveux courts et le teint cireux.

Tandis que Mitchell lui tendait ses comprimés, il dit :

– À quoi servent ces médicaments ?

Mitchell marqua un temps, surpris par la qualité de son anglais.

– Je ne sais pas exactement. Je peux demander au médecin.

L'homme dilata les narines.

– Ce sont des palliatifs, au mieux.

Il ne fit aucun geste pour les prendre.

– D'où viens-tu ? demanda-t-il à Mitchell.

– Je suis américain.

– Jamais un Américain ne croupirait dans un établissement de cette nature. Je me trompe ?

– Sans doute pas, reconnut Mitchell.

– Moi non plus, je ne devrais pas être ici, ajouta l'homme. Autrefois, avant de tomber malade, j'avais la chance de travailler au ministère de l'Agriculture. Tu te souviens peut-être des famines que nous avons connues en Inde. George Harrison, son fameux concert pour le Bangladesh. C'est surtout ça qui est resté dans les mémoires. Mais la situation en Inde était tout aussi catastrophique. Aujourd'hui, grâce aux changements que nous avons apportés à l'époque, notre pays nourrit à nouveau ses enfants. Ces quinze dernières années, la production agricole par habitant a augmenté de cinq pour cent. Nous avons cessé d'importer les céréales. Nous en produisons des quantités suffisantes pour nourrir une population de sept cents millions d'habitants.

– C'est bon à savoir.

L'homme poursuivit comme si Mitchell n'avait rien dit.

– J'ai perdu mon emploi à cause du népotisme. Il y a beaucoup de corruption dans ce pays. Beaucoup de corruption ! Puis, quelques années plus tard, j'ai contracté une infection qui m'a détruit les reins. Ils ne fonctionnent plus qu'à vingt pour cent. Au moment même où je te parle, les impuretés sont en train de s'accumuler dans mon sang. Elles s'accumulent jusqu'à des niveaux intolérables.

Ses yeux injectés de sang fixèrent Mitchell, féroces.

– Mon état nécessite une dialyse hebdomadaire. J'ai essayé de l'expliquer aux sœurs, mais elles ne comprennent rien, ces villageoises idiotes !

L'agronome continua un moment de regarder Mitchell d'un air furieux, puis, tout à coup, il ouvrit la bouche à la manière

425

d'un enfant. Mitchell y laissa tomber les comprimés et attendit qu'il les avale.

Sa tournée terminée, il se mit en quête du médecin ; elle était occupée au pavillon des femmes. Il venait de servir les repas et s'apprêtait à partir quand il put enfin lui parler.

— Il y a ici un homme qui dit avoir besoin d'une dialyse, lui expliqua-t-il.

— C'est sûrement vrai, dit-elle avec un sourire triste, et, hochant la tête, elle s'éloigna.

Le week-end arriva, et Mitchell eut quartier libre. Au petit-déjeuner, il trouva Mike penché au-dessus de la table, les yeux rivés sur une photo.

— Tu es déjà allé en Thaïlande ? demanda-t-il à Mitchell lorsqu'il s'assit.

— Pas encore.

— C'est un pays extraordinaire. Regarde cette fille.

La photo montrait une fine Thaïlandaise, pas vraiment belle mais très jeune, debout sur le perron d'une cabane en bambou.

— Elle s'appelle Meha, dit Mike. Elle voulait m'épouser.

Il gloussa.

— Je sais, je sais, c'est une entraîneuse. Mais quand on s'est rencontrés, elle ne bossait que depuis une semaine. On n'a même pas couché tout de suite. Au début, on a parlé, c'est tout. Elle m'a dit qu'elle voulait apprendre l'anglais, pour son boulot, alors on s'est installés au comptoir et je lui ai appris quelques mots. Elle a quoi, dix-sept ans ? Bref, quelques jours plus tard, je suis retourné dans le même bar, elle était encore là, et je l'ai ramenée à mon hôtel. Après ça, on est allés passer une semaine ensemble à Phuket. C'était ma copine, quoi. Et quand on est rentrés à Bangkok, elle m'a dit qu'elle voulait m'épouser. T'imagines ? Elle voulait rentrer aux States avec moi. J'ai hésité une minute, je le reconnais. Tu crois que je trouverais une nana comme ça chez nous ? Prête à faire la cuisine et le ménage pour moi ? Et bien roulée en plus ? Tu parles ! C'est fini, ce temps-là. Les Américaines ne pensent qu'à leur gueule, aujourd'hui. En gros, elles sont devenues des mecs. Alors ouais, j'ai hésité. Et puis un jour, en pissant, j'ai senti une brûlure dans la bite. J'ai cru qu'elle m'avait refilé une saloperie ! Du coup, je suis allé au bar et je l'ai larguée. En fait, c'était rien. Du spermicide ou je ne sais quoi qui m'était remonté dans le canal urinaire. Je suis retourné m'excuser mais Meha a refusé de me parler. Elle avait un autre type assis à côté d'elle. Un gros Hollandais.

Mitchell lui rendit la photo.

– Comment tu la trouves ? dit Mike. Mignonne, hein ?

– C'est sans doute pas plus mal que tu l'aies pas épousée.

– Je sais. C'était une connerie. Mais bon Dieu, qu'est-ce qu'elle était sexy...

Il secoua la tête en rangeant la photo dans son portefeuille.

Ne sachant comment occuper son samedi, Mitchell traîna à table encore une demi-heure. Le service terminé, lorsqu'on lui eut débarrassé son assiette, il monta à la petite bibliothèque de prêt du premier étage et parcourut les rangées de livres spirituels et religieux. La seule autre personne présente était Rüdiger. Il était assis en tailleur par terre, pieds nus, comme d'habitude. Il avait une grosse tête, des yeux gris très écartés et un menton un peu à la Habsbourg, la mâchoire inférieure proéminente. Il portait des vêtements qu'il fabriquait lui-même, en l'occurrence un pantalon bordeaux moulant qui s'arrêtait à mi-mollet et une tunique sans manches de la couleur du curcuma fraîchement pilé. Ses vêtements près du corps, ajoutés à sa silhouette élancée et à ses pieds nus, lui donnaient l'air d'un acrobate de cirque. Rüdiger était très imprévisible. Cela faisait dix-sept ans qu'il voyageait et il avait visité, prétendait-il, tous les pays du monde sauf la Corée du Nord et le Yémen du Sud. Il était venu de Bombay *à bicyclette*, deux mille kilomètres qu'il avait parcourus sur un dix vitesses italien, en dormant à la belle étoile sur le bord de la route. Dès son arrivée à Calcutta, il avait revendu son vélo ; il en avait tiré de quoi vivre pendant trois mois.

Plongé dans sa lecture, immobile sur le sol, il ne leva même pas la tête lorsque Mitchell entra.

Mitchell prit un livre sur l'un des rayonnages, *Dieu, illusion ou réalité ?* de Francis Schaeffer, mais, avant qu'il ait eu le temps de l'ouvrir, Rüdiger s'adressa à lui.

– Moi aussi, je me suis rasé la tête, dit-il en se passant la main sur son crâne hérissé d'une courte brosse. J'avais de magnifiques cheveux bouclés. Mais cette vanité, c'était tellement pesant.

– Je ne sais pas si c'était bien un problème de vanité dans mon cas, dit Mitchell.

– C'était quoi, alors ?

– Plutôt un processus de purification.

– C'est la même chose ! s'exclama Rüdiger.

Il regarda Mitchell attentivement, et, hochant la tête :

– Je sais quel genre de personne tu es. Tu crois que tu n'es pas vaniteux. Tu ne l'es peut-être pas plus que ça d'apparence. Ta vanité à toi, elle est intellectuelle. Ou morale. Alors peut-être que, dans ton cas, te raser la tête a rendu ta vanité encore plus pesante !

– C'est possible, dit Mitchell en attendant la suite.

Mais Rüdiger changea brusquement de sujet.

– Je suis en train de lire un livre fantastique, dit-il. Je le lis depuis hier et chaque seconde je me dis : ouah !

– Qu'est-ce que c'est ?

Rüdiger montra un livre à la reliure verte effilochée.

– *Jésus répond à Job.* Dans l'Ancien Testament, Job n'arrête pas de poser des questions à Dieu. « Pourquoi me fais-tu des choses aussi horribles, à moi ton fidèle serviteur ? » Il l'interroge, il l'interroge. Mais est-ce que Dieu répond ? Non. Dieu ne dit rien. Jésus, par contre, c'est une autre histoire. L'auteur de ce livre soutient une théorie selon laquelle le Nouveau Testament serait une réponse directe au Livre de Job. Il analyse tout le texte, ligne par ligne, et, crois-moi, c'est *très* approfondi. J'ai découvert ce livre ici, à la bibliothèque, et, comme on dit chez vous, il est sensass.

– Ça fait longtemps qu'on ne dit plus « sensass », rétorqua Mitchell.

Rüdiger haussa les sourcils, sceptique.

– Quand j'étais aux États-Unis, vous le disiez tout le temps.

– C'était quand, en 1940 ?

– 1973 ! Benton Harbor, Michigan. J'ai travaillé pour un grand imprimeur pendant trois mois. Lloyd G. Holloway. Lloyd G. Holloway et son épouse, Kitty Holloway. Leurs enfants : Buddy, Julie et Karen Holloway. À cette époque, j'aspirais à devenir imprimeur. Et Lloyd G. Holloway, qui était mon mentor, il disait toujours « sensass ».

– D'accord, concéda Mitchell. Peut-être à Benton Harbor. Moi aussi, je suis du Michigan.

– Je t'en prie, dit Rüdiger d'un ton dédaigneux. N'essayons pas de nous comprendre par autobiographies interposées.

À ces mots, il se replongea dans son livre.

Après avoir lu dix pages de *Dieu, illusion ou réalité ?* (Francis Schaeffer dirigeait une fondation en Suisse dont on disait qu'on pouvait y séjourner gratuitement), Mitchell le remit en place et quitta la bibliothèque. Il passa le reste de la journée à marcher dans la ville. Ses craintes de ne pas être à la hauteur à Kalighat coexistaient, curieusement, avec le sentiment d'un véritable élan de religiosité. La plupart du temps, depuis son arrivée à Calcutta, il était rempli d'une tranquillité extatique, comme une légère fièvre. Sa pratique de la méditation s'était perfectionnée. Il avait parfois l'impression de plonger dans le vide et de se déplacer à grande vitesse. Durant des minutes entières, il oubliait qui il était. Dans les rues, il essayait, souvent avec succès, de s'effacer de sa conscience afin, paradoxalement, de se rendre plus présent.

Il n'existait pas de manière efficace de décrire tout cela. Même Thomas Merton en était réduit à des banalités du genre : « J'ai pris l'habitude de marcher sous les arbres ou le long du mur du cimetière en présence de Dieu. » La nouveauté, pour Mitchell, était qu'il comprenait désormais ce que voulait dire Merton, du moins en avait-il l'impression. En admirant les merveilles locales, le terrain poussiéreux du Polo Club, les vaches sacrées aux cornes peintes, il avait pris l'habitude de marcher en présence de Dieu. Il lui semblait en outre que ce n'était pas forcément compliqué. Tous les enfants savaient faire cela : maintenir un contact direct et total avec le monde. C'était une faculté qu'on perdait en grandissant, et qu'il fallait réacquérir.

Certaines villes tombent en ruine ou sont bâties sur les ruines d'autres villes, mais il y en a aussi qui continuent de se développer en conservant leurs propres ruines. Calcutta était de celles-là. En arpentant Chowringhee Road, les yeux levés vers les immeubles, Mitchell repensa à une formule de Gaddis, *l'accumulation du temps dans les murs*, et il se dit que les Britanniques avaient laissé derrière eux une bureaucratie que les Indiens avaient compliquée un peu plus en imprégnant les systèmes financier et gouvernemental des subtilités hiérarchiques du panthéon hindou, des couches et des sous-couches du système des castes, moyennant quoi encaisser un traveller's chèque s'apparentait à défiler devant une série de demi-dieux : un premier vérifiait votre passeport, un deuxième tamponnait votre chèque, un troisième faisait un carbone de votre transaction pendant qu'un quatrième convertissait la somme, et seulement alors pouviez-vous être payé par le caissier. Tout était vérifié, consigné et scrupuleusement classé, puis oublié à jamais. Calcutta était une coquille, la coquille de l'Empire, et hors de cette coquille se déversaient neuf millions d'Indiens. Sous la surface coloniale de la ville se cachait la vraie Inde, l'antique contrée des Rajput, des nababs et des moghols, et ce pays jaillissait lui aussi des *baghs* et des ruelles. Par moments, surtout le soir, quand les musiciens ambulants jouaient dans les rues, c'était comme si les Britanniques n'avaient jamais été là.

Il y avait des cimetières remplis de morts anglais, des forêts d'obélisques érodés sur lesquels Mitchell ne parvenait à lire que quelques mots. *Lt James Barton, époux de... 1857-18... Rosalind Blake, épouse du Col. Michael Peters. Repose auprès du Seigneur, 1887.* Tout était envahi de plantes grimpantes, et des palmiers poussaient près des mausolées familiaux. Des morceaux de noix de coco jonchaient le gravier. *Rebecca Winthrop, huit mois. Mary Holmes, morte en couches.* Les statues, de style victorien, étaient extravagantes. Des anges veillaient sur les tombes, le visage à moitié effacé. Des temples apolloniens – les piliers écroulés, le fronton de travers – abritaient les restes de fonctionnaires de la Compagnie des Indes orientales. *Malaria. Typhus.* Un gardien vint voir ce que faisait Mitchell. On ne pouvait être seul nulle part à Calcutta. Même un cimetière abandonné avait son gardien. *Repose auprès du Seigneur. Repose auprès... Repose...*

Le dimanche, Mitchell sortit dans les rues encore plus tôt et, ayant passé presque toute la journée dehors, rentra à la guest house à l'heure du thé. Sur la véranda, à côté d'une plante en pot, il sortit un nouvel aérogramme bleu de son sac à dos et commença à écrire une lettre à ses parents. Influencé par les notes de Merton à Notre-Dame-de-Gethsémani, et aussi parce qu'il utilisait ces papiers bleus comme une extension de son propre journal et s'adressait donc plus à lui-même qu'à ses parents, les lettres d'Inde de Mitchell étaient des documents très étranges. Il écrivait toutes sortes de choses pour en tester la véracité. Une fois couchées sur le papier, il les oubliait. Il allait à la poste et les envoyait sans se soucier de l'impression qu'elles feraient sur ses parents à Detroit. Il ouvrit celle-ci par une description détaillée de l'homme à la joue rongée par une infection staphylococcique, ce qui l'amena à une anecdote à propos d'un lépreux qu'il avait vu mendier dans la rue la veille. De là, il enchaîna par les fausses idées des gens sur la lèpre qui, en réalité, n'était pas « si contagieuse que ça ». Ensuite, il griffonna une carte postale à l'intention de Larry, à Athènes, en lui indiquant son adresse à l'Armée du Salut. Il sortit la lettre de Madeleine de son sac, réfléchit à ce qu'il pouvait répondre, puis la rangea à nouveau.

Alors que Mitchell s'apprêtait à partir, Rüdiger apparut sur la véranda. Il s'assit et commanda lui aussi un pot de thé.

Une fois servi, il dit :

– Il y a une chose que j'aimerais savoir. Pourquoi es-tu venu en Inde ?

– Je voulais aller quelque part qui soit différent des États-Unis, répondit Mitchell. Et je voulais faire du bénévolat pour mère Teresa.

– Tu es donc venu pour faire acte de charité.

– Pour essayer, en tout cas.

– C'est intéressant, la charité. Étant allemand, je connais Martin Luther par cœur, bien sûr. Et, pour lui, la grâce donne le salut à la foi seule, et non aux actes. Parce que, quoi que nous fassions, ce n'est jamais suffisant. Mais si tu veux en savoir plus là-dessus, il faut lire Nietzsche. Nietzsche trouvait Martin Luther démagogue. Ne vous inquiétez pas si vous n'arrivez pas à faire le bien, braves gens. Contentez-vous de croire. Ayez la foi, vous serez sauvés ! Mais pourquoi pas ? Tout se défend. Nietzsche n'était pas contre le christianisme, contrairement à ce que tout le monde pense. Il estimait simplement qu'il n'y a eu qu'un seul chrétien : le Christ. Après lui, terminé.

Il était perdu dans sa rêverie. Le regard tourné vers le plafond, il souriait, radieux.

– Ce serait bien d'être un chrétien comme ça. Le premier chrétien. Avant que toute l'affaire ne soit *kaputt*.

– C'est ça, ton ambition ?

– Moi, je suis un voyageur. Je voyage, j'emporte avec moi

tout ce qu'il me faut, et je n'ai pas de problèmes. Je travaille quand j'en ai besoin. Je n'ai ni femme ni enfants.

– Ni chaussures, fit observer Mitchell.

– J'en avais, autrefois. Et puis je me suis aperçu qu'on s'en passe très bien. Je suis allé partout sans chaussures. Même à New York.

– Tu es allé pieds nus à New York ?

– C'est merveilleux d'être pieds nus à New York. On a l'impression de marcher sur un tombeau géant !

Le lendemain, le lundi, Mitchell voulut poster sa lettre le plus tôt possible, et il arriva donc en retard à Kalighat. Un bénévole qu'il n'avait jamais vu poussait déjà le chariot des médicaments. Le médecin irlandais était rentré à Dublin et avait été remplacé par un autre médecin qui ne parlait qu'italien.

Privé de son activité matinale habituelle, Mitchell passa l'heure qui suivit à parcourir la salle en cherchant un moyen de se rendre utile. Dans un des lits de la rangée du haut se trouvait un petit garçon de huit ou neuf ans, un diable à ressort dans les mains. C'était la première fois que Mitchell voyait un enfant à Kalighat, et il alla s'asseoir à côté de lui. Le petit, la tête rasée et des cernes sombres sous les yeux, lui tendit le jouet. Mitchell vit tout de suite qu'il était cassé. Le couvercle ne fermait plus et le diable ne tenait donc plus dans sa boîte. Appuyant sur le couvercle avec le doigt, Mitchell fit signe au petit de tourner la manivelle et, au moment opportun, il lâcha le couvercle et le diable jaillit. Le petit adora. Mitchell dut recommencer encore et encore.

Il était à présent dix heures passées. Trop tôt pour servir le déjeuner. Trop tôt pour partir. La plupart des autres bénévoles faisaient leur toilette aux malades, retiraient les draps sales des lits ou nettoyaient les protège-matelas en caoutchouc – bref, ils accomplissaient les tâches ingrates et nauséabondes auxquelles Mitchell aurait dû participer lui aussi. Un instant, il résolut de commencer sur-le-champ, à cette seconde même. Puis il vit l'apiculteur venir dans sa direction, les bras chargés de draps souillés, et, malgré lui – un réflexe –, il ressortit par le passage voûté et monta directement jusqu'au toit.

Il se dit qu'il sortait simplement prendre l'air une minute, pour échapper à l'odeur de désinfectant dont était imprégnée la salle. Il était revenu aujourd'hui dans un but précis, et ce but était de vaincre sa délicatesse exagérée, mais, avant cela, il avait besoin de respirer un peu.

Sur le toit, deux femmes, deux bénévoles, mettaient du linge à sécher sur l'étendoir. L'une d'elles, qui avait un accent américain, disait :

– J'ai dit à la mère que j'avais envie de prendre des vacances. D'aller en Thaïlande, éventuellement, me reposer sur la plage une semaine ou deux. Ça fait six mois que je suis ici.

– Qu'est-ce qu'elle a répondu ?

– Que la seule chose qui comptait dans la vie c'était la charité.

– C'est normal, c'est une sainte, dit l'autre femme.

– C'est incompatible, la sainteté et la plage ? fit l'Américaine, et toutes deux se mirent à rire.

Pendant qu'elles bavardaient, Mitchell alla à l'autre bout du toit. Se penchant près du bord, il fut surpris de découvrir en bas la cour intérieure du temple voisin, le temple de Kali. Sur un autel de pierre, six têtes de chèvres fraîchement sacrifiées étaient proprement alignées, les longs poils hirsutes du cou rendus brillants par le sang. Mitchell se voulait tolérant en matière de religion, mais le sacrifice animal outrepassait pour lui la limite de l'acceptable. Il contempla les têtes encore un moment, puis, avec une détermination soudaine, il redescendit rejoindre l'apiculteur.

– Me revoilà, dit-il.

– Parfait, dit l'apiculteur. Tu tombes à pic. J'ai besoin d'un coup de main.

Il conduisit Mitchell jusqu'à un lit au milieu de la salle. Y était étendu un homme qui, même parmi les autres vieillards présents à Kalighat, était particulièrement décharné. Enroulé dans son drap, avec sa peau brune et son âge avancé, il avait l'air d'une momie égyptienne, ressemblance accentuée par ses joues creuses et son nez mince et incurvé. Contrairement à une momie, en revanche, il avait les yeux grands ouverts. Bleus, terrifiés, ils semblaient fixés sur une chose que lui seul voyait. Le tremblement incessant de ses membres ajoutait à l'impression de terreur extrême que donnait son visage.

– Ce monsieur a besoin qu'on le lave, dit l'apiculteur de sa voix grave. Quelqu'un utilise la civière, on va se débrouiller sans.

Il ne précisa pas comment. Mitchell se positionna au pied du lit et attendit que l'apiculteur ait dégagé le vieux de son drap. Ainsi découvert, l'homme avait l'air encore plus squelettique. L'apiculteur le prit sous les bras, Mitchell lui empoigna les chevilles, et, de cette manière cavalière, ils le soulevèrent du matelas et l'entraînèrent dans l'allée.

Ils comprirent vite qu'ils auraient dû attendre la civière. Le vieux était plus lourd qu'il n'y paraissait, et il était difficile à porter. Il pendait entre eux comme la carcasse d'un animal. Ils essayèrent d'être délicats, mais, lorsqu'ils se furent engagés dans l'allée, il leur fut impossible de le poser quelque part. Le mieux semblait de l'amener dans la salle d'eau le plus vite possible, et, dans leur hâte, ils se mirent à le traiter moins comme un être humain qu'ils transportaient que comme un objet. Qu'il ne semble pas conscient de ce qui se passait ne faisait que favoriser cette attitude. Deux fois, ils le cognèrent contre un autre lit, assez fort, et Mitchell faillit même le lâcher en changeant de prise. Tant bien que mal, après avoir traversé le pavillon des femmes, ils atteignirent la salle d'eau au fond du bâtiment.

Faite de pierre jaune, équipée, à une extrémité, d'une table de lavage – ils y déposèrent le vieil homme –, la salle d'eau était éclairée par une lumière vaporeuse qui filtrait à travers l'unique fenêtre, une fenêtre treillissée, en pierre. Des robinets de cuivre sortaient des murs, et, dans le sol, au milieu de la pièce, était aménagé un système d'écoulement, comme dans les abattoirs.

Ni Mitchell ni l'apiculteur ne parlèrent de l'épouvantable manière dont ils avaient porté le vieux. À présent étendu sur le dos, celui-ci continuait de trembler violemment et avait toujours les yeux grands ouverts, comme s'il assistait à une scène d'horreur sans fin. Lentement, ils lui retirèrent sa chemise d'hôpital par la tête. Dessous, un pansement trempé lui recouvrait l'entrejambe.

Mitchell n'avait plus peur. Il était prêt à faire ce qu'il faudrait. C'était le moment. Il était venu pour ça.

À l'aide de ciseaux médicaux, l'apiculteur découpa le sparadrap. Le paquet de gaze tachée de pus s'ouvrit en deux, révélant de quoi souffrait le vieux.

Une tumeur de la taille d'un pamplemousse lui avait envahi le scrotum. Elle était tellement grosse que, au début, on avait du mal à voir que c'était une tumeur ; on aurait dit un ballon de baudruche rose. Au lieu d'être ridée, la peau était tendue comme celle d'un tambour. Au sommet de la protubérance, telle l'extrémité nouée du ballon, le pénis, racorni, pendait d'un côté.

Tandis qu'on défaisait son pansement, le vieil homme rassembla ses mains tremblantes pour se couvrir. C'était la première fois qu'il montrait qu'il avait conscience de leur présence.

L'apiculteur ouvrit le robinet et testa la température de l'eau. Il remplit un seau. Le tenant en l'air, il commença à le renverser lentement, cérémonieusement, sur le vieux.

– Ceci est le corps du Christ, dit-il.

Il remplit à nouveau le seau et répéta l'opération en psalmodiant : « Ceci est le corps du Christ. Ceci est le corps du Christ. Ceci est le corps du Christ… »

Mitchell remplit lui-même un seau et le renversa à son tour.

Il se demanda si l'eau qui tombait augmentait la douleur. Il était impossible de le savoir.

Ils enduisirent le vieux de savon antiseptique, en se servant de leurs mains nues. Ils lui lavèrent les pieds, les jambes, les fesses, la poitrine, les bras, le cou. À aucun moment Mitchell ne crut que le corps cancéreux étendu sur la table était celui du Christ. Avec le plus de douceur possible, il nettoya la base de la tumeur, d'un rouge vénéneux et où suintait du sang. Il tâchait d'alléger la honte de l'homme, de lui faire sentir, alors qu'il vivait ses derniers jours, qu'il n'était pas seul, pas totalement, et que les deux inconnus qui le lavaient, si maladroits et inexpérimentés soient-ils, faisaient leur maximum pour lui.

Une fois l'homme rincé et séché, l'apiculteur réalisa un nouveau pansement. Ils lui enfilèrent une chemise de nuit propre et le ramenèrent au pavillon des hommes. Lorsqu'ils l'eurent déposé sur son lit, le vieux tremblait toujours de douleur, le regard perdu dans le vide, comme s'ils ne s'étaient pas occupés de lui.

— Bon, merci beaucoup, dit l'apiculteur. Tiens, tu veux bien apporter ces serviettes à la buanderie ?

Mitchell prit les serviettes, seulement un peu troublé par l'idée de ce qu'il pouvait y avoir dessus. D'une manière générale, il était assez fier de ce qui venait de se passer. En se penchant au-dessus du panier à linge, sa croix se décolla de sa poitrine et projeta une ombre sur le mur.

Il était en chemin pour retourner voir le petit garçon quand il aperçut l'agronome. Le petit homme vif était assis dans son lit, le teint considérablement plus jaune que le vendredi précédent, au point d'en affecter le blanc des yeux, d'une perturbante couleur orangée.

— Bonjour, dit Mitchell.

L'agronome le regarda soudain avec intérêt mais ne dit rien. N'ayant pas de bonnes nouvelles à lui annoncer au sujet d'une éventuelle dialyse, Mitchell s'assit à côté de lui et, sans rien demander, commença à le masser. Il lui massa le dos, les épaules, la nuque et enfin la tête. Après un quart d'heure, lorsqu'il eut terminé, il lui demanda :

– Vous avez besoin de quelque chose ?

L'agronome parut réfléchir à la question.

– J'ai envie de chier, dit-il.

Mitchell fut décontenancé. Mais avant qu'il ait pu faire ou dire quoi que ce soit, un jeune Indien souriant apparut devant eux. C'était le barbier. Il montra un pot d'eau savonneuse, un blaireau et un coupe-chou.

– Moi raser ! annonça-t-il d'un ton jovial.

Sans autres préliminaires, il commença à savonner les joues de l'agronome. Celui-ci n'avait pas l'énergie de résister.

– Il faut que je chie, dit-il à nouveau, un peu plus pressant.

– Raser, raser, répéta le barbier, dans son anglais limité.

Mitchell ne savait pas où étaient rangés les bassins. Il avait peur de ce qui allait se produire s'il n'en trouvait pas un très vite, et aussi de ce qui allait se produire s'il en trouvait un. Il se retourna pour chercher de l'aide.

Tous les bénévoles étaient occupés. Aucune religieuse en vue.

Le temps que Mitchell se tourne à nouveau vers lui, l'agronome l'avait complètement oublié. Il avait à présent les deux joues recouvertes de mousse. Il ferma les yeux et grimaça en s'exclamant, désespéré, furieux, soulagé :

– Ça y est, je chie !

Le barbier n'y fit pas attention et commença à le raser.

Mitchell esquissa alors un pas. Sachant déjà qu'il allait regretter ce moment longtemps, peut-être toute sa vie, et néanmoins incapable de résister à ce doux élan qui animait chacun de ses nerfs, il se dirigea vers la sortie du foyer, passa devant le verset de l'Évangile selon saint Matthieu et regagna le monde déchu et lumineux en haut des marches.

La rue grouillait de pèlerins. À l'intérieur du temple de Kali, où on continuait de tuer des chèvres, il entendit des tintements de cymbales. Ils allèrent crescendo puis se turent. Mitchell marcha à contre-courant du flot de piétons, en direction de l'arrêt de bus. Il regarda derrière lui pour vérifier qu'il n'était pas suivi, que l'apiculteur ne lui courait pas après pour le ramener. Mais personne ne l'avait vu partir.

Le bus noirci par les gaz d'échappement qui arriva était encore plus bondé que d'habitude. Mitchell dut trouver une place parmi les jeunes hommes juchés sur le pare-chocs arrière et accrochés à ce qu'ils pouvaient. Quelques instants plus tard, profitant d'une immobilisation du bus dans un embouteillage, il grimpa sur la galerie. Les passagers qui s'y trouvaient, eux aussi des jeunes, lui sourirent, amusés de voir un étranger voyager sur le toit. Tandis que le bus roulait avec fracas vers le centre-ville, Mitchell regarda la ville défiler au-dessous de lui. Des bandes de gamins mendiaient au coin des rues. Des chiens errants à la truffe hideuse fouillaient les poubelles ou dormaient sur le flanc sous le soleil de midi. En approchant du centre, les devantures des magasins et les habitations modestes des quartiers périphériques faisaient place à des immeubles plus cossus, le crépi des façades effrité, les rambardes des balcons cassées ou manquantes. Mitchell était situé suffisamment haut pour voir à l'intérieur des séjours. Quelques-uns étaient tendus de rideaux de velours et contenaient des meubles richement sculptés, mais la plupart étaient nus, totalement vides à l'exception d'un tapis sur le sol, où toute une famille mangeait, assise.

Il descendit près de l'agence Indian Railways. Dans la salle mal éclairée, sous l'œil de Ghandi dont la photo en noir et blanc trônait au mur, Mitchell fit la queue au guichet pour acheter son billet. La file avançait lentement, ce qui lui laissa tout le temps de lire le tableau des départs pour choisir sa destination. Madras, dans le Sud ? Darjeeling, dans les montagnes ? Pourquoi ne pas monter carrément jusqu'au Népal ?

L'homme derrière lui disait à sa femme : « C'est ce que je

t'ai expliqué tout à l'heure. En bus, on doit faire trois changements. C'est bien mieux en train. »

Il y avait un train pour Bénarès qui partait ce soir-là à 20 h 24 de Howrah Station. Il arrivait à la ville sainte au bord du Gange le lendemain midi. Un billet de deuxième classe avec couchette coûterait à Mitchell environ huit dollars.

Il quitta l'agence et alla acheter des provisions pour son voyage à la vitesse d'un fuyard. Il acheta de l'eau en bouteille, des mandarines, une tablette de chocolat, un paquet de biscuits et un morceau de fromage étrangement friable. Il n'avait toujours pas déjeuné, et il s'arrêta dans un restaurant manger un curry de légumes et des *parathas*. Ensuite, il réussit à trouver un *Herald Tribune* et alla le lire dans un café. Ayant encore du temps à tuer, il fit une dernière balade dans le quartier, s'assit près d'un *bagh* dont l'eau vert-jaune reflétait les nuages qui passaient au-dessus de sa tête. Il était quatre heures passées lorsqu'il arriva à la guest house.

Faire ses bagages lui prit deux minutes. Il fourra dans son sac marin son tee-shirt et son short de rechange, ainsi que sa trousse de toilette, son Nouveau Testament de poche et son journal. Rüdiger entra alors dans le bungalow, un rouleau d'une matière indéterminée sous le bras.

— Aujourd'hui, annonça-t-il avec satisfaction, j'ai découvert le ghetto des tanneurs. Il y a un ghetto pour chaque corporation dans cette ville. J'ai découvert celui-ci en me promenant et j'ai eu l'idée de me fabriquer une super pochette en cuir pour mettre mon passeport.

— Une pochette pour ton passeport, répéta Mitchell.

— Oui, tu as besoin d'un passeport pour prouver au monde que tu existes. Il suffirait aux policiers des frontières de te regarder pour constater que tu es une personne, mais non ! Il faut qu'ils voient une petite photographie de toi. *Là*, ils croient que tu existes.

Il montra à Mitchell son rouleau de peau tannée.

– Je peux peut-être en fabriquer une pour toi aussi.

– Trop tard. Je m'en vais.

– On a la bougeotte, hein ? Où est-ce que tu vas ?

– À Bénarès.

– Là-bas, je te recommande le Yogi Lodge. Il n'y a pas mieux pour se loger.

– Très bien. Je m'en souviendrai.

Avec raideur, Rüdiger lui tendit la main.

– La première fois que je t'ai vu, je me suis dit : je ne sais pas ce qu'il vaut, celui-là, mais il est ouvert.

Il regarda Mitchell au fond des yeux comme pour lui donner sa bénédiction et lui souhaiter bonne chance. Mitchell se retourna et sortit.

Il traversait la cour quand il tomba sur Mike.

– Départ définitif ? s'enquit Mike en remarquant le sac marin.

– J'ai décidé de reprendre la route. Dis, avant que j'y aille, tu m'avais parlé d'un endroit où on vendait du *lassi*. Du *bhang lassi*. Tu pourrais me montrer où c'est ?

Mike ne se fit pas prier. Ils franchirent le portail, traversèrent Sudder Street, passèrent devant le stand du vendeur de thé d'en face et s'enfoncèrent dans un dédale de petites rues. Alors qu'ils marchaient, un mendiant s'approcha d'eux la main tendue et en criant : « Bakchich ! Bakchich ! »

Mike continua d'avancer mais Mitchell s'arrêta. Fouillant au fond de sa poche, il sortit vingt *paise* et les déposa dans la main sale du mendiant.

Mike expliqua :

– Moi aussi, au début, je donnais aux mendiants. Et puis j'ai compris que ça ne servait à rien. C'est sans fin.

– Jésus dit qu'il faut donner à tous ceux qui demandent, rétorqua Mitchell.

– Ouais, ben, on voit que Jésus n'est jamais venu à Calcutta.

Il s'avéra que l'endroit où on vendait du *lassi* n'était pas un magasin mais une charrette appuyée contre un mur criblé de trous. Trois cruches étaient posées sur son plateau, recouvertes d'un torchon pour empêcher les mouches d'entrer.

Le vendeur indiqua ce qu'elles contenaient en les montrant du doigt une à une.

— *Lassi* salé. *Lassi* sucré. *Bhang lassi.*

— On est là pour le *bhang lassi*, dit Mike.

Cette information mit en joie les deux hommes adossés au mur, les amis du vendeur, sans doute.

— *Bhang lassi* ! s'écrièrent-ils. *Bhang* !

Le vendeur servit deux grands verres. Le *bhang lassi* était d'un marron verdâtre. On y distinguait des morceaux.

— Ce truc-là va te niquer la tête, avertit Mike en portant le verre à sa bouche.

Mitchell goûta. Il eut l'impression de boire de l'écume d'étang.

— À propos de niquer, dit-il, je peux voir la photo de la fille que tu as rencontrée en Thaïlande ?

Mike afficha un sourire lubrique et la sortit de son porte-feuille. Il la donna à Mitchell. Sans la regarder, Mitchell la déchira aussitôt en deux et la jeta par terre.

— Eh !

— A p'us, dit Mitchell.

— T'as déchiré ma photo ! Pourquoi t'as fait ça ?

— Pour t'aider. C'est pathétique.

— Enfoiré ! lança Mike en montrant les dents à la manière d'un rat. Bigot de merde !

— Attends voir, qu'est-ce qui est pire ? Être un bigot ou payer pour coucher avec des mineures ?

— Oh, un mendiant, dit Mike d'un ton moqueur. Je crois que je vais lui donner de l'argent. Je suis tellement charitable ! Je vais sauver le monde !

— Oh, une entraîneuse thaïlandaise. Je crois que je lui plais ! Je vais l'épouser ! Je vais la ramener chez moi pour qu'elle me fasse la cuisine et le ménage. Je ne trouve pas de femme dans mon pays parce que je suis un gros plouc sans boulot. Alors je vais me prendre une petite Thaïlandaise.

– Tu sais quoi ? Allez vous faire foutre, toi et ta mère Teresa ! Salut, connard. Amuse-toi bien avec tes nonnes. J'espère qu'elles te branleront, t'en as besoin.

Ce petit échange d'idées avec Mike laissa Mitchell d'excellente humeur. Après avoir terminé son *bhang lassi*, il retourna à nouveau à l'Armée du Salut. La véranda était fermée mais la bibliothèque était encore ouverte. Dans un coin, au fond, assis par terre et se servant du Francis Schaeffer comme sous-main, il commença à remplir un nouvel aérogramme.

Chère Madeleine,

Avec les mots de Dustin Hoffman, je vais te le dire haut et clair :

N'épouse pas ce garçon !!! Il n'est pas pour toi.

Merci pour ta longue et gentille lettre. Je l'ai reçue à Athènes il y a environ un mois. Excuse-moi de ne pas t'avoir répondu plus tôt. Je faisais de mon mieux pour ne pas penser à toi.

Je viens de boire un *bhang lassi*. Le *lassi*, au cas où tu ne connaîtrais pas, est une boisson indienne rafraîchissante à base de yaourt. Le *bhang*, c'est de l'herbe. J'ai acheté ça il y a cinq minutes à un marchand ambulant, une des nombreuses merveilles du sous-continent.

Alors voilà. Autrefois, quand nous parlions de mariage (dans l'abstrait, bien entendu), tu avais une théorie selon laquelle les gens qui se mariaient se divisaient en trois catégories. Les traditionnels, qui épousent la personne avec qui ils sortaient à l'université, généralement l'été suivant la remise des diplômes. Ceux qui se marient vers l'âge de vingt-huit ans. Et enfin une dernière vague, qui passent devant M. le maire, un peu désespérés, dans leur trente-six, trente-sept, voire trente-neuvième année.

Tu disais que tu ne te marierais jamais tout de suite après tes études. Tu comptais attendre que ta « carrière » soit lancée et te marier trentenaire. Secrètement, je t'ai toujours soupçonnée d'appartenir à la deuxième catégorie, mais quand je t'ai vue à la remise des diplômes, j'ai compris que, résolument, incorrigiblement, tu appartenais à la première. Puis j'ai reçu ta lettre. Plus je la lisais, plus je comprenais ce que tu ne disais pas. Sous ton écriture minuscule se cache un désir refoulé. Peut-être est-ce là le rôle que ton écriture minuscule a toujours joué, empêcher tes désirs fous de faire exploser ta vie.

Comment je le sais ? Disons qu'au cours de mes pérégrinations j'ai appris à connaître des états intérieurs qui effacent la distance entre les gens. Parfois, si éloignés que nous soyons physiquement, je m'approche tout près de toi, je pénètre au plus profond de ton âme. Je ressens ce que tu ressens. D'<u>ici</u>.

Il faut que je fasse vite. J'ai un train à prendre et je viens de m'apercevoir que ma vision commençait à scintiller sur les bords.

Bon, ce ne serait pas honnête de ma part de te dire tout ça sans avoir autre chose à te proposer. Car j'ai bien une proposition à te faire, mais d'une nature qu'un jeune gentleman (même un gentleman comme moi, qui a renoncé au port des sous-vêtements) ne saurait exposer dans une lettre. Cette proposition, il faudra que je te la fasse en personne.

J'ignore quand ce sera possible. Voilà trois semaines que je suis en Inde et je n'ai vu pour l'instant que Calcutta. Je tiens à voir les bords du Gange et c'est là ma prochaine destination. J'ai l'intention de visiter New Delhi et Goa (où la dépouille imputrescible de saint François Xavier est exposée dans une basilique). Le Rajasthan et le Cachemire me tentent aussi beaucoup. Il est toujours prévu que Larry me retrouve en mars (attends un peu que je te raconte, au sujet de Larry !) pour le début de notre stage avec M. Hughes. Bref, je t'écris cette lettre parce que, si tu es bien une Catégorie 1, je n'aurai peut-être pas le temps d'interrompre le processus. Je suis trop loin pour traverser Bay Bridge en trombe dans ma voiture de sport et venir t'arracher à la cérémonie (et jamais je n'utiliserai un crucifix pour bloquer la porte de l'église).

J'ignore si cette lettre te parviendra. Je dois donc m'en remettre à Dieu, chose que j'essaie de faire depuis quelque temps avec un succès limité.

Ce *bhang lassi* est assez costaud, dis donc. Jusqu'à présent j'étais en quête d'absolu, mais, à l'instant où je t'écris, je serais prêt à m'accommoder de certaines réalités plus terre à terre. Juste comme ça : Princeton propose un troisième cycle de littérature, et Yale et Harvard ont toutes les deux des *divinity schools*. Il existe de petits appartements miteux dans le New Jersey et à New Haven où deux personnes studieuses pourraient être studieuses ensemble.

Mais je n'en dis pas plus. Pas encore. Pas maintenant. Merci d'attribuer tout propos déplacé que j'aurais pu tenir ici aux effets de ce laitage bengali. Je ne comptais t'écrire qu'un petit mot. Une carte postale aurait suffi. Je n'avais qu'une chose à te dire.

N'épouse pas ce garçon.

Je t'en supplie, Mad. Ne le fais pas.

Le temps qu'il redescende, le soir était tombé. Les passants se pressaient par paquets au milieu de la chaussée, des chapelets d'ampoules jaunes au-dessus de leurs têtes comme des lampions de carnaval. Les vendeurs de cassettes soufflaient dans leurs flûtes en bois et dans leurs trombones en plastique pour attirer le chaland, les restaurants étaient ouverts.

Mitchell marchait sous des arbres immenses, l'esprit bourdonnant. L'air était doux sur son visage. D'une certaine manière, le *bhang* était superflu. La masse de sensations qui bombardaient Mitchell alors qu'il arrivait à l'angle de la rue – les coups de klaxon incessants des taxis, le teuf-teuf des camions, les cris des hommes-fourmis poussant des charrettes remplies de navets ou de ferraille – aurait suffi à lui tourner la tête même s'il avait été parfaitement lucide, en plein milieu de la journée. C'était comme d'avoir fumé un joint et d'inhaler ensuite la fumée de ceux des autres. Mitchell était si absorbé qu'il oublia où il allait. Il aurait pu rester là toute la nuit, à regarder stagner la circulation. Et puis soudain, jaillissant au bord de son champ de vision, un rickshaw s'arrêta à côté de lui. Son conducteur, un homme maigre au teint foncé avec une serviette verte enroulée autour de la tête, lui fit signe en désignant la banquette vide. Mitchell regarda à nouveau l'impénétrable mur de véhicules. Il regarda la banquette. La seconde d'après, il s'y installait.

Le conducteur se baissa pour empoigner les deux longs bras de bois du rickshaw. Aussi vite qu'un athlète au coup de feu du starter, il s'élança.

Longtemps, ils zigzaguèrent à travers l'embouteillage. Le *rickshaw wallah* était même parfois obligé de reculer, bloqué au bout d'un passage le long d'un bus ou d'un camion. Il s'arrêtait, repartait, bifurquait, accélérait puis pilait, comme dans une auto tamponneuse.

Sur la banquette, recouverte de vinyle rouge brillant et ornée d'un portrait de Ganesh, on se serait cru sur un trône. La capote était baissée, si bien que Mitchell voyait les deux grosses roues de bois de chaque côté. De temps en temps ils se retrouvaient à la hauteur d'un autre rickshaw, et Mitchell regardait ses comparses esclavagistes. Une brahmane, son sari laissant voir le bourrelet de graisse sur son ventre. Trois écolières qui faisaient leurs devoirs.

Les coups de klaxon et les cris résonnaient dans la tête de

Mitchell d'où ils semblaient émaner. Il s'accrocha à son sac marin et s'en remit au *rickshaw wallah* pour l'amener à destination. La peau foncée du dos de l'homme luisait de transpiration, les muscles et les nerfs qui travaillaient dessous aussi tendus que des cordes de piano. Après un quart d'heure de zigzags, ils quittèrent l'artère principale et prirent de la vitesse en traversant un quartier pratiquement sans lumière.

La banquette de vinyle grinçait comme celles des *diners*. Ganesh, avec sa tête d'éléphant, avait les cils charbonneux d'une star de Bollywood. Tout à coup, le ciel s'éclaira et, en levant les yeux, Mitchell reconnut la structure métallique d'un pont. Elle s'élevait dans les airs comme une grande roue de fête foraine chargée d'ampoules colorées. En bas coulait l'Hughli, tout noir, où se reflétait l'enseigne au néon rouge de la gare sur l'autre rive. Mitchell se pencha par-dessus le bord du rickshaw pour regarder l'eau. S'il tombait à cet instant, il ferait une chute de plusieurs dizaines de mètres. Personne n'en saurait jamais rien.

Mais il ne tomba pas. Il se redressa et resta assis bien droit dans son rickshaw, porté comme un sahib. Il avait l'intention de donner au *rickshaw wallah* un énorme pourboire lorsqu'ils arriveraient à la gare. L'équivalent d'une semaine de salaire, au moins. En attendant, il profitait de la balade. Il était en extase. Transporté dans une autre dimension, vaisseau à l'intérieur d'un vaisseau. Il comprenait la « Prière de Jésus » à présent. Il comprenait *pitié*. Il comprenait *pécheur*, ça c'est sûr. Tandis qu'il franchissait le pont, les lèvres de Mitchell ne bougeaient pas. Il ne pensait à rien. C'était comme si, ainsi que l'avait promis Franny, la prière avait pris les commandes et se disait toute seule dans son cœur.

Seigneur Jésus, fils de Dieu, aie pitié de moi, pécheur.
Seigneur Jésus, fils de Dieu, aie pitié de moi, pécheur.
Seigneur Jésus, fils de Dieu, aie pitié de moi, pécheur.
Seigneur Jésus, fils de Dieu, aie pitié de moi, pécheur.

Seigneur Jésus, fils de Dieu, aie pitié de moi, pécheur.
Seigneur Jésus, fils de Dieu, aie pitié de moi, pécheur.
Seigneur Jésus, fils de Dieu, aie pitié de moi, pécheur.
Seigneur Jésus, fils de Dieu, aie pitié de moi, pécheur.
Seigneur Jésus, fils de Dieu, aie pitié de moi, pécheur.
Seigneur Jésus, fils de Dieu, aie pitié de moi, pécheur.
Seigneur Jésus, fils de Dieu, aie pitié de moi, pécheur.
Seigneur Jésus, fils de Dieu, aie pitié de moi, pécheur.
Seigneur Jésus, fils de Dieu, aie pitié de moi, pécheur.

ET L'ON ÉTAIT PARFOIS
TRÈS MALHEUREUX

Quand Alton Hanna était devenu président de Baxter College au milieu des années 60, ayant renoncé à son poste de doyen de faculté à Connecticut College pour aller s'installer dans le New Jersey, ses filles ne l'avaient pas accompagné de gaieté de cœur. Lors de leur voyage inaugural dans le « Garden State », les filles avaient crié et s'étaient bouché le nez en voyant le panneau « Bienvenue dans le New Jersey », bien avant que la voiture ne passe devant une quelconque raffinerie de pétrole. Une fois installées, elles avaient encore plus souffert du mal du pays. Alwyn se plaignait que ses anciennes copines lui manquaient. Madeleine trouvait la nouvelle maison effrayante et mal chauffée. Elle avait peur de dormir dans sa vaste chambre. Alton avait amené ses filles à Prettybrook en se disant qu'elles seraient contentes d'avoir de l'espace et un jardin verdoyant. Apprendre qu'elles préféraient leur maison de ville étriquée de New London, une maison pour ainsi dire tout en escaliers, ne lui avait pas fait plaisir.

Mais peu de choses lui avaient fait plaisir en cette turbulente décennie. Il était arrivé à Baxter à une époque où l'établissement était en restriction budgétaire et ses étudiants en pleine révolution. L'année même de sa prise de fonctions, ils avaient occupé le bâtiment administratif. Armés d'une liste d'exigences très variées – assouplissement des conditions d'admission, création d'un département d'études afro-américaines, interdiction des recruteurs militaires sur le campus, suppression des fonds provenant d'organismes liés à l'armée et à la production pétrolière –, ils avaient fait un sit-in sur les tapis d'Orient devant le bureau d'Alton. Pendant qu'il recevait leur chef, Ira Carmichael, un jeune homme manifestement intelligent, vêtu d'un treillis de combat à la braguette ostensiblement ouverte, cinquante non-diplômés hirsutes scandaient des slogans derrière sa porte. Afin que l'on comprenne que ce genre de conduite ne serait pas toléré sous sa direction, et aussi parce qu'il était républicain et favorable à la guerre au Vietnam, Alton avait fini par faire évacuer les lieux par la police municipale. Comme on pouvait s'y attendre, les tensions n'en avaient été que ravivées. Bientôt, une effigie d'« Hiroshima Hanna » brûlait sur la pelouse, son crâne chauve hideusement grossi en forme de champignon atomique. Sous la fenêtre de son bureau, des manifestants se rassemblaient chaque jour pour réclamer sa peau. À dix-huit heures, quand ils se dispersaient (leur dévouement à la cause n'allait pas jusqu'à se priver de dîner), Alton filait. En traversant la pelouse, où les restes carbonisés de son effigie pendaient encore à un orme, il se pressait de regagner sa voiture sur le parking de l'administration et rentrait chez lui, à Prettybrook, écouter les protestations toujours vives de ses filles contre leur emménagement dans le New Jersey.

Avec Alwyn et Madeleine, Alton était prêt à négocier. Il acheta Alwyn en lui offrant des cours d'équitation au Pretty-brook Country Club. Elle se mit à porter des jodhpurs et une veste d'équitation, se prit d'une affection quasi sexuelle pour une jument alezane du nom de Riviera Red et ne parla plus jamais de New London. Quant à Madeleine, elle fut vaincue par la décoration intérieure. Un jour, Phyllida l'emmena passer le week-end à New York. À leur retour, le dimanche soir, elle lui dit qu'il y avait une surprise pour elle dans sa chambre. Madeleine monta en courant et trouva les murs de sa chambre recouverts des illustrations de son livre préféré d'alors, *Madeline*, de Ludwig Bemelmans. Pendant qu'elle était à Manhattan, un artisan avait décollé l'ancien papier peint et l'avait remplacé par celui-ci, que Phyllida avait fait imprimer spécialement pour elle chez un fabricant de Trenton. Entrer dans la chambre de Madeleine était comme entrer dans les pages du livre. Sur un mur se trouvait le réfectoire austère du pensionnat de Madeline, sur un autre, le dortoir où résonnaient les bruits. Tout autour de la pièce, des Madeline accomplissaient des actes courageux : celle-ci faisait une grimace (« et face au lion et à ses *rra* ! Madeline dit : "Ta ta ta !" »), celle-là marchait comme un funambule sur le parapet d'un pont au-dessus de la Seine, celle-là soulevait sa chemise de nuit pour montrer la cicatrice de son opération de l'appendicite. Les nuances de vert des squares parisiens, le motif répété de sœur Clavel « hâtant le pas » en tenant sa guimpe d'une main, son ombre s'allongeant tandis qu'elle pressentait : « Il y a quelque chose qui ne va pas » ; le soldat unijambiste avec ses béquilles, près de la prise électrique, au-dessous de la phrase : « Et l'on était parfois très malheureux. » Les pastels de Bemelmans montraient un Paris ordonné comme les « deux rangs bien droits » formés par les douze fillettes, un monde d'institutions officielles et de statues de héros de guerre, de personnages exotiques comme le fils de l'ambassadeur d'Espagne (Maddy, à six ans, le trouvait fascinant), un Paris de livre pour enfants où transparaissaient néanmoins les fautes et les malheurs des adultes, où la réalité n'était pas édulcorée mais affrontée avec noblesse, une ville qui, bien qu'immense, n'effrayait pas la toute petite Madeline, et qui incarnait une formidable victoire pour l'humanité – c'était tout cela qui avait été transmis à Madeleine petite fille. De plus, elle avait presque le même prénom que l'héroïne, semblait d'un niveau social équivalent, et, de temps en temps, parmi ses amies, elle avait l'impression que c'était à elle qu'un écrivain aurait pu consacrer un livre.

Personne n'avait un papier peint comme le sien. Voilà pourquoi, en grandissant à Wilson Lane, elle ne l'avait jamais changé.

Il était aujourd'hui délavé par le soleil et se décollait à la jointure des lés. Sur l'un d'eux, où l'on voyait un bouvier dans le jardin du Luxembourg, s'étalaient des taches jaunes dues à une fuite du toit. Se réveiller dans son ancienne chambre, entourée par ce papier peint d'enfant, augmentait encore le sentiment de régression qu'elle éprouvait d'être retournée vivre chez ses parents. Elle fit donc ce qu'elle pouvait faire de plus adulte étant donné les circonstances : elle tâtonna dans le lit de la main gauche – celle qui portait l'alliance en or – pour voir si son mari était couché à côté d'elle.

Ces derniers temps, Leonard montait se coucher vers une ou deux heures du matin, mais il avait du mal à dormir avec elle – ses insomnies l'avaient repris – et terminait souvent sa nuit dans l'une des chambres d'amis. C'était là qu'il devait se trouver en ce moment même. L'espace à côté d'elle était vide.

Madeleine et Leonard habitaient chez les parents de Madeleine faute de mieux. Le stage de Leonard à Pilgrim Lake s'était achevé en avril, une semaine avant le mariage. Ils avaient trouvé une sous-location à Provincetown pour l'été, mais, après l'hospitalisation de Leonard à Monte-Carlo début mai, ils avaient dû rendre l'appartement. À leur retour aux États-Unis, deux semaines plus tard, Madeleine et Leonard s'étaient installés à Prettybrook, endroit paisible, propice à la récupération de Leonard et proche des centres de soins psychiatriques haut de gamme de Philadelphie et de New York. On y était également bien situé pour chercher un appartement à Manhattan. À la mi-avril, pendant que Madeleine était en voyage de noces en Europe, des réponses à ses demandes de troisième cycle étaient arrivées, via la poste de Pilgrim Lake, à Wilson Lane. Négatives pour Harvard et Chicago, mais positives pour Columbia et Yale. Ayant essuyé un refus de la part de Yale l'année précédente, Madeleine se fit un plaisir de leur rendre la pareille. Elle ne voulait pas habiter New Haven ; elle voulait habiter New York. Plus vite Leonard et elle y trouveraient un logement, plus vite ils pourraient commencer à remettre leur vie – conjugale depuis huit semaines – à flot.

Avec cette idée en tête, Madeleine se leva pour appeler Kelly Traub. Elle utilisa le téléphone du bureau d'Alton, à l'étage, une petite pièce aux murs beiges, à la fois encombrée et très organisée, qui donnait sur le jardin de derrière. L'odeur de son père y était forte, particulièrement avec l'humidité de juin, et elle n'aimait pas y rester longtemps : elle avait l'impression d'enfouir son nez dans l'un des vieux peignoirs d'Alton. Elle composa le numéro de l'agence en regardant le jardinier qui pulvérisait sur un buisson un produit de la couleur du thé glacé.

L'assistante de Kelly lui expliqua que « Mlle Traub » était sur l'autre ligne et lui demanda si elle désirait patienter. Madeleine répondit que oui.

Durant l'année qui avait suivi la remise des diplômes, pendant que Madeleine était au cap, Kelly avait entamé une carrière de comédienne sans grand succès. Elle avait eu un petit rôle dans une pièce en un acte, créée le temps d'un week-end dans le sous-sol d'une église de Hell's Kitchen, et elle avait également participé à une performance en plein air montée par un artiste norvégien, qui impliquait de se mettre à moitié nu et ce pour une poignée de figues. Pour gagner sa vie, elle avait rejoint l'agence immobilière de son père dans l'Upper West Side. Elle y était relativement bien payée et avait des horaires flexibles qui lui laissaient beaucoup de temps libre pour passer des auditions. Ce travail faisait d'elle la personne à appeler quand on cherchait un appartement près de Columbia.

Après une minute d'attente, la voix de Kelly se fit entendre à l'autre bout de la ligne.

– C'est moi, dit Madeleine.

– Maddy, salut ! Je suis contente que tu appelles.

– J'appelle tous les jours.

– Oui, mais, aujourd'hui, j'ai l'appart qu'il te faut. Tu es prête ? « Riverside Drive. Deux-trois pièces des années 30. Vue sur l'Hudson. Bureau (possibilité seconde chambre). Libre le 1er août. » Il faut que tu viennes le voir aujourd'hui, demain il sera parti.

– Aujourd'hui ? dit Madeleine, sceptique.

– C'est mon collègue qui s'en occupe. Je lui ai fait promettre de ne pas le faire visiter avant demain.

Madeleine n'était pas sûre de pouvoir se libérer. Cela faisait déjà trois fois depuis une semaine qu'elle allait à la chasse aux appartements, et chaque fois, comme il était déconseillé de laisser Leonard seul, elle avait dû demander à Phyllida de rester avec lui. Celle-ci prétendait que ça ne la dérangeait pas, mais Madeleine savait que ça la rendait nerveuse.

D'un autre côté, cet appartement avait l'air idéal.

– C'est à la hauteur de quelle rue ? demanda-t-elle.

– La 77e, dit Kelly. Tu es à cinq rues de Central Park. Cinq stations de métro de Columbia. Et Penn Station est facile d'accès, comme tu le voulais.

– C'est parfait.

– En plus, si tu viens aujourd'hui, je t'emmène à une soirée.

– Une soirée ? Vieux souvenir, les soirées.

– C'est chez Dan Schneider. Juste à côté de l'agence. Il y aura des tas d'anciens de Brown, c'est l'occasion de reprendre contact.

– Je vais déjà voir si je peux me libérer.

L'obstacle potentiel n'était un mystère ni pour l'une ni pour l'autre. Après un silence, Kelly demanda en baissant la voix :

– Comment va Leonard ?

Il était difficile de répondre. Assise dans le fauteuil d'Alton, Madeleine regarda les pins blancs au fond du jardin. Selon le dernier médecin en date – pas le psychiatre français, le Dr Lamartine, qui s'était occupé de Leonard à Monaco, mais le nouveau spécialiste du Penn Medical Center, le Dr Wilkins –, Leonard ne manifestait pas de « tendances suicidaires prononcées ». Cela ne signifiait pas qu'il ne risquait pas de se suicider, mais simplement que ce risque était relativement faible. Suffisamment faible, en tout cas, pour ne pas ordonner son hospitalisation d'office (chose qui pouvait changer). La semaine précédente, un mercredi après-midi pluvieux, Alton et Madeleine s'étaient rendus à Philadelphie en voiture pour rencontrer Wilkins, sans Leonard, à son cabinet du Penn Medical Center. Madeleine était ressortie de l'entretien avec l'impression que Wilkins était comme n'importe quel autre expert compétent et bien intentionné, un économiste, par exemple : il faisait des prédictions à partir des données dont il disposait, mais ses conclusions n'étaient en aucun cas définitives. Ayant posé toutes les questions qui lui étaient venues à l'esprit sur d'éventuels signes avant-coureurs et mesures préventives, et ayant écouté les réponses judicieuses mais insatisfaisantes de Wilkins, elle était rentrée à Prettybrook vivre et dormir avec son nouvel époux, en se demandant, chaque fois qu'il quittait la chambre, s'il n'allait pas attenter à sa vie.

— C'est stationnaire, finit-elle par répondre.

— Écoute, il faut que tu voies cet appart, dit Kelly. Viens à six heures, on ira à cette soirée dans la foulée. Tu restes une heure. Ça te changera les idées.

— Je vais voir. Je te rappelle.

Dans la salle de bains, une odeur d'herbe coupée filtrait à travers les stores tandis qu'elle se lavait les dents. Elle se regarda dans la glace. Sa peau était sèche, légèrement violacée sous les yeux. Pas vraiment une détérioration – elle n'avait encore que vingt-trois ans –, mais une différence par rapport à l'année d'avant. Il y avait des ombres sur son visage, qui lui laissaient entrevoir à quoi elle ressemblerait plus tard.

En bas, elle trouva Phyllida occupée à composer un bouquet de fleurs devant l'évier de la buanderie. Les baies vitrées coulissantes menant à la terrasse étaient ouvertes, un papillon jaune voletait au-dessus des buissons.

— Bonjour, dit Phyllida. Bien dormi ?

— Non.

— Il y a des muffins anglais près du grille-pain.

Madeleine traversa la cuisine d'un pas alourdi par le sommeil. Elle sortit un muffin du paquet et entreprit de l'ouvrir en deux avec les doigts.

— Utilise un couteau, dit Phyllida.

Mais c'était trop tard : le chapeau du muffin se détacha irrégulièrement. Madeleine laissa tomber les deux parties mal séparées dans le grille-pain et abaissa le levier.

Pendant que le muffin grillait, elle se servit une tasse de café et s'assit à la table de la cuisine. Suffisamment réveillée, elle dit :

— Maman, il faut que j'aille en ville ce soir voir un appartement.

— Ce soir ?

Madeleine hocha la tête.

— Ton père et moi avons un cocktail, ce soir.

Phyllida entendait par là qu'ils ne pourraient pas rester avec Leonard.

Le muffin sauta.

— Maman... Cet appartement a l'air parfait. Il est dans Riverside Drive. Avec vue.

— Je regrette, ma chérie, mais cette soirée est bloquée dans mon agenda depuis trois mois.

— D'après Kelly, il va très vite partir. Il faut que je le voie aujourd'hui.

Madeleine se sentit coupable d'insister. Phyllida et Alton avaient été tellement gentils, tellement serviables avec Leonard dans sa situation, que Madeleine ne voulait pas les solliciter davantage. D'un autre côté, tant qu'elle ne trouverait pas un appartement, Leonard et elle ne pourraient pas partir.

— Leonard voudra peut-être t'accompagner, suggéra Phyllida.

Madeleine retira du grille-pain la plus grosse moitié du muffin sans rien dire. Elle avait emmené Leonard en ville pas plus tard que la semaine dernière, et ça ne s'était pas bien passé. Dans la foule de Penn Station, il s'était mis à faire de l'hyperventilation et ils avaient dû reprendre le premier train pour Prettybrook.

— Tant pis, je n'irai pas, finit-elle par lâcher.

— Tu pourrais quand même demander à Leonard s'il aimerait venir.

— Je le ferai quand il se lèvera.

— Oh, mais il est levé. Depuis un bon moment, d'ailleurs. Il est sur la terrasse.

Madeleine fut surprise. D'ordinaire, Leonard restait au lit jusque tard le matin. Elle prit son café et son muffin, et sortit sur la terrasse ensoleillée.

Leonard se trouvait au niveau inférieur, à l'ombre, assis dans le fauteuil Adirondack où il passait dernièrement le plus clair de son temps. Son imposante silhouette échevelée évoquait une créature de Maurice Sendak. Il portait un tee-shirt noir et un short noir flottant. Ses pieds, chaussés de vieilles baskets, étaient appuyés sur la balustrade. Des panaches de fumée s'élevaient de la zone devant son visage.

— Salut, dit Madeleine en venant à côté de son fauteuil.

Leonard marmonna un salut d'une voix rauque et continua de fumer.

— Comment ça va ? demanda-t-elle.

— Je suis crevé. Je ne pouvais pas dormir alors j'ai pris un somnifère vers deux heures. Je me suis réveillé à cinq et je suis venu ici.

— Tu as pris un petit-déjeuner ?

Leonard montra son paquet de cigarettes.

Une tondeuse démarra dans le jardin voisin. Madeleine s'assit sur le large accoudoir du fauteuil.

– Kelly a appelé, dit-elle. Tu serais d'accord pour m'accompagner en ville ce soir ? On partirait vers quatre heures et demie.

– Vaut mieux pas, dit Leonard, toujours de sa voix rauque.

– Il y a un deux-trois pièces dans Riverside Drive.

– Vas-y, toi.

– Je veux que tu viennes avec moi.

– Vaut mieux pas, répéta-t-il.

Le bruit de la tondeuse se rapprochait. Il vint tout près de la clôture avant de s'éloigner.

– Maman va à un cocktail.

– Tu peux me laisser seul, Madeleine.

– Je sais.

– Si je voulais me suicider, je pourrais le faire la nuit, quand tu dors. Je pourrais me noyer dans la piscine. J'aurais pu le faire ce matin.

– Tu ne me rassures pas pour aller en ville.

– Écoute, Mad. C'est pas la grande forme. Je suis crevé et j'ai les nerfs à vif. Je ne me sens pas d'attaque pour affronter une nouvelle expédition à New York. Mais je suis bien, ici, sur la terrasse. Tu peux me laisser.

Madeleine ferma les yeux en crispant les paupières.

– Comment est-ce qu'on va pouvoir s'installer à New York si tu ne veux même pas aller visiter un appartement ?

– C'est contradictoire, en effet, dit Leonard.

Il écrasa sa cigarette, jeta le mégot dans les buissons et en alluma une autre.

– Je m'autoévalue, Madeleine. C'est tout ce que je peux faire. Je commence à avoir une meilleure lecture de moi-même, et je ne suis pas prêt à aller m'entasser dans le métro avec une foule de New-Yorkais transpirants…

– On prendra un taxi.

– … ni à me taper les embouteillages en taxi par cette chaleur. En revanche, je suis tout à fait capable de me débrouiller tout seul ici. Je n'ai pas besoin de baby-sitter. Il faut me croire. Il faut croire mon médecin.

Elle attendit qu'il termine avant de ramener la conversation sur le sujet en question.

— Le problème, c'est que si cet appartement est bien, il va falloir se décider tout de suite. Je pourrais t'appeler d'une cabine quand je l'aurai vu.

— Tu peux décider sans moi. C'est *ton* appartement.

— Il est à nous deux.

— C'est toi qui paieras le loyer. C'est toi qui as besoin d'habiter New York.

— Toi aussi, tu veux habiter New York.

— Plus maintenant.

— Tu avais dit que oui !

Leonard se tourna vers elle et la regarda pour la première fois. Curieusement, ces moments étaient ceux qu'elle redoutait le plus : lorsqu'il la regardait. Les yeux de Leonard avaient quelque chose de vide. C'était comme plonger dans un profond puits à sec.

— Pourquoi tu ne divorces pas ? dit-il.

— Arrête.

— Je ne t'en voudrais pas. Je comprendrais parfaitement.

Son expression s'adoucit et se fit songeuse.

— Tu sais ce que font les musulmans quand ils veulent divorcer ? Le mari répète trois fois : « Je divorce de toi, je divorce de toi, je divorce de toi. » Et c'est tout. Les hommes épousent des prostituées et divorcent tout de suite après avoir couché avec elles. Pour éviter de commettre l'adultère.

— Tu cherches à me faire de la peine ? dit Madeleine.

— Pardon, fit Leonard.

Puis, lui prenant la main :

— Pardon, pardon.

Il était près de onze heures lorsque Madeleine retourna à l'intérieur. Elle annonça à Phyllida qu'elle avait décidé de ne pas aller en ville. De retour dans le bureau d'Alton, elle appela Kelly avec l'idée de lui demander de visiter l'appartement à sa place et de le lui décrire au téléphone, cela lui suffirait pour prendre sa décision. Mais Kelly était en rendez-vous, et Madeleine lui laissa un message. Alors qu'elle attendait que Kelly la rappelle, Leonard monta par l'escalier de derrière en criant son prénom. Elle sortit et le trouva dans le couloir, se tenant des deux mains à la rampe.

– J'ai changé d'avis, dit-il. Je viens.

Madeleine avait épousé Leonard sous l'effet d'une frénésie proche de celle qui anime les maniaco-dépressifs en phase maniaque. Entre le jour où Leonard avait commencé ses expériences avec ses doses de lithium et celui, en décembre, où il avait déboulé dans l'appartement pour lui faire sa demande, elle avait été emportée par le même genre de torrent d'émotions. Elle aussi avait été follement heureuse. Elle aussi avait été très portée sur le sexe. Mégalomanie, sentiment d'invincibilité, absence de peur du risque. Tout à la jolie musique qu'elle entendait dans sa tête, elle n'écoutait rien de ce que disaient les autres.

La comparaison allait même plus loin car, avant cette frénésie, Madeleine avait été presque aussi déprimée que Leonard. Tout ce qui lui avait plu à Pilgrim Lake lorsqu'ils étaient arrivés – le paysage, l'ambiance sélecte – ne compensait pas l'environnement social désagréable. Les mois passaient et elle ne sympathisait avec personne. Les rares scientifiques femmes du labo, lorsqu'elles n'étaient pas beaucoup plus âgées qu'elle, la traitaient avec la même condescendance que leurs collègues masculins. La seule « conjointe » avec laquelle Madeleine s'entendait bien était Alicia, la petite amie de Vikram Jaitly, mais elle ne venait qu'un ou deux week-ends par mois. Il faut dire que l'obsession de Leonard à cacher sa maladie ne facilitait pas les contacts. Il fuyait les autres. Il dînait le plus rapidement possible et ne voulait jamais aller prendre un verre au bar après. Parfois il insistait pour manger des pâtes à l'appartement, alors que le labo employait un chef professionnel. Chaque fois que Madeleine allait au bar sans Leonard, ou jouait au tennis avec Greta Malkiel, elle n'arrivait pas à se détendre. Elle devenait parano quand on lui parlait de Leonard, surtout si on lui demandait comment il allait. Impossible d'être elle-même. Elle rentrait toujours de bonne heure, fermait la porte, tirait les rideaux. Elle aussi avait sa folle au grenier : c'était son petit ami d'un mètre quatre-vingt-dix.

Puis, en octobre, Alwyn trouva le lithium de Leonard et tout se compliqua davantage. Lorsque Phyllida eut repris l'avion pour Boston, puis, de Boston, pour le New Jersey, Madeleine attendit l'inévitable coup de téléphone. Une semaine plus tard, début novembre, il arriva.

– Quel plaisir d'avoir pu visiter le célèbre Pilgrim Lake Laboratory ! C'était terriblement impressionnant.

C'était l'excès d'enthousiasme dans la voix de Phyllida qui était inquiétant. Madeleine se prépara.

– Et c'était vraiment gentil de la part de Leonard de prendre de son temps pour nous expliquer son travail. Je donne un petit cours ici à tous mes amis. Je l'intitule : « Tout ce que vous avez toujours voulu savoir sur la levure sans jamais oser le demander ».

Phyllida eut un gloussement ravi. Puis, se raclant la gorge, elle changea de sujet :

– Je me suis dit que tu voudrais savoir où nous en sommes chez les Higgins.

– Non.

– Ça va beaucoup mieux, j'ai le plaisir de te l'annoncer. Ally a enfin quitté le Ritz pour retourner vivre avec Blake. Grâce à la nouvelle nounou – que nous payons, ton père et moi –, les hostilités ont cessé.

– Je te l'ai dit, ça ne m'intéresse pas.

– Oh, Maddy...

– Je t'assure. Ally peut divorcer, ça m'est égal.

– Je sais que tu es en colère contre ta sœur. Et c'est tout à fait justifié.

– Ally et Blake n'ont même pas d'affection l'un pour l'autre.

– Ça, je ne crois pas que ce soit vrai. Ils ont leurs différends, comme tous les couples mariés. Mais ils sont du même milieu, fondamentalement, et ils se comprennent. Ally a de la chance d'avoir Blake. C'est un homme très stable.

– Qu'est-ce que tu insinues par là ?

– Rien.

– Tu choisis curieusement tes mots, alors.

Phyllida soupira.

– Il est nécessaire que nous ayons cette conversation, mais je ne sais pas si c'est le bon moment.

– Pourquoi ?

– Eh bien, c'est un sujet sérieux.

– Il ne serait pas question de l'aborder si Ally n'était pas une fouineuse. Tu ne serais même pas au courant.

– C'est vrai. Mais le fait est que je le suis.

– Leonard ne t'a pas plu ? Il n'a pas été gentil ?

– Il a été très gentil.

– Il t'a donné l'impression d'avoir un problème ?

– Pas exactement, non. Mais j'ai beaucoup appris sur la maladie maniaco-dépressive cette semaine. Tu connais la fille des Turner, Lily ?

– Lily Turner est une droguée.

– Elle l'est maintenant, en tout cas. Et elle le sera pour le restant de ses jours.

– Parce que ?

– Parce que la maniaco-dépression est une maladie chronique. On en souffre toute sa vie. Il n'y a pas de remède. Les gens font des séjours réguliers à l'hôpital, ils craquent, ils sont incapables de conserver un emploi. Et leurs familles doivent vivre avec. Ma chérie ? Madeleine ? Tu es toujours là ?

— Oui, dit Madeleine.

— Je me doute que tu sais tout cela. Mais j'aimerais que tu réfléchisses à ce que serait ta vie si tu épousais un homme atteint de... d'une maladie mentale. Sans parler de fonder un foyer avec lui.

— Qui a dit que j'allais épouser Leonard ?

— Eh bien, je ne sais pas. C'est une hypothèse, c'est tout.

— Imaginons que Leonard ait une autre maladie, maman. Le diabète ou je ne sais quoi. Tu aurais la même réaction ?

— Le diabète est une maladie effroyable !

— Mais ça te serait égal que mon petit ami ait besoin d'insuline pour aller bien. Ça ne te dérangerait pas, ça, pas vrai ? Tu n'y verrais pas une sorte d'*échec moral*.

— Je n'ai jamais parlé de morale.

— Tu n'as pas eu à le faire !

— Tu penses que je suis injuste, je sais. Mais j'essaie simplement de te protéger. C'est très difficile de passer sa vie auprès d'une personne instable comme ça. J'ai lu le témoignage d'une femme qui a épousé un maniaco-dépressif, ça m'a fait froid dans le dos. Je vais te l'envoyer.

— Inutile.

— Je te l'enverrai quand même !

— Je le jetterai à la poubelle !

— Si tu préfères te cacher la tête dans le sable...

— C'est pour ça que tu m'as appelée ? Pour me faire la leçon ?

— Non. En fait, j'appelais pour Thanksgiving. Je me demandais ce que tu avais prévu.

— Rien de particulier, dit Madeleine, les lèvres crispées par la colère.

— Ally et Blake viendront avec Richard Cœur de Lion. Nous serions ravis de vous avoir aussi, Leonard et toi. Ce sera en toute simplicité cette année. Alice a pris son week-end et je ne maîtrise pas le four comme elle. Cet appareil est une antiquité, maintenant. Bien sûr, ton père trouve qu'il fonctionne parfaitement. Lui qui ne cuisine jamais, même pas pour préparer du porridge.

— Tu ne cuisines pas beaucoup non plus.

— Eh bien, j'essaie. Du moins j'essayais quand tu étais petite.

— Tu n'as jamais cuisiné, dit Madeleine, volontairement blessante.

Phyllida ne céda pas à la provocation.

— Je dois encore être capable de faire cuire une dinde, dit-elle. Donc, si Leonard et toi voulez bien venir, nous en serons ravis.

— Je ne sais pas, dit Madeleine.

— Il ne faut pas m'en vouloir, Maddy.

— Je ne t'en veux pas. Il faut que j'y aille. Au revoir.

Elle ne donna pas de nouvelles à sa mère pendant une semaine. Chaque fois que le téléphone sonnait à une heure où Phyllida risquait d'appeler, elle ne répondait pas. Le lundi suivant, cependant, un courrier de Phyllida arriva. À l'intérieur de l'enveloppe se trouvait un article intitulé « Mariée à la maniaco-dépression ».

J'ai rencontré mon mari, Bill, trois ans après la fin de mes études dans l'Ohio. La première impression que j'ai eue de lui était qu'il était grand, beau et un peu timide. Bill et moi sommes mariés aujourd'hui depuis vingt ans. Durant ces vingt ans, il a été interné trois fois en hôpital psychiatrique, sans compter les nombreuses fois où il s'y est fait soigner de sa propre initiative.

Quand sa maladie est cadrée, Bill est toujours l'homme aimant et sûr de lui dont je suis tombée amoureuse et que j'ai épousé. C'est un excellent dentiste, très apprécié et respecté par ses patients. C'est vrai, il a du mal à exercer longtemps dans le même cabinet, en particulier lorsqu'il est associé avec des confrères. Cela nous a obligés à déménager souvent à travers le pays, pour aller là où Bill pensait qu'on avait besoin de dentistes. Nos enfants ont changé quatre fois d'école, et ils en ont souffert.

Cela n'a pas été simple pour nos garçons, Terry et Mike, de grandir avec un père qui les encourageait sur le bord du terrain de base-ball un jour, et qui, le lendemain, n'arrêtait pas de dire n'importe quoi et se conduisait de manière déplacée avec des inconnus, ou se cloîtrait dans notre chambre et refusait d'en sortir pendant plusieurs jours.

Je sais que le taux de divorce chez les gens mariés à un maniaco-dépressif est très élevé. Bien souvent, je me suis dit que j'allais finir moi aussi par venir grossir les statistiques. Mais ma famille et ma foi en Dieu m'ont toujours poussée à tenir un jour de plus, puis encore un. Je dois garder à l'esprit que Bill est malade, et que la personne qui fait toutes ces choses insensées n'est pas vraiment lui, que c'est sa maladie qui prend le dessus.

Bill ne m'a jamais parlé de son problème avant nos fiançailles. Certaines de ses petites amies précédentes (dans un cas, sa fiancée) ont rompu avec lui en apprenant de quoi il souffrait. Bill m'a expliqué qu'il ne voulait pas me perdre de la même façon. Aucun membre de sa famille ne m'a prévenue, même pas sa sœur, dont j'étais pourtant devenue très proche. Mais on était en 1959 et le sujet des maladies mentales était encore assez tabou.

En toute honnêteté, je ne suis pas sûre que cela aurait changé quelque chose. Nous étions si jeunes quand nous nous sommes connus, et si amoureux, que j'aurais peut-être bien fermé les yeux si Bill m'avait parlé de sa maniaco-dépression à notre premier rendez-vous (à la fête de l'Ohio, si vous voulez le savoir). Bien sûr, j'ignorais alors ce que je sais aujourd'hui de cette terrible maladie, à quel point c'est parfois éprouvant pour les enfants et la famille. Je pense pourtant que j'aurais épousé Bill malgré tout, même en connaissance de cause, car c'était « le bon » pour moi. Mais, comme je l'ai dit à Bill, en plaisantant, à notre mariage : « À partir de maintenant, tu as intérêt à ne plus rien me cacher ! »

Le témoignage continuait, mais Madeleine ne lut pas plus loin. Elle froissa même les feuilles jusqu'à en faire une boule. Afin de s'assurer que Leonard ne les trouverait pas, elle les fourra dans une brique de lait vide et enfouit la brique au fond de la poubelle.

Sa colère était due à l'étroitesse d'esprit de Phyllida, mais aussi à la peur qu'elle n'ait raison. Un long été caniculaire avec Leonard dans son appartement non climatisé, suivi de deux mois dans leur logement de fonction à Pilgrim Lake, avait donné à Madeleine un bon aperçu de ce à quoi devait ressembler la vie d'une femme « mariée à la maniaco-dépression ». Au début, l'intensité dramatique de leur réconciliation avait éclipsé toute difficulté. C'était grisant de savoir que quelqu'un avait besoin de vous comme Leonard avait besoin de Madeleine. Cependant, tandis que l'été traînait en longueur sans que l'état de Leonard donne de signes d'amélioration – surtout après l'installation à Cape Cod, où il avait même semblé empirer –, Madeleine commença à étouffer. C'était comme si Leonard avait apporté son petit studio suffocant avec lui, comme si c'était là son monde affectif et que ceux qui voulaient partager sa vie devaient eux aussi rester confinés dans cette petite bulle de démence. Comme si, pour aimer pleinement Leonard, Madeleine devait errer dans la même forêt obscure que lui.

Il arrive un moment, quand on est perdu dans les bois, où on commence à s'y sentir chez soi. Plus Leonard se coupait des autres, plus il s'appuyait sur Madeleine, et plus il s'appuyait sur elle, plus elle le suivait volontiers. Elle cessa de jouer au tennis avec Greta Malkiel. Elle ne faisait même plus semblant de boire des verres avec les autres conjointes. Afin de punir Phyllida, elle refusa d'aller fêter Thanksgiving à Prettybrook. Leonard et elle dînèrent au réfectoire de Pilgrim Lake avec la poignée de gens restés sur place ce jeudi soir-là. Le reste du week-end, ils ne quittèrent pas l'appartement. Madeleine proposa une virée à Boston, mais Leonard ne voulait pas bouger.

Les longs mois d'hiver s'étiraient devant elle comme les dunes gelées au-dessus de Pilgrim Lake. Jour après jour, elle s'installait dans son fauteuil de bureau et essayait de travailler. Elle mangeait des cookies et des chips de maïs en espérant que cela lui donnerait l'énergie d'écrire, mais ces cochonneries la rendaient léthargique et elle finissait par s'endormir. Elle avait parfois l'impression d'être au bout du rouleau ; allongée sur le lit, elle se disait qu'elle n'était pas une personne si bonne que ça, qu'elle était finalement trop égoïste pour consacrer sa vie à s'occuper de quelqu'un. Elle s'imaginait rompant avec Leonard, s'installant à New York et trouvant un petit ami sportif qui soit simple et joyeux.

Enfin, quand elle fut vraiment au fond du trou, Madeleine craqua et raconta ses malheurs à sa mère. Phyllida l'écouta en faisant très peu de commentaires. Consciente que l'appel de Madeleine marquait un changement de démarche important, elle s'en tint à des murmures compatissants au téléphone, en se réjouissant du terrain gagné. Quand Madeleine abordait son avenir, les universités où elle envisageait de faire son troisième cycle, Phyllida discutait des différentes possibilités sans parler de Leonard. Elle ne demandait pas quels étaient les projets de celui-ci ni s'il aimerait s'installer à Chicago ou à New York. Dans sa bouche, il n'existait pas. Et Madeleine parlait elle-même de moins en moins de lui, elle essayait de voir ce que ça ferait s'il sortait de sa vie. Parfois elle avait l'impression de le trahir, mais, pour l'instant, ce n'étaient que des mots.

Puis, début décembre, avec une magie qui rappelait leurs

premiers jours ensemble, les choses commencèrent à changer. Le premier signe de diminution des effets secondaires de Leonard fut que ses mains cessèrent de trembler. Pendant la journée, il ne courait plus aux toilettes toutes les dix minutes, ni ne buvait de l'eau constamment. Ses chevilles paraissaient moins gonflées, et il avait meilleure haleine.

Du jour au lendemain, il se mit au sport. Il allait à la salle de gym, soulevait de la fonte et pédalait sur les vélos. Son humeur s'égaya. Il souriait à nouveau, plaisantait. Même dans ses mouvements il était plus vif, comme si ses membres ne lui semblaient plus aussi lourds.

Voir Leonard aller mieux était comme lire certains livres difficiles. C'était comme lorsqu'on avançait péniblement dans les derniers romans d'Henry James, ou dans les pages sur la réforme agraire d'*Anna Karénine*, et que, brusquement, ça redevenait captivant et ça continuait de s'améliorer, jusqu'à ce qu'on soit tellement emballé qu'on en venait presque à être *content* du passage ennuyeux précédent car il n'avait rendu la suite que plus délectable. Tout à coup, Leonard était à nouveau lui-même, extraverti, dynamique, charismatique, spontané. Un vendredi soir, il dit à Madeleine de mettre de vieux vêtements et des bottes en caoutchouc, et, muni d'un grand panier et de deux déplantoirs, il la conduisit sur la plage. C'était marée basse, le fond découvert de la mer brillait au clair de lune.

– Où est-ce que tu m'emmènes ? demanda-t-elle.

– On va se faire un plan Moïse, dit Leonard. Un plan mer Rouge.

Ils avancèrent en direction de l'eau, leurs bottes s'enfonçant dans la vase. Il régnait une forte odeur de poisson, d'humidité, de pourri : une odeur de limon originel. Pliés en deux, le visage au ras du sol, ils creusaient devant eux à droite et à gauche. Lorsque Madeleine se retourna vers la plage, elle eut un moment de frayeur en voyant la distance parcourue. En moins d'une demi-heure, le panier était plein.

– Depuis quand tu sais ramasser les huîtres dans le sable, toi ? demanda Madeleine.

– J'ai appris ça chez moi, dans l'Oregon, dit Leonard. Une grande région ostréicole, l'Oregon.

– Je croyais que tu avais passé ton temps à fumer de l'herbe, enfermé dans ta chambre.

– Je suis sorti prendre l'air une ou deux fois.

Lorsqu'ils eurent ramené le désormais lourd panier sur le rivage, Leonard annonça son intention d'organiser une grande dégustation. Il alla frapper aux portes et lança les invitations. L'appartement ne tarda pas à se remplir tandis que Leonard, installé devant l'évier, nettoyait et ouvrait les huîtres. Peu importait qu'il en mette partout ; le plancher de l'ancienne grange avait vu pire. Toute la soirée, des assiettes d'huîtres sortirent de la cuisine. Les gens gobaient les langues de chair opalescente à même la coquille en buvant de la bière. Vers minuit, alors qu'il y avait de moins en moins de monde, Leonard lança l'idée d'une virée au casino amérindien de Sagamore Beach. Des amateurs ? Quelqu'un était tenté par une petite partie de black-jack ? Il n'était pas si tard que ça. C'était vendredi soir ! Deux couples s'entassèrent à l'arrière de la Saab, les filles s'asseyant sur les genoux des garçons. Tandis que Madeleine s'engageait sur la highway 6, Leonard roula un joint sur l'abattant de la boîte à gants et expliqua les subtilités du comptage des cartes. « C'est un petit casino, il y a des chances pour que les croupiers n'utilisent qu'un seul jeu. C'est facile. » Les deux garçons, matheux obsessionnels, se plongèrent dans les détails arithmétiques. Arrivés au casino, ils étaient prêts à tenter le coup, et ils se dirigèrent vers des tables différentes.

Madeleine n'avait jamais mis les pieds dans un casino. Elle était un peu effrayée par la clientèle scotchée devant les machines à sous, des hommes blancs avec des casquettes de base-ball, des taches brunes sur la peau, des grosses en pantalon de jogging.

Pas un Amérindien en vue. Elle accompagna les deux autres conjointes au bar, où, au moins, les boissons n'étaient pas chères. Aux alentours de trois heures, les deux collègues de Leonard revinrent et racontèrent tous deux la même histoire. Ils avaient amassé quelques centaines de dollars avant que le croupier ne fausse leurs comptes en changeant de jeu, et ils avaient tout perdu. Leonard apparut peu de temps après, lui aussi l'air dépité, avant de sourire et de sortir mille cinq cents dollars de sa poche.

Il prétendit qu'il aurait pu gagner davantage si le croupier n'était pas devenu soupçonneux. Il avait appelé le chef de partie, qui, ayant regardé Leonard remporter encore quelques mains, lui avait suggéré d'arrêter avant que la chance ne tourne. Leonard avait compris le message, mais il n'en avait pas terminé pour la soirée. Dehors, sur le parking, il eut une nouvelle idée. « On ne va pas rentrer à Pilgrim Lake maintenant. Il est trop tard, on a trop bu. Allez, on a tout le week-end ! » Ni une ni deux, ils se retrouvèrent dans un hôtel de Boston. Leonard offrit à chaque couple une chambre double avec ses gains. L'après-midi suivant, ils se retrouvèrent au bar de l'hôtel, et la fête reprit. Ils allèrent dîner à Back Bay et firent ensuite la tournée des bars. Tirant des billets de sa liasse de moins en moins épaisse, Leonard donnait des pourboires, réglait les additions.

Quand Madeleine lui demanda s'il savait ce qu'il faisait, il répondit : « Cet argent, il faut le claquer. Combien de fois on pourra faire quelque chose comme ça dans notre vie ? Moi, je dis : "Allons-y gaiement." »

Le week-end devenait déjà légendaire. Les garçons scandaient : « Leonard ! Leonard ! » et se tapaient dans les mains. Dans l'hôtel, le room-service fonctionnait vingt-quatre heures sur vingt-quatre et les chambres disposaient d'un jacuzzi, d'un minibar et d'un lit vraiment immense. Le dimanche matin, les filles se plaignaient d'avoir du mal à marcher.

Madeleine n'était pas elle-même sans éprouver quelques courbatures. Lors de leur première nuit à l'hôtel, Leonard était sorti de la salle de bains, nu et souriant.

– Tu as vu ce truc ? dit-il en se regardant l'entrejambe. On pourrait y suspendre un manteau.

Et c'était vrai. Si on cherchait une preuve que Leonard allait mieux, on ne pouvait en trouver de plus tangible. Il était à nouveau opérationnel. « Je rattrape le temps perdu », dit-il après avoir fait l'amour à Madeleine pour la troisième fois. C'était certes agréable – enfin, après trois mois d'abstinence, on s'occupait d'elle correctement –, mais Madeleine s'aperçut que le réveil indiquait à présent 10:08. Dehors, il faisait grand jour. Elle embrassa Leonard et le supplia de lui accorder un peu de sommeil.

Il la laissa dormir, mais, dès qu'elle se réveilla, il eut à nouveau envie d'elle. Il ne cessait de s'émerveiller devant la beauté de son corps. Il demeura insatiable tout ce week-end-là mais aussi les semaines suivantes. Madeleine avait toujours pensé qu'entre Leonard et elle, sexuellement, c'était formidable, mais, à son grand étonnement, cela s'améliora encore ; cela devint plus intense, à la fois physiquement et émotionnelle-ment. Et plus bruyant. Ils se disaient maintenant des choses. Ils gardaient les yeux ouverts et laissaient la lumière allumée. Leonard demandait à Madeleine ce qu'elle voulait qu'il fasse et, pour la première fois de sa vie, elle n'était pas trop inhibée pour répondre.

Un soir à Pilgrim Lake, Leonard demanda :

– C'est quoi, ton fantasme sexuel le plus secret ?

– Je ne sais pas.

– Allez, vas-y. Dis.

– Je n'en ai pas.

– Tu veux connaître le mien ?

– Non.

– Alors dis-moi le tien.

Pour l'apaiser, Madeleine réfléchit un moment.

– Ça va te sembler bizarre, mais ce serait qu'on me bichonne, je crois.

– Qu'on te bichonne ?

– Oui, comme chez le coiffeur, qu'on s'occupe complètement de moi, qu'on me lave les cheveux, qu'on me fasse un soin du visage, une pédicure, un massage, et puis, tu vois, de fil en aiguille…

– Je n'aurais jamais vu ça comme un fantasme, avoua Leonard.

– Je te l'ai dit, c'est stupide.

– Attends, c'est ton *fantasme*. Rien n'est stupide en la matière.

Et, sans plus attendre, il s'employa à le réaliser. Malgré les protestations de Madeleine, il installa dans la chambre une chaise du séjour, puis il fit couler un bain. Sous l'évier il trouva deux bougies, les apporta dans la salle de bains et les alluma. S'attachant les cheveux en arrière et remontant ses manches, il s'approcha d'elle comme d'une cliente. Prenant ce qu'il imaginait sans doute être une voix de coiffeur – une voix de coiffeur hétéro –, il dit : « Mademoiselle ? Votre bain est prêt. »

Madeleine avait envie de rire, mais Leonard resta sérieux et l'emmena dans la salle de bains éclairée à la bougie. Il tourna le dos, en professionnel courtois, le temps qu'elle se déshabille et entre dans l'eau chaude parfumée, puis il s'agenouilla à côté de la baignoire et, à l'aide d'un bol, commença à lui mouiller les cheveux. À présent, Madeleine s'était prise au jeu. Elle imaginait que les mains de Leonard étaient celles d'un bel inconnu. Deux fois exactement, elles s'aventurèrent sur le côté de ses seins, comme pour tester les limites de la décence. Madeleine pensait que Leonard irait plus loin. Elle pensait qu'il allait finir par la rejoindre dans le bain, mais il disparut et revint avec un peignoir en éponge, dans lequel il l'enveloppa pour la conduire jusqu'à la chaise de la chambre. L'y ayant assise en lui surélevant les pieds, il lui plaça une serviette chaude sur le visage et, longuement (une heure, lui sembla-t-il, mais plus probablement une vingtaine de minutes), il la massa. Des épaules il passa directement aux pieds, puis il remonta, mollets, cuisses. Il s'arrêta juste avant « l'endroit fatidique » et passa alors aux bras. Enfin, écartant le haut du peignoir et avec plus de fermeté, plus d'autorité, il lui enduisit le ventre et la poitrine de lait hydratant.

Elle avait encore la serviette sur les yeux lorsque Leonard la souleva de la chaise et la déposa sur le lit. Elle se sentait à présent totalement propre, totalement désirable. Le lait hydratant sentait l'abricot. Quand Leonard, à présent nu lui-même, défit la ceinture du peignoir de Madeleine et l'ouvrit, quand il la pénétra lentement, c'était lui sans être lui. C'était à la fois, réunis en une seule personne, son petit ami rassurant et un inconnu qui prenait possession d'elle.

Elle redoutait de demander à Leonard quel était son fantasme secret à lui, mais, dans un souci d'équité, un ou deux jours plus tard, elle posa la question. Le fantasme de Leonard était l'inverse du sien. Il voulait une fille endormie, une Belle au bois dormant. Elle ferait semblant de dormir pendant qu'il s'introduirait dans sa chambre puis dans son lit. Inerte, toute chaude de la chaleur des draps, elle se laisserait retirer sa chemise de nuit et ne se réveillerait complètement qu'une fois Leonard en elle. Il était tellement excité lorsqu'ils en furent là que ce qu'elle faisait ne semblait plus avoir d'importance.

— Ça va, c'était facile, dit-elle ensuite.

— Tu t'en es bien sortie. J'aurais pu aimer les rapports maître-esclave.

— C'est vrai.

— J'aurais pu être branché lavements.

— Je t'en prie !

L'esprit d'exploration qui prévalait à présent dans leur chambre influença fortement Madeleine. À tel point que, quelque temps plus tard, un soir où Leonard voulait répéter le scénario du coiffeur, elle avoua qu'en réalité se faire bichonner n'était pas son vrai fantasme secret. Son fantasme secret *secret*, elle ne l'avait jamais confié à personne et avait elle-même du mal à l'assumer, était le suivant : chaque fois que Madeleine se masturbait (en soi, un sujet délicat), elle s'imaginait petite fille, recevant la fessée. Elle ignorait pourquoi. Elle ne se rappelait pas avoir reçu de fessées petite. Le châtiment corporel ne faisait pas partie des méthodes éducatives de ses parents. Et elle ne fantasmait pas vraiment là-dessus – elle ne voulait pas que Leonard lui donne la fessée –, mais, allez savoir pourquoi, s'imaginer en petite fille recevant la fessée l'avait toujours aidée à atteindre l'orgasme lorsqu'elle se touchait.

Telle était donc la chose la plus honteuse qu'elle pouvait avouer à quelqu'un. Une bizarrerie personnelle dont elle se sentait coupable bien que n'y pouvant rien, et à laquelle elle évitait de trop réfléchir car ça la perturbait.

Leonard ne voyait pas les choses sous cet angle. Il savait comment utiliser cette information. D'abord, il alla dans la cuisine et servit à Madeleine un grand verre de vin, qu'il lui fit boire. Ensuite, il la déshabilla, la coucha sur le ventre et commença à lui faire l'amour. Et, tout en continuant, il lui donna des claques sur les fesses. Elle trouva ça horrible. Elle lui dit d'arrêter, que ça ne lui plaisait pas, qu'elle y pensait simplement de temps en temps ; elle ne voulait pas que ça arrive en vrai. Arrête ! Arrête tout de suite ! Mais Leonard n'arrêta pas. Il la bloqua de son poids sur le lit et continua de frapper. Il frappa en enfonçant ses doigts en elle. Furieuse, elle essaya de se redresser, et c'est alors que le déclic se produisit. Une barrière en elle céda. Madeleine oublia qui elle était, ce qu'elle aimait. Elle se mit simplement à gémir, le visage écrasé contre l'oreiller, et lorsqu'elle finit par jouir ce fut plus violent que jamais, et elle cria. Plusieurs minutes après, elle était encore secouée de spasmes.

Elle ne le laissa pas recommencer. Cela ne devint pas une

habitude. Chaque fois qu'elle y repensait, elle était mortifiée, mais l'idée que cela puisse se reproduire serait désormais toujours là. Que Leonard prenne ainsi les choses en main, sans l'écouter, qu'il fasse ce qu'il voulait en la forçant à accepter ses désirs les plus profonds – il y aurait désormais toujours ça entre eux.

Ils revinrent ensuite à des rapports sexuels plus conventionnels, que ce petit écart rendit encore meilleurs. Ils le faisaient plusieurs fois par jour, dans toutes les pièces de l'appartement (la chambre, le séjour, la cuisine). Ils le firent dans la Saab, moteur tournant. De la bonne vieille baise sans fioritures, telle que le Créateur l'a conçue. Tandis que ses kilos fondaient, Leonard redevenait mince. Il avait une telle énergie, il faisait deux heures de gym d'affilée à la salle. Madeleine aimait ses nouveaux muscles. Et ce n'était pas tout. Un soir, elle approcha ses lèvres de son oreille et dit, comme si elle le découvrait : « Qu'est-ce qu'elle est grosse ! » Et c'était vrai. M. Gumby était loin. Le sexe de Leonard remplissait Madeleine d'une manière plus que satisfaisante, époustouflante même. Elle ressentait chaque millimètre de mouvement, entrant ou sortant, à l'intérieur d'elle. Elle avait envie de lui tout le temps. Les pénis de ses petits amis précédents ne l'avaient pas particulièrement marquée, à vrai dire elle n'y avait pas fait très attention, mais elle manifestait un grand intérêt pour celui de Leonard, c'était comme une troisième personne dans le lit. Elle se surprenait parfois à le soupeser, songeuse, dans sa main. Tout n'était donc qu'une question de physique, en fin de compte ? C'était ça, l'amour ? Comme la vie était injuste. Madeleine plaignait tous les hommes qui n'étaient pas Leonard.

D'une manière générale, l'amélioration rapide, sur à peu près tous les plans, dans son couple avec Leonard aurait suffi à expliquer pourquoi Madeleine accepta sa soudaine demande en mariage au mois de décembre de cette année-là. Mais c'est plus une conjonction d'éléments qui la poussa à franchir le pas, à commencer par le dévouement avec lequel il l'aida à préparer ses demandes de troisième cycle. Ayant décidé de tenter à nouveau sa chance, Madeleine était confrontée au choix de repasser ou non le GRE. Leonard l'encouragea à le faire et l'aida à réviser les maths et la logique. Il relut son nouvel échantillon critique (l'article qu'elle devait soumettre à la *Janeite Review*) en soulignant les passages où son argumentation était faible. Le soir précédant la date limite d'envoi des dossiers, c'est lui qui tapa la présentation biographique et écrivit les adresses sur les enveloppes. Et le lendemain, après avoir déposé avec elle les dossiers à la poste de Provincetown, il jeta Madeleine sur le lit, lui ôta sa culotte et entreprit un cunnilingus passionné, malgré ses protestations selon lesquelles elle avait besoin d'une douche. Elle se débattit pour se libérer mais il la tint fermement et lui répéta combien c'était délicieux jusqu'à ce qu'elle le croie. Elle se détendit d'une manière profonde qui était moins sexuelle qu'existentielle. Ç'avait donc fini par arriver : Leonard était synonyme de relaxation maximale.

Quelques jours plus tard, il lui fit sa demande, et elle accepta.

Elle guetta le moment où elle se dirait que c'était une erreur. Pendant un mois, ils n'en parlèrent à personne. Pour Noël, elle l'emmena chez elle à Prettybrook, mettant ses parents au défi de ne pas l'aimer. Noël était toujours un événement grandiose chez les Hanna. Ils avaient non pas un mais trois sapins, décorés dans trois thèmes différents, et donnaient chaque année une réception pour cent cinquante personnes. Leonard affronta ces festivités avec assurance. Il bavarda avec les amis d'Alton et de Phyllida, participa aux chants de Noël et fit globalement bonne impression. Les jours suivants, il se montra capable de regarder des matchs de football américain avec Alton et, étant fils d'antiquaire, de dire des choses intelligentes sur les lithographies de Thomas Fairland dans la bibliothèque. Le lendemain de Noël, alors qu'il venait de neiger, il sortit de bon matin, muni d'une pelle et coiffé de sa casquette de chasse un peu ridicule, pour dégager les allées du jardin et le trottoir. Chaque fois que Phyllida emmenait Leonard à l'écart, Madeleine s'inquiétait, mais tout avait l'air de bien se passer. Le fait qu'il ait perdu dix kilos depuis octobre et soit d'une indiscutable beauté n'avait pu échapper à Phyllida. Madeleine, qui ne voulait pas tenter le diable, veilla cependant à ce que le séjour reste court, et ils repartirent au bout de trois jours, fêtant le nouvel an à New York avant de rentrer à Pilgrim Lake.

Deux semaines plus tard, Madeleine appelait pour annoncer ses fiançailles.

Manifestement pris au dépourvu, Alton et Phyllida ne surent comment réagir. Ils avaient l'air très surpris et ne s'attardèrent pas au téléphone. Quelques jours après, la campagne épistolaire débuta. Deux lettres manuscrites distinctes arrivèrent de la part d'Alton et de Phyllida, mettant en doute le bien-fondé de se mettre un « fil à la patte » de manière aussi précipitée. Madeleine répondit à ces courriers, ce qui en appela de nouveaux. Dans sa deuxième lettre, Phyllida fut plus explicite et la mit à nouveau en garde contre les dangers d'épouser un maniaco-dépressif. Alton répéta ce qu'il avait dit dans sa première lettre, en insistant sur l'importance d'un contrat prénuptial pour protéger les « futurs intérêts » de Madeleine. Cette dernière ne répondit pas, et, quelques jours plus tard, une troisième lettre d'Alton arriva, où il reformulait sa position en des termes moins juridiques. Ces lettres ne réussissaient qu'à exprimer la frustration de ses parents, impuissants comme une dictature isolée se livrant à des tentatives d'intimidation sans avoir les moyens de mettre ses menaces à exécution.

Ils abattirent leur dernière carte en mandatant un intermédiaire. Alwyn appela depuis Beverly.

— Alors, il paraît que tu es fiancée ? dit-elle.

— Tu m'appelles pour me féliciter ?

— Félicitations. Maman est folle de rage.

– Ça, c'est grâce à toi, dit Madeleine.

– Elle l'aurait su tôt ou tard.

– Non, pas forcément.

– En tout cas, maintenant elle le sait.

En fond sonore, Madeleine entendait Richard pleurer.

– Elle n'arrête pas de m'appeler pour me demander de te « faire entendre raison ».

– C'est pour ça que tu m'appelles ?

– Non. Je lui ai dit que si tu veux l'épouser, ça ne regarde que toi.

– Merci.

– Tu m'en veux toujours pour les médocs ?

– Oui. Mais ça me passera.

– Tu es sûre de vouloir l'épouser ?

– Oui aussi.

– Bon, très bien. Libre à toi de foutre ta vie en l'air.

– Eh, c'est vache, ça !

– Je plaisante.

La reddition officielle de ses parents, en février, ne fit que déclencher d'autres conflits. Quand Alton et Madeleine eurent cessé de se disputer à propos du contrat prénuptial – un tel document, par sa nature même, n'invalidait-il pas la confiance nécessaire à la longévité d'un couple ? –, une fois le document rédigé par Roger Pyle, l'avocat new-yorkais d'Alton, et signé par les deux parties, Phyllida et Madeleine se mirent à se quereller à propos du mariage lui-même. Madeleine voulait quelque chose de simple et d'intime. Phyllida, soucieuse des apparences, voulait le genre de grand mariage qui aurait eu lieu si Madeleine avait épousé quelqu'un de plus indiqué. Elle suggéra qu'on organise une cérémonie de mariage traditionnelle à l'église de leur paroisse, Trinity Episcopal, suivie d'une réception à la maison. Madeleine refusa. Alton proposa alors une cérémonie informelle au Century Club, à New York. Madeleine accepta du bout des lèvres. Mais, une semaine avant de lancer les invitations, Madeleine et Leonard découvrirent par hasard une vieille église de marins à la périphérie de Provincetown. Et ce fut là, dans ce lieu morne et désolé, au bout d'une péninsule déserte, un cadre digne d'un film de Bergman, qu'ils se marièrent. Les amis les plus fidèles d'Alton et de Phyllida firent le déplacement depuis Prettybrook jusqu'au cap. Les oncles, tantes, cousins et cousines de Madeleine étaient là, ainsi qu'Alwyn, Blake et Richard. Du côté de Leonard, il y avait son père, sa mère et sa sœur, tous les trois bien plus sympathiques qu'il ne les avait décrits. La majorité des quarante-six invités étaient des copains de fac des mariés, et ils traitèrent la cérémonie moins comme un rite religieux que comme une occasion de faire la fête.

Au dîner de répétition, Kelly Traub, dont les grands-parents étaient originaires de Riga, chanta une chanson d'amour lettonne, accompagnée au kokle par Leonard. Il prononça quelques mots très sobres au repas de noces, en glissant une allusion tellement discrète à sa dépression nerveuse que seuls ceux qui étaient au courant la saisirent, et en remerciant Madeleine, son « ange de bonté victorien ». À minuit, après s'être mis en tenue de voyage, ils se rendirent en limousine au Four Seasons de Boston, où ils s'endormirent aussitôt. Le lendemain après-midi, ils s'envolaient pour l'Europe.

Avec le recul, Madeleine se disait qu'elle aurait peut-être perçu les signes avant-coureurs plus vite si elle n'avait pas été en voyage de noces. Elle était tellement excitée d'être à Paris, au cœur du printemps, que, pendant la première semaine, tout sembla parfait. Ils descendirent au même hôtel que Phyllida et Alton pour leur voyage de noces à eux, un trois étoiles défraîchi, avec pour personnel des serveurs chenus portant leurs plateaux à des angles précaires. C'était en revanche un hôtel typiquement français (Leonard assura avoir vu une souris coiffée d'un béret). Aucun autre Américain n'y logeait, et il donnait sur le Jardin des Plantes. Leonard n'était jamais venu en Europe. Madeleine était contente de lui faire découvrir les lieux, d'en savoir plus que lui sur un sujet.

Les restaurants le rendaient nerveux.

– On a quatre serveurs différents qui s'occupent de notre table, dit-il lors de leur troisième soirée à Paris, alors qu'ils dînaient dans un restaurant avec vue sur la Seine. Quatre, j'ai compté. Il y en a un rien que pour ramasser les miettes de pain.

Dans son médiocre français de lycée, Madeleine commanda pour tous les deux. En entrée, il y avait de la vichyssoise.

Après avoir goûté, Leonard dit :

– J'imagine que c'est froid exprès.

– Oui.

Il hocha la tête.

– De la soupe froide. Intéressant comme concept.

Ce dîner incarnait tout ce que voulait Madeleine pour son voyage de noces. Leonard était si beau dans son costume de mariage. Madeleine elle aussi se sentait belle, bras et épaules nus, ses cheveux épais pesant sur sa nuque. Ni l'un ni l'autre ne serait jamais plus proche de la perfection physique qu'ils ne l'étaient à présent. Ils avaient toute leur vie commune devant eux, elle s'étendait comme les lumières le long du fleuve. Madeleine s'imaginait déjà racontant cette histoire à leurs enfants, l'histoire du « premier jour où papa a mangé de la soupe froide ». Le vin lui montait à la tête, elle faillit penser tout haut. Elle n'était pas prête pour les enfants ! Et pourtant elle y pensait déjà.

Ils passèrent les jours suivants à visiter la ville. Madeleine fut surprise de constater que Leonard était moins intéressé par les musées et les églises que par les vitrines des magasins. Il s'arrêta plusieurs fois sur les Champs-Élysées afin d'admirer des choses pour lesquelles il n'avait jamais montré d'intérêt auparavant – costumes, chemises, boutons de manchettes, cravates

Hermès. Alors qu'ils se promenaient dans les petites rues du Marais, il s'immobilisa devant chez un tailleur. Dans la vitrine légèrement poussiéreuse se trouvait un mannequin sans tête, et, sur le mannequin, une cape d'opéra noire. Leonard entra pour la voir.

— C'est vraiment magnifique, dit-il en examinant la doublure de satin.

— C'est une *cape*, dit Madeleine.

— Tu ne trouveras jamais rien de pareil aux States.

Et il l'acheta, dépensant une part bien trop grande (selon Madeleine) de son dernier mois de salaire à Pilgrim Lake. Le tailleur emballa le vêtement et le mit dans une boîte, avec laquelle Leonard ressortit du magasin. Cette cape était un curieux achat, certes, mais ce n'était pas le premier souvenir étrange que quelqu'un ramènerait de Paris. Madeleine cessa vite d'y penser.

Cette nuit-là, un orage passa sur la ville. Vers deux heures du matin, ils furent réveillés par de l'eau tombant du plafond au-dessus du lit. La réception leur envoya un groom qui, sans s'excuser, leur donna un seau et leur promit vaguement qu'un « spécialiste » viendrait dans la matinée. En plaçant le seau à un certain endroit, et en se mettant tête-bêche, Madeleine et Leonard trouvèrent une position dans laquelle ils réussirent à rester au sec, même si le bruit des gouttes les empêcha de dormir.

— C'est notre premier déboire conjugal, dit doucement Leonard dans le noir. On s'en sort bien. On fait face.

Ce n'est que lorsqu'ils eurent quitté Paris que les premiers vrais problèmes apparurent. À la gare de Lyon, ils prirent un train de nuit pour Marseille, voyageant dans un romantique compartiment-couchettes qui rendait tout romantisme impossible. Avec son désordre, son danger ambiant et sa population bigarrée, Marseille avait l'air d'une ville américaine, ou, disons, moins française. Il y régnait une atmosphère araboméditerranéenne ; l'air sentait le poisson, l'huile de vidange et la verveine. Des femmes avec des foulards autour de la tête s'adressaient en criant à des ribambelles d'enfants à la peau basanée. Au zinc d'un bar, la première nuit, il était plus de deux heures du matin, Leonard se lia instantanément d'amitié avec un groupe de Marocains qui portaient des maillots de foot et des jeans bon marché. Madeleine était épuisée, elle voulait rentrer à l'hôtel, mais Leonard insista pour qu'ils prennent un café-cognac. Il commençait à apprendre des mots de français, qu'il utilisait de temps en temps comme s'il était bilingue. Lorsqu'il apprenait un terme argotique ou familier (*branché*, par exemple), il le répétait à Madeleine comme si c'était lui qui parlait la langue. Il la corrigeait sur sa prononciation. Au début, elle crut qu'il plaisantait, mais cela ne semblait pas être le cas.

À Marseille, ils reprirent le train et longèrent la côte en direction de l'est. Quand le serveur du wagon-restaurant arriva à leur hauteur, Leonard voulut à tout prix commander en français. Il y parvint tant bien que mal, mais sa prononciation était atroce. Madeleine répéta la commande au serveur. Quand elle eut terminé, Leonard la regardait d'un air furieux.

– Quoi ?

– Pourquoi tu as commandé pour moi ?

– Parce que le serveur ne t'a pas compris.

– Il m'a très bien compris, rétorqua Leonard.

C'était le soir lorsqu'ils arrivèrent à Nice. Après s'être installés à leur hôtel, ils sortirent dîner dans un petit restaurant de la rue. Pendant tout le repas, Leonard s'appliqua à rester distant. Il força sur la cuvée du patron. Ses yeux brillaient chaque fois que la jeune serveuse venait à leur table. Madeleine et Leonard mangèrent sans presque rien se dire, comme un couple marié depuis vingt ans. De retour à l'hôtel, Madeleine alla faire pipi dans les toilettes communes sur le palier. Ça sentait très mauvais. Assise sur le siège, elle lut un avertissement écrit en français et qui recommandait de ne jeter aucune sorte de papier dans la cuvette. En tournant la tête, elle localisa la source de l'odeur : la poubelle débordait de papier hygiénique usagé.

Prise de haut-le-cœur, elle regagna la chambre en courant.

– Quelle horreur ! s'écria-t-elle. Ces toilettes sont immondes !

– Arrête de faire ta princesse.

– Vas-y ! Tu vas voir.

Leonard s'y rendit calmement muni de sa brosse à dents et en revint, imperturbable.

– Il faut qu'on change d'hôtel, dit Madeleine.

Leonard eut un petit sourire narquois. Le regard vitreux, il dit d'une voix guindée :

– La princesse de Prettybrook est horrifiée !

Dès qu'ils furent couchés, Leonard saisit Madeleine par les hanches et la retourna sur le ventre. Elle savait qu'il ne fallait pas le laisser faire après la façon dont il l'avait traitée toute la soirée. En même temps, elle était si triste de ne pas se sentir désirée que le fait qu'il la touche fut pour elle un immense soulagement. Elle concluait là un pacte terrible, un pacte qui risquait d'avoir des conséquences sur toute sa vie d'épouse. Mais elle ne put dire non. Elle laissa Leonard la retourner et la prendre, sans tendresse, par-derrière. Elle n'était pas prête et, au début, ce fut douloureux. Leonard ne s'en soucia pas et poursuivit ses coups de reins aveugles. Elle aurait pu être n'importe qui. Quand ce fut terminé, elle se mit à pleurer, doucement au début, puis moins doucement. Elle voulait que Leonard l'entende. Mais il dormait déjà, ou faisait semblant de dormir.

Lorsqu'elle se réveilla le lendemain matin, Leonard n'était pas dans la chambre. Madeleine avait envie d'appeler sa mère, mais c'était le milieu de la nuit sur la côte Est. Et se plaindre du comportement de Leonard était dangereux. Elle ne pourrait jamais effacer de telles confidences. Au lieu de cela, elle se leva et fouilla la trousse de toilette de Leonard à la recherche de ses comprimés. Un flacon était à moitié vide. Leonard en avait emporté deux – il avait renouvelé son ordonnance avant le mariage – afin de ne pas tomber en panne pendant leur voyage en Europe.

Rassurée, ayant vu qu'il prenait bien ses médicaments, Madeleine s'assit sur le bord du lit et se demanda comment gérer la situation.

La porte s'ouvrit et Leonard entra en coup de vent. Il était rayonnant, il se comportait comme si de rien n'était.

– Je nous ai trouvé un autre hôtel, dit-il. Bien mieux. Il va te plaire.

La tentation de fermer les yeux sur ce qui s'était passé la veille était grande, mais Madeleine ne voulait pas créer un mauvais précédent. Le poids du mariage se fit sentir sur elle pour la première fois. Elle ne pouvait plus jeter un livre à la figure de Leonard et partir, comme avant.

– Il faut qu'on parle, dit-elle.

– D'accord, dit Leonard. Au petit-déjeuner ?

– Non. Maintenant.

– D'accord, dit-il à nouveau, en se radoucissant un peu.

Il chercha des yeux un endroit où s'asseoir, mais, n'en trouvant pas, il resta debout.

– Tu as été odieux avec moi hier, dit Madeleine. D'abord tu t'es énervé quand j'ai commandé pour toi, et le soir, au dîner, tu as fait comme si je n'étais pas là. Tu n'as pas arrêté de flirter avec la serveuse...

– Je n'ai pas flirté avec la serveuse.

– Si ! Tu as flirté avec elle. Ensuite, on est revenus ici et tu... tu... tu m'as traitée comme si j'étais un morceau de viande !

Dire ces mots la fit fondre en larmes à nouveau. Elle détestait la voix aiguë de petite fille qu'elle avait prise mais c'était incontrôlable.

– On aurait dit que tu étais... avec la serveuse !

– Cette serveuse ne m'intéresse pas, Madeleine. C'est avec toi que je veux être. Je t'aime. Je t'adore.

C'était exactement ce que Madeleine voulait entendre. Son intelligence lui disait de se méfier, mais une autre partie d'elle-même, une partie plus faible, était remplie de bonheur.

– Je ne veux plus jamais que tu me traites comme ça, dit-elle, encore secouée de sanglots.

– Promis. Je ne recommencerai pas.

– Si tu refais ça une seule fois, c'est fini.

Il la prit dans ses bras et enfouit son visage dans ses cheveux.

– Ça ne se reproduira pas, murmura-t-il. Je t'aime. Je te demande pardon.

Ils allèrent prendre le petit-déjeuner dans un café. Leonard se montra très prévenant : il l'aida à s'asseoir, lui acheta un *Paris Match* à la caisse, lui proposa une brioche dans le panier des viennoiseries.

Les deux jours suivants se passèrent bien. Le temps à Nice était couvert, la plage pleine de galets. Décidée à profiter pleinement de son régime prémariage, Madeleine avait apporté un maillot de bain deux pièces, sage selon les critères de la Côte d'Azur mais osé pour elle. Il faisait cependant un peu trop froid pour se baigner. Ils n'utilisèrent les transats réservés aux clients de leur hôtel qu'une seule fois, une ou deux heures, avant que des nuages de pluie ne les forcent à rentrer.

Leonard restait attentionné, gentil, et Madeleine espéra qu'ils ne se disputeraient plus.

Ils avaient prévu de passer leurs deux derniers jours à Monaco, avant de rentrer à Paris en train pour y reprendre l'avion. Une fin d'après-midi, sous un ciel dégagé – c'était la première journée vraiment agréable et ensoleillée de leur voyage –, ils montèrent à bord du train pour les vingt minutes de trajet. En un instant, ils laissèrent les cyprès et les criques miroitantes pour entrer dans l'enceinte richissime et surchargée de bâtiments de Monte-Carlo.

Un taxi Mercedes les conduisit à leur hôtel, perché sur une corniche au-dessus du port.

Le réceptionniste, qui portait une lavallière, leur dit qu'ils tombaient à une bonne période. Le Grand Prix commençait la semaine suivante et toutes les chambres étaient réservées, alors qu'à présent c'était relativement calme, parfait pour un couple en voyage de noces.

— Grace Kelly est dans le coin ? demanda Leonard, d'une manière complètement inattendue.

Madeleine se tourna vers lui. Il affichait un grand sourire et avait à nouveau le regard vitreux.

— La princesse nous a quittés l'an dernier, monsieur, répondit le réceptionniste.

— J'avais oublié, dit Leonard. Toutes mes condoléances, à vous et à vos compatriotes.

— Merci, monsieur.

— Ce n'est quand même pas un vrai pays, ici, n'est-ce pas ?

— Pardon, monsieur ?

— Ce n'est pas un royaume. Ce n'est qu'une principauté.

— Nous sommes une nation indépendante, monsieur, dit le réceptionniste en se raidissant.

— Parce que je me demandais ce que Grace Kelly savait de Monaco quand elle a épousé le prince Rainier. C'est vrai, elle devait penser qu'il dirigeait un vrai pays.

Le visage du réceptionniste était à présent impassible. Il leur tendit leur clef.

— Madame, monsieur, je vous souhaite un agréable séjour.

Dès qu'ils furent dans l'ascenseur, Madeleine dit :

— Qu'est-ce qui t'a pris ?

— Quoi ?

— C'était totalement déplacé !

— Je le taquinais, dit Leonard avec son sourire farceur. Tu as déjà vu les images du mariage de Grace Kelly ? Le prince Rainier est en uniforme militaire, comme s'il avait un grand royaume à défendre. Et en arrivant ici, tu te rends compte que tout le pays tiendrait à l'intérieur du Superdome. C'est un décor de cinéma. Pas étonnant qu'il ait épousé une actrice.

– J'étais morte de honte !

– Tu sais ce qui est ridicule, aussi ? poursuivit-il comme s'il ne l'avait pas entendue. Cette façon qu'ils ont de se faire appeler des Monégasques. Il a fallu qu'ils se trouvent un nom compliqué parce qu'ils ont un pays tout riquiqui.

Il entra d'un pas décidé dans la chambre, jeta sa valise sur le lit puis sortit sur le balcon. Quelques secondes après, il rentra.

– Tu veux du champagne ? dit-il.

– Non, répondit Madeleine.

Il s'approcha du téléphone et appela le room-service. Sa conduite n'avait rien d'extraordinaire. Les qualités dont il faisait preuve – extraversion, vitalité, audace – étaient celles qui avaient attiré Madeleine en lui au début, à ceci près qu'à présent elles étaient amplifiées, déformées comme le son d'une stéréo dont on a trop monté le volume.

Lorsque le champagne arriva, Leonard dit au garçon de le poser sur le balcon.

Madeleine l'y rejoignit pour lui parler.

– Depuis quand tu aimes le champagne ? demanda-t-elle.

– Depuis que je suis à Monte-Carlo.

Il indiqua une direction du doigt.

– Tu vois ce bâtiment, là-bas ? Il me semble que c'est le casino. On y a tourné un James Bond, j'ai oublié lequel. On devrait peut-être aller y faire un tour après dîner.

– Leonard ? dit Madeleine d'une voix douce. Mon chéri ? Si je te pose une question, tu me promets de ne pas mal le prendre ?

– Quoi ? dit-il, l'air déjà agacé.

– Tout va bien ?

– Au poil.

– Tu n'oublies pas tes comprimés ?

– Bien sûr que non. D'ailleurs…

Il alla chercher son flacon de lithium dans sa valise et revint avec.

– … c'est l'heure que j'en prenne un.

Fourrant un comprimé dans sa bouche, il l'avala avec une nouvelle rasade de champagne.

– Tu vois, tout est au poil.

– Ce n'est pas une expression à toi, ça, « au poil ».

– La preuve que si.

Il rit.

– Tu devrais peut-être appeler ton médecin. Ne serait-ce que pour donner de tes nouvelles.

– Qui, Perlmann ? dit Leonard avec mépris. C'est lui qui devrait m'appeler. Je pourrais lui donner des leçons, à ce charlot.

– Qu'est-ce que tu racontes ?

– Rien, grommela-t-il en regardant le port rempli de yachts au loin. Simplement que je suis en train de faire des découvertes dont un type comme Perlmann n'est même pas capable de concevoir l'idée.

À partir de là, les choses allèrent de mal en pis. Après avoir terminé la bouteille de champagne qu'il avait bue presque entièrement tout seul, Leonard voulut en commander une autre. Quand Madeleine s'y opposa, il s'énerva et descendit au bar, où il se mit à offrir des verres aux autres clients, un groupe de banquiers suisses et leurs petites amies. Rejoint une heure plus tard par Madeleine, partie à sa recherche, il fit comme s'il était ravi de la voir. Il la serra dans ses bras, l'embrassa – il en rajouta beaucoup.

– Je vous présente la femme ravissante que je viens d'épouser, dit-il.

Puis, désignant les banquiers :

– Je te présente Till et Heinrich. Quant à ces demoiselles, leurs noms m'échappent, mais je ne suis pas près d'oublier leurs jolis minois. Till et Heinrich connaissent un excellent restaurant où ils vont nous emmener. Le meilleur de la ville, pas vrai, Till ?

– On y mange très bien, confirma le Suisse. C'est un secret local.

– Parfait. Parce que je n'ai pas envie de me retrouver dans un nid à touristes américains, vous voyez ce que je veux dire. Ou alors on va directement au casino. On peut manger au casino ?

Ces Européens avaient-ils conscience de la bizarrerie de sa conduite ou voyaient-ils en sa familiarité excessive une particularité américaine ? En tout cas, il avait l'air de les amuser.

Madeleine fit alors une chose qu'elle regretta. Au lieu d'emmener Leonard voir un médecin (mais comment s'y serait-elle prise ?), elle remonta dans la chambre. Prenant le flacon de lithium de Leonard là où il l'avait laissé, elle demanda au standard de l'hôtel de lui appeler un numéro aux États-Unis, celui du Dr Perlmann, inscrit sur l'étiquette. Perlmann n'était pas dans son bureau, mais lorsque Madeleine expliqua que c'était une urgence, la secrétaire nota le numéro de l'hôtel et promit que le Dr Perlmann la rappellerait tout de suite.

Ayant attendu en vain pendant un quart d'heure, Madeleine redescendit au bar, mais Leonard et les banquiers suisses n'y étaient plus. Elle alla voir au restaurant de l'hôtel et sur la terrasse : rien. De plus en plus inquiète, elle retourna à la chambre et s'aperçut que Leonard y était passé pendant son absence. Sa valise était ouverte et il y avait des vêtements jetés par terre. Il n'avait pas laissé de mot. À ce moment-là, le téléphone sonna. C'était Perlmann.

En une longue rafale de mots, Madeleine lui raconta tout ce qui s'était passé.

– Bon, j'aimerais que vous vous calmiez, dit Perlmann. Vous allez y arriver ? Je sens beaucoup d'angoisse dans votre voix. Je peux vous aider, mais il faut que vous vous calmiez, d'accord ?

Madeleine se reprit.

– D'accord.

– Bon, avez-vous une idée de l'endroit où Leonard a pu aller ?
Elle réfléchit un instant.

– Au casino. Il voulait aller jouer.

– Écoutez-moi, dit Perlmann, la voix posée. Il faut que vous
conduisiez Leonard à l'hôpital le plus proche. Il a besoin d'être
évalué par un psychiatre. Immédiatement. Ça, c'est la première
chose à faire. Ils sauront comment s'occuper de lui à l'hôpital.
Là-bas, donnez-leur mon numéro.

– Et s'il ne veut pas aller à l'hôpital ?

– Il faut vous débrouiller pour l'y amener.

Le taxi dévala la corniche en pleins phares. C'était une
route en lacet. Parfois la mer était devant eux, on voyait du
noir, du vide, et on avait l'impression qu'on allait s'élancer
par-dessus le bord de la falaise, puis, brusquement, la voiture
tournait et les lumières de la ville réapparaissaient, chaque fois
plus proches. Madeleine se demanda s'il fallait qu'elle aille
prévenir la police. Elle chercha comment on disait « maniaco-
dépressif » en français. Le seul mot qui lui vint à l'esprit, *fou*,
semblait exagéré.

Le taxi entra dans la zone densément peuplée autour du
port. La circulation s'intensifia à l'approche du casino. Entouré
de jardins à la française et de fontaines illuminées, le casino
de Monte-Carlo était un bâtiment de style baroque, flanqué
de tours comme sur les gâteaux de mariage et coiffé d'un
dôme de cuivre verdi. Des Lamborghini et des Ferrari étaient
garées devant sur six rangées, les lumières de la marquise se
reflétant sur les capots. Madeleine dut montrer son passeport
pour entrer, une loi interdisant aux citoyens monégasques
l'accès au casino. Elle acheta un billet pour la salle de jeu
principale et s'y rendit.

Sitôt à l'intérieur, elle désespéra de trouver Leonard. Le
Grand Prix n'avait peut-être pas commencé, mais le casino
était bourré de touristes. Ils étaient rassemblés autour des
tables, mieux habillés que les joueurs qu'elle avait vus au casino

amérindien, mais le visage animé de la même faim carnassière. Trois Saoudiens, cachés derrière leurs lunettes de soleil, étaient assis à la table de baccara. Un grand maigre avec une cravate texane lançait les dés au craps. Un groupe d'Allemands, les hommes en veste bavaroise à col en daim, poussait des oh ! et des ah ! chevrotants en admirant les fresques et les vitraux du plafond. Tout cela aurait pu intéresser Madeleine, en d'autres circonstances. Pour l'heure, chaque aristocrate ou flambeur n'était qu'un obstacle dans sa quête. Elle avait envie de les bousculer. Elle avait envie de leur donner des coups de pied, de leur faire mal.

Lentement, elle s'avança vers le milieu de la salle en scrutant particulièrement les tables où on jouait aux cartes. Il lui semblait de moins en moins probable que Leonard soit là. Peut-être était-il allé dîner avec les banquiers suisses. Peut-être valait-il mieux retourner l'attendre à l'hôtel. Elle s'avança encore. Et là, dans un fauteuil de velours bordeaux, à la table de black-jack, se trouvait Leonard.

Il avait fait quelque chose à ses cheveux – ils étaient plaqués en arrière, mouillés ou enduits de gel. Et il portait sa fameuse cape noire.

Son tas de jetons était plus petit que celui des autres joueurs. Il était penché en avant, l'air concentré, le regard fixé sur le croupier. Madeleine estima préférable de ne pas l'interrompre.

En le voyant ainsi, des flammes dans les yeux, avec sa cape d'un autre temps et sa coupe de vampire, Madeleine s'aperçut qu'elle n'avait jamais accepté – n'avait jamais totalement intégré – la réalité de sa maladie. À l'hôpital, alors qu'il se remettait de sa dépression nerveuse, son comportement était étrange mais compréhensible. Il était comme quelqu'un qui est sonné après un accident de voiture. Mais ça, cet état-là, c'était différent. Leonard avait l'air d'un vrai fou, et Madeleine fut terrorisée.

Non, *fou* n'était pas exagéré. N'était-ce pas le premier sens de *maniaque*, d'ailleurs ?

Toute sa vie, Madeleine avait évité les déséquilibrés. Elle s'était tenue à l'écart des garçons bizarres à l'école primaire. Elle avait évité les filles sombres et suicidaires qui vomissaient leurs pilules, au lycée. Pourquoi fuyons-nous les fous ? Parce qu'il est vain de raisonner avec eux, d'accord, mais il y a autre chose : une peur de la contagion. Le casino, avec son air vibrant et saturé de fumée, était comme une projection de la folie de Leonard, une zone où les gens hurlaient, où des riches détestables ouvraient la bouche pour placer un pari ou demander de l'alcool. Madeleine eut envie de tourner les talons et de s'enfuir. Un pas de plus et elle serait condamnée à faire cela toute sa vie. S'inquiéter pour Leonard, le surveiller constamment, se demander ce qui s'était passé s'il était en retard à la maison d'une demi-heure. Il lui suffisait de faire demi-tour et de partir. Personne ne le lui reprocherait.

Mais, bien sûr, elle fit ce pas. Elle vint se placer derrière le fauteuil de Leonard et resta là, silencieuse.

Il y avait une demi-douzaine de joueurs autour de la table, tous des hommes.

Elle s'avança dans son champ de vision et dit :

— Chéri ?

Leonard jeta un coup d'œil de côté. Il n'avait pas l'air surpris de la voir.

— Salut, dit-il en se concentrant à nouveau sur les cartes. Désolé d'être parti comme ça. Mais j'avais peur que tu ne me laisses pas jouer. Tu m'en veux ?

— Non, dit Madeleine d'un ton apaisant. Je ne t'en veux pas.

— Tant mieux. Parce que je me sens en veine ce soir.

Il lui fit un clin d'œil.

— Chéri, j'aimerais que tu viennes avec moi.

Leonard misa. Il se pencha à nouveau en avant, fixant le croupier. En même temps, il dit :

– Ça m'est revenu, quel James Bond on a tourné ici. *Jamais plus jamais.*

Le croupier distribua les deux premières cartes.

– Carte, dit Leonard.

Le croupier lui en donna une autre.

– Encore.

La suivante le fit sauter. Le croupier ramassa les cartes et les jetons de Leonard.

– On y va ? dit Madeleine.

Leonard se pencha vers elle d'un air conspirateur.

– Il utilise deux jeux. Comme si je n'étais pas capable de compter cent quatre cartes...

Il misa à nouveau et le cycle se répéta. Le croupier avait 17 et Leonard pensa pouvoir faire mieux. À 13, il demanda une carte supplémentaire. Il tira un valet.

Le croupier ramassa ses derniers jetons.

– Je suis à sec, dit Leonard.

– Viens, chéri.

Il tourna vers elle son regard vitreux.

– Tu ne me prêterais pas un peu d'argent ?

– Pas maintenant.

– « Dans la richesse et dans la pauvreté... » rappela Leonard, qui se leva néanmoins de son fauteuil.

Madeleine le prit par le bras et l'emmena en direction de la sortie. Il ne résista pas. Cependant, alors qu'ils approchaient du haut des marches, il s'arrêta. Il releva le menton et fit une drôle de tête. Avec un accent anglais, il dit : « Mon nom est Bond. James Bond. » Levant soudain les bras, il s'enroula dans sa cape à la manière de Dracula. Avant que Madeleine ait eu le temps de réagir, il fila en agitant sa cape comme s'il battait des ailes, une expression de ravissement sur le visage, espiègle, sûr de lui.

Elle tenta de le rattraper, mais ses talons la ralentissaient.

Elle finit par retirer ses escarpins et sortit du casino en courant, pieds nus. Mais Leonard avait disparu.

Il ne rentra pas de la nuit.

Il ne rentra pas le lendemain non plus.

Elle était à présent en relation avec Mark Walker, du consulat à Marseille. En faisant jouer ses connaissances parmi les anciens élèves de Baxter, Alton avait réussi à parler en personne avec Evan Galbraith, l'ambassadeur des États-Unis en France. Galbraith avait pris connaissance de la situation et avait transmis ses informations à Walker, qui avait appelé Madeleine pour lui dire que les autorités monégasques, françaises et italiennes avaient toutes été prévenues et qu'il reprendrait contact avec elle dès qu'il en saurait plus. Entre-temps, Phyllida avait foncé à l'aéroport de Newark. Elle avait pris un vol de nuit pour Paris, puis, le lendemain matin, une correspondance pour Monaco, et elle arriva à l'hôtel de Madeleine vers midi. Durant les dix-huit heures jusqu'à l'entrée de Phyllida dans sa chambre, Madeleine passa par différentes émotions. Il y avait des moments où elle en voulait à Leonard de s'être volatilisé, et d'autres où elle se reprochait de ne pas avoir vu plus tôt que quelque chose n'allait pas. Elle était furieuse contre les banquiers suisses et, curieusement, contre leurs petites amies, d'avoir incité Leonard à quitter l'hôtel. Elle était folle d'inquiétude à l'idée que Leonard se blesse, ou se fasse arrêter. Parfois elle était prise de bouffées de tristesse en se disant qu'elle vivait là le seul vrai voyage de noces de sa vie et qu'il était gâché. Elle songea à appeler la mère de Leonard, ou sa sœur, mais elle n'avait pas leurs numéros ; de toute façon, elle n'avait pas envie de leur parler, car elle leur en voulait à elles aussi.

Puis Phyllida arriva, suivie d'un groom, les vêtements impeccables, les cheveux en place. Tout ce que Madeleine détestait chez sa mère — cette imperturbable rectitude, ce manque de sensibilité apparent — était exactement ce dont elle avait besoin à ce moment-là. Elle s'écroula et pleura dans les jupes de sa mère. Phyllida réagit en leur faisant monter à déjeuner. Elle attendit que Madeleine ait avalé un repas complet avant de commencer à l'interroger sur ce qui s'était passé. Peu après, Mark Walker appela pour annoncer qu'un homme correspondant à la description de Leonard avait été admis, tôt ce matin-là, au centre hospitalier Princesse-Grace, souffrant de psychose et de blessures légères consécutives à une chute. L'individu, qui avait un accent américain, avait été retrouvé sur la plage, torse nu, en chaussettes, sans aucun papier d'identité sur lui. Walker proposa de se déplacer depuis Marseille pour accompagner Madeleine et Phyllida à l'hôpital et vérifier que cet homme, comme on pouvait le croire, était bien Leonard.

En attendant Walker, Phyllida conseilla à Madeleine d'aller faire un brin de toilette et de se rendre présentable, lui assurant que cela l'aiderait à se sentir plus maîtresse d'elle-même, et ce fut le cas. Walker, un modèle d'efficacité et de tact, vint les chercher en voiture diplomatique avec chauffeur. Lui exprimant sa reconnaissance pour son aide, Madeleine s'efforça de dissimuler son effondrement intérieur.

Le centre hospitalier Princesse-Grace avait été rebaptisé ainsi en hommage à l'ancienne star de cinéma américaine, morte là un an plus tôt à la suite d'un accident de voiture. Des signes de deuil étaient encore visibles à l'intérieur de l'hôpital : une guirlande noire autour du portrait à l'huile de la princesse dans le hall principal, des tableaux d'affichage recouverts de lettres de condoléances venues du monde entier. Walker leur présenta le Dr Lamartine, psychiatre. Cet homme mince, au visage décharné, leur expliqua qu'il avait administré à Leonard une forte dose de sédatifs, ainsi qu'un antipsychotique fabriqué par Rhône-Poulenc et qui n'était pas disponible aux États-Unis. Il avait obtenu d'excellents résultats avec ce médicament par le passé et ne voyait pas pourquoi il en serait autrement dans le cas présent. Les essais cliniques de ce médicament avaient d'ailleurs été si concluants que le refus de la FDA[1] de le mettre sur le marché était un mystère – enfin, ce n'était peut-être pas si mystérieux que ça, ajouta-t-il d'un air désabusé, dans la mesure où il n'était pas de fabrication américaine. Il sembla alors se rappeler Leonard. Ses blessures physiques étaient les suivantes : dents ébréchées, contusions au visage, une côte cassée et quelques petites éraflures. « Pour l'instant, il dort, dit le médecin. Vous pouvez aller le voir, mais, s'il vous plaît, laissez-le dormir. »

Madeleine entra seule dans la chambre. Avant d'entrouvrir le rideau entourant le lit, elle sentit les vapeurs de tabac qui émanaient de la peau de Leonard. Elle s'attendait presque à le voir fumer, assis dans son lit, mais le Leonard qu'elle découvrit n'était ni l'hyperactif imprévisible ni le zombie abattu ; ni maniaque ni dépressif, mais simplement inerte – un accidenté. Il avait une perfusion plantée dans le bras. Le côté droit de son visage était tuméfié ; sa lèvre supérieure, fendue, avait été recousue, une croûte commençait à se former sur la chair violacée. Malgré les recommandations du médecin de ne pas le réveiller, Madeleine se pencha et lui souleva délicatement la lèvre. Ce qu'elle vit lui coupa le souffle : les deux incisives centrales étaient cassées au niveau de la gencive. Un bout de langue rose brillait derrière le trou.

Ce qui s'était passé ne fut jamais totalement clair. Leonard était trop dans les vapes pour se souvenir des dernières trente-six heures. Du casino de Monte-Carlo, il avait rejoint les banquiers suisses au restaurant où ils étaient en train de dîner. Il n'avait plus un sou, mais il les avait convaincus qu'il connaissait une méthode infaillible pour gagner au black-jack. Après le repas,

---

1. *Food and Drug Administration* : organisme américain chargé, entre autres, de délivrer les autorisations de mise sur le marché des médicaments.

ils l'avaient emmené au Loews, un casino américain, et lui avaient donné de quoi miser. Ils avaient convenu de partager les gains cinquante-cinquante. Cette fois, grâce à sa méthode ou à la chance, Leonard avait bien commencé. Il avait remporté plusieurs mains d'affilée et engrangé rapidement mille dollars. La soirée était alors devenue plus animée. Ils avaient quitté le casino et s'étaient rendus dans plusieurs bars. Les petites amies des banquiers étaient-elles toujours là ? Leonard était-il désormais accompagné d'un autre groupe de banquiers ? À un moment, en tout cas, il était retourné au Loews. Là-bas, le croupier n'utilisait qu'un seul jeu. Malgré son état, ou grâce à celui-ci, Leonard avait réussi à tenir le compte des cartes dans sa tête. Peut-être, en revanche, avait-il mal caché son stratagème, car, au bout d'une heure, le chef de partie était arrivé et l'avait chassé du casino en lui ordonnant de ne jamais revenir. Leonard en était alors à près de deux mille dollars de gains. Ensuite, c'était le trou noir. Le reste de l'histoire, Madeleine le reconstitua à partir des rapports de police. Après avoir été chassé du Loews à sa seconde visite, Leonard avait été vu dans un certain « établissement » du même quartier. À une heure indéterminée le lendemain, il s'était retrouvé à l'Hôtel de Paris en compagnie d'un groupe de gens, peut-être les banquiers suisses, peut-être pas. À un moment, alors qu'il buvait avec eux dans leurs chambres attenantes, il avait parié qu'il était capable de sauter d'un balcon à celui d'à côté. Ils n'étaient qu'au premier étage, heureusement. Il s'était déchaussé avant de tenter sa cascade, qu'il n'avait cependant pas réussie. Il avait glissé, s'était cogné la joue et la bouche contre la rambarde du balcon cible et était tombé. En sang, dans un état second, il avait marché sans but sur la plage, puis il avait retiré sa chemise et s'était baigné. La police l'avait intercepté juste après, alors qu'il essayait d'entrer à nouveau dans l'hôtel.

Cet antipsychotique français faisait en effet des miracles. En deux jours, Leonard retrouva sa lucidité. Il était tellement rongé par le remords, tellement honteux de son comportement et de sa tentative de modifier son traitement, que, lorsque Madeleine venait le voir, il passait son temps à s'excuser ou restait muré dans un silence coupable. Elle lui disait de ne plus y penser, qu'il n'y était pour rien.

Durant tout le temps que dura son séjour à Monaco, du moment où elle arriva à celui, une semaine plus tard, où elle repartit, pas une seule fois Phyllida ne dit à Madeleine : « Je t'avais prévenue. » Madeleine lui en fut infiniment reconnaissante. La sagesse de sa mère la surprit, la façon dont elle resta de marbre lorsque l'on comprit dans quel genre d'« établissement » Leonard s'était rendu. Quand, en apprenant cela, Madeleine fondit à nouveau en larmes, Phyllida lui dit, avec un humour désabusé : « Si c'est la seule chose dont tu aies à t'inquiéter dans ta vie d'épouse, tu auras de la chance. » Elle ajouta, avec compassion : « Il n'était pas dans son état normal, Maddy. Il faut que tu passes l'éponge. Oublie tout ça et pense à l'avenir. » Madeleine sentit que Phyllida parlait en connaissance de cause, que les relations entre ses parents étaient sans doute plus compliquées qu'elle ne le pensait.

À l'hôpital, en revanche, lorsque Phyllida allait voir Leonard, régnait une certaine gêne. Tous deux se connaissaient encore à peine. Dès qu'il fut « tiré d'affaire », elle rentra dans le New Jersey pour préparer la maison en vue de leur arrivée prochaine, à Madeleine et à lui.

Madeleine resta à l'hôtel. N'ayant rien d'autre à faire que de regarder la télévision française sur les deux chaînes que recevait le poste de sa chambre, et déterminée à ne jamais remettre les pieds au casino, elle passait des heures au Musée océanographique. Elle était bien, là, dans la lumière tamisée par l'eau, à regarder les animaux marins onduler dans leurs bassins. Au début, elle mangeait seule, au restaurant de l'hôtel, mais sa présence attirait trop d'attention masculine. Elle décida donc de rester dans sa chambre, où elle se faisait monter à manger et buvait plus de vin que d'habitude.

Elle avait l'impression d'avoir vieilli de vingt ans en deux semaines. Elle n'était plus une jeune mariée ni une jeune quoi que ce soit.

Par une belle journée de mai, on renvoya Leonard chez lui. Une fois de plus, comme l'année précédente, Madeleine l'attendit devant un hôpital tandis qu'une infirmière le raccompagnait en fauteuil roulant. Ils regagnèrent Paris en train et s'installèrent dans un hôtel sans prétention de la rive gauche.

La veille du jour où ils reprirent l'avion pour les États-Unis, Madeleine laissa Leonard dans la chambre pour aller lui acheter des cigarettes. Il faisait un temps magnifique, les couleurs des fleurs dans le parc étaient si vives qu'elles faisaient mal aux yeux. Devant elle, Madeleine vit un spectacle étonnant, un groupe d'écolières traversant la rue derrière une religieuse. Elles se dirigeaient vers la cour de leur pensionnat. Souriant pour la première fois depuis des semaines, Madeleine les regarda avancer. Ludwig Bemelmans avait donné des suites à *Madeline*. Dans l'une d'elles, Madeline rejoignait un cirque de tziganes. Dans une autre, elle était sauvée de la noyade par un chien. Mais, quelles que soient ses aventures, elle n'avait jamais dépassé l'âge de huit ans. C'était dommage. Des situations la montrant plus âgée auraient pu aider Madeleine. Madeline passe le bac. Madeline étudiante à la Sorbonne (« et face aux Sartre et aux Zola, Madeline dit : "Ta ta ta !" »). Madeline pratique l'amour libre, vit en communauté, voyage en Afghanistan. Madeline participe aux manifs de 68, jette des pierres sur la police, crie : « Sous les pavés, la plage. »

Madeline épousait-elle Pepito, le fils de l'ambassadeur d'Espagne ? Avait-elle toujours les cheveux roux ? Était-elle toujours la plus petite et la plus courageuse ?

Pas tout à fait en deux rangs bien droits, mais d'une manière relativement ordonnée, les fillettes disparurent derrière les portes du pensionnat. Madeleine rentra à l'hôtel, où l'attendait Leonard qui, victime d'une autre sorte de guerre, avait encore quelques pansements.

> Au mal on faisait les gros yeux,
> au bien des sourires gracieux,
> et l'on était parfois très malheureux.

Le train du Northeast Corridor apparut au loin dans une brume de suie rendue floue par la chaleur. Sur le quai, derrière la ligne jaune, Madeleine le guettait à travers ses lunettes tordues. Perdues depuis deux semaines, elles avaient été retrouvées la veille au fond du panier à linge. La correction était devenue trop insuffisante, les verres toujours aussi rayés et la monture toujours aussi fatiguée que trois ans plus tôt. Elle allait devoir se résoudre à en changer avant le début de son troisième cycle.

Une fois certaine que c'était bien le bon train qui approchait, elle retira ses lunettes et les fourra dans son sac. Elle se retourna pour aller chercher Leonard, qui, se plaignant déjà de l'humidité, s'était réfugié à l'intérieur de la salle d'attente chichement climatisée.

Il était un peu moins de cinq heures. Une vingtaine d'autres personnes attendaient le même train.

Madeleine passa la tête par la porte de la salle. Leonard était assis sur un banc, il fixait le sol d'un regard vide. Il avait gardé les mêmes tee-shirt et short noirs mais s'était fait une queue-de-cheval. Elle l'appela.

Il leva les yeux et se mit lentement debout. Il lui avait fallu une éternité pour quitter la maison et monter dans la voiture, Madeleine avait eu peur qu'ils ne ratent leur train.

Les portes étaient déjà ouvertes quand Leonard sortit sur le quai et monta derrière Madeleine dans le wagon le plus proche. Ils choisirent une banquette deux places afin de ne pas avoir de vis-à-vis. Madeleine tira de son sac un exemplaire usé de *Daniel Deronda* et s'installa confortablement.

– Tu n'as rien apporté à lire ? demanda-t-elle à Leonard.

Il secoua la tête.

– Je vais me contenter d'admirer les superbes paysages du New Jersey.

– Il y a de jolis coins dans le New Jersey.

– C'est ce que dit la légende, ironisa Leonard, tourné vers la vitre.

Les cinquante-neuf minutes de trajet apportaient peu d'éléments en faveur de cette opinion. Lorsqu'on ne longeait pas les jardins à l'arrière des lotissements, on entrait dans une ville mourante de plus, Elizabeth, Newark. La cour d'une prison de faible sécurité jouxtait la voie, les uniformes blancs des détenus évoquant une convention de boulangers. Près de Secaucus commençaient les marais vert pâle, d'une beauté surprenante si on ne levait pas les yeux vers les cheminées des usines et les entrepôts environnants.

Ils arrivèrent à Penn Station en pleine heure de pointe. Madeleine éloigna Leonard des escalators bondés et l'entraîna vers un escalier moins encombré, qu'ils gravirent pour gagner le hall. Quelques minutes plus tard, ils débouchaient dans la chaleur et la lumière de la Huitième Avenue. Il était à peine plus de six heures.

En rejoignant la file d'attente pour prendre le taxi, Leonard mesura les immeubles du regard comme s'il craignait qu'ils ne s'effondrent sur lui.

– New York, dit-il. Exactement comme je l'imaginais.

Ce fut son dernier trait d'esprit. Dans le taxi, tandis qu'ils se dirigeaient vers le nord de Manhattan, il demanda au chauffeur s'il voulait bien mettre la clim. Le chauffeur répondit qu'elle était en panne. Leonard baissa sa vitre et sortit la tête à l'extérieur à la manière d'un chien. Un instant, Madeleine regretta de l'avoir emmené.

Son pressentiment au casino de Monte-Carlo s'était révélé plus juste qu'elle ne l'aurait cru. Elle était déjà devenue l'épouse tremblante, la protectrice toujours aux aguets. Elle était désormais « mariée à la maniaco-dépression ». Madeleine ne venait pas de découvrir que Leonard avait la possibilité de se suicider pendant qu'elle dormait. Il lui avait déjà traversé l'esprit que la piscine était une invitation à la noyade. Sur les vingt et un signes avant-coureurs de la liste que Wilkins lui avait donnée, Madeleine en avait coché dix : modification du rythme du sommeil, réticence à communiquer, manque d'intérêt pour le travail, manque de soin apporté à l'apparence, isolement/ refus des activités en société, perfectionnisme, agitation, ennui extrême, abattement et modification de la personnalité. Contrairement au reste de la liste, Leonard n'avait encore jamais tenté de se suicider (même s'il y avait déjà pensé), ne se droguait pas (actuellement), n'était pas sujet aux accidents, ne parlait pas d'envie de mourir et ne dilapidait pas ses biens. Quoique, ce matin-là, lorsqu'il avait dit qu'il ne voulait plus habiter New York et que cet appartement était celui de Madeleine, il ressemblait beaucoup à quelqu'un qui dilapide ses biens. Leonard ne paraissait plus s'intéresser à l'avenir. Il n'avait plus de projets. Ne voulait pas de bureau. Cela faisait deux semaines qu'il portait ce short noir.

Dix signes avant-coureurs sur vingt et un. Pas très rassurant. Mais lorsqu'elle en avait parlé au Dr Wilkins, il avait dit :

– Si Leonard ne montrait aucun de ces signes, vous ne seriez pas ici. Notre tâche est de ramener leur nombre, petit à petit, à trois ou quatre. Peut-être à un ou deux. Je suis confiant : avec le temps, nous y arriverons.

– Et en attendant ? avait demandé Madeleine.

– En attendant, nous devons rester extrêmement prudents.

Prudente, Madeleine s'efforçait de l'être, mais ce n'était pas facile. Elle avait emmené Leonard à New York pour éviter de le laisser à la maison sans surveillance. Mais, à présent qu'il était en ville, il risquait de faire une crise de panique. Le laisser à Prettybrook était un souci, l'emmener à New York un autre. En général, Madeleine s'inquiétait moins lorsqu'elle pouvait l'avoir à l'œil.

Elle était l'obstacle qui se dressait entre Leonard et la mort, telle était son impression. Connaissant à présent les signes avant-coureurs, elle les guettait en permanence. Pire, elle guettait chez Leonard tout changement d'humeur susceptible d'*annoncer* un de ces signes. Elle guettait les signes *avant*-avant-coureurs. Et elle s'y perdait. Par exemple, elle ignorait si le fait que Leonard se lève tôt constituait une nouvelle modification du rythme de son sommeil, une séquelle d'une ancienne modification ou une amélioration. Elle ignorait si son perfectionnisme annulait son manque d'ambition, ou s'il s'agissait des deux faces d'une même pièce. Quand on est l'obstacle entre celui qu'on aime et la mort, on n'est jamais tranquille, ni la journée ni la nuit. Quand Leonard regardait la télévision tard le soir, Madeleine restait sur le qui-vive, à l'affût des bruits qu'il faisait en bas, ne s'endormant jamais vraiment avant qu'il ne monte la rejoindre. C'était comme si son cœur lui avait été retiré chirurgicalement pour être stocké hors de son corps, toujours relié à elle et pompant le sang dans ses veines, mais exposé à des dangers qu'elle ne pouvait pas voir : il était dans une boîte quelque part, à l'air libre, sans protection.

Ils suivirent la 8ᵉ Avenue jusqu'à Columbus Circle, où ils s'engagèrent dans Broadway. Leonard rentra la tête à l'intérieur de l'habitacle comme pour en tester la température, puis se pencha à nouveau par la fenêtre.

Le taxi prit à gauche dans la 72ᵉ Rue. Quelques instants plus tard, ils remontaient Riverside Drive. Kelly attendait sur le trottoir devant l'immeuble.

— Désolée ! dit Madeleine en sortant de la voiture. Le train était en retard.

— Tu dis toujours ça, dit Kelly.

– C'est toujours vrai.

Elles se serrèrent dans les bras, et Kelly demanda :

– Alors, tu viens à la soirée ?

– On verra.

– Il faut que tu viennes ! Je ne peux pas y aller toute seule.

Tout ce temps, le taxi était à l'arrêt, moteur tournant, le long du trottoir. Leonard finit par s'en extirper. D'un pas lourd, il alla se mettre à l'ombre du porche.

Kelly, qui était assez bonne comédienne, lui sourit comme si elle ne savait rien de sa maladie et qu'il avait l'air d'aller bien.

– Salut, Leonard. Comment vas-tu ?

Comme d'habitude, Leonard prit cette question au premier degré. Il soupira et dit :

– Je suis épuisé.

– Toi, tu es épuisé ? Et moi, alors ! J'ai fait visiter à Maddy une quinzaine d'appartements. Celui-ci, c'est le dernier. Si vous ne le prenez pas, je vous vire.

– Tu ne peux pas nous virer, dit Madeleine. On est tes clients.

– Eh bien, je démissionne.

Elle les fit entrer dans la fraîcheur du hall aux murs garnis de boiseries.

– Sérieusement, Maddy. J'en ai un autre à te montrer, plus près de Columbia, si ça t'intéresse. Mais je doute qu'il soit aussi bien que celui-ci.

Après avoir signé le registre du gardien, ils prirent l'ascenseur jusqu'au onzième étage. Devant la porte de l'appartement, Kelly fouilla dans son sac à la recherche des bonnes clefs, ce qui prit un certain temps, mais elle finit par réussir à ouvrir et les fit entrer.

Jusqu'à présent, Kelly avait montré à Madeleine des appartements qui donnaient sur des puits d'aération, ou sur les meublés individuels des immeubles contigus, ou alors ils étaient minuscules et infestés de cafards, ou puaient le pipi de chat. Même si Madeleine n'avait pas été prête à tout pour s'en aller de chez ses parents, le deux-trois pièces dans lequel elle venait d'entrer l'aurait éblouie. Un appartement typique des années 30 : murs blancs fraîchement repeints, parquet, moulures. La chambre était assez grande pour accueillir un lit de 160, la cuisine en I moderne, le bureau utilisable, le séjour petit mais doté d'une cheminée décorative. Il y avait même un coin salle à manger. Mais le véritable atout de cet appartement, c'était la vue. Sous le charme, Madeleine ouvrit la fenêtre du séjour et se pencha par-dessus le rebord. Le soleil, qui ne se coucherait que dans plusieurs heures, faisait scintiller le clapot de l'Hudson et rosissait légèrement les flancs habituellement gris des Palisades. Au nord se dressaient les tours transparentes du George Washington Bridge. On entendait les voitures sur la West Side Highway. Madeleine regarda le trottoir en bas de l'immeuble. Ça faisait haut. Tout à coup, elle prit peur.

Elle rentra la tête à l'intérieur et appela Leonard. N'obtenant pas de réponse, elle l'appela à nouveau, s'engageant déjà dans le couloir.

Leonard se trouvait dans la chambre avec Kelly. La fenêtre était fermée.

Elle cacha son soulagement en examinant le placard de la pièce.

— Ce placard est à moi, décréta-t-elle. J'ai plus de vêtements que toi. Mais je te laisse le bureau.

Leonard resta silencieux.

— Tu as vu le bureau ?

— Je l'ai vu, dit-il.

— Et ?

— Il est très bien.

— Je ne veux pas vous mettre de pression, dit Kelly, mais vous avez une demi-heure pour vous décider. Mon collègue veut commencer les visites ce soir.

— Ce soir ? dit Madeleine, désarçonnée. Je croyais que c'était demain ?

— C'est ce qu'il m'avait dit, mais il a changé d'avis. Cet appartement est très demandé.

Madeleine regarda Leonard et essaya de lire ses pensées, puis elle croisa les bras avec résolution. À moins d'aller s'installer dans la Prairie, elle allait devoir accepter les risques inhérents à habiter avec lui à Manhattan.

— Bon, moi, je le veux, dit-elle. Il est parfait. Leonard, on le veut, non ?

Leonard se tourna vers Kelly.

— Tu veux bien nous laisser une minute ?

— Bien sûr ! Pas de problème. Je suis dans le séjour.

Kelly partie, Leonard s'approcha de la fenêtre.

— Le loyer est de combien ? demanda-t-il.

— Ne t'en fais pas pour ça.

— Cet appartement est largement au-dessus de mes moyens. J'ai peur de mal le vivre.

Appréhension légitime, mais on l'abordait une fois ou deux, pas cent. Ils avaient déjà plus ou moins évoqué le sujet ce matin-là. La triste vérité, c'était que les appartements dans les moyens de Leonard, Madeleine refuserait d'y vivre.

— Chéri, ne t'en fais pas pour le loyer. Paie ce que tu peux. Tout ce que je veux, c'est qu'on soit heureux.

— Justement, je ne suis pas sûr de pouvoir être heureux ici.

— Si c'était moi l'homme, la question ne se poserait même pas. On trouverait normal que le mari paie davantage.

— Le fait que, en l'occurrence, j'ai l'impression d'être la femme, c'est un peu le problème.

— Pourquoi tu es venu, alors ? dit Madeleine, gagnée par la frustration. Tu croyais qu'on allait faire quoi ? On ne va pas rester éternellement chez mes parents. Tu le vis bien, ça ? D'habiter chez mes parents ?

Leonard se voûta.

– Je sais, dit-il, l'air sincèrement peiné. Tu as raison, pardon. C'est difficile pour moi, c'est tout. Tu comprends que ça puisse être difficile pour moi ?

Madeleine jugea préférable d'acquiescer.

Une trentaine de secondes, estima-t-elle, Leonard regarda fixement par la fenêtre. Enfin, en respirant à fond, il dit :

– Allez, on le prend.

Madeleine ne perdit pas de temps. Elle informa Kelly de leur décision et lui proposa de lui faire un chèque du montant de la caution. Kelly avait une meilleure idée. Elle suggéra qu'ils aillent signer le bail séance tenante, ce qui leur épargnerait un nouvel aller-retour.

– Vous n'avez qu'à aller boire un café pendant que je rédige le bail. J'en ai pour un quart d'heure.

Tous trois satisfaits par cette organisation, ils reprirent l'ascenseur et ressortirent dans la chaleur étouffante.

Tandis qu'ils marchaient en direction de Broadway, Kelly indiquait les commerces de proximité, le pressing, le serrurier, le *diner* du coin, climatisé.

– Attendez-moi là, dit-elle en désignant le *diner*. Je reviens dans un quart d'heure. Une demi-heure maximum.

Madeleine et Leonard s'installèrent dans un box près de la vitre. Il y avait des peintures grecques au mur et un menu de douze pages.

– Ce sera notre *diner*, dit Madeleine en regardant autour d'elle d'un air approbateur. On pourra y venir tous les matins.

Le serveur vint prendre leur commande.

– Vous avez choisi, mes amis ?

– Deux cafés, s'il vous plaît, dit Madeleine en souriant. Et mon mari aimerait une part de tarte aux pommes avec une tranche de cheddar sur le dessus.

– Vos désirs sont des ordres, dit le serveur en repartant.

Madeleine, qui s'attendait à ce que Leonard soit amusé, fut surprise de voir ses yeux se remplir de larmes.

– Qu'est-ce qu'il y a ?

Il secoua la tête en regardant ailleurs.

– J'avais oublié, dit-il d'une voix rauque. Ça fait tellement longtemps.

Dehors, les ombres s'allongeaient sur le bitume de Broadway. S'abîmant dans la contemplation des voitures, Madeleine essaya de contenir le sentiment d'impuissance qui l'assaillait. Elle ne savait plus comment remonter le moral de Leonard. Toutes ses tentatives conduisaient au même résultat. Elle se demandait s'il pourrait un jour être heureux à nouveau, s'il n'en avait pas perdu la capacité. Là, dans ce *diner*, alors qu'ils auraient dû se réjouir de leur nouvel appartement, ou s'intéresser à leur nouveau quartier, ils restaient silencieux, chacun évitant le regard de l'autre sur sa banquette de vinyle. Le pire, c'est que Leonard en était conscient, Madeleine le sentait. Sa souffrance était aiguisée par l'idée qu'il la lui imposait. Il ne pouvait cependant y mettre fin. Pendant ce temps, derrière la vitre, le soir prenait possession de l'avenue. Les hommes rentraient du travail, la cravate desserrée, la veste sur l'épaule. Madeleine ne savait plus quel jour de la semaine on était, mais en voyant l'air détendu des gens et les clients du happy-hour qui sortaient en masse du bar d'en face, elle devina qu'on était vendredi. Le soleil était encore loin d'être couché mais la soirée – et le week-end – avait officiellement commencé.

Le serveur leur apporta la part de tarte, avec deux fourchettes. Ils n'y touchèrent ni l'un ni l'autre.

Kelly revint au bout de vingt minutes avec ses documents. Elle avait ajouté deux clauses particulières au contrat type, l'une stipulant que les sous-locataires devaient être approuvés par l'agence, l'autre interdisant les animaux. En haut de la première page, elle avait tapé les noms complets de Madeleine et de Leonard, et elle avait rempli les espaces correspondant aux montants du loyer et du dépôt de garantie. À Madeleine, s'asseyant à côté d'elle et piochant dans la tarte, elle demanda de lui verser le dépôt de garantie et le premier mois de loyer en deux chèques distincts. Puis elle leur fit signer le bail à tous les deux.

— Félicitations, vous voilà officiellement new-yorkais. Maintenant, on peut aller s'amuser.

Madeleine avait presque oublié.

— Leonard, dit-elle, tu connais Dan Schneider ? Il fait une fête chez lui ce soir.

— C'est à côté, précisa Kelly.

Leonard avait le regard plongé dans sa tasse de café. Madeleine n'arrivait pas à savoir s'il interrogeait ses sentiments (s'il s'*autoévaluait*) ou s'il avait un passage à vide.

— Je n'ai pas vraiment l'énergie pour ça, dit-il.

Ce n'était pas ce que Madeleine voulait entendre. Elle avait envie de faire la fête. Elle venait de signer le bail d'un appartement à Manhattan et elle n'était pas pressée de reprendre le train pour le New Jersey. Elle consulta sa montre.

— Allez. Il n'est que sept heures et quart. On y fait juste un saut.

Leonard ne dit pas oui mais il ne dit pas non non plus. Madeleine se leva pour aller régler l'addition. Pendant qu'elle était à la caisse, Leonard sortit allumer une cigarette. Il fumait de plus en plus goulûment. Il tirait sur le filtre comme s'il était bouché et l'obligeait à aspirer plus fort. Lorsque Madeleine le rejoignit dehors avec Kelly, la nicotine semblait l'avoir suffisamment calmé pour qu'il les accompagne dans Broadway sans se plaindre.

Il était silencieux lorsqu'ils arrivèrent en bas de chez Schneider, juste devant la station de métro de la 79e Rue, et le resta dans l'ascenseur qu'ils prirent jusqu'au sixième étage. Mais en entrant dans l'appartement, il s'arrêta brusquement et saisit Madeleine par le bras.

— Quoi ? dit-elle.

Il regardait au bout du couloir en direction du séjour, rempli de gens qui parlaient fort à cause de la musique.

– Je ne peux pas gérer ça, dit-il.

Kelly, sentant le vent tourner, continua d'avancer comme si de rien n'était. Madeleine la regarda rejoindre la masse de corps légèrement vêtus.

– Comment ça, tu ne peux pas le gérer ?

– Il fait trop chaud. Il y a trop de monde.

– Tu veux qu'on s'en aille ? dit-elle, incapable de cacher son exaspération.

– Non. On est là, maintenant.

Elle le prit par la main et l'entraîna au milieu des autres, et pendant un moment tout se passa relativement bien. On venait leur dire bonjour et les féliciter pour leur mariage. Leonard se révéla capable de soutenir une conversation.

Dan Schneider, solide gaillard barbu, mais qui portait un tablier, s'approcha de Madeleine, un verre à la main.

– Alors, il paraît qu'on va être voisins ? dit-il.

Il était encore tôt mais il avait déjà du mal à articuler. Il commença à lui parler du quartier, lui indiquant où acheter quoi et où manger. Alors qu'il lui décrivait les plats à emporter de son chinois préféré, Leonard s'éloigna et disparut dans ce qui avait l'air d'être une chambre.

La chaleur à l'intérieur de l'appartement donnait à l'atmosphère quelque chose d'érotique. Les gens transpiraient à grosses gouttes et ne s'en souciaient plus. Quelques filles portaient des débardeurs sans soutien-gorge, et Adam Vogel, assis sur le canapé, se passait un glaçon dans le cou. Dan dit à Madeleine de se servir un verre et partit en titubant.

Madeleine n'alla pas voir ce que Leonard faisait dans la chambre. Elle avait envie de penser à autre chose qu'à lui quelques instants. Aussi rejoignit-elle Kelly à la table des boissons, garnie de bouteilles de Jim Beam, d'Oreo, de verres et de glaçons. « Purple Rain » s'échappait des enceintes de la stéréo.

– Il n'y a que du bourbon, déclara Kelly.

– N'importe quoi fera l'affaire, dit Madeleine en tendant son verre.

Elle prit un Oreo et commença à le grignoter.

Avant même qu'elle ne se retourne, Pookie Ames lui tomba dessus en sortant de la cuisine.

– Maddy ! Tu es rentrée ! C'était comment, le cap ?

– Formidable, mentit Madeleine.

– Pas trop sinistre, l'hiver, pas trop déprimant ?

Pookie voulut voir son alliance mais la regarda à peine lorsque Madeleine la lui montra.

– Je n'en reviens pas que tu sois mariée, dit-elle. C'est tellement rétrograde.

– Je sais !

– Où est ton copain ? Enfin, ton mari ?

Le visage de Pookie ne laissait pas deviner ce qu'elle connaissait de la situation.

– Il est là, quelque part.

D'autres anciens de Brown se frayèrent un chemin jusqu'à Madeleine. Elle les serrait dans ses bras, répétait qu'elle s'installait en ville.

Pookie raconta une anecdote.

– Hier soir, j'étais en salle chez Dojo's, et un client m'appelle et me dit : « Je crois qu'il y a un rat dans ma saucisse. » Je regarde… et je vois une queue qui dépasse du bout. Comme si le reste du rat était à l'intérieur.

– Non !

– Et un des avantages de ce boulot, c'est qu'on mange sur place gratuitement, vous imaginez…

– C'est dégoûtant !

– Attendez. Là-dessus, j'apporte la saucisse au rat à mon chef, je lui demande quoi faire. Et il me répond : « Dites au client que la maison lui offre le repas. »

Madeleine commençait à s'amuser. Son bourbon était

si sucré qu'on aurait dit du Coca alcoolisé. Ça lui faisait du bien d'être avec des gens qu'elle connaissait. Elle avait l'impression qu'elle avait pris la bonne décision en venant s'installer à New York. L'isolement de Pilgrim Lake était peut-être une partie du problème. Elle termina son verre et s'en servit un autre.

Tandis qu'elle se détournait de la table, elle remarqua un garçon assez mignon qui la regardait de l'autre côté de la pièce. Elle s'était sentie si désexualisée dans son rôle d'infirmière ces derniers temps qu'elle en fut agréablement surprise. Elle soutint son regard un instant.

Kelly s'approcha et chuchota :

— Tout va bien ?

— Leonard est dans la chambre.

— Au moins, il est venu.

— Il me rend dingue.

Madeleine regretta ces mots et s'empressa de les atténuer :

— Il est très fatigué, c'est tout. C'est gentil à lui d'être venu.

Kelly se pencha vers elle à nouveau.

— Dan Schneider n'arrête pas de me donner à boire.

— Et ?

— Et je bois.

Pendant la demi-heure qui suivit, Madeleine circula dans la pièce, renouant avec untel ou untel. Elle s'attendait à ce que Leonard la rejoigne. Après un nouveau quart d'heure, alors qu'il n'était toujours pas réapparu, elle alla voir ce qu'il faisait.

La chambre était entièrement meublée dans le style colonial espagnol et décorée d'eaux-fortes représentant des scènes de pièces de Shakespeare. Debout près de la fenêtre, Leonard discutait avec un garçon qui avait le dos tourné. Ce n'est qu'une fois entrée que Madeleine s'aperçut que c'était Mitchell.

Il y avait sans doute des gens qu'il aurait été plus gênant de rencontrer en compagnie de Leonard, mais, à ce moment-là,

Madeleine ne voyait pas lesquels. Mitchell s'était rasé la tête et était encore plus maigre qu'avant. Difficile de dire ce qui était le plus choquant : le voir là tout à coup, son apparence étrange ou le fait qu'il discute avec Leonard.

— Mitchell ! s'exclama-t-elle en essayant de cacher son trouble. Qu'est-ce qui est arrivé à tes cheveux ?

— Je me les suis fait raccourcir un peu, répondit-il.

— J'ai failli ne pas te reconnaître. Tu es rentré quand ?

— Il y a trois jours.

— D'Inde ?

Mais là, Leonard s'interposa.

— On était en pleine conversation, dit-il, agacé.

Madeleine se raidit brusquement, comme prise à contrepied par une balle de service.

— Je venais juste voir si tu voulais toujours partir, dit-elle d'un ton calme.

— Oui. Mais d'abord, je veux terminer cette conversation.

Elle se tourna vers Mitchell comme si elle attendait une protestation de sa part, mais lui aussi semblait pressé qu'elle s'en aille. Elle leur fit donc un petit signe de la main, pour se donner une contenance, et ressortit de la pièce.

De retour parmi les autres, elle essaya de recommencer à s'amuser, mais elle était trop préoccupée. Elle se demandait de quoi Leonard et Mitchell parlaient. Elle avait peur que ce ne soit d'elle. La vue de Mitchell avait suscité en elle une émotion qu'elle peinait à identifier. Comme de la joie mêlée de regret.

Après un quart d'heure, Leonard finit par sortir de la chambre en disant qu'il était prêt à y aller. Il évitait son regard. Lorsqu'elle insista pour dire au revoir à Kelly, il lui dit qu'il l'attendrait dehors.

Tandis que, revenue auprès de Kelly, elle la remerciait de l'avoir aidée à trouver un appartement, Madeleine avait très présente à l'esprit l'idée que Mitchell était toujours quelque part dans les parages. Elle ne voulait pas se retrouver seule avec lui, sa vie était suffisamment compliquée comme ça. Elle ne tenait pas à lui expliquer sa situation ni à affronter ses récriminations, et lui parler risquait de la chambouler ; elle n'était pas prête pour cela. Mais, au moment de partir, elle l'aperçut et s'arrêta. Il la rejoignit.

– Je suppose que je dois te féliciter, dit-il.

– Merci.

– Ç'a été assez soudain. Ton mariage.

– C'est vrai.

– Tu es donc une Catégorie 1.

– Il faut croire, oui.

Mitchell portait des tongs et un jean à revers. Il avait les pieds très blancs.

– Tu as reçu ma lettre ? demanda-t-il.

– Quelle lettre ?

– Je t'ai envoyé une lettre. D'Inde. Enfin, je crois. Je n'avais pas toute ma lucidité à ce moment-là. Tu ne l'as vraiment pas reçue ?

– Non. Qu'est-ce qu'elle disait ?

Il la scrutait comme s'il ne la croyait pas. C'était gênant.

– Je ne suis pas sûr que ce soit très important, maintenant.

Madeleine jeta un coup d'œil vers la porte.

– Il faut que j'y aille, dit-elle. Tu es installé où ?

– Sur le canapé de Schneider.

Ils se regardèrent longuement en souriant, puis Madeleine tendit la main et frotta la tête de Mitchell.

– Tes belles boucles ! se lamenta-t-elle.

Mitchell garda la tête baissée pendant qu'elle passait la main sur son crâne piquant. Lorsqu'elle arrêta, il leva à nouveau son visage vers elle. La tête ainsi rasée, ses grands yeux avaient l'air encore plus implorants.

– Tu comptes repasser en ville ? demanda-t-il.

– Je ne sais pas. Peut-être.

Nouveau coup d'œil vers la porte, puis :

— Si je repasse, je t'appelle. On pourrait déjeuner.

Plus moyen de reculer, il fallait qu'elle le serre dans ses bras. En le faisant, elle fut surprise par son odeur. Une odeur âcre, presque trop intime pour être respirée.

Leonard fumait dans le couloir lorsqu'elle sortit. Il chercha un endroit où jeter sa cigarette, mais, n'en trouvant pas, il entra avec dans l'ascenseur. Pendant la descente, Madeleine s'appuya contre son épaule. Elle se sentait pompette.

— C'était amusant, dit-elle. Tu as passé un bon moment ?

Leonard laissa tomber son mégot sur le sol et l'écrasa avec sa chaussure.

— Ça veut dire non ?

La porte s'ouvrit et il sortit dans le hall sans un mot. Madeleine le suivit jusque sur le trottoir, où elle finit par lui demander :

— Qu'est-ce que tu as ?

Il se tourna face à elle.

— Ce que j'ai ? À ton avis ? Je suis *déprimé*, Madeleine. Je souffre de *dépression*.

— Ça, je sais.

— Ah bon ? J'en doute un peu. Parce que si tu savais, tu ne dirais pas ce genre de stupidités.

— Tout ce que j'ai fait, c'est te demander si tu avais passé un bon moment ! Bon Dieu !

— Je vais t'expliquer ce qui se produit quand une personne est cliniquement déprimée, commença Leonard de son insupportable ton sentencieux. Le cerveau, qui se croit mourant, le signale au corps. Le corps reçoit ce signal, et, au bout d'un moment, il finit par se croire mourant lui aussi. Et là, il se met à dérailler. Voilà pourquoi c'est douloureux, la dépression, Madeleine. Voilà pourquoi c'est *physiquement* douloureux. Le cerveau se croit mourant, ce qui fait croire au corps qu'il est mourant, information qu'enregistre alors le cerveau, et ainsi de suite. C'est un cercle vicieux.

Il se pencha vers elle.

– C'est ce qui est en train de se produire en moi à l'instant où je te parle. C'est ce qui se produit en moi chaque minute, chaque jour. Et c'est pour ça que je ne te réponds pas quand tu me demandes si j'ai passé un bon moment à la soirée.

Il s'exprimait rudement bien pour quelqu'un dont le cerveau était mourant. Madeleine essaya d'assimiler son raisonnement. Les effets du bourbon s'ajoutaient à la chaleur de la ville. À présent qu'ils étaient dehors, à nouveau dans Broadway, elle était déçue de rentrer. Voilà plus d'un an qu'elle s'occupait de Leonard, en espérant qu'il aille mieux, et aujourd'hui il allait plus mal que jamais. Sortant d'une fête où tout le monde semblait heureux et en bonne santé, elle trouvait la situation d'une injustice flagrante.

– Tu ne peux donc pas rester une heure à une fête sans te comporter comme si on te torturait ?

– Non, Madeleine, je ne peux pas. C'est bien le problème.

Un flot de gens sortit de la bouche de métro. Madeleine et Leonard durent s'écarter pour les laisser passer.

– Je comprends que tu sois déprimé, Leonard. Mais tu prends des médicaments pour ça. D'autres prennent ces médicaments et ça se passe bien.

– Donc tu sous-entends que je suis anormal même pour un maniaco-dépressif.

– Je sous-entends qu'on a l'impression que ça te plaît d'être déprimé, parfois. Que si tu ne l'étais pas, tu ne monopoliserais peut-être pas toute l'attention. Je sous-entends qu'être déprimé ne t'autorise pas à me crier dessus parce que je te demande si tu as passé un bon moment !

Une expression étrange apparut soudain sur le visage de Leonard, comme un amusement sinistre.

– Si on était des levures, toi et moi, tu sais ce qu'on ferait ?

– Ne me parle pas de levures ! Ras le bol, des levures.

– Si elle a le choix, l'idéal pour une cellule de levure est d'être diploïde. Mais si elle se trouve dans un environnement trop pauvre en nutriments, tu sais ce qui se produit ?

— Je m'en moque !

— Les diploïdes se divisent et redeviennent des haploïdes. De petites haploïdes solitaires. Parce que, en situation de crise, il est plus facile de survivre en étant une cellule unique.

Madeleine sentit les larmes lui monter aux yeux. Le bourbon ne lui procurait plus une douce chaleur mais lui brûlait la poitrine. Elle battit des paupières pour contenir ses larmes, mais l'une d'elles roula sur sa joue. Elle la chassa du doigt.

— Pourquoi tu fais ça ? dit-elle. Tu veux qu'on se sépare ? C'est ça que tu veux ?

— Je ne veux pas que tu gâches ta vie, dit-il d'un ton plus doux.

— Je ne gâche pas ma vie.

— Les médicaments ralentissent le processus, mais la fin est inévitable. La question est : comment éteindre ce machin-là ?

Il se tapota la tempe avec l'index.

— Il me bouffe, et je ne peux pas l'éteindre. Madeleine, écoute-moi. *Écoute.* Je ne vais pas aller mieux.

Curieusement, prononcer cette phrase sembla lui faire du bien, comme s'il était satisfait de clarifier la situation.

— Mais si ! insista Madeleine. Tu penses ça maintenant parce que tu es déprimé, justement. Mais ce n'est pas ce que dit le médecin.

Elle tendit les mains vers lui et l'enlaça. Elle était si contente quelques instants plus tôt, convaincue que leur vie prenait enfin un nouveau tournant. Mais à présent, tout cela ressemblait à une mauvaise blague, l'appartement, Columbia, tout. Ils étaient là, devant la bouche de métro, pleurant dans les bras l'un de l'autre comme tant d'autres couples à New York, ignorés par les passants, bénéficiant d'une parfaite intimité au milieu d'une ville grouillante de monde dans la chaleur d'un soir d'été. Madeleine ne dit rien car elle ignorait quoi dire. Même « je t'aime » semblait insuffisant. Elle avait dit ces mots à Leonard si souvent dans des situations comme celle-là, elle craignait qu'ils n'aient perdu leur force.

Elle aurait dû les dire, pourtant. Elle aurait dû garder ses bras autour du cou de Leonard et refuser de le lâcher, car, dès qu'elle l'eut libéré, il se retourna, avec une vivacité décidée, et dévala l'escalier de la bouche de métro. Surprise, Madeleine resta d'abord figée, puis elle se lança à sa poursuite. Arrivée en bas, elle ne le vit nulle part. Elle passa en courant devant le guichet en direction de l'autre sortie, croyant que Leonard avait regagné la rue par là, puis elle l'aperçut derrière les tourniquets, il se dirigeait vers la voie. Alors qu'elle cherchait dans son sac de quoi acheter un ticket, elle sentit les vibrations d'un métro qui approchait. Sur le quai, des courants d'air soulevaient des détritus. Comprenant que Leonard avait sauté par-dessus le tourniquet, Madeleine décida d'en faire autant. Deux adolescents rirent en la voyant courir puis franchir la barrière, en robe, avec son look Upper East Side. Les phares du métro apparurent au fond du tunnel. Leonard était au bord du quai. Le métro entra en trombe dans la station et Madeleine, en courant, comprit qu'il était trop tard.

Puis le train ralentit et s'arrêta. Leonard attendait toujours là.

Madeleine arriva jusqu'à lui. Elle l'appela.

Il se retourna, le regard vide. Il tendit ses mains vers elle et les posa tendrement sur ses épaules. D'une voix douce teintée de pitié, de tristesse, il dit : « Je divorce de toi, je divorce de toi, je divorce de toi. »

Puis il la repoussa, sans ménagement, et sauta à bord du wagon avant que les portes ne se ferment. Il ne se retourna pas pour la regarder à travers la vitre. Le métro commença à rouler, au début si doucement que Madeleine avait l'impression qu'elle aurait pu l'arrêter avec la main – arrêter tout, effacer ce que Leonard venait de dire, la violence avec laquelle il l'avait repoussée, et sortir elle-même de sa passivité, cesser de collaborer –, puis il accéléra et elle ne put bientôt plus se mentir ; dans un grand grincement de roues, tandis que tous les détritus sur le quai tourbillonnaient et que les lumières à l'intérieur du wagon tremblotaient, comme celles d'un lustre affecté par un court-circuit, ou les cellules d'un cerveau mourant, le métro disparut dans le noir.

KIT DE SURVIE
DE LA PETITE CÉLIBATAIRE

Il y avait beaucoup de choses dignes d'admiration chez les quakers. Pas de structure hiérarchique, ni credo ni sermon. Ils avaient établi l'égalité entre les sexes dans leurs assemblées dès les années 1600. À peu près toutes les luttes sociales importantes de l'histoire américaine avaient été soutenues et souvent menées par eux : l'abolition de l'esclavage, les droits de la femme, la tempérance (bon, ça, ils auraient pu éviter), les droits civiques, l'écologie. Les membres de la Société des Amis se réunissaient dans des lieux très simples, où, assis en silence, ils attendaient la Lumière. L'Amérique, ils y vivaient, ils ne lui appartenaient pas. Ils refusaient de livrer ses guerres. Quand le gouvernement américain avait décidé d'interner les citoyens japonais pendant la Seconde Guerre mondiale, ils s'étaient fortement opposés à cette mesure et étaient venus saluer les familles à leur montée à bord des trains. Leur devise : « La vérité, quelle qu'en soit la source. » Œcuméniques, ils ne portaient pas de jugement et permettaient aux agnostiques et même aux athées d'assister à leurs assemblées annuelles. C'est dans cet esprit de rassemblement, sans doute, que le petit groupe des Amis de Prettybrook ouvrit son église à Mitchell lorsqu'il commença à s'y montrer, aux chaudes matinées de juillet.

L'église en question se trouvait au bout d'un chemin de gravier, non loin du site d'une bataille de la guerre d'Indépendance. Sobrement constitué de pierres sèches, doté d'une véranda de bois peint en blanc et d'une unique cheminée, le bâtiment n'avait pas changé depuis l'année de sa construction – 1753, selon la plaque –, excepté l'ajout de l'éclairage et du chauffage électriques. Sur un tableau à l'extérieur étaient affichés un tract pour une manifestation antinucléaire, une pétition en faveur de Mumia Abu-Jamal, condamné à mort l'année précédente pour le meurtre d'un policier, et divers prospectus sur le quakerisme. L'intérieur, lambrissé de chêne, était rempli de bancs disposés face à face, de façon à ce que les fidèles puissent se voir. La lumière entrait par des chiens-assis cachés au-dessus d'un plafond voûté, magnifiquement ouvragé, composé de lattes de bois gris.

Mitchell aimait s'asseoir sur l'un des bancs du fond, derrière un pilier. Il avait l'impression d'y passer plus inaperçu. Suivant l'assemblée dont il s'agissait (il y en avait deux le dimanche, une à sept heures le matin, l'autre à onze), jusqu'à une trentaine d'Amis s'installaient dans la salle douillette de cette espèce de cabane forestière. La plupart du temps, on n'entendait que le bourdonnement lointain de la route 1. Une heure entière pouvait s'écouler sans que personne ne dise un mot. D'autres jours, mus par une force intérieure, certains prenaient la parole. Clyde Pettengill, qui marchait avec une canne, se leva ainsi un matin pour se lamenter sur le récent accident à la centrale nucléaire d'Embalse, en Argentine, qui avait subi une *perte totale de refroidissement*. Sa femme, Mildred, se sentit obligée d'intervenir à son tour. Sans se lever, comme l'avait fait son mari, gardant les yeux fermés, elle parla d'une voix claire, son beau visage de vieille femme tourné vers le plafond et éclairé par un sourire rêveur. « Peut-être parce que c'est l'été, je ne sais pas, mais je me rappelle quand j'allais aux assemblées dans mon enfance. J'avais encore plus de mal, l'été, à rester assise sans rien dire, et ma grand-mère avait mis au point une stratégie. Avant le début de l'assemblée, elle sortait un caramel de son sac, elle faisait en sorte que je le voie, mais elle ne me le donnait pas. Elle le gardait à la main. Et au bout d'environ trois quarts d'heure, si j'avais été sage, si je m'étais conduite comme une jeune fille bien élevée, elle me donnait le caramel. J'ai maintenant quatre-vingt-deux ans, bientôt quatre-vingt-trois, eh bien, vous savez quoi ? J'ai exactement la même sensation. J'attends encore qu'on me mette ce caramel dans la main. Sauf que ce n'est plus un caramel. C'est un jour d'été comme celui-ci, où le soleil est comme un gros caramel dans le ciel. Mais je deviens poétique. Il vaut mieux que je me taise. »

Mitchell, lui, ne disait rien aux assemblées. L'Esprit ne le poussait pas à s'exprimer. Assis sur son banc, il profitait du calme du matin en respirant l'odeur de renfermé de l'église. Mais il ne se sentait pas autorisé à accéder à la Lumière.

La honte qu'il ressentait de s'être enfui de Kalighat n'avait pas disparu, bien que six mois soient passés. Après son départ de Calcutta, Mitchell avait voyagé à travers le pays sans itinéraire établi, comme un fugitif. À Bénarès, installé au Yogi Lodge, il était allé assister tous les matins à la crémation des morts sur les ghâts et avait loué les services d'un batelier pour qu'il l'emmène sur le Gange. Au bout de cinq jours, il avait repris le train pour Calcutta, avant de descendre vers le sud. Il s'était rendu à Madras, à l'ancien comptoir français de Pondichéry (patrie de Sri Aurobindo) et à Madurai. Puis, après une nuit à Trivandrum, à la pointe sud du Malabar, il avait commencé à remonter le long de la côte occidentale. Dans le Kerala, où le taux d'alphabétisation atteignait des sommets, Mitchell avait mangé dans des feuilles de bananier, qui remplaçaient les assiettes. Il était resté en contact avec Larry, lui écrivant à l'AmEx d'Athènes, et, à la mi-février, ils s'étaient retrouvés à Goa.

Larry avait fait modifier son billet d'avion et avait atterri non pas à Calcutta mais à Bombay, d'où il avait gagné Goa en car. Ils s'étaient donné rendez-vous à la gare routière à midi, mais le car de Larry avait du retard. Trois fois, Mitchell alla regarder différents cars multicolores se vider de leurs passagers avant que, vers quatre heures, Larry ne descende de l'un d'eux. Il était tellement content de le voir qu'il n'arrêtait pas de sourire et de lui taper dans le dos.

– Enfin ! Te voilà !

– Qu'est-ce qui t'est arrivé, Mitchell ? dit Larry. T'es passé sous une tondeuse à gazon ?

Pendant une semaine, ils louèrent une case sur la plage. Toit en chaume typiquement tropical, sol désagréablement fonctionnel, en béton. Les autres cases étaient remplies d'Européens qui, pour la plupart, se baladaient sans vêtements. Sur le flanc en terrasses de la colline, les hommes du coin se rassemblaient au milieu des palmiers pour reluquer, en bas, les Occidentales impudiques. Mitchell, qui se sentait d'une blancheur trop translucide pour s'exposer, restait à l'ombre, mais Larry bravait les coups de soleil et passait chaque jour beaucoup de temps sur la plage, son foulard en soie autour de la tête.

Dans la brise paisible de la journée ou la fraîcheur du soir, ils échangeaient des récits sur la période où ils avaient été séparés. Larry fut impressionné par l'expérience de Mitchell à Kalighat. Il ne semblait pas juger ces trois semaines de bénévolat sans importance.

– Je trouve que c'est super que tu aies fait ça, dit-il. Tu as travaillé pour mère Teresa ! En ce qui me concerne, je ne m'y vois pas du tout. Mais toi, ça te correspond parfaitement.

Avec Iannis, ça n'avait pas été un franc succès. Presque tout de suite, celui-ci s'était mis à le questionner sur la situation financière de sa famille. En apprenant que le père de Larry était juriste, il lui avait demandé s'il pouvait l'aider à obtenir une carte verte. Il se montrait possessif ou distant, suivant les circonstances. Lorsqu'ils allaient dans un bar gay, Iannis devenait fou de jalousie au moindre regard de Larry sur un autre garçon. Le reste du temps, il refusait que Larry le touche de peur qu'on ne découvre leur secret. Il s'était mis à qualifier

Larry de « pédé » et à se comporter comme si lui-même était hétéro et qu'il le fréquentait par simple curiosité. Larry s'était lassé, de cela comme de traîner dans Athènes plusieurs jours d'affilée quand Iannis rentrait chez lui dans le Péloponnèse, et c'était ainsi qu'il avait fini par aller à l'agence de voyages faire modifier son billet.

Réconforté de constater que les relations homosexuelles étaient aussi compliquées que les relations hétérosexuelles, Mitchell s'abstint cependant de tout commentaire. Durant les trois mois qui suivirent, tandis que Larry et lui sillonnaient le sous-continent, ils ne reparlèrent pas de Iannis. Ils visitèrent Mysore, Cochin, Mahabalipuram, ne passant jamais plus d'une nuit ou deux au même endroit, puis ils remontèrent vers le nord. D'Agra, où ils arrivèrent en mars, ils gagnèrent Varanasi (ils utilisaient parfois les noms hindis à présent), avant d'aller retrouver M. Hughes à Calcutta et de commencer leur travail d'assistants de recherche. Avec Hughes, ils se retrouvèrent dans des villages perdus sans eau courante. Ils déféquèrent côte à côte, accroupis au milieu des champs. Ils vécurent des aventures, virent des fakirs marcher sur des charbons ardents, filmèrent des interviews de grands chorégraphes de danse masquée et rencontrèrent un vrai maharadja, qui avait un palais mais pas d'argent et utilisait un *brolly*[1] tout déchiré en guise de parasol. Dès avril, il commença à faire chaud. La mousson n'était pas attendue avant plusieurs mois, mais Mitchell sentait déjà le climat devenir inhospitalier. À la fin du mois de mai, oppressé par les températures en hausse et par une sensation d'errance, il décida qu'il était temps de rentrer. Larry, qui voulait voir le Népal, resta quelques semaines de plus.

De Calcutta, Mitchell reprit l'avion pour Paris, où il s'accorda quelques jours dans un hôtel correct en profitant une dernière fois de sa carte de crédit (dépense qu'il serait incapable de

---

1. Terme familier désignant un parapluie en anglais britannique.

justifier à son retour aux États-Unis). Juste au moment où il commençait à s'habituer au fuseau horaire européen, il remonta dans un charter et regagna JFK. C'est donc seul, à New York, qu'il apprit que Madeleine avait épousé Leonard Bankhead.

La stratégie de Mitchell consistant à attendre la fin de la récession n'avait pas fonctionné. Le taux de chômage était de 10,1 % le mois où il rentra. Par la fenêtre de la navette qui l'amenait à Manhattan, il voyait des commerces fermés, leurs vitrines blanchies à la peinture. Plus de gens vivaient dans la rue, il existait même un nouveau terme pour les désigner : les SDF. Le portefeuille de Mitchell lui-même ne contenait plus que 270 $ de traveller's chèques et un billet de vingt roupies conservé en souvenir. Ne voulant pas se ruiner en hôtel à New York, il avait appelé Dan Schneider depuis Grand Central pour lui demander s'il pouvait l'héberger quelques jours, et Schneider avait accepté.

Mitchell prit la navette jusqu'à Times Square, puis la ligne 1 du métro jusqu'à la station de la 79e Rue. Schneider lui ouvrit la porte de l'immeuble par l'interphone et attendait sur le seuil de chez lui lorsque Mitchell arriva à son étage. Ils se serrèrent brièvement dans les bras, et Schneider dit :

– Dis donc, Grammaticus. Tu sens pas la rose.

Mitchell avoua qu'il avait abandonné l'usage du déodorant en Inde.

– Oui, mais ici, on est en Amérique, rétorqua Schneider. Et on est en *été*. Achète-toi un peu de Old Spice, mon vieux.

Schneider était tout en noir, une tenue assortie à sa barbe et à ses santiags. Il habitait un bel appartement, bien que décoré d'une manière un peu trop recherchée, avec des bibliothèques encastrées et une collection de céramiques aux couleurs irisées, fabriquées par un artiste qu'il « collectionnait ». Correctement payé à rédiger des demandes de subvention pour le Manhattan Theatre Club, il se fit un plaisir d'offrir à boire à Mitchell au Dublin House, le bar près de chez lui. Devant des pintes de

Guinness, il lui parla des anciens de Brown, l'informant de tous les potins qu'il avait ratés pendant qu'il était en Inde. Lollie Ames s'était installée à Rome et sortait avec un quadra. Tony Perotti, l'anarchiste du campus, était rentré dans le rang et s'était inscrit à la fac de droit. Thurston Meems avait enregistré une cassette de ses chansons faussement naïves en s'accompagnant au synthétiseur Casio. Mitchell trouva tout cela assez amusant jusqu'à ce que Schneider s'écrie soudain :

– Oh, merde ! J'oubliais. Ta Madeleine, elle s'est mariée ! Désolé, mon vieux.

Mitchell resta de marbre. La nouvelle lui porta un coup si terrible que son seul moyen de l'encaisser fut de faire semblant de ne pas être surpris.

– Je savais que ça arriverait, dit-il.

– Quand même, il a de la chance, Bankhead. Elle est sexy. Lui, par contre, je ne vois pas ce qu'elle lui trouve. On dirait le majordome de *La Famille Addams*.

Schneider enchaîna par une critique de Bankhead, et des garçons comme Bankhead, ces grands machins pleins de cheveux, tandis que Mitchell aspirait la mousse amère à la surface de sa bière.

Cette torpeur simulée lui permit d'arriver au bout de la soirée. Et comme elle semblait assez efficace, il continua de l'affecter le lendemain, jusqu'à ce que, la nuit suivante, à quatre heures du matin, l'effet de toutes ces émotions refoulées le réveille avec la force d'un coup de poignard. Allongé sur le canapé miteux-chic de Schneider, il avait les yeux grands ouverts. Trois différentes alarmes de voiture hurlaient, chacune comme concentrée à l'intérieur de sa poitrine.

Les jours suivants furent parmi les plus douloureux de la vie de Mitchell. Il errait, en sueur, dans la chaleur accablante des rues, luttant contre une envie puérile de crier. Il avait l'impression qu'une botte géante était descendue du ciel et l'avait écrasé sous son talon comme les mégots de cigarette sur le trottoir. Il ne cessait de se dire : « Tu as perdu. Tu es mort. Il t'a tué. » Il éprouvait presque du plaisir à se dénigrer ainsi, et il ne s'arrêtait pas là. « Tu n'es qu'une merde. Tu n'as jamais eu l'ombre d'une chance. C'est pitoyable. Non, mais, regarde-toi. Tu t'es vu, avec ta gueule de con et ton crâne chauve de moine dégénéré ? Pauvre abruti ! »

Il se méprisait. Il le comprenait à présent, ses ambitions matrimoniales envers Madeleine procédaient de la même crédulité qui l'avait conduit à penser qu'il pourrait mener une vie de saint en s'occupant des malades et des mourants à Calcutta. Cette crédulité était aussi celle qui lui avait fait réciter la « Prière de Jésus », porter une croix et tenter d'empêcher Madeleine d'épouser Bankhead en lui envoyant une lettre. Prompt à la rêverie, à l'exaltation, et en mettant toute son intelligence au service de sa stupidité, il avait nourri le fantasme qu'il épouserait Madeleine, prêt à tous les reniements pour ne pas voir que ce fantasme ne se réaliserait pas.

Deux jours plus tard, Schneider organisa une soirée chez lui, et tout changea. Mitchell, qui n'était pas d'humeur très festive, était sorti alors que les premiers invités arrivaient. Après avoir fait le tour du pâté de maisons cinq ou six fois, il était rentré chez Schneider et avait trouvé l'appartement bondé. Se réfugiant dans la chambre afin de s'y morfondre, il était tombé nez à nez avec le responsable de son malheur, Bankhead, en train de fumer, assis sur le lit. Plus surprenant encore, tous deux s'étaient retrouvés plongés dans une discussion sérieuse. Si Bankhead était présent, Madeleine devait l'être aussi, Mitchell s'en doutait bien. C'était l'une des raisons pour lesquelles il n'avait pas cherché à écourter la discussion, il avait trop peur de sortir de la chambre et de tomber sur elle. Mais Madeleine était apparue d'elle-même. Au début, Mitchell avait fait semblant de ne pas s'en apercevoir, puis il s'était retourné… et ç'avait été comme toujours. La simple présence physique de

Madeleine avait frappé Mitchell avec la force d'une explosion. Il avait l'impression d'être le type de la pub pour les cassettes Maxell, dont les cheveux volent derrière lui à cause du souffle de la musique, sauf que lui-même n'avait pas de cheveux. Tout s'était rapidement enchaîné ensuite. Pour une raison mystérieuse, Bankhead avait chassé Madeleine de la chambre, puis, quelques instants plus tard, il avait quitté la soirée. Mitchell avait réussi à parler à Madeleine avant qu'elle parte à son tour. Mais vingt-cinq minutes après, elle était revenue, manifestement bouleversée, elle cherchait Kelly. En voyant Mitchell à la place, elle était venue directement jusqu'à lui, avait plaqué son visage contre sa poitrine et s'était mise à trembler.

Kelly et lui l'avaient emmenée dans la chambre et avaient fermé la porte. Pendant que la fête battait son plein à l'extérieur, elle leur avait expliqué ce qui s'était passé. Plus tard, une fois un peu calmée, elle avait appelé ses parents. Ensemble, ils avaient décidé que le mieux, pour le moment, était que Madeleine rentre en taxi à Prettybrook. Comme elle ne voulait pas rentrer seule, Mitchell s'était proposé pour l'accompagner.

Il logeait chez les Hanna depuis, cela faisait presque un mois. On lui avait redonné la chambre du grenier, celle qu'il avait occupée, en deuxième année, pour le week-end de Thanksgiving. La pièce était climatisée, mais Mitchell, aguerri à l'inconfort du tiers-monde, préférait dormir la fenêtre ouverte. Il aimait sentir l'odeur des pins et être réveillé par le chant des oiseaux le matin. Il se levait de bonne heure, avant tout le reste de la maisonnée, et faisait souvent de longues promenades à pied avant de revenir prendre le petit-déjeuner avec Madeleine vers neuf heures.

C'était lors d'une de ces promenades qu'il avait découvert l'église quaker. Sur le site où les colons américains avaient affronté les soldats anglais, il s'était arrêté pour lire la plaque commémorative près du seul arbre rescapé. À la moitié du texte, il s'était aperçu que le « chêne de la Liberté » dont parlait la plaque était mort de maladie des années plus tôt, et que l'arbre qui poussait là désormais n'était qu'un arbre de remplacement, d'une variété plus résistante aux infestations d'insectes mais moins belle, moins majestueuse. On retrouvait ce cas de figure dans tant de domaines aux États-Unis – c'était en soi une leçon d'histoire. Mitchell avait repris sa route sur le chemin de gravier, qui avait fini par le mener sur le parking boisé du complexe quaker.

Divers véhicules peu consommateurs d'essence – deux Honda Civic, deux Volkswagen Rabbit et une Ford Fiesta – étaient garés le nez près du mur du cimetière. Outre l'église en parfait état, jouxtant le bois, il y avait un pré pelé qui faisait office de cour de récréation et un long bâtiment au bardage en aluminium et au toit en asphalte, qui, pourvu de nombreux appendices, abritait l'école maternelle, le bureau et des salles de réunion. Les voitures portaient des autocollants à message, des représentations de la planète Terre à côté du slogan SAU-VEZ VOTRE MÈRE, ou simplement, le mot PAIX. Les Amis de Prettybrook avaient leur lot de hippies chaussés de sandales, mais en apprenant à les connaître cet été-là, Mitchell s'aperçut qu'il ne fallait pas tous les mettre dans le même sac. Il y avait des quakers d'un certain âge, comme les Pettengill, qui avaient une allure assez guindée et s'habillaient de manière classique. L'un d'eux, avec sa barbe grise et ses bretelles, ressemblait à Burl Ives. Joe Yamamoto, professeur au département de génie chimique de Rutgers, et sa femme, June, étaient toujours là à l'assemblée de onze heures. Claire Ruth, directrice d'une agence bancaire de la ville, avait fait sa scolarité dans des écoles quakers ; Nell, sa fille, travaillait avec des enfants handicapés à Philadelphie. Bob et Eustacia Tavern étaient retraités, lui astronome amateur, elle, ancienne institutrice, écrivant aujourd'hui des lettres enflammées au *Prettybrook Packet* et au *Trentonian* pour dénoncer l'écoulement des pesticides dans les nappes phréatiques autour du Delaware. Se joignaient parfois à eux quelques curieux, bouddhistes américains venus assister à une conférence, un étudiant en théologie.

Même Voltaire avait fait l'éloge des quakers. Goethe se considérait comme l'un de leurs admirateurs. Emerson avait dit : « Je suis plus quaker qu'autre chose. Je crois en cette petite voix intérieure. » Assis au fond de la salle, Mitchell essayait de les imiter, mais c'était difficile. Son esprit était trop préoccupé par ses rêveries. S'il n'avait pas encore quitté Prettybrook, c'était parce que Madeleine lui avait demandé de ne pas le faire. Elle lui avait dit qu'elle se sentait mieux quand il était là. Levant les yeux vers lui, des plis charmants lui barrant le front, elle avait dit : « Ne pars pas. J'ai besoin que tu me protèges de mes parents. » Ils passaient ensemble presque chaque minute de chaque jour. Ils lisaient, installés sur la terrasse, ou allaient en ville prendre un café, manger une glace. Bankhead parti et Mitchell ayant pris ne serait-ce que physiquement sa place, la crédulité chronique de ce dernier s'était réveillée. Dans le silence de l'assemblée, il se demandait, par exemple, si le fait que Madeleine ait épousé Bankhead ne faisait pas finalement partie du plan, un plan plus complexe qu'il ne le croyait au départ. Peut-être était-il arrivé à New York juste au bon moment.

Chaque semaine, quand les anciens signifiaient la fin de l'assemblée en se serrant la main, Mitchell rouvrait les yeux et constatait une fois de plus qu'il n'avait pas calmé son esprit ni été poussé à parler. Il restait un moment bavarder avec les autres, dehors, autour des fruits et des jus de fruits disposés par Claire Ruth sur la table de pique-nique, puis il rentrait retrouver le drame en cours chez les Hanna.

Les premiers jours après la fugue de Leonard, on s'était consacré à essayer de le retrouver. Alton avait alerté la police de la ville de New York et celle de l'État, mais dans les deux cas on lui avait répondu qu'un homme abandonnant sa femme était considéré comme une affaire privée et ne remplissait pas les conditions nécessaires au déclenchement d'une enquête pour disparition. Ensuite, Alton avait appelé le Dr Wilkins, au Penn Medical Center. Lorsqu'il avait demandé au psychiatre s'il avait vu Leonard, Wilkins s'était retranché derrière le secret médical et avait refusé de répondre. Alton avait vu rouge, lui qui, non seulement, avait amené Leonard à Wilkins, mais qui, en plus, avait payé ses consultations. Le silence de Wilkins indiquait néanmoins que Leonard était en contact avec lui et peut-être encore dans les parages. On pouvait également supposer qu'il prenait ses médicaments.

Mitchell entreprit alors d'appeler tous ceux qu'il connaissait à New York pour savoir si quelqu'un avait vu Bankhead ou parlé avec lui. En deux jours, il trouva trois personnes différentes – Jesse Kornblum, Mary Stiles et Beth Tolliver – qui le prétendaient. D'après Mary Stiles, Bankhead logeait à Dumbo, dans un loft, on ne savait chez qui. Bankhead avait appelé Jesse Kornblum au bureau si souvent que Kornblum avait fini par cesser de prendre ses appels. Beth Tolliver avait rencontré Bankhead dans un *diner* de Brooklyn Heights, et d'après elle il avait l'air triste que son mariage ait capoté. « J'ai eu l'impression que c'était Maddy qui l'avait plaqué », dit-elle. On en resta là pendant une semaine, jusqu'à ce que Phyllida ait l'idée d'appeler la mère de Bankhead, à Portland, et qu'elle apprenne de Rita que Leonard se trouvait dans l'Oregon depuis plusieurs jours.

Phyllida décrivit cette conversation téléphonique comme l'une des plus étranges de sa vie. Rita se comporta comme s'il s'agissait d'un problème mineur, une rupture entre deux lycéens. Son avis était que Leonard et Madeleine avaient commis une erreur grossière et qu'elle-même et Phyllida, en tant que mères, auraient dû le voir venir dès le début. Phyllida aurait trouvé à redire à cette analyse s'il n'avait pas été si évident que Rita avait bu. Phyllida resta au téléphone assez longtemps pour établir que, après avoir passé deux nuits chez sa mère, Leonard était parti dans une cabane au milieu des bois avec un ancien copain de lycée, Godfrey, et qu'ils comptaient y passer l'été.

À ce moment-là, Phyllida perdit son sang-froid.

— Madame Bankhead, eh bien, je… je… je ne sais pas quoi vous dire ! Madeleine et Leonard sont toujours mariés. Leonard est le mari de ma fille, mon *gendre*, et là, vous m'apprenez qu'il est parti vivre dans les bois !

— Vous me demandez où il est. Je vous le dis.

— Il ne vous est pas venu à l'esprit que cette information pourrait intéresser Madeleine ? Il ne vous est pas venu à l'esprit que nous nous inquiétions pour Leonard ?

— Il n'est parti qu'hier.

— Et vous comptiez nous en informer quand, au juste ?

— Je ne suis pas certaine d'apprécier votre ton.

— Mon ton n'est pas le sujet. Le sujet est que Leonard a dit à Madeleine qu'il voulait divorcer, après deux mois de mariage. Ce que le père de Madeleine et moi essayons de déterminer, c'est s'il le pense vraiment, s'il a toute sa raison, ou si c'est l'effet de sa maladie.

— Quelle maladie ?

— Sa maniaco-dépression !

Rita eut un rire gras, un lent gloussement guttural.

— Leonard a toujours été théâtral. Il aurait dû être comédien.

— Avez-vous un numéro de téléphone où on puisse le joindre ?

— Ça m'étonnerait qu'il y ait le téléphone à la cabane. C'est assez rustique.

— Vous pensez qu'il entrera en contact avec vous dans les prochains jours ?

— Le connaissant, c'est difficile à dire. J'étais pratiquement sans nouvelles de lui depuis le mariage, et puis, tout à coup, il est venu sonner à ma porte.

— Bon, s'il le fait, pourriez-vous lui demander d'appeler Madeleine, qui reste son épouse légitime ? Cette situation doit être clarifiée d'une manière ou d'une autre.

— Là-dessus, je suis d'accord avec vous, dit Rita.

Une fois qu'ils surent que Bankhead n'était pas en danger

immédiat, et surtout qu'il s'était éloigné d'un continent entier de sa femme et de sa belle-famille, Alton et Phyllida changèrent de stratégie. Mitchell les vit parler seuls sous la pergola, comme s'ils ne voulaient pas que Madeleine les entende. Un jour, en rentrant d'une de ses promenades matinales, il les surprit assis tous les deux à l'intérieur de la voiture, dans le garage. Il n'entendait pas ce qu'ils se disaient, mais il en avait une petite idée. Puis, un soir, alors que tous étaient sortis prendre un verre sur la terrasse après le dîner, Alton révéla ce qu'ils avaient derrière la tête.

Il était un peu plus de neuf heures, le crépuscule laissait place à la nuit. La pompe de la piscine peinait derrière sa clôture, ses chuintements mouillés s'ajoutant au chant omnidirectionnel des grillons. Alton avait ouvert une bouteille d'Eiswein. Dès qu'il eut rempli le verre de chacun, il s'assit à côté de Phyllida sur la causeuse en osier et dit :

– Je demande une séance du conseil de famille.

Le vieux dogue allemand des voisins, entendant qu'il y avait de l'activité, aboya consciencieusement trois fois, puis commença à aller et venir en reniflant le bas de la clôture. L'air était chargé des parfums du jardin, odeurs de fleurs et d'herbes.

– La question que je souhaiterais soumettre au conseil concerne Leonard et sa situation. À la lumière de la conversation de Phyl avec Mme Bankhead...

– La dingue, dit Phyllida.

– ... je pense qu'il est temps que nous réexaminions notre plan d'action.

– *Mon* plan d'action, tu veux dire, corrigea Madeleine.

Au fond du jardin, la piscine eut un hoquet. Un oiseau s'envola d'une branche, un tout petit peu plus noir que le ciel.

– Ta mère et moi nous demandons ce que tu comptes faire.

Madeleine but une gorgée de vin.

– Je ne sais pas, dit-elle.

– Bon. Très bien. C'est tout l'intérêt de cette séance. D'abord, je propose que nous définissions les différentes options, puis que nous déterminions les conséquences possibles de chaque option. Ensuite, nous pourrons comparer ces conséquences et décider quelle est la meilleure conduite à tenir. D'accord ?

Madeleine ne répondant pas, Phyllida dit :

– D'accord.

– Telles que je vois les choses, Maddy, il existe deux options, reprit Alton. Un : Leonard et toi vous réconciliez. Deux : vous ne vous réconciliez pas.

– Je n'ai pas très envie de parler de ça maintenant, dit Madeleine.

– Maddy... s'il te plaît... laisse-moi aller jusqu'au bout. Prenons la réconciliation. C'est envisageable, d'après toi ?

– Oui, j'imagine, dit Madeleine.

– De quelle manière ?

– Je ne sais pas. Tout peut arriver.

– Tu penses que Leonard reviendra de lui-même ?

– Encore une fois, je ne sais pas !

– Tu es prête à aller le chercher à Portland ? Parce que, si tu ne sais pas s'il reviendra, et si tu n'es pas prête à aller le chercher, je dirais que les chances d'une réconciliation sont assez minces.

– Peut-être que j'irai le chercher, oui ! lâcha Madeleine en haussant la voix.

– Bon, admettons. Nous t'envoyons à Portland demain matin. Et après ? Comment comptes-tu le trouver ? Nous ne savons même pas où il est. Et en admettant que tu le trouves, que feras-tu s'il ne veut pas rentrer ?

– Ce n'est pas à Maddy de faire quoi que ce soit, grommela Phyllida, la mine sombre. Leonard devrait revenir ici à quatre pattes et la supplier de le reprendre.

– Je n'ai pas envie de parler de ça, répéta Madeleine.

– Trésor, il le faut, dit Phyllida.

– Non.

– Je regrette, mais si !

Pendant tout ce temps, Mitchell sirota silencieusement son vin dans son fauteuil Adirondack. Les Hanna semblaient avoir oublié qu'il était là, ou alors ils considéraient à présent qu'il faisait partie de la famille et se moquaient qu'il assiste à leurs conflits.

Alton essaya de calmer le jeu.

– Laissons provisoirement la réconciliation de côté, dit-il d'un ton plus doux. Convenons de notre désaccord à ce sujet. Imaginons – je dis bien, imaginons – que Leonard et toi ne vous réconciliiez pas. Cette option a au moins le mérite d'être plus claire. J'ai pris la liberté de consulter Roger Pyle...

– Tu lui as dit ?! s'écria Madeleine.

– Sous le sceau du secret. Et l'avis professionnel de Roger est que, dans une situation comme celle-ci, quand l'une des deux parties refuse le contact, la meilleure solution est de faire annuler le mariage.

Il se laissa aller en arrière sur la causeuse et marqua un temps. Le mot était lâché. C'était là, semblait-il, son objectif principal depuis le début, et maintenant qu'il l'avait atteint, il ne savait plus quoi dire. Madeleine le regardait d'un air mauvais.

– Une annulation est bien plus simple qu'un divorce, reprit-il. À de nombreux égards. C'est comme si le mariage n'avait jamais eu lieu. Si ton mariage est annulé, tu n'es pas divorcée. C'est comme si tu n'avais jamais été mariée. Et le gros avantage d'une annulation, c'est qu'on n'a pas besoin des deux parties pour l'obtenir. Roger a également regardé ce que dit la loi du Massachusetts, et il apparaît qu'on annule les mariages pour les raisons suivantes.

Il les compta avec ses doigts en les énumérant.

– Un : bigamie. Deux : impuissance de l'homme. Trois : maladie mentale.

Là, il se tut. Le chant des grillons sembla s'intensifier, et, dans le jardin enténébré, telle la touche finale à une charmante soirée d'été, des lucioles, comme par magie, se mirent à scintiller.

Le silence fut rompu par le bruit du verre de Madeleine se fracassant contre les planches de la terrasse. Elle se leva d'un bond.

— Je rentre !

— Maddy, cette discussion est nécessaire.

— Tout ce que tu sais faire, chaque fois qu'il y a un problème, c'est parler à ton avocat !

— Eh bien, je ne regrette pas d'avoir appelé Roger à propos de ce contrat prénuptial que tu refusais de signer, rétorqua Alton. Mal lui en prit.

— Ben voyons ! dit Madeleine. Heureusement que je n'ai pas perdu d'argent ! Toute ma vie est foutue mais au moins mon capital est intact ! On n'est pas à la réunion d'un conseil d'administration, papa. On parle de ma vie, là !

Et, à ces mots, elle s'enfuit dans sa chambre.

Les trois jours suivants, Madeleine refusa de manger avec ses parents. Elle descendait rarement. Mitchell se retrouvait dans une position délicate. Étant la seule personne impartiale de la maison, c'était à lui qu'il revenait de maintenir la communication entre les parties. Il avait l'impression d'être Philip Habib, l'émissaire américain au Moyen-Orient, qu'il voyait tous les soirs au journal télévisé. Alors qu'il tenait compagnie à Alton à l'heure de l'apéritif, Mitchell regardait Habib rencontrer Yasser Arafat, Hafez el-Assad ou Menahem Begin, aller de l'un à l'autre, délivrer des messages, cajoler, harceler, menacer, flatter, dans le but d'éviter une guerre totale. À partir du deuxième gin tonic, Mitchell était enclin aux comparaisons. Barricadée dans sa chambre tels les combattants de l'OLP retranchés dans Beyrouth-Ouest, Madeleine sortait de temps en temps pour jeter une grenade dans l'escalier. Alton et Phyllida, qui occupaient le reste de la maison, étaient les Israéliens : implacables et mieux armés, ils cherchaient à exercer un protectorat sur le Liban et à prendre les décisions de Madeleine à sa place. Lors de ses expéditions diplomatiques au repaire de Madeleine, Mitchell écoutait ses griefs. Elle disait qu'Alton et Phyllida n'avaient jamais aimé Leonard. Ils ne voulaient pas qu'elle l'épouse. Certes, ils avaient été gentils avec lui après sa dépression et n'avaient jamais prononcé le mot *divorce* avant qu'il ne le fasse. Mais à présent, elle avait le sentiment que ses parents se réjouissaient secrètement qu'il soit parti, et ça, elle voulait le leur faire payer. Ayant recueilli le plus d'informations possible sur l'état d'esprit de Madeleine, Mitchell redescendait s'entretenir avec Alton et Phyllida. Il les trouvait bien plus compatissants envers Madeleine que celle-ci ne daignait le reconnaître. Phyllida admirait sa loyauté envers Leonard, mais elle estimait que c'était un combat perdu d'avance. « Madeleine pense qu'elle peut sauver Leonard, disait-elle. Mais la vérité, c'est que, soit il ne peut pas être sauvé, soit il ne veut pas l'être. » Alton affichait une certaine froideur, il disait que Madeleine devait « faire la part du feu », mais, à en juger par ses fréquents silences et les verres bien tassés qu'il avalait tandis que, à l'écran, Habib clopinait en pantalon écossais sur un énième tarmac au milieu du désert, il était clair qu'il était affecté par le sort de sa fille.

Usant à fond de sa neutralité, Mitchell laissait chacun vider son sac et attendait qu'on lui demande conseil.

« Qu'est-ce que je devrais faire, d'après toi ? » lui demanda Madeleine, trois jours après s'être emportée contre Alton. Avant la soirée de Schneider, la réponse de Mitchell aurait été facile. Il aurait dit : « Divorce d'avec Bankhead et épouse-moi. » D'autant qu'à présent, étant donné que Bankhead ne montrait aucun désir de rester marié et avait disparu dans les forêts de l'Oregon, une réconciliation semblait peu probable. Comment reste-t-on marié avec quelqu'un qui ne veut pas rester marié avec vous ? Mais les sentiments de Mitchell vis-à-vis de Bankhead avaient considérablement évolué depuis qu'il lui avait parlé et – il en était très perturbé – il éprouvait désormais quelque chose qui ressemblait à de l'empathie, voire de l'affection, pour son ancien rival.

La longue discussion qu'ils avaient eue tous les deux dans la chambre de Schneider avait porté, étonnamment, sur la religion. Plus étonnant encore, c'était Bankhead qui l'avait amorcée. Il avait commencé par parler du cours de théologie qu'ils avaient suivi ensemble à la fac, et des interventions de Mitchell, qui, dit-il, l'avaient souvent impressionné. Bankhead avait alors interrogé Mitchell sur ses propres convictions religieuses. Il semblait à la fois nerveux et apathique. On sentait du désespoir dans ses questions, intenses et âpres comme le tabac des cigarettes qu'il roulait l'une après l'autre tout en parlant. Mitchell répondit de son mieux. Il décrivit sa propre expérience religieuse. Bankhead écouta, attentif, réceptif, comme à l'affût de toute information susceptible de l'aider. Il demanda à Mitchell s'il méditait, s'il allait à l'église. Et lorsque ce dernier lui eut dit tout ce qu'il pouvait et qu'il lui demanda en quoi tout cela l'intéressait, Bankhead le surprit à nouveau. Il dit : « Tu sais garder un secret ? » Alors qu'ils ne se connaissaient pratiquement pas et que, à certains égards, Mitchell était la dernière personne à qui il aurait dû avoir envie de se confier, Bankhead lui raconta une expérience qu'il avait vécue récemment, lors d'un voyage en Europe, et qui avait bouleversé sa vision des choses. Il était sur la plage, dit-il, au milieu de la nuit. Il était en train de regarder les étoiles quand, soudain, il avait eu l'impression que, s'il le voulait, il pourrait s'élever dans le ciel. Il n'avait parlé de cette expérience à personne car il n'était pas dans son état normal à ce moment-là, ce qui tendait à la discréditer. Néanmoins, dès que l'idée avait pris forme dans son esprit, c'était arrivé : il avait flotté tout à coup dans l'espace, il était passé devant Saturne. « C'était très différent d'une hallucination, dit-il. J'insiste là-dessus. Je ne me suis jamais senti aussi lucide. » Une minute, un quart d'heure, une heure – il ne savait pas –, il avait tourné autour de Saturne en examinant ses anneaux, le visage chauffé par son rayonnement, puis il s'était retrouvé à nouveau sur Terre, sur la plage, dans un monde de problèmes. Cette vision, dit-il, si on pouvait appeler ça comme ça, avait été le moment le plus impressionnant de sa vie. Il parla d'un « sentiment de religiosité ». Il demanda à Mitchell ce qui, d'après lui, s'était passé. Pouvait-on considérer cette expérience comme religieuse, dans la mesure où il l'avait ressentie comme telle, ou était-elle invalidée par le fait que, médicalement, il était délirant quand il l'avait vécue ? Et si elle n'était pas religieuse, comment se faisait-il qu'elle continue de l'habiter ?

Mitchell répondit que, telles qu'il les concevait, les expériences mystiques n'avaient d'importance que si elles modifiaient la conception de la réalité de la personne, et si cette conception modifiée aboutissait à une modification du comportement, une perte d'ego.

Bankhead alluma alors une nouvelle cigarette. « C'est tout le problème chez moi, dit-il doucement, sur le ton de la confidence. Je suis prêt à accomplir le saut kierkegaardien. Mon cœur est prêt. Mon cerveau est prêt. Mais mes jambes refusent de bouger. Je peux dire "Saute !" toute la journée. Rien ne se passe. »

À cet instant-là, Bankhead avait eu l'air triste, il était devenu brusquement distant. Il avait dit au revoir et il était parti.

Depuis, Mitchell ne portait plus le même regard sur lui. Il n'arrivait plus à le détester. La part de lui-même qui se serait réjouie de son effondrement n'opérait plus. Durant toute la conversation, Mitchell avait éprouvé ce que tant d'autres avaient ressenti avant lui : l'immense satisfaction de se sentir enveloppé par l'attention perspicace et totale de Bankhead. Il sentait que, en d'autres circonstances, Leonard et lui auraient pu être les meilleurs amis du monde. Il comprenait pourquoi Madeleine était tombée amoureuse de lui, et pourquoi elle l'avait épousé.

Mitchell ne pouvait en outre s'empêcher d'éprouver du respect pour ce que Bankhead avait fait. Il était possible qu'il se remette de sa dépression ; avec le temps, c'était même probable. Bankhead était un garçon intelligent, il avait de la ressource. Mais il n'y aurait jamais de victoire facile pour lui dans la vie. Tout ce qu'il réussirait, dans quelque domaine que ce soit, serait toujours voilé par l'ombre de sa maladie. Voilà ce qu'il avait voulu épargner à Madeleine. La pente serait longue à remonter et il entendait la remonter seul, en limitant les dommages collatéraux.

Ainsi, l'été suivit son cours. Mitchell continua de loger chez les Hanna et de faire de longues marches jusqu'à l'église quaker. Chaque fois qu'il laissait entendre qu'il était temps pour lui de repartir, Madeleine lui demandait de rester encore un peu, et il acceptait. Dean et Lillian ne comprenaient pas pourquoi il ne rentrait pas tout de suite, mais leur soulagement qu'il ne soit plus en Inde leur donnait la patience d'attendre un peu plus longtemps avant de revoir son visage.

Août succéda à juillet, et toujours aucun appel de Bankhead. Un week-end, Kelly Traub descendit à Prettybrook pour apporter à Madeleine les clefs de son nouvel appartement. Lentement, y consacrant chaque jour un peu de temps, Madeleine commença à rassembler les affaires qu'elle voulait emporter à Manhattan. Dans la chaleur du vaste espace de stockage du grenier, vêtue d'une jupette de tennis et d'un haut de bikini, son dos et ses épaules luisants de sueur, elle choisissait les meubles à faire enlever par les déménageurs et triait la vaisselle et toutes sortes d'objets contenus dans les placards. Elle mangeait à peine, cependant. Elle faisait des crises de larmes. Elle voulait sans cesse revenir sur la façon dont les événements s'étaient enchaînés, depuis le voyage de noces jusqu'à la soirée chez Schneider, comme pour trouver le moment où, si elle avait agi autrement, rien de tout cela ne serait arrivé. Elle ne retrouvait le sourire que rarement, quand une de ses vieilles copines venait la voir. En leur compagnie – et plus elles étaient farfelues et avaient été fréquentées à une époque ancienne, mieux c'était : elle adorait celles avec qui elle était allée à Lawrenceville et qui avaient des prénoms comme Weezie –, Madeleine semblait capable de redevenir adolescente. Elles allaient faire du shopping ensemble, passaient des heures à essayer des vêtements. À la maison, elles bronzaient au bord de la piscine en lisant des magazines, tandis que Mitchell restait à l'écart, à l'ombre de l'auvent, et les observait de loin avec un mélange de désir et de dégoût – pour lui aussi c'était un retour à ses années de lycée. Parfois, lorsqu'elles s'ennuyaient, Madeleine et ses amies tentaient de le convaincre de venir se baigner, alors il posait son Merton et s'approchait de la piscine, en s'efforçant de ne pas trop regarder le corps presque nu de Madeleine glissant dans l'eau.

– Allez, Mitchell, viens ! le suppliait-elle.

– Je n'ai pas de maillot de bain.

– Baigne-toi en short.

– Je suis contre les shorts.

Puis les filles de Lawrenceville partaient, et Madeleine, son intelligence recouvrée, redevenait triste, solitaire et renfermée comme une gouvernante. Elle rejoignait Mitchell sur la terrasse, où l'attendaient les livres de poche aux couvertures chauffées par le soleil et du café glacé.

De temps en temps, tandis que les jours passaient, Alton et Phyllida jaugeaient Madeleine sur ses intentions. Mais elle refusait de se prononcer.

Septembre approchait. Madeleine choisit ses cours pour le premier semestre, un sur le roman du XVIIIᵉ siècle (*Pamela, Clarissa, Tristram Shandy*) et un autre, assuré par Jerome Shilts, sur les œuvres en trois volumes dans une perspective poststructuraliste. Il se trouvait que cette année-là était la première où l'on acceptait les femmes dès le premier cycle à Columbia, et elle y voyait un bon présage.

Malgré son insistance pour qu'il reste, malgré la proximité qui s'était installée entre eux cet été-là, rien n'indiquait clairement que les sentiments de Madeleine vis-à-vis de Mitchell se soient modifiés de manière significative. Elle se comportait plus librement en sa présence, se changeait devant lui – elle disait simplement : « Ne regarde pas. » Et il ne regardait pas. Il détournait les yeux et l'*écoutait* se déshabiller. Tenter quelque chose avec Madeleine lui semblait injuste. C'eût été profiter de sa tristesse. Se faire peloter par un garçon était la dernière chose dont elle avait besoin pour l'instant.

Un samedi soir, tard, alors qu'il lisait dans son lit, Mitchell entendit la porte du bas s'ouvrir. Quelqu'un monta jusqu'à sa chambre. C'était Madeleine. Cette fois, cependant, au lieu de venir s'asseoir sur son lit, elle passa simplement la tête à l'intérieur et dit : « J'ai un truc à te montrer. » Puis elle disparut. Mitchell l'entendit farfouiller dans le grenier, déplacer des cartons. Elle revint quelques instants plus tard, une boîte à chaussures sous le bras. Dans l'autre main, elle tenait une revue universitaire.

– Tada ! fit-elle en lui tendant la revue. C'est arrivé par la poste aujourd'hui.

C'était un numéro de la *Janeite Review*, dirigé par M. Myerson et qui contenait un article d'une certaine Madeleine Hanna, intitulé « À votre bon cœur, messieurs. Réflexions sur le roman du mariage ». Mitchell était ravi pour Madeleine, bien qu'une erreur d'impression ait interverti deux pages de son article. Il ne l'avait pas vue aussi heureuse depuis des mois. Il la félicita, sur quoi elle entreprit de lui montrer la boîte à chaussures, couverte de poussière, qu'elle avait exhumée d'un placard en préparant son déménagement. Cela faisait près de dix ans qu'elle était là. Sur le couvercle, à l'encre noire, était écrit « Kit de survie de la petite célibataire ». Un cadeau d'Alwyn, expliqua Madeleine, pour son quatorzième anniversaire. Elle en sortit le contenu, les boules de geisha, l'anneau à ergots, le couple de fornicateurs en plastique et, bien sûr, la « bite déshydratée », devenue difficile à identifier, les souris ayant grignoté le gressin. À un moment, pendant qu'elle lui montrait ces objets, Mitchell eut le courage de faire ce qu'il n'avait pas osé lorsqu'il avait dix-neuf ans. Il dit : « Ça, tu devrais l'emporter à New York. C'est exactement ce qu'il te faut. » Et alors que Madeleine le regardait, il l'attrapa et la fit basculer à côté de lui sur le lit.

Le flot de détails qui l'assaillit ensuite fut tel qu'il ne put y trouver un plaisir immédiat. Tandis qu'il retirait, couche après couche, les vêtements de Madeleine, il était confronté à des sensations qu'il avait longtemps imaginées. Entre la réalité et le fantasme existait un contraste désagréable, sous l'effet duquel la frontière entre les deux finissait par se brouiller. Était-ce vraiment le sein de Madeleine qu'il prenait dans sa bouche, ou était-ce le souvenir d'un rêve, ou bien un rêve qu'il faisait en ce moment même ? Pourquoi, si c'était bien elle dont il sentait le corps nu sous ses doigts, semblait-elle si inodore, si étrangère ? Il fit de son mieux ; il persévéra. Il mit sa tête entre les cuisses de Madeleine et ouvrit la bouche, comme pour chanter, mais cet espace avait quelque chose d'inhospitalier, elle lui répondait mais d'une voix lointaine. Il se sentait très seul. Plus que déçu, il était dérouté. À un moment, alors que Madeleine effleurait des lèvres son mamelon à lui, elle grogna et dit : « Il est temps que tu mettes du déodorant, Mitchell. » Peu après, elle s'endormit.

Les oiseaux le réveillèrent de bonne heure, et il se rappela qu'on était dimanche. S'habillant rapidement, il embrassa Madeleine sur la joue et se mit en route pour l'église quaker. Lorsqu'il aurait quitté les grandes et vieilles maisons du quartier des Hanna, il entrerait dans la petite ville au charme désespérément suranné de Prettybrook elle-même, avec sa place et sa statue de Washington franchissant le Delaware (qui coulait à vingt-cinq kilomètres de là), puis il emprunterait une série de rues bordées d'arbres et longerait un terrain de golf jusqu'à la sortie de la ville, où s'étendait l'ancien champ de bataille de la guerre d'Indépendance. Trop heureux pour s'intéresser au paysage, Mitchell ne se rendait pas compte qu'il marchait, il avait l'impression de voir défiler le parcours sur un écran. Il ne cessait de porter ses mains à son nez pour respirer l'odeur de Madeleine, mais elle continuait de lui échapper. Mitchell savait que cette première expérience sexuelle avec elle n'avait pas été parfaite, ç'avait même été assez médiocre, mais ils avaient tout le temps de se rattraper.

Aussi, en guise de première concession amoureuse, Mitchell s'arrêta au drugstore et acheta un Speed Stick de Mennen. Il alla jusqu'à l'église avec son déodorant dans un sac en papier, et il le garda sur ses genoux une fois assis.

Il allait faire chaud ce jour-là. Certains étaient venus profiter de la fraîcheur de l'église, et il y avait donc plus de monde que d'ordinaire à l'assemblée de sept heures. La plupart des Amis étaient déjà entrés en eux-mêmes, mais Joe et June Yamamoto, qui avaient les yeux ouverts, saluèrent Mitchell d'un signe de tête.

Assis sur son banc, il ferma les yeux et tenta de faire le vide dans son esprit. Mais c'était impossible. Les quinze premières minutes, il ne pensa qu'à Madeleine. Il se remémorait ce qu'il avait ressenti en la tenant dans ses bras, les bruits qu'elle avait faits. Il se demandait si elle allait lui demander d'emménager avec elle dans Riverside Drive, ou s'il valait mieux qu'il trouve un appartement pour lui dans le quartier, afin de ne pas aller trop vite. Dans les deux cas, il fallait qu'il rentre à Detroit voir ses parents. Mais il n'était pas obligé d'y rester longtemps. Il reviendrait ensuite à New York, il trouverait du travail, et il verrait ce qui se passerait.

Chaque fois qu'il se surprenait à penser ces choses, il en détournait doucement son attention.

Pendant un moment, il réussit à s'ouvrir. Il respira profondément et, comme tout le monde dans la salle, guetta la petite voix intérieure. Mais quelque chose était différent ce jour-là : plus Mitchell s'enfonçait en lui-même, plus il était tourmenté. À la place de la joie qu'il ressentait jusqu'ici, un malaise le gagna peu à peu, comme si le sol était sur le point de s'effondrer sous ses pieds. Il ne sut si ce qu'il éprouva alors pouvait être qualifié d'illumination. Contrairement à l'idée de révélation continue au centre des croyances quakers – selon laquelle le Christ se manifeste, sans intermédiaire, à chacun de nous –, les visions qu'eut Mitchell n'avaient aucune portée universelle. Et la petite voix intérieure qui lui parlait lui disait des choses qu'il n'avait pas envie d'entendre. Tout à coup, comme s'il était en contact avec son moi profond et avait une vue objective de sa situation, il comprit pourquoi faire l'amour avec Madeleine lui avait paru aussi étrangement vide. Ce n'était pas lui que Madeleine venait chercher ; c'était Bankhead qu'elle quittait. Après avoir résisté à ses parents tout l'été, elle cédait à la nécessité de faire annuler son mariage, et c'était pour s'en convaincre qu'elle était montée le retrouver au grenier.

Il était son kit de survie.

La vérité se déversa en lui comme une lumière, et si ses voisins le virent s'essuyer les yeux, ils ne le montrèrent pas.

Il passa les dix dernières minutes à pleurer, le plus discrètement possible. À un moment, la voix dit également à Mitchell que, outre le fait qu'il ne partagerait jamais la vie de Madeleine, il n'irait jamais non plus dans une *divinity school*. Quel métier il exercerait plus tard n'était pas clair, mais il ne serait ni moine, ni prêtre, ni même professeur de théologie. La voix l'invitait à écrire à M. Richter pour l'en informer.

Ce furent là les seules révélations que lui fit la Lumière, car, quelques instants plus tard, Clyde Pettengill serra la main de sa femme, Mildred, et bientôt tous les Amis présents dans la salle se serrèrent la main.

Dehors, Claire Ruth avait posé des muffins et du café sur la table de pique-nique, mais Mitchell ne resta pas discuter. Il reprit le chemin le long du cimetière quaker, où les tombes ne portaient pas de noms.

Une demi-heure plus tard, il poussait la porte d'entrée de la maison de Wilson Lane. En entendant les pas de Madeleine à l'étage, il monta.

Lorsqu'il entra dans sa chambre, elle détourna les yeux, suffisamment longtemps pour lui confirmer qu'il avait vu juste.

Il rompit le silence avant que la situation ne devienne plus gênante qu'elle ne l'était déjà.

— Tu sais, la lettre que je t'ai envoyée ? Quand j'étais en Inde ?

— Celle que je n'ai pas reçue ?

— Oui, celle-là. Je n'en ai qu'un vague souvenir, pour les raisons que tu connais. Mais il y avait un passage, à la fin, où je t'annonçais que j'avais quelque chose à te dire, à te demander, mais qu'il fallait que je le fasse de vive voix.

Madeleine attendit.

— C'est une question de littérature.

— Je t'écoute.

— Dans tous les romans que tu as lus pour ton mémoire, et pour ton article — les romans d'Austen, de James et de tous les autres —, est-ce qu'il y en a un dont l'héroïne épouse le mauvais prétendant et s'en rend compte, et qu'à ce moment-là l'autre prétendant réapparaisse, un type qui a toujours été amoureux d'elle, qu'ils tombent dans les bras l'un de l'autre, mais que, finalement, ce second prétendant comprenne que cette femme a besoin de tout sauf de se remarier, qu'elle a d'autres ambitions dans la vie, du coup il ne lui fait pas sa demande, alors qu'il l'aime encore ? Est-ce qu'il y en a un qui se termine comme ça ?

— Non, dit Madeleine. Je ne crois pas.

— Mais tu penses que ce serait bien ? Que ce serait une bonne fin ?

Mitchell regarda Madeleine. Elle n'était peut-être pas si extraordinaire, au fond. Elle incarnait son idéal, mais cet idéal était appelé à évoluer, et lui à oublier. Il lui fit un sourire un peu niais. Il était regonflé à bloc, il se sentait utile au monde.

Madeleine s'assit sur un carton. Elle avait les traits tirés, on aurait dit qu'elle avait vieilli. Elle plissa les yeux, comme si elle avait du mal à distinguer nettement Mitchell.

Un camion de déménagement ébranla la maison en passant dans la rue, l'arthritique dogue allemand des voisins le poursuivant avec des aboiements rauques.

Madeleine continua de regarder Mitchell, les yeux toujours plissés, comme s'il était déjà loin, puis, avec un sourire reconnaissant, elle répondit : « Oui. »

REMERCIEMENTS

Pour l'aide qu'ils lui ont apportée en lui fournissant ou en vérifiant certains des éléments factuels utilisés dans cet ouvrage, l'auteur tient à remercier les personnes suivantes : le Dr Richard A. Friedman, directeur du département de psychopharmacologie à l'hôpital psychiatrique Payne Whitney de Manhattan et professeur de psychiatrie clinique au Weill Cornell Medical College, le Pr David Botstein, directeur de l'institut Lewis-Sigler de génomique intégrative à l'université de Princeton, et Georgia Eugenides, spécialiste locale de *Madeline*. L'auteur souhaite également citer l'article suivant, d'où il a tiré des informations sur la génétique des levures : « L'asymétrie mère-fille dans le changement de type sexuel chez la levure bourgeonnante n'est pas déterminée par la ségrégation des brins d'ADN parentaux porteurs du gène HO », par Amar J. S. Klar.

Réalisation : Nord Compo à Villeneuve-d'Ascq
Achevé d'imprimer par CPI Firmin Didot
Dépôt légal : janvier 2013 N° 986 (114773)
Imprimé en France